La résurrection des morts

Partout dans le monde, les lecteurs, et plus particulièrement les jeunes, ont couronné *Un amour infini* ; le nouveau roman de Scott Spencer est bien différent, mais le pouvoir corrosif et rédempteur de l'amour est encore à l'oeuvre dans *La Résurrection des morts*.

Amours bien singulières que celles qui unissent l'ambitieux Fielding Pierce à une morte, Sarah Williams. Les sbires des généraux chiliens ont fait sauter la voiture dans laquelle la jeune catholique transportait quelques réfugiés et, tandis que Fielding suit son chemin en direction du Capitole, les souvenirs de son aventure avec Sarah le font trébucher... Il croit l'apercevoir, l'entendre dans la neige qui a présidé à leur ultime adieu. Poursuivant cette ombre qui n'en est peut-être pas une, et qui a toujours défendu d'autres valeurs que celles du pouvoir, il devient particulièrement sensible aux menées, aux visées des hommes politiques qui l'environnent.

Au cours de son ascension, ses tourments le pousseront à meurtrir ses proches. La voix d'outre-tombe parviendra-t-elle à ressusciter ses affections ?

*Né à Washington en 1945, Scott Spencer a passé son enfance à Chicago et étudié à l'université du Wisconsin. Il est l'auteur d'*Un amour infini *et de deux romans inédits en France. Il vit à Rhinebeck (État de New York) avec sa femme et leurs deux enfants.*

Du même auteur

AUX MÊMES ÉDITIONS

Un amour infini
roman, 1981
coll. « Points Roman » n° 83

Scott Spencer

La résurrection des morts

roman

TRADUIT DE L'AMÉRICAIN PAR
MARIE-CAROLINE AUBERT

Éditions du Seuil

Cet ouvrage a été édité
sous la direction d'Anne Freyer.

TEXTE INTÉGRAL

EN COUVERTURE :
Illustration Liliane Carissimi

Titre original : *Waking the Dead*
Éditeur original : Alfred A. Knopf Inc., New York
ISBN original 0-394-54356-4

ISBN 2-02-013054-8
(ISBN 2-02-010611-6, 1re publication)

Ce livre est dédié à Céleste et Asher.

Mais quelqu'un dira : Comment les morts ressuscitent-ils, et avec quel corps viennent-ils ?

1 Corinthiens 1,35.

1

Sarah Williams partit pour Minneapolis, laissant notre vie commune au bord de l'irréparable. Je savais bien assez que les choses arrivent soudainement pour savoir aussi que nous ne devrions jamais dire au revoir à nos amours sans songer que nous les voyons peut-être pour la dernière fois. J'ai enfreint la loi sentimentale et, trente-six heures plus tard, on annonçait que Sarah était morte, emballée dans l'un des sacs noirs de l'hôpital municipal de Minneapolis.

A La Nouvelle-Orléans, la police avait informé la famille de Sarah, mais les Williams n'eurent pas la décence — ou peut-être la présence d'esprit — de me prévenir. Ce fut en regardant, ce soir-là, les informations sur CBS, assis dans notre appartement de Chicago, entouré d'objets que nous avions accumulés, Sarah et moi, au cours de trois ans de vie commune, que j'appris, pour finir, la nouvelle. L'image qui apparut sur l'écran de télévision était celle de Francisco et Gisela Higgins. Ils avaient fui le Chili quand les généraux s'étaient emparés du pouvoir, et divulguaient de par le monde les informations sur les atrocités du gouvernement chilien en exercice. Il apparaissait que Sarah avait conduit Francisco et Gisela à une église de Saint-Paul qui donnait asile à quelques Chiliens entrés illégalement aux États-Unis. Ils se trouvaient dans une fourgonnette Volvo blanche, qui datait de 1968, comme l'autocollant indestructible du pare-chocs arrière — FAITES CONFIANCE AUX ROUTIERS — que rien, en six ans, n'avait pu détacher, ni six cents jours d'hiver sur les lignes du Nord ni le souffle de la bombe qui avait été fixée sous le véhicule et déclenchée par un émetteur, alors qu'un seul pâté de maisons les séparait encore de Notre-Dame-du-Miracle. Mais je ne devais connaître ces détails que par la suite. Je sus qu'il s'était produit quelque chose dont l'atrocité allait bien au-delà de tout ce que j'avais jusqu'alors pu connaître dès l'instant où j'aperçus sur l'écran les visages de Francisco et de Gisela, alors que le présentateur du journal disait : « Cet après-midi, la terreur a frappé un quartier tranquille de Minneapolis. » Tandis que les visages de Francis et de Gisela s'effaçaient, le commentateur continua de parler, et d'autres images apparurent : je vis la Volvo blanche couverte de cette mousse qu'emploient les pompiers, des arbres défeuillés, les flocons légers de la neige d'avril, puis un journaliste planté au beau milieu de la rue, un micro à la main, l'air très officiel, indigné ; un gros type blond coiffé comme une vedette, couvert d'un pardessus voyant avec un col de fourrure. Je m'étais déjà bouché les oreilles, et ne pouvais entendre ce qu'il disait. Alors est apparu le portrait de Sarah, une reproduction de la vieille photo que j'avais vue sur le piano, chez ses parents, dans leur maison de St. Charles Avenue, une photo où elle était assise dans un fauteuil d'osier sur la véranda, les bras autour des genoux, un sourire de bonheur absolu sur son visage qui exprimait si rarement le parfait bonheur. L'éclat du soleil jouait dans ses cheveux, illuminait le blanc humide de ses yeux, de ses dents, et aussi la fine chaîne d'or à son cou. J'entendis encore l'écho de ma propre voix qui répétait et répétait : non, avant d'appuyer sur le bouton Off.

Je quittai l'appartement sans refermer la porte derrière moi, et sans manteau. La neige tardive qui était tombée sur le Minnesota traversait maintenant l'épaisse obscurité grise qui couvrait Chicago. Je me raccrochais tant bien que mal à l'idée qu'il me fallait prendre une décision, entreprendre quelque chose. Je ne sais vraiment pas ce qu'ont pu être mes pensées, alors ; j'ai probablement dû lutter de toutes mes forces pour ne pas sombrer dans la folie.

Nous habitions à l'angle de la 51ᵉ Rue et de Blackstone. Je fréquentais la faculté de droit de l'université de Chicago, et Sarah travaillait au nord-ouest de la ville, dans un endroit appelé Maison de la Résurrection. Nous avions peu d'amis et pour ainsi dire pas d'argent, aussi passions-nous la plupart du temps dont nous disposions ensemble dans l'appartement, seuls.

Les rues que je parcourus cette nuit-là m'étaient encore étrangères. Les éclairages des fenêtres me paraissaient durs et peu accueillants, les familles habitant au rez-de-chaussée, dont je pouvais surprendre l'intimité dans des quadrilatères de lumière vive, semblaient lointaines, inaccessibles. De temps en temps, je prenais conscience de l'intensité du froid. Je levais les yeux, voyais la neige flotter doucement près des réverbères. A certains moments, il me semblait que mon cœur s'était arrêté de battre ; à d'autres, qu'il battait vite, beaucoup trop vite. Je gagnai ainsi la 53e Rue, où je découvris un bar. J'avais quelques dollars en poche, je demandai de la bière. J'étais censé ne plus boire d'alcool et je ne remarquai même pas que l'occasion de rompre mon serment venait de se présenter. Le goût de la bière était trop concret ; cette matérialisation rendit toute la nuit indéniable.

Le barman avait un gros visage déformé et blanc, incroyablement grotesque, pareil à quelque chair immergée. Il y avait un autre client dans le bar, un conducteur d'autobus, assis devant ce qui semblait être un whisky-soda. Aux murs, il y avait des photographies de boxeurs célèbres, encadrées, décor neutre de tous les bars sans véritable cachet. J'avais un peu de monnaie dans ma poche ; j'allai jusqu'à la cabine téléphonique. J'étais trempé, je tremblais. J'insérai la pièce dans la fente, composai le numéro de notre appartement, écoutai la sonnerie. Chaque fois qu'elle retentissait, je pensais : « Mon Dieu, c'est vraiment arrivé. »

Sarah et Gisela, assises à l'avant, avaient été tuées sur le coup. Chacune, dans son cercueil, a probablement dû être enterrée avec des morceaux de l'autre. Francisco Higgins s'était trouvé à l'arrière, allongé. Ce qui restait de lui a été transporté à l'hôpital, où il est mort deux jours plus tard. Je me trouvais alors à Minneapolis, moi aussi, et je suis allé le voir. Dans le lit de cette chambre d'hôpital, il paraissait petit, l'équipement médical était plus grand que lui. C'était une chambre agréable, arrangée dans le style nordique à la mode, avec ces légères touches d'humanisation qui commençaient à se répandre : des murs aux tons chauds, un dessin d'enfant encadré, un fauteuil de conception orthopédique pour les visites.

Je ne connaissais pas vraiment Higgins. Je ne l'avais rencontré qu'une fois, lors d'un dîner avec Sarah et quelques autres personnes, la nuit précédant le départ pour le Minnesota. Il m'avait plu, ce soir-là. Il appartenait au genre gros bonnet chilien en exil, mais il savait ne pas se prendre trop au sérieux, ou en tout cas ne pas vous laisser sentir le sérieux de la chose. Il m'avait bien plu, alors, mais il ne me plut pas du tout dans sa chambre d'hôpital, et aussitôt que j'eus franchi la porte, je sentis que je n'aurais pas dû me trouver là. Je commençai à trembler, à nourrir de terribles pensées, désespérées ; mon esprit glissait dans tous les sens comme un serpent sous la pointe d'un bâton. C'était évidemment lui qui avait été visé ; sa femme n'était qu'une cible de second ordre, et Sarah s'était simplement trouvée avec eux, à ce moment-là. S'il avait été agressé délibérément, la mort de Sarah n'était, en quelque sorte, qu'accidentelle. Il tombait sous le sens, d'emblée, que la bombe avait été placée par des terroristes à la solde des généraux gouvernant le Chili, ces mêmes généraux qui avaient fait emprisonner Francisco et Gisela et qui, après avoir cédé à la pression internationale en faveur de leur libération, avaient voulu les réduire au silence. Mais tuer une citoyenne américaine était bien la dernière des choses qu'ils auraient voulu faire. Francisco et Gisela étaient célèbres dans le monde entier ; ce fut pourtant la mort de Sarah qui devint le centre de tous les récits sur l'attentat, et ce fut encore la mort de Sarah qui éveilla l'attention des gens, en Amérique. Bientôt, dans le monde entier, les amis de Francisco allaient en tirer profit. Ils allaient me la prendre pour en faire un symbole.

Le père de Sarah était venu à Minneapolis pour accompagner la dépouille pendant le vol vers La Nouvelle-Orléans, où elle allait être enterrée dans le caveau familial ; là-bas, les sépultures sont au-dessus du sol, qui est trop friable pour offrir aux morts dans leurs cocons de sapin et d'acajou un abri sûr. Il parla à la police, évita les journalistes. Il pensait que les reporters conspiraient d'une manière ou d'une autre avec les dissidents chiliens, en vue d'utiliser la mort de Sarah pour déshonorer l'Amérique. C'était un homme fort, agressif, que le tennis et les paramètres de son sale caractère maintenaient en forme, qui arriva dans le printemps frais du Minnesota vêtu d'un costume bleu léger, d'une ceinture blanche, et de chaussures blanches, comme pour présenter les couleurs tribales de son mode de vie supérieur.

Une femme de la chaîne de télévision locale porta son attention sur moi ; ce ne fut pas l'effet d'une sensibilité particulière ; elle essayait seulement de traiter le sujet d'une manière originale. Je fus tout d'abord l'ami de la défunte, puis elle me promut fiancé peu avant le journal de dix heures.

Je me disais qu'il fallait faire quelque déclaration à la mémoire de Sarah, mais j'étais complètement vidé. J'avais essayé d'avaler un toast ; il n'avait pu passer. Depuis vingt-quatre heures, je vivais du sucre que contient le whisky. Je n'osais pas dormir, ni même fermer les yeux, et le pire était encore de savoir que ma réaction à tout cela était dans sa phase larvaire, que j'avais réussi à isoler le choc et la douleur, à les figer un peu, mais que je ne pourrais pas continuer ainsi très longtemps ; bientôt... Eh bien, qui savait ce que je ressentirais, ou comment je réagirais ?

— Qui est responsable, à votre avis ? demanda la journaliste, et elle approcha son micro de ma bouche.

Je réfléchissais. Je ne pouvais répondre à la hâte.

— Je ne sais pas, ai-je fini par dire. Mais nul n'ignore que la police secrète chilienne poursuit les dissidents dans le monde entier pour les réduire au silence.

Elle fit un signe à l'opérateur, secoua la tête, baissa la main qui tenait le micro.

— Ça ressemble à de la propagande, affirma-t-elle. Ne pourriez-vous pas rester, je ne sais pas, plus personnel, près de l'événement ?

J'ai répondu que j'allais essayer, et elle a dit :
— Bien, ça paraîtra plus vraisemblable.

Je voyageai à côté du père de Sarah, dans l'avion pour La Nouvelle-Orléans. Ni lui ni moi ne désirions la compagnie de l'autre, mais nous n'avions pas le choix. Il s'appelait Eugène, comme son père, vendait des polices d'assurance, et se comportait comme si cela lui conférait une certaine perspicacité, une compétence particulière en matière de vie et de mort. On aurait dit un prêtre, ou un chirurgien. Il avait réussi, mais il était peu aimé. Sarah avait deux sœurs — il n'avait eu que des filles. Il l'avait appelée Sara — le prénom lui avait semblé chic et charmant— ; elle avait ajouté le *h* par la suite. La mère de Sarah s'appelait Dorothy, et se montrait, à l'égard d'Eugène, craintive et évasive. Il était bien difficile de dire à qui allait son dévouement. Elle semblait se soucier avant tout des apparences, et si le fait de ne s'intéresser qu'aux aspects superficiels de la vie est bien le symptôme d'une infirmité émotionnelle, alors Dorothy semblait bien handicapée.

Eugène et moi regardions l'hôtesse de l'air montrer le fonctionnement des dispositifs de sécurité du 727. Le décollage, effectué droit contre le vent, fut brutal. L'ardeur de mon désir de voir s'écraser l'appareil me surprit. Les nuages, pareils à de vieux chiffons déchirés, filaient très vite. On pouvait entendre les moteurs, au maximum de leur puissance. Puis le signe INTERDICTION DE FUMER disparut avec un petit *ping,* nous étions arrivés dans des hauteurs plus sûres. Eugène alluma une Kool et inclina son siège vers l'arrière. D'un mouvement des pieds, il retira ses mocassins blancs, et exhala la fumée par le nez. Le corps de Sarah se trouvait dans le ventre de l'avion. Au-dessous de nous, Minneapolis semblait propre, banale, lointaine. Puis elle disparut, comme si la terre, en tournant, avait fait un brusque saut en avant ; le chaume gelé des terres cultivées, les petites bosses émaillées de bleu des silos apparurent soudain au-dessous de nous. Nous volions. Nous montions vers le ciel.

Quand l'hôtesse s'approcha, Eugène lui demanda une vodka-tonic. On ne servait pas encore les boissons, mais elle paraissait savoir qu'il était le père de la jeune femme, du cadavre, en bas. Elle semblait savoir qui j'étais, moi aussi, et me demanda si je désirais quelque chose. Je répondis non, parce que c'était plus facile. Lorsqu'il eut sa boisson, Eugène sortit un flacon de sa veste, le secoua pour faire tomber un comprimé dans sa paume — large, avec des lignes légèrement rougeâtres.

— Vous en voulez une ?

Je haussai les épaules.

— Qu'est-ce que c'est ?

— Des tranquillisants. Prescrits pour Dorothy, par son médecin. C'est moi qui les prends, répondit-il.

Il sourit, comme s'il y avait quelque ironie tragique dans le fait qu'un homme aussi fort pût prendre un médicament de femme.

— Ah. Et c'est efficace ? demandai-je.

— Je crois. Je ne suis plus aussi... irritable, vous savez.

Je tendis la main, il me donna un comprimé, bleu pâle d'un côté comme le costume d'Eugène, brun foncé de l'autre. Je le mis dans ma poche.

— Je le garde pour plus tard.

Les mots *plus tard* m'affectèrent désagréablement. Le temps passait, mais pour l'instant, il était vide. Les mots *plus tard* me firent comprendre que ma vie risquait d'être très, très longue et que, désormais, il allait falloir vivre chaque seconde sans elle.

— Toutes ces conneries me mettent hors de moi, dit Eugène. Je ne sais même plus si j'arrive ou si je pars.

— Vous partez, fis-je.

L'intelligence d'Eugène était plutôt caustique ; il considérait les propos des autres comme un prisonnier contemple les murs de sa cellule, attentif à la moindre fissure, à la moindre tache d'humidité dans le ciment ; il me regarda du coin de l'œil. Une bonne fois pour toutes, Eugène m'évaluait.

— J'imagine que si nous avions su comment tout ceci allait se terminer, dit-il, nous aurions fait un petit effort de rapprochement supplémentaire, vous et moi.

— Sans doute. Et je crois que vous auriez également fait, avec Sarah, quelques petits efforts supplémentaires.

Je sais bien comment sonnent, aujourd'hui, ces propos ; mais, sur le moment, j'ai estimé que je devais le lui dire, et que j'avais le droit de m'exprimer ainsi.

Un instant, les yeux d'Eugène se remplirent de larmes.

— Gardez ces conneries pour vous, mon vieux. J'ai plus pardonné à ma fille que vous ne pourrez jamais le concevoir. J'ai changé ses couches et je l'ai tenue par les mains quand elle a fait ses premiers pas.

Il eut une respiration profonde, comme s'il était épuisé, et s'enfonça dans son siège. Je pouvais voir le tranquillisant agir lentement sur lui, et me réjouissais de ne pas avoir avalé le mien. L'expression qu'il venait d'adopter, je le comprenais vaguement, visait à éveiller en moi un sentiment de culpabilité : j'étais accusé de ne pas respecter sa perte. Mais Sarah se trouvait dans la soute, exactement au-dessous de nous si je ne me trompais pas, et je ne pouvais conclure une trêve qu'elle-même n'avait pu négocier. Depuis l'époque de ses dix ans, les rapports entre elle et Eugène n'avaient cessé d'empirer, et j'avais le sentiment qu'il m'appartenait de perpétuer cette situation. Je suppose que c'était une manière de maintenir Sarah en vie un peu plus longtemps. Et peut-être Eugène me provoquait-il pour la même raison.

— J'attends toujours que vous me disiez ce qu'elle faisait avec ce couple de Chiliens, dit-il, et pourquoi elle s'est trouvée mêlée à cette histoire.

Je lui ai répondu que je ne savais pas par où commencer.

— Eh bien, j'aurais aimé qu'elle vienne m'en parler, poursuivit-il. J'aurais pu lui montrer qu'elle perdait complètement la tête.

Eugène m'avait proposé de dormir chez lui, à La Nouvelle-Orléans, mais je ne souhaitais pas me trouver en leur compagnie. De plus, l'idée de dormir dans la chambre de jeune fille de Sarah — ou seulement à proximité de cette chambre — me semblait insupportable. Je voulais éviter pareille situation. J'avais réservé une chambre dans un petit hôtel, la Maison

Dupuy, dont la façade était pittoresque et les chambres anonymes. Je branchai, une fois installé, la télévision, l'air conditionné, et je m'abandonnai aux larmes. Ce fut comme percuter une identité reléguée dans l'ombre, dont je n'aurais jamais soupçonné l'existence ; je n'avais pas été autrement surpris par le surgissement de cette partie de moi-même qui s'était un jour emparée de l'amour de Sarah. Je croyais au devoir, au travail bien fait, aux plans soigneusement établis, aux réponses mesurées et aux risques calculés ; mais tout ceci avait disparu. Il ne me restait plus que la terreur, l'amertume, et l'impression de perdre la raison. Cela aurait pu être pire encore, si ma famille n'était pas venue à La Nouvelle-Orléans. Mon père et ma mère arrivèrent le soir même, avec mon frère Danny et ma sœur Caroline. J'étais sorti prendre l'air et, à mon retour, je trouvai un mot dans mon casier, m'indiquant qu'ils occupaient les chambres 121 et 123. Je frappai à la porte, mon père ouvrit. Je devais avoir interrompu sa lecture ; il tenait à la main son journal, le *Times-Picayune* ; il portait des lunettes à monture métallique. Ses cheveux, aussi blancs que le plumage des cygnes, étaient abondants, ondulés, longs. L'échancrure du col de sa chemise en partie déboutonnée laissait voir un torse massif, hâlé ; on aurait dit qu'il venait de faire du *body surfing*dans l'eau froide de l'Atlantique, au large des Rockaways. En me voyant, il lâcha son journal, me prit dans ses bras, me serra contre lui. « Dieu tout-puissant », murmura-t-il à mon oreille de sa voix rauque, vibrante ; on avait toujours l'impression qu'il aurait dû tousser, pour l'éclaircir. Je l'embrassai à mon tour, m'accrochai à lui. Derrière son épaule, j'aperçus ma mère, qui touchait le lit du bout des doigts comme pour maintenir son équilibre. L'arrondi de son visage était plaisant. Danny avait l'habitude de dire que Mom se coiffait comme Lesley Gore. Ses cheveux étaient séparés par une raie médiane, relevés de chaque côté en un mouvement assez théâtral. Elle demeurait discrète, un peu à l'écart, et seule, comme une veuve. Ses lunettes, attachées à une chaîne, pendaient à son cou, montant et descendant sur sa poitrine chaque fois qu'émue elle reprenait son souffle.

Dad me fit entrer, me poussa en direction de Mom, qui saisit mon visage entre ses grandes mains douces, m'embrassa sur chaque joue, puis sur le menton. Mes parents avaient toujours signifié pour moi sécurité et loyauté ; les voir, c'était être soutenu comme par des étais. Je commençais à entrevoir comment je pourrais m'en sortir.

— C'est la pire des choses qui pouvait arriver, dit Dad.

— Que pouvons-nous faire ? demanda Mom. Veux-tu en parler ? Dis-nous seulement ce que nous pouvons faire. Nous sommes ici pour toi.

— Et pour elle, ajouta Dad.

Il avait vraiment aimé Sarah. Il pensait que nous nous marierions, que nous lui donnerions de magnifiques petits-enfants. Il avait aussi espéré qu'elle me soutiendrait dans ma carrière, qu'elle m'aiderait à conserver ma force, et un brin d'avidité. Tous deux croyaient au bien et au mal comme en des principes absolus, et chacun d'eux gardait au fond de son cœur ses plaintes, épinglées à jamais sur un petit tableau d'affichage.

— C'était une fille merveilleuse, Fielding. Il n'y a rien d'autre à dire. Une fille exceptionnelle et merveilleuse.

— Eddie, risqua Mom, avec une pointe d'inquiétude.

— Ça va, Mom, dis-je, il a raison.

— Il ne s'agit pas d'avoir raison, dit-elle doucement.

C'était comme si, depuis des années déjà, la moitié de ce qu'elle disait avait été murmuré en aparté, comme si ceux qui la comprenaient vraiment était des fantômes, dans les coulisses.

— Nous ne nous entendions même plus, confessai-je, avant de porter la main à mes yeux.

Puis une pensée désespérée m'assaillit : chaque mésentente, chaque querelle, chaque affrontement tumultueux de nos volontés était désormais, à cause de sa mort, destiné à devenir un souvenir d'une douceur indicible.

— On en parle encore dans les journaux, reprit Dad. Et ça ne va pas s'arrêter. Non seulement dans les journaux locaux, ajouta-t-il en indiquant d'un geste le *Times-Picayune* qui était resté par terre, ouvert à la page des réclames présentant des dessins de mobilier de jardin, mais dans tous les journaux. Le

New York Times, le *Washington Post*, et ne parlons pas de vos journaux de Chicago.

Dad exerçait encore son métier de typographe, il arrivait au terme de ses trente-cinq ans d'exercice dans les ateliers du *New York Times*. En dépit des innombrables demi-vérités et des désaveux qu'il avait composés, il croyait encore avec une ferveur quasi religieuse à la valeur du mot imprimé. Il lisait trois quotidiens par jour et se rendait presque infailliblement une fois par semaine à la bibliothèque publique, pour lire les journaux des autres villes. Il était abonné à une douzaine de magazines et fréquentait les bouquinistes de la Quatrième Avenue, où il achetait souvent des livres pour le seul plaisir de les regarder.

— Sais-tu quelque chose de plus sur ce qui s'est passé ? me demanda Mom.

— Rien que vous ne sachiez déjà. Je n'ai pas cherché à me renseigner.

— Il va y avoir une enquête approfondie, dit Dad. (Joignant les mains, il hocha la tête comme s'il venait de se décider à conduire personnellement les recherches.) Nous ne sommes pas à Tijuana, ou un de ces bleds. Ils ne peuvent pas venir ici et agir comme ils l'ont fait.

— Nous avons été un peu surpris, dit Mom en inclinant la tête d'une manière qui se voulait pleine de tact, de découvrir... à quel point Sarah était impliquée. Nous ne l'avions jamais considérée sous ce jour.

— Son engagement était récent, précisai-je.

— Nous avons écrit au sénateur Moynihan et au sénateur Javits, dit Mom.

— Deux lettres différentes, précisa Dad. On ne s'adresse pas à un Javits comme on s'adresse à un Moynihan. Pat a un sale caractère, mais c'est un homme du peuple.

— Tu rentreras à la maison avec nous quand ce sera terminé, dit Mom.

— Je vais vous dire une chose, déclara Dad en s'asseyant sur le lit. (Le poids de son corps portait sur ses mains.) Tuer une Américaine était précisément la dernière des choses que ces salauds pouvaient se permettre. Les gens n'oublieront jamais ça.

— Je pense que Sarah serait heureuse de l'entendre, ai-je répondu.

J'entendais ma voix résonner comme si elle venait d'un autre coin de la pièce.

— C'est terrible de parler comme ça, ajouta Mom en s'approchant de moi. (Elle me prit dans ses bras, sentant, je crois, que je pouvais m'effondrer d'un instant à l'autre.) Mais nous allons devoir nous installer au plus vite l'un en face de l'autre et examiner tout ça en détail. Ça va te plonger dans toutes *sortes* d'embarras, mais peut-être aussi te donner la possibilité de découvrir un moyen de t'en sortir.

Mom avait travaillé pendant vingt et un ans pour un député local, Earl Corvino, dont le principe fondamental était : ne faisons pas de vagues. Mom en avait bavé avec Corvino, mais elle avait appris, en même temps, deux ou trois choses.

Ce soir-là, je m'installais dans la chambre de Danny et de Caroline ; je n'avais pas les moyens de payer la mienne et je ne supportais pas d'être seul. Mes cellules acceptaient seulement l'une après l'autre la vérité, la mort de Sarah. Avec Danny et Caroline, je me sentais protégé. Ils sauraient quoi faire si je tombais, tout à coup, en mille morceaux.

Nous avons bavardé jusqu'à une heure tardive. Je me souviens d'avoir ri. Caroline évoquait les questions-pièges sur l'actualité que Mom nous posait au petit déjeuner : quel était le modèle de l'avion piloté par le capitaine Jerry Power qui a été abattu par les Russes au-dessus du territoire soviétique ? Réponse : un U-2. « Vrai, mais faux, idiote : il ne s'appelait pas Jerry, mais *Gary*. » A l'instar de jardiniers fanatiques s'épuisant sur une terre d'une fertilité incertaine, nos parents s'échinaient sur nous avec un zèle qui ne devait pas tout à l'amour. Et nous étions maintenant réunis, tous les trois, liés non seulement par la magie génétique qui apparaît naturellement entre frères et sœurs, mais aussi par le type de discours héroïque et ésotérique qui unit les anciens combattants d'une longue guerre. Les garçons qui se sont battus en Extrême-Orient portent des blousons de satin avec une inscription dans le dos : « Je sais que j'irai au ciel parce que je suis déjà allé en enfer », et, au-dessous, une carte de la Corée ou du Viêt-nam ; Danny aurait aimé que nous portions une veste proclamant la même chose, avec, à la place de la carte, le dessin de notre élégante, quoique crasseuse, maison de pierre de Brooklyn. La guerre de nos enfances avait été d'autant plus bizarre et harassante qu'elle était ouvertement et inlassablement menée « pour notre bien ». Et pour tout résultat, voici où nous en étions : Danny était devenu un homme d'affaires sans pignon sur rue, vivant dix mille lieues resplendissantes au-dessus de ses moyens ; Caroline était artiste peintre, n'avait pas assez d'argent pour s'acheter du matériel, élevait deux enfants et supportait un mari ; et moi, j'étais quasiment avocat. Cependant, aucun de nous n'était d'équipe de nuit, ni n'apportait son déjeuner dans une gamelle. Nous avions abandonné en vitesse notre classe sociale.

Après avoir vidé quelques bouteilles de vin tiède, nous nous étions endormis. Je fus pourtant réveillé avant l'aube. Mon cœur battait comme si j'avais le diable à mes trousses. De mon lit, j'écoutais le climatiseur, la respiration profonde, presque musicale, de mon frère, le souffle lent, ample, de ma sœur, et j'eus l'impression d'avoir toujours connu le guêpier d'horreur et d'abandon dans lequel je venais d'être précipité. Il m'était impossible de croire que le bonheur eût jamais existé.

Le soleil allait se lever, un autre jour sans elle allait commencer, à La Nouvelle-Orléans, de surcroît, la ville dont elle rêvait. Elle connaissait si peu les odeurs de cet endroit, ses balustrades, ses masures, sa musique, les boissons glacées dans de grands verres... Nous aurions dû y séjourner plus longuement. Les larmes atteignaient les commissures de mes lèvres ; je m'essuyai le visage avec le drap raidi par l'apprêt. Je me levai, m'habillai en silence. Puis je descendis dans le hall, où le veilleur de nuit lisait *Notre-Dame-des-Fleurs*, tandis que le concierge évoluait lentement sur le carrelage, poussant devant lui un balai muni d'une éponge imbibée d'ammoniaque. Je m'assis, les mains entre les genoux, l'œil dans le vague. Un peu plus tard, je levai les yeux. Danny était là, debout. Il n'avait pas pris le temps de s'habiller. Il portait un pyjama de soie, bleu comme ses yeux. Le brun clair de ses cheveux était celui des terres cultivées du Minnesota, quand on les aperçoit d'un avion. Son visage était anguleux, sa bouche un peu crispée : il n'avait jamais l'air fatigué.

— Serais-tu en train de perdre la tête ? me demanda-t-il en s'accroupissant devant moi et en posant ses mains osseuses et fortes sur mes genoux.

— Je ne crois pas.

— Tu n'as pas l'air dans ton assiette, et nous avons toute une saloperie de journée devant nous. Il y aura l'enterrement, il y aura aussi les journalistes, les questions, tout le reste. Ça ne va pas être facile...

— Et ce n'est que le commencement.

— Je sais. Mais occupons-nous d'aujourd'hui. Allez, viens avec moi. J'ai quelque chose pour toi.

Il se dressa, me tendit la main, puis posa un bras sur mon épaule et me reconduisit vers la chambre.

Caroline était assise sur le lit quand nous entrâmes. Il n'était pas encore sept heures du matin ; ma sœur dormait avec ses sous-vêtements et un tee-shirt noir. Ses cheveux étaient bruns, ses yeux sombres, sa mâchoire carrée, ses pommettes hautes. Elle n'avait pas un visage de papier mâché, comme la plupart d'entre nous. Son allure s'accordait bien à sa personnalité théâtrale.

— Qu'est-ce que vous faites, les garçons ? demanda-t-elle.

Lorsque nous étions enfants, c'est elle qui menait la bande, mais la vie ne l'avait pas épargnée et, à présent, la pauvreté, le manque d'organisation, l'insécurisaient.

— Je vais soigner Fielding, déclara Danny. Il attrapa son sac Mark Cross qui se trouvait sous le lit et ouvrit la fermeture Eclair. Dans une poche de côté, il y avait un petit paquet enveloppé dans du papier d'aluminium. Mon estomac se rebella, un instant, comme un ivrogne essaie de quitter sa chaise et renonce. Danny ouvrit le paquet, qui contenait une poudre peu appétissante, durcie en surface.

— Tu vas vraiment faire ça ? demanda Caroline. Je sais ce que c'est.

— Tu as autre chose qui pourraít l'aider à supporter ce qui l'attend ? demanda Danny.

Sa voix s'enflait de confiance, comme sous une forte brise.

— Et qu'est-il censé faire demain ? demanda Caroline.

— Demain, il pourra débloquer. Au moins, la moitié du monde ne sera pas en train de le regarder.

— Est-ce ce que je pense ? demandai-je.

— Oui. Bon, maintenant, prends-en un peu.

— Je vais être malade ?

— Je ne t'en donnerais pas, si tu devais être malade. N'en prends pas trop, c'est tout.

— J'imagine que tu vas en faire autant, dit Caroline.

— Et toi, sœurette ? répondit Danny.

— Pas question. Chez nous, on ne s'amuse pas avec ça. L'autre jour, un drogué a arraché à Rudy l'argent de son déjeuner.

— En tout cas, ce n'était pas moi, lança Danny en me tendant un morceau de paille, rayé comme un bonbon.

Je me suis ainsi rendu à l'enterrement de Sarah tendrement enveloppé dans l'armure que deux prises d'héroïne, chacune grosse comme une tête d'allumette, m'avaient donnée. Bien qu'Eugène fût à peine catholique et Dorothy officiellement épiscopalienne, le service religieux eut lieu dans une église catholique. C'était dans cette église que j'avais accompagné Sarah pour l'enterrement de son grand-père : Saint-Matthieu. Toute cette histoire de catholicisme devenait soudain très délicate. Si les Williams ne rendaient pas l'Église responsable de ce qui s'était produit, ils n'en incriminaient pas moins pour autant certains *éléments* de l'Église. Après tout, Sarah s'était rendue à Minneapolis pour accompagner trois réfugiés chiliens au couvent de l'association de Maryknoll, où ils devaient être hébergés. Les Williams avaient assez vu les prêtres, et moi ; je ne fus pas invité à m'asseoir au premier rang, avec la famille. Je trouvai place parmi les cinquante ou soixante autres personnes qui constituaient l'entourage humain de la vie brève de Sarah.

Pour entrer dans l'église, je dus passer devant une quantité surprenante de journalistes et de photographes envoyés non seulement par nos journaux, mais par la presse étrangère. Dans la voiture, mes parents avaient essayé de me préparer aux questions éventuelles, dont les réponses, selon eux, risquaient de m'accompagner, dans mon avenir politique, comme autant de boîtes de conserve attachées les unes aux autres par une ficelle. Mais j'étais pour ainsi dire incapable de réagir à leurs sollicitations. Comme nous nous rapprochions de l'église, je me mis à transpirer terriblement. Je me sentis si faible que je laissai aller ma tête en arrière ; le soleil, filtré par les vitres du taxi, frappait mon front et mes yeux comme un maillet jaune et chaud. Lorsque nous nous arrêtâmes au bord du trottoir, dans le chaos d'ombres déchiquetées tombant d'un grand magnolia, les journalistes encerclèrent la voiture. Certains d'entre eux eurent la décence de marquer un certain respect, mais d'autres étaient trop excités, trop ambitieux, pour en faire autant. « Bon, on y va », dit Dad, et je compris qu'inconsciemment, sans trop se contrôler, il se réjouissait de l'affrontement : il avait toujours voulu contribuer à l'évolution de l'Histoire, comme certains hommes chérissent sans fin l'ambition d'écrire un roman ou de peindre une grande fresque, et nous en étions enfin là, tous les quatre ; pauvres de nous, l'oreille du monde était tournée dans notre direction, et son grand œil de verre clignait devant nous à chaque centième de seconde.

— Monsieur Pierce...

— Hé, Fielding, Fielding...

— Une seconde, juste une seconde...

De l'autre côté de l'avenue Saint-Charles, en face de l'église, un petit groupe montait la garde, brandissait des pancartes. On pouvait lire : SARAH WILLIAMS VICTIME DE L'IMPÉRIALISME AMÉRICAIN, et : CESSEZ DE SOUTENIR LES NAZIS CHILIENS. Quelqu'un était parvenu à tirer un agrandissement d'une photo de Sarah, et l'affiche, entourée de noir, était devant le groupe. Une voix sonore et grave lança : *« Compañera Sarah Williams »*, et d'autres répondirent : *« Presente... »* Puis la voix grave reprit : *« Ahora »*, et les autres enchaînèrent : *« Y siempre... »* Sarah Williams. Ici, avec nous. Maintenant. Et pour l'éternité.

Je m'étais laissé guider par Danny entre les journalistes ; les phrases scandées de l'autre côté de l'avenue m'avaient fait froid dans le dos. J'avais cru que l'héroïne éliminerait, ou du moins ralentirait mes processus mentaux, mais en fait mes pensées étaient accélérées et confuses, bien qu'enveloppées dans une sorte de soie douce, sombre, qui les rendait plus ou moins inoffensives. Il me vint à l'esprit que les gens de l'autre côté de la rue essayaient de me voler la mort de Sarah, puis j'eus le sentiment que c'était tout à fait bien. S'ils la désiraient si fort, ils n'avaient qu'à la prendre.

J'avais ralenti le pas ; l'un des journalistes de la télévision en profita pour braquer un micro sous mon nez. C'était un type jeune, au visage ouvert, avec des cheveux blonds clairsemés, des taches de rousseur, un costume en seersucker, et un accent traînant des plus recherchés.

— A qui attribuez-vous la responsabilité de la mort de Sarah, Fielding ? me demanda-t-il.

Je respirai profondément, et tous surent que j'allais répondre. Ils avaient une sorte de radar. D'autres micros se tendirent vers moi. Je sentis les doigts impérieux, osseux, de Danny sur mon poignet, et la main de Dad dans mon dos. J'avais vaguement conscience que l'instant était venu où tous attendaient que j'impute au gouvernement des États-Unis la responsabilité de l'affaire, mais je ne pouvais pas faire cela, même si j'en avais envie ; j'en étais incapable. D'ailleurs, les choses n'étaient pas si simples.

— Moi, finis-je par répondre. C'est moi.

Alors, une cinquantaine de questions m'assaillirent, mais Danny me tira fermement par la main, et Dad, sans retirer la sienne de mon dos, me poussa entre les journalistes qui n'hésitaient pas à nous barrer le passage, de leurs coudes, de leurs épaules, et même avec leurs appareils. Je crus entendre Dad me murmurer quelque chose, quelque chose dans le genre de : « C'est comme ça qu'il faut faire, mon garçon », mais je n'en étais pas sûr ; je n'étais plus attentif qu'à la chaleur ambiante.

Maintenant, nous gravissions les marches qui menaient à l'église. Pour une raison que j'ignore, les journalistes, d'un commun accord, arrêtèrent leur poursuite. J'imagine que cela ferait mauvais effet, à l'écran, si on les voyait harceler les gens jusqu'à l'intérieur de l'église, avec des fils électriques zigzaguant derrière eux comme des fissures de l'écorce terrestre.

Je m'assis avec ma famille dans le fond de l'église. Nous avions marché sur les pieds de quelques personnes qui auraient bien pu, ce fut mon impression, appartenir à la famille de Sarah, du côté maternel : leurs visages laiteux, leurs bouches fines légèrement réprobatrices, leurs poignets épais, leurs cuisses lourdes, ne m'étaient pas étrangers. Je me trouvais entre Caroline et ma mère ; l'une et l'autre me tenaient la main. Je hochai la tête à deux ou trois reprises pour leur faire comprendre que ça allait, que je surmonterais l'épreuve d'une manière ou d'une autre, et qu'elles ne devaient pas s'inquiéter. Il me sembla tout à coup que ma peau devenait monstrueusement vivante, mais je ne voulus pas attirer sur nous la disgrâce en me grattant furieusement. J'entendis une plainte étouffée, un sanglot étranglé, et je me penchai un instant en avant, pour regarder mon père dont le visage, bien qu'exposé aux yeux de tous, était défiguré par la douleur. Je sentis monter en moi une vague de colère, voire de mépris ; si je restais assis, à supporter tout cela, alors il devait pouvoir, que diable, en faire autant.

Je parcourus des yeux l'église, évitant soigneusement l'autel, derrière lequel se trouvait, je le savais, le cercueil de Sarah. Un peu plus loin, près de la porte donnant sur une autre chapelle, plus petite, étaient assis le père Mileski, un des amis de Sarah, ainsi que le père Stanton, et sœur Anne. Ils avaient tous travaillé avec elle à la Maison de la Résurrection, à Chicago. Mileski tirait sur sa grande barbe sombre, tellement russe, et pleurait sans retenue. Je me demandai comment un prêtre pouvait pleurer ainsi à un enterrement ; peut-être avait-il complètement perdu la foi. De vingt ans son aîné, Stanton, frêle, les cheveux blancs, les joues affaissées et les yeux bleu pâle, se tenait très droit, le regard rivé à l'autel. Son expression suggérait que le clergé commettait quelque gaffe. Sœur Anne, les yeux baissés, semblait en prière, ses lèvres remuaient en hâte, sans bruit.

De l'autre côté de la travée se tenaient des gens qui devaient appartenir à la famille d'Eugène : des êtres maigres, endeuillés, avec des sourcils sombres et coléreux, et de longs doigts effilés.

Bobby Chardonnet était là, accompagné de son impertinente épouse, à l'air si efficace. Bobby avait vécu de l'autre côté de la rue où habitait Sarah, à l'époque de son adolescence ; vers lui avait convergé toute la chaleur abrasive de sa sexualité naissante : billets passionnés, déshabillages nocturnes dans sa chambre dont les petites fenêtres étaient situées en face de celle du garçon. Bobby avait eu très peur, et n'avait osé lui répondre que lorsqu'il s'était trouvé à l'abri, loin d'elle, à l'université de Caroline du Nord — mais alors, bien entendu, il était trop tard. Sa réponse tardive avait apporté à Sarah l'équilibre émotionnel, et lui avait donné l'occasion de se détacher de lui. Depuis, ils étaient amis. Un jour, Sarah et lui m'avaient entraîné dans les divers endroits de La Nouvelle-Orléans où se produisent les musiciens noirs. Nous avions écouté les Meters dans un bar, Professor Longhair dans un autre, puis nous étions allés voir un vieux pianiste, Tuts Washington, chez lui ; dans sa maison minuscule, odorante, nous avions regardé la télévision : le vice-président Agnew présentait sa démission sur toutes les chaînes.

Je regardai Bobby, et il finit par me remarquer : il porta sa fine main pâle à sa gorge en secouant la tête, puis Nina, sa femme, me fit un signe qui, me sembla-t-il, signifiait : « on se parlera plus tard » ; maintenant, quand j'y pense, je ne sais trop ce qu'il exprimait. Nous nous connaissions à peine, et il n'était plus temps de nous lancer dans semblable entreprise. La mort de Sarah m'avait définitivement détaché de sa vie d'autrefois.

Je regardai enfin le premier rang, où étaient assis les parents et les sœurs de Sarah ; je voyais leurs nuques. La mère de Sarah portait un chapeau gris foncé et un voile noir épinglé à sa chevelure auburn. La transpiration faisait luire la calvitie d'Eugène. Carrie était là, avec son mari, Jack ; un couple de durs, qui gérait deux de ces bars du quartier français où l'on déguste des huîtres. Ils n'avaient jamais manifesté grand intérêt à notre égard, nous avaient traités comme des clients auxquels on ne tient pas particulièrement, avec ce mélange de courtoisie et de dédain qui peut être si blessant. Il y avait encore Tammy, l'autre sœur aînée de Sarah, qui venait enfin de se séparer de son redoutable mari. Elle se retourna. Son visage épais était bouffi et marbré, comme si des frelons l'avaient attaquée. Elle vit que je la regardais, leva la main droite pour me saluer, en un geste plein de sympathie, et je levai la mienne — qui me parut soudain incroyablement lourde —, comme pour la toucher.

De quelque part venait une musique d'orgue : indécise, vaguement religieuse ; une bouillie de spirituals. Je tentai de me laisser couler dans l'abîme de mes sentiments, mais j'avais l'impression d'être enlisé, figé dans une obscurité intérieure indéfinie. C'était l'effet de la drogue, et je fus saisi d'un accès de honte, d'horreur de moi-même. Il me paraissait misérable d'être venu à son enterrement dans un brouillard narcotique. Puisque l'heure de nous dire adieu pour la dernière fois était venue, j'aurais dû demeurer vigilant, attentif au chaos d'émotions que cette journée me réservait, quelque épuisantes qu'elles fussent. Je voulais écarter de moi la drogue, qui semblait maintenant m'emplir comme une brouettée de sable, mais sans plus d'effort, je pus me dire que c'était tout simplement impossible. La musique résonna longtemps, puis s'arrêta brusquement, et j'entendis renifler. Derrière la porte de l'église, de l'autre côté de la rue, les manifestants continuaient de scander leur message, et dans le bref silence qui envahit l'église, nous les entendîmes, eux aussi : *Compañera* Sarah Williams — *presente — ahora — y siempre.*

« Bouclez-la et rentrez chez vous », me dis-je, sans haine cependant, et sans plus de conviction. Je remuai sur mon siège, m'apprêtant à affronter ce qui allait suivre. J'avais déjà perçu le premier signe de la course du temps — abominablement vide —, qui commençait déjà d'acquérir une couleur et une densité nouvelles : celles de ces voix lointaines, des gens dans l'église, de mon propre cœur, ralenti, stupéfié. *Déjà*, j'avais survécu. Cette disparition allait envahir à jamais mon existence, mais elle n'allait pas l'interrompre, et quand je reconsidère sincèrement ces quelques derniers instants dans l'église, avant que le père Laroque n'eût agrippé le bord de la chaire de sa coléreuse main blanche et commencé à déverser son torrent de lieux communs, je comprends à présent ce que je n'avais pu véritablement entendre ni admettre à cette heure : j'avais déjà commencé à m'adapter à la vie sans elle. Je n'allais pas me faire sauter la cervelle ou me trancher la gorge. Il devenait clair qu'il n'y avait qu'une seule chose sensée à faire, c'était aller de l'avant, continuer à construire ma vie comme je l'avais fait, étape par étape, depuis l'âge de huit ans, lorsque j'avais compris ce que je voulais être : non pas avant gauche de l'équipe des Brooklyn Dodgers, mais président des États-Unis.

2

Je m'obstinai pendant cinq ans, approchant de ma cible à petits pas cérémonieux, comme les Japonais, lorsque soudain le crochet du destin m'attrapa par la boucle de la ceinture et me souleva par le fond du pantalon. J'avais terminé mes études de droit, passé deux ans dans un cabinet juridique de premier plan, et me trouvais maintenant attaché au bureau du procureur du comté de Cook. J'empêchais ma conscience de réduire mon ambition en lambeaux en essayant, de temps à autre, de raccommoder les petits trous du filet de la justice à travers lesquels les escrocs les plus futés et les mieux couverts réussissent à se faufiler. Et voici qu'une affaire assez trouble m'était proposée, que j'évaluais sous tous ses aspects, sachant bien, depuis le début, que j'allais l'accepter.

J'étais debout devant la fenêtre, regardant, à mes pieds, le lac Michigan gelé au point de ressembler à un miroir brisé. C'était une de ces journées d'hiver où tout le monde est en état d'alerte, après l'annonce d'une tempête ; les chaînes de télévision n'avaient cessé de montrer ces énergumènes au visage débonnaire, devant leurs cartes météorologiques, en train de dessiner fiévreusement des cercles concentriques et des vecteurs, les yeux éclairés par la vision de quelque catastrophe climatique imminente — problème auquel eux-mêmes ne comprennent rien, selon un article que j'avais lu la semaine précédente, d'où il ressortait que ces olibrius ne sont pas plus qualifiés que vous ou moi pour expliquer le temps qu'il fait — ; mais on les croit, si bien qu'ils vont même jusqu'à *s'excuser* pour le mauvais temps. Une grande partie des bureaux du centre de la ville s'était vidée assez tôt. Au-dessous de moi, la circulation était dense ; pourtant, de mon nid d'aigle — je me trouvais au cinquante-cinquième étage —, j'entendais tout de même ces tarés, en bas, qui klaxonnaient, et le bruit de tous les avertisseurs s'élevait en un concert exaspéré de frelons bourdonnants.

La nuit tombait vite, et mon reflet dans la vitre était maintenant plus net que tout ce qui se trouvait par-delà. Je portais mon meilleur costume de membre du bureau du procureur, à l'issue d'une journée passée à la bibliothèque : complet gris, chemise blanche, cravate bleu et rouge. Mes cheveux étaient légèrement trop longs. Il est plus difficile de paraître menaçant et imposant quand on a des mèches qui bouclent sur le col. J'avais également besoin de me raser. Je commençais à ressembler aux accusés, à quelqu'un qui a besoin de repos... une semaine sur une plage, la vue d'un paysage différent, des palmiers, des cocktails glacés non alcoolisés, un regard de caméléon sur toutes ces paires de jambes luxueuses, soignées, épilées, bronzées, qui glissent sur le sable blanc... Je devais me sentir un peu misérable, plus vieux que mon âge.

— Vous êtes toujours avec nous, Fielding ? demanda le gouverneur Kinosis.

— Je réfléchissais, répondis-je sans me retourner. Regardez tous ces gens qui se débattent pour sortir de la ville à cause de quelques flocons de neige. On se demande ce qui se passerait si un missile téléguidé se dirigeait sur nous.

— Écoutez, je ne suis pas venu jusqu'ici pour parler de ça, dit le gouverneur.

Oh, ciel, quel imbécile !

Je devais examiner la proposition qu'on m'avait faite. Je ne devais pas penser au Grec, mais au cadeau. J'avais trente-quatre ans, j'étais le fils d'un imprimeur typographe vivant dans ce qui devenait maintenant une enclave élégante de Brooklyn, mais n'avait été, de mon temps, qu'un quartier d'ouvriers et de petits fonctionnaires. L'ambition était alors considérée comme une chimère réservée aux filles, mais sans que nos vaillants et chaleureux voisins le sachent, *chez*[1] Pierce était un endroit où on la cultivait. Nous écoutions les informations au moins trois fois par jour, nous lisions la première édition du journal que Dad rapportait à la maison à la fin de sa journée de travail. Il distribuait les rubriques comme pain quotidien, et nous avions même une constitution familiale, que j'avais rédigée, et qui avait été adoptée après des semaines de délibération, par un vote de trois contre deux : les hommes d'un côté, les femmes de l'autre. Le plus curieux était encore que mes parents se montrassent globalement *satisfaits* d'eux-mêmes : ce dynamisme procédait de la pure énergie. Pas de haine de soi. Travailleur compétent, membre actif du syndicat, Dad était respecté comme conteur et philosophe de véranda.

Mom travaillait avec Earl Corvino, cet infâme politicard de Brooklyn, trop sénile maintenant pour prendre la peine de s'engager à fond. Bien qu'il l'épuisât à la tâche, elle en retirait un sentiment d'intégration qui engendrait en elle une sorte de loyauté absurde à l'égard de Brooklyn, comme s'il s'était agi d'une nation incomprise. Quand ils avaient réglé leurs problèmes personnels, il leur restait encore suffisamment d'énergie, et leur ardeur morale rayonnait dans notre direction. Fort de leurs conseils et de leurs encouragements, je parvins à entrer à Harvard. La puissance et le génie de Danny ne nécessitant pas l'aval d'un diplôme de fantaisie, il s'inscrivit à l'université de New York, où il ne resta même pas un an. Quant à Caroline, au bout de deux ans à la Boston Museum School, elle nous laissa tous tomber, pour se rendre en Europe.

Après l'université, j'entrai dans la Coast Guard, et c'est à cette époque que je rencontrai Sarah ; pendant un moment, j'eus l'impression que le cours de ma vie allait changer. Mais Sarah mourut, et je poursuivis mes études de droit, puis j'entrai au service d'un certain Isaac Green — qui, en ce moment même, était assis à côté du gouverneur, et chez qui nous nous trouvions, tout en haut de l'immeuble. Isaac avait fait de son

1. En français dans le texte.

mieux pour m'adopter, s'imaginant que j'étais une sorte de chien perdu — il indiquait ainsi que mon propre père ne pouvait m'offrir les relations dont il disposait, lui. Isaac Green acceptait mal que son propre fils, Jeremy (qui avait été mon copain au collège), détestât profondément le monde dans lequel évoluait son père ; il affichait une sorte de mépris compliqué et mystique à l'égard du droit anglo-américain, et se trouvait maintenant à La Jolla, où il bricolait des Yamahas. Je savais ce qui se passait. C'était parfaitement évident. Après avoir bien réfléchi, je décidai de profiter de la situation. Je finis par aimer sincèrement Isaac, et il fut satisfait de savoir qu'il y avait quelqu'un qui voulait tout ce qu'il était prêt à donner, qui lirait tous les livres, et serrerait toutes les mains.

Lorsque Isaac s'était trouvé en âge d'envisager une carrière politique, il était encore à peu près impossible d'élire un juif à Chicago. Ce qu'ils pouvaient obtenir de mieux, c'était de se rendre utiles en coulisse, ou de se faire nommer au tribunal. Mais les coulisses étaient plutôt moroses, et le pire était qu'une fois envoyés sur le devant de la scène, ces acteurs *dummkopf*[2] étaient aveuglés par les projecteurs et bousillaient une fois sur deux leur texte. La magistrature n'était pas dénuée d'une certaine grandeur, néanmoins il n'y avait là ni suffisamment d'aiguillon ni assez d'argent. Isaac avait les goûts de la pairie, c'est ainsi qu'il se voyait. Il aurait dû être un de ces Anglais délicieusement à l'aise et cependant pétris de compassion d'il y a soixante ans, qui parlaient du socialisme avec Béatrice et Sidney Webb. Il avait besoin de billets d'abonnement et de bouteilles de cognac à quatre-vingts dollars, mais, en même temps, il voulait agir pour le mieux. Il voulait bien poser sa main sur le levier de l'Histoire, mais encore fallait-il qu'elle sortît de la manche d'un costume sur mesure.

J'étais la carrière politique d'Isaac. Il supervisa mes études à la faculté de droit, me fit ensuite entrer dans son cabinet juridique, où l'on me donna plus de responsabilités que je n'en méritais, et peut-être même un peu plus que je n'en pouvais

2. Stupides.

assumer. Tant que je vécus avec Sarah, il ne put m'entraîner comme il l'aurait voulu dans ses dîners et ses cocktails, mais, quand elle eut disparu, il veilla à ce que mon carnet de bal fût rempli et je fis connaissance avec quelques-uns de ces criminels impunis, de ces escrocs d'églises paroissiales, de ces sinistres hommes d'affaires, de ces rois du ciment ou de la viande qui composent la vie politique de ma cité d'adoption. Et puis, un jour, Isaac m'apprit que le sénateur de ma circonscription prenait sa retraite (à Key Briscayne, avec environ trois millions de dollars appartenant aux contribuables), et qu'il pouvait s'arranger pour m'obtenir le siège vacant.

J'étais censé me jeter sur l'opportunité, mais une carrière, ou même un passage dans la fonction gouvernementale, n'avait jamais fait partie de mes projets. J'étais suffisamment jeune pour accueillir avec reconnaissance la miette de pouvoir que l'on m'accordait et ne voulais pas refuser trop abruptement. A dire vrai, je ne savais pas vraiment ce que faisaient les sénateurs d'État, aussi Isaac organisa-t-il ma visite à Springfield, afin que je pusse jeter un coup d'œil et rencontrer le gouverneur. J'assistai à une session. Le débat fort animé portait sur la nécessité de conserver ou non au cardinal son poste honorifique de volatile représentatif de l'État d'Illinois. Le représentant de Waukegan lisait d'une voix monotone un texte préparé par un « ornithologue de premier plan », d'où il ressortait que le cardinal était un oiseau froussard ; vinrent ensuite les statistiques concernant la raréfaction de l'espèce dans l'Illinois. Quand ce fut enfin terminé, quelqu'un souhaita faire passer une motion pour rebaptiser un pont proche de Moline du nom d'un jeune homme de la ville qui avait été tué à Da Nang. Et bla-bla-bla. Je m'ennuyais tellement que j'avais l'impression de me noyer. Apparemment, pas une seule personne de l'assemblée ne paraissait digne, de près ou de loin, d'une carrière politique nationale.

Je passai là le week-end, me baladai de-ci de-là, perdant mon temps. Le dimanche, je fus invité au déjeuner du gouverneur. Kinosis pensait que, pour rester populaire, il suffisait de réunir les législateurs de l'État devant un buffet à l'heure du petit déjeuner dans la demeure officielle du gouverneur, et de leur offrir de grosses crêpes fourrées de confiture de fraises, de petits steaks découpés dans de la côte de bœuf, des salades grecques avec des olives noires, de la feta et des croûtons Pepperidge Farm. Dawn, la fille de Kinosis, une gamine fragile d'une dizaine d'années au regard endormi, dont la jupe bleue était couverte de peluche, nous confectionnait, avec du papier à dessin de couleur et des paillettes scintillantes, des petits insignes nominatifs. « Salut, mon nom est Fielding Pierce », annonçait le mien. Le gouverneur lui-même, avec son sens de la famille et sa faiblesse fonctionnelle pour tout ce qui portait son nom, en arborait un. (Dawn était le dernier enfant qui demeurait encore à la maison ; ses frères et sœurs buvaient déjà à l'abreuvoir public de la grande ville de Chicago.)

Kinosis n'avait pas grand-chose à me dire ; il m'infligea la sempiternelle histoire de ses débuts modestes ; l'activité de son père avait consisté à acheter de la graisse animale aux vieux abattoirs de Chicago pour la revendre à des fabriques de cosmétiques, qui la transformaient en rouge à lèvres. Je lui racontai en retour que mon père était typographe, et que ma mère — c'est sans doute là une chose que j'aurais mieux fait de garder pour moi — travaillait pour un politicien qui me faisait beaucoup penser à lui. Avant cette heure, je n'avais jamais pris conscience que le vieux Earl Corvino et Kinosis appartenaient, en définitive, à la même sous-espèce : ils avaient les mêmes yeux froids et intelligents, le même sourire au néon, la même habitude exaspérante de manger dans l'assiette du voisin. Je pense avoir gagné la compétition « mes origines sont plus humbles que les vôtres », mais, dans l'esprit de Kinosis, je demeurais un intellectuel, un snob. Il savait que j'étais inséparable d'Isaac Green, et que la circonscription que j'allais représenter comprenait, avec l'université, quelques-uns des pires taudis de la ville, le genre de ghetto dont on montre des photos dans les pays communistes pour prouver que le capitalisme est réellement épouvantable. Kinosis ne s'entendait pas avec les universitaires ; ceux-ci le trouvaient grossier et corrompu ; il n'avait pas beaucoup de partisans parmi les Noirs qui, en dépit des exhortations de leurs responsables d'arrondissement, ne pouvaient voter pour celui qui s'était battu au lycée avec un jeune Noir, mort des suites de ses coups de poing, assenés en plein visage.

Après une semaine de réflexion, je confiai à Isaac que, finalement, je préférais ne pas me présenter à l'élection. Il fut déçu, sans être vraiment surpris. Je lui expliquai que je désirais prendre une autre voie et, peu après, je le quittai pour aller travailler au bureau du procureur du comté. Isaac me soutint, et se chargea d'expliquer à Kinosis que je ne me présenterais pas à Springfield. Isaac me dit que Kinosis avait considéré mon refus comme un affront personnel ; ce fut ainsi que je me fis ce que Mom appela par la suite « mon premier ennemi politique ».

Kinosis était pour l'instant assis dans une bergère à oreilles, près de mon bienfaiteur, dans le vieux cabinet de travail anglais que ce dernier avait fait reconstituer dans le détail : odeurs de cuir et de roses, fumée des bûches crépitant dans la cheminée. La neige, comme l'avait annoncé le type de la météo, commençait à tomber. Nous fûmes les premiers à la voir, du haut du gratte-ciel, comme des spectateurs privilégiés qui assistent à la projection privée d'un film. Je la suivais des yeux tandis qu'elle tombait, remarquant même qu'elle changeait de couleur en frôlant les éclairages de Noël, en bas.

— Que regardez-vous, que diable ? demanda Kinosis dans mon dos.

Hors de son territoire, il paraissait moins menaçant, mais il y avait dans sa voix une pointe d'insolence.

— Il réfléchit, Ed, dit alors Isaac. Vous ne voudriez pas d'une décision irréfléchie, n'est-ce pas ?

— Bien entendu. Mais je ne veux pas passer la moitié de la nuit ici, non plus.

— Laissez-moi vous servir un autre verre, Ed, dit encore Isaac.

Je l'entendis se lever, et je vis dans la vitre son reflet qui flottait sur le mien. Il portait une veste d'intérieur rouge foncé, un foulard en cravate ; ses cheveux blancs, fins, étaient impeccablement coiffés. Rester comme ça, de dos, commençait à devenir gênant. Je compris tout à coup que cette attitude n'avait que trop duré, et que j'allais passer sans raison pour un grand nerveux.

Kinosis avait ménagé cette rencontre sans témoins pour m'annoncer qu'il souhaitait me présenter à la Chambre des représentants, si je le désirais. Bien entendu, les vieux misérables qui, non sans esprit critique, avaient rédigé la Constitution, s'étaient arrangés pour que le gouverneur ne pût exercer son droit divin, et nommer au Congrès qui il voulait, lorsqu'un siège était vacant. Kinosis ne pouvait m'offrir mieux qu'un scrutin rapide dans mon district, et mon nom sur la liste des démocrates — voilà ce qu'il *pouvait* contrôler —, et c'était déjà pas mal. Si votre nom apparaissait sur la liste des démocrates lors d'une élection régionale, il y avait de grandes chances pour que vous n'eussiez même pas d'adversaire. Les républicains avaient renoncé au district depuis bien longtemps, et les politiciens démocrates du coin, même s'ils se sentaient humiliés parce que Kinosis ne les avait pas sélectionnés pour le siège vacant, ravaleraient sans doute ce que j'appellerai généreusement leur fierté, en attendant qu'une autre occasion se présente. Kinosis dirigeait le parti comme un orchestre de parade et si, avec votre petit triangle, vous faisiez un faux pas pendant le défilé, le type derrière vous, avec son trombone, vous marchait dessus.

On m'offrait ainsi, si cela m'intéressait, un siège au Congrès. Et j'étais intéressé. Mais ce qui ôtait tout intérêt à l'affaire, c'était que le siège que l'on me proposait était celui d'un homme qui avait dû démissionner, Jerry Carmichael. Ce n'était pas un représentant exceptionnel, mais il avait réussi à se faire élire cinq fois. C'était un type jovial et bénin, bien plus inoffensif qu'il n'aurait dû l'être pour un politicien ; mais dont l'innocence n'excédait cependant pas outre mesure celle que révélaient la plupart d'entre eux. C'était le représentant de Chicago. Il avait chassé la caille avec Dick Daley. Il savait s'y prendre. Néanmoins, ses relations lui avaient tourné le dos ; peut-être avait-il contrarié quelqu'un, ou roulé quelque entreprise de construction qui comptait bien obtenir le marché de la nouvelle rampe d'accès à la Skyway, avec des milliers de tonnes de ciment à la clé, ou peut-être avait-il trop bu et fini par dire à quelqu'un ce qu'il pensait réellement de lui. Il ne sert à rien de se perdre en conjectures. En tout cas, quelque chose avait dû aller de travers, car un après-midi, le *Sun-Times* de Chicago publia en première page, suivi par le *Trib*, le lendemain matin, une photo d'un jeune homme blond, beau, dont le regard de panique et de préoccupation était tel qu'il transperçait le linotype.

Il s'appelait Ted Simon, et j'imagine que ceux qui suivent la politique avec la passion statistique des jeunes pour le base-ball savaient que Simon était l'assistant juridique de Jerry Carmichael, à quarante-huit mille dollars par an. C'est du moins ce qu'il était avant que la photo ne paraisse : désormais, il n'était plus que le giton de Carmichael, même si l'apparence de Simon était celle d'un solide jeune homme de trente ans, et pas du tout celle d'un petit page. On n'a jamais vraiment su pourquoi il avait tout avoué, et déclaré publiquement qu'il était l'amant de son patron. Peut-être Jerry avait-il oublié une promesse, peut-être Simon avait-il perdu la tête ; mais si son dessein avait été de briser la carrière parlementaire de Carmichael, dans ce cas, il devait être, je suppose, satisfait.

Il ne s'était pas contenté d'avouer qu'il était le petit ami de Carmichael ; c'est toujours ainsi, comme lorsqu'on appelle la police, ou quand on conteste une succession ; presque aussitôt, Simon avait ajouté qu'il n'avait pour ainsi dire aucun travail à faire, qu'il ne connaissait rien ni aux dossiers ni au Congrès, qu'il n'avait pas dépassé la classe de troisième à Live Oak, en Floride, sa vieille ville natale couverte de mousse. C'est tout juste s'il n'avoua pas sur sa lancée qu'il ne savait ni lire ni lacer ses chaussures. En tout cas, il laissa clairement entendre que son seul véritable emploi dans le Rayburn Building, là-bas à Washington, était de penser aux choses intéressantes qu'il pourrait bien faire avec Jerry, une fois la journée de travail terminée.

Carmichael fit à peu près comme si de rien n'était, et je me souviens d'avoir estimé que c'était la bonne réaction. Il déclara avec un peu trop de concision que Ted Simon était un assistant compétent, respecté par ses nombreux amis, à Washington (ça, c'était un coup de génie), qui, sans doute à cause du surmenage, souffrait d'une dépression nerveuse. Si tout en était resté là, Carmichael aurait pu surnager, mais Simon, complètement déchaîné, continua de parler. L'étape suivante, ce fut « Good morning, America », à sept heures un quart du matin : il se mit à sangloter dans ses grosses mains parsemées de taches de rousseur devant David Hartman et plusieurs millions de téléspectateurs américains matinaux, et dit qu'il voulait que toute la lumière soit faite, qu'il aimait son pays, détestait son existence, et ainsi de suite. Les journalistes, habitués à prendre leurs victimes au piège, ne purent contenir la capitulation folle, butée, de Simon. Après tout, personne ne lui demandait de raconter sa vie. Pourquoi ne pouvait-il pas la boucler? Peut-être appartenait-il à cette catégorie de fous obsessionnels qui prennent plaisir à avouer des crimes imaginaires. Et au fond, était-ce là un si grand crime ? L'Amérique était adulte maintenant, et nous pouvions certainement tolérer quelques canailleries clandestines. Après tout, on doit se sentir bien seul dans les couloirs du pouvoir, là-bas, sans parler des abris souterrains contre les bombardements et de l'écho des talons de Florsheim qui résonne de toutes parts.

Ainsi, pendant un temps, il sembla que la presse et l'opinion hésitaient à admettre l'histoire de Simon, ou en tout cas répugnaient à se prononcer, quand soudain Carmichael sortit de sa réserve et annonça qu'il démissionnait pour des raisons familiales. Si c'était vrai, il devait avoir chez lui des gens drôlement impatients, car sa démission prit effet aussitôt. C'était de toute manière un Congrès sans intérêt : on approchait de la dernière année du mandat de Carter, et tout le pays savait qu'il allait retourner à ses cultures de cacahuètes et à la rédaction appliquée, à l'encre bleue, de ses Mémoires ; n'empêche que la rapidité de la démission de Carmichael nous surprit tous. Cela faisait maintenant dix jours que le siège était vacant et chacun se demandait avec curiosité qui serait « recommandé » par

Kinosis pour l'élection régionale. Je m'étais moi aussi posé la question, sans me douter le moins du monde que ce pourrait être *moi*. Et voilà que l'on m'offrait ce siège et que je me sentais obligé de l'accepter, contraint, en fait, par une ambition que j'avais traînée avec moi toute ma vie comme un frère idiot que personne n'aime, mais qui va maintenant devoir prendre ses responsabilités. Je savais parfaitement quel sale coup on avait fait à Carmichael et encore que si les gens étaient à moitié aussi bons qu'ils s'imaginaient l'être, rien de semblable ne se produirait.

Je me retournai, affrontai le regard de Kinosis, qui exprimait une barbarie, une voracité impressionnantes. Ses yeux ne s'accordaient guère à son faciès onctueux, prudent. Ils paraissaient sauvages, sous le dais de sa chevelure noire soigneusement coiffée, à laquelle les traces apparentes du peigne donnaient l'aspect d'un champ bien cultivé.

— Pouvez-vous maintenant me préciser quelque chose ? m'enquis-je. Êtes-vous en train de me demander si le boulot me conviendrait, ou de me l'offrir ?

Le gouverneur semblait n'avoir jamais entendu de sa vie une question aussi grossière. Isaac s'avança.

— C'est à toi de décider, Fielding, dit-il. Tout a été discuté.

— Jerry Carmichael avait encore treize mois de mandat à remplir, dit Kinosis en desserrant son nœud de cravate et en faisant sauter le premier bouton de sa chemise jaune citron. Je vais fixer une date pour les élections régionales, disons le 22 janvier, si ça tombe un mardi. Vous pourrez être assermenté la semaine suivante. Avez-vous la moindre idée de ce que signifie débarquer comme parlementaire débutant dans ce zoo ? Ils vous soutiendront jusqu'à ce que mort s'ensuive, mais personne n'écoutera un seul mot de ce que vous direz. La moitié de vos collaborateurs vont passer leur journée à plancher sur leur curriculum vitae parce qu'ils cherchent un emploi, sachant que vous ne serez probablement pas réélu pour le mandat suivant. Mais Isaac m'affirme que vous connaissez les ficelles et jouez franc jeu, alors qui sait ? Peut-être ne serez-vous pas dérouillé. Sinon, vous serez toujours en mesure de raconter à tout le monde que vous avez été membre du Congrès des États-Unis pendant quelques mois. Qui était ce type, Isaac ? Ce taré de LaGrange qui a réussi à se faire élire au Congrès de 1956 et s'est fait jeter le coup d'après ? Il n'a cessé de vivre là-dessus, depuis ; il a ouvert le bar-grill La Chambre des Représentants, puis quand ça a commencé à bien marcher, il a lancé le mini-golf du Congrès. Au premier trou, on essayait de faire passer la balle par les portes d'un Capitole miniature en plâtre. C'était quoi, déjà, le nom de ce débile ?

— Lou Conway, Al, dit Isaac. Il est mort.

— Ah bon, quelle perte !

Le visage de Kinosis eut une expression de tristesse d'une terrifiante efficacité, due à l'habitude, acquise depuis des années, de rire et de blaguer au fond de sa voiture, puis d'en sortir, lorsque le chauffeur s'arrêtait devant la chapelle funéraire, avec un masque de deuil.

— Ouais, Lou Conway. Eh bien, dit-il, le visage tout à coup menaçant, si vous me ridiculisez là-bas, vous pourrez toujours devenir le nouveau Lou Conway.

— Vous voulez dire un macchabée ? demandai-je.

Je sentis la fierté m'envahir, comme un patient émergeant des vapeurs de l'éther au milieu de l'opération.

— Bon, bon, ça va, maintenant, écoutez-moi, dit le gouverneur en posant son verre sur la petite table aux pieds en arceau qui se trouvait près de son fauteuil. Il jeta un coup d'œil à sa montre plaquée or, ce genre de montre que l'on trouve au poignet d'un cadavre élégamment vêtu, découvert dans le coffre d'un LTD. Il vérifia l'heure et fronça les sourcils. Il pensait qu'en prenant l'air de quelqu'un qui est en retard pour son rendez-vous suivant, il affirmait son importance. Cela faisait bien longtemps qu'Isaac m'avait expliqué que les gens vraiment importants suivent leur rythme sans se soucier de ceux qui les attendent.

— Je vous propose une chose pour laquelle certains travaillent toute une vie, déclara Kinosis. Il va falloir me donner quelque chose en échange.

— Ah ! dis-je, un doigt levé. Voilà ce que j'attendais.

Le gouverneur inspira profondément, regarda Isaac, qui grimaçait légèrement à cet instant précis. Ce tressaillement m'inquiéta, me fit penser que je jouais peut-être un peu trop vite, pas assez serré.

— C'est un comique, remarqua Kinosis.

— Il est nerveux, répondit Isaac. Excité. Qui ne le serait pas ?

— Où avez-vous déniché votre nom ? me demanda Kinosis, se penchant en avant comme s'il poussait une pointe. La politique n'est pas faite pour des gens qui ont un nom à cinquante dollars.

— Vous en connaissez beaucoup qui s'appellent Dwight ? répliquai-je. Ou Franklin, Lyndon ou Woodrow ?

— Son père est typo, précisa Isaac. L'idée lui est venue alors qu'il composait un article sur Henry Fielding, le romancier — vous savez, le type qui a écrit *Tom Jones*. Vous vous rappelez *Tom Jones*, n'est-ce pas, Ed ? Ils en ont fait un film merveilleux.

— Ouais, je m'en souviens, je m'en souviens, fit le gouverneur avec une certaine mauvaise grâce. Bon, écoutez-moi, me dit-il ensuite, je n'ai pas besoin de connaître votre vie par cœur. Dites-moi seulement s'il y a quelque chose vous concernant que je ne sais pas — que peut-être même votre copain, là, ne sait pas non plus —, et que nous devrions savoir.

— Je ne vois pas comment je pourrais répondre à cette question.

— Oh, dites donc, s'exclama Kinosis, je n'aime pas du tout votre sacré ton ! En politique, il faut aimer les gens. Voici une chose que vous allez devoir apprendre, et vite. La politique, c'est les gens, purement et simplement. Vous lancer sans les aimer, c'est vouloir être plombier et avoir peur de se mouiller.

— Allons, allons, intervint Isaac, soyons raisonnables. Il n'y a rien concernant Fielding que vous ne sachiez déjà. C'est un brave garçon, propre comme un sou neuf. Des parents bien, le père est un travailleur, syndicaliste. Ce genre de choses. Et sa mère a travaillé pour Corvino. Vous le connaissez ?

— Non, dit le gouverneur.

— Un démocrate.

— Que faisait-elle pour lui ?

— Le remorqueur, dit Isaac avec un haussement d'épaules comique.

Puis, comme Kinosis riait (aux dépens de ma mère), il ajouta vivement :

— Il a un frère, dont les affaires ne sont pas rutilantes, et une sœur, dont le mariage n'est pas le plus réussi que l'on connaisse — mais de nos jours, on ne reproche plus ces trucs-là à personne. Voyez notre président et son crétin de frère, Billy.

— Très bien, déclara Kinosis en se levant.

Il tira sur le bas de sa veste, passa la main sur son poitrail, parut dépité de sentir, au-dessous, un ventre gros et gras.

— Je ne vais pas me rendre malade pour ça. Je vous enverrai à Washington, et quand vous aurez enfin compris comment trouver vos fesses sans vous servir de vos deux mains, on en sera déjà à l'élection suivante, et si nous ne sommes pas bons amis à ce moment-là, eh bien, ce sera terminé.

Il s'approcha de moi. Je le dépassais d'une bonne quinzaine de centimètres, mais il savait donner à sa petite taille un aspect menaçant, comme ces petits corniauds qui se glissent sous le ventre d'un Danois et lui bouffent l'estomac. Il me donna une tape cérémonieuse sur l'épaule avant de se tourner vers Isaac, qui s'était levé de son fauteuil en même temps que lui.

— Faites ce qu'il faut faire, lui dit-il.

Kinosis serra la main d'Isaac, sans le quitter des yeux, l'air inquisiteur.

— C'est la Hanukkah, ce soir, Isaac ? demanda-t-il.

— C'est déjà fini, Ed.

— Bien, j'espère que tu as passé un bon moment.

— Vous serez là pour Noël ?

— Non. Nous allons en Crète avec Irène. Nous connaissons un petit endroit sensationnel que nous n'indiquerons jamais à personne...

Ils parlèrent pendant quelques minutes. Isaac exerçait un paternalisme discret, avec une telle subtilité que le gouverneur ne s'en rendait pas compte. Je ne pouvais guère les écouter. Je me détournai, gagnai la fenêtre. La ville avait entièrement disparu ; elle était simplement partie sans laisser de trace ; à sa place, il y avait un épais rideau de neige blanc.

Isaac, les mains sur mes épaules, me regardait avec un sourire si doux, si tendre, que la paternité m'apparut soudain comme une affaire de sensibilité plutôt que de consanguinité. Ses yeux bleus lançaient des étincelles de malice et de triomphe.

— C'est un grand jour, Fielding, déclara-t-il de sa fraîche voix de ténor, une voix qui, partie du quartier ouest de Chicago, était passée par l'université du Wisconsin et semblait aujourd'hui, après quatre décennies d'assimilation, plonger sous le vernis de la langue américaine pour émerger soudain, parée d'inflexions britanniques, coquetterie qui provoquait souvent la moquerie. Personnellement, je n'ai jamais vu là le moindre mal. L'Empire, avec tous ses privilèges et sa pompe, était quasiment mort ; s'il voulait singer leur accent, ce n'était pas bien grave.

— Pourquoi ne m'avez-vous pas prévenu ? lui demandai-je.

— Ce n'était pas possible.

— Dois-je prendre ça pour une réponse ?

Isaac fit semblant d'y réfléchir.

— Non, admit-il, penchant la tête et fronçant les sourcils de telle sorte qu'il ressembla à un éclatant lutin juif, ce n'est pas une très bonne réponse, n'est-ce pas ? Le gouverneur voulait te parler personnellement. Il voulait connaître ta réaction.

— Vous auriez tout de même pu me prévenir. Vous me préparez bien, pour vos dîners.

— Où est le problème ? s'enquit Isaac (Il me prit par le bras pour m'entraîner vers l'endroit où Adèle nous attendait.) Allons, dit-il. Tu vas te joindre à nous pour dîner, et ensuite nous te laisserons partir. Je suis certain que tu veux rentrer chez toi et raconter ça à Juliet.

Juliet Beck était la nièce d'Isaac et ma quasi-fiancée, depuis deux ans. Notre liaison bénéficiait de cette quiétude singulière des mariages arrangés.

Nous quittâmes le bureau d'Isaac pour passer dans la pièce voisine, la bibliothèque, une pièce vert foncé, avec ses rangées de livres. Les murs étaient couverts de photographies des vieux amis d'Isaac — Adlai Stevenson, Herblock, Max Lerner, John Kennedy, Golda Meir, Sidney Hook, Fritz Reiner, Paul Douglas, Earl Warren, Sam Dash, Archibald MacLeish, Saul Bellow, Sidney Yates. Les livres occupaient une grande place ; il n'y avait pas seulement là l'habituel fatras aux reliures luxueuses que l'on voit sur les étagères des juristes, mais aussi des intégrales de Tchekhov, O. Henry, Whitman, Twain, Freud, et des volumes d'histoire juive. Les fenêtres de la bibliothèque étaient orientées au nord-est et je pouvais voir la courbe du lac, dessinée par l'éclairage public. La lumière des réverbères faiblissait, voilée par la neige.

— Ce ne serait pas raisonnable de rouler maintenant, dit Isaac, remarquant enfin la tempête.

Nous sortîmes de la bibliothèque, traversâmes une longue entrée étroite. Nous nous trouvions maintenant dans la salle à manger, avec son papier peint rose et gris, sa cheminée aux carreaux de faïence bleue, son tapis chinois et sa table massive de palissandre. Adèle, penchée sur la table, allumait les bougies à l'aide d'une longue allumette de bois. La chaleureuse lumière jaune orangé éclairait son visage, l'adoucissait. Adèle était le squelette du placard d'Isaac. C'était une femme dotée d'une grande intelligence, d'une grande beauté, d'esprit, d'énergie et de gaieté ; pourtant, tout ce dont elle aurait été capable était resté inaccompli ; elle s'était vouée entièrement à Isaac, s'occupait de lui, boutonnait ses cardigans les jours de grand froid, l'écoutait, le corrigeait, lui donnait de la force. Sa vie était de celles qui font enrager les féministes et ce n'était pas au hasard qu'Adèle critiquait sans merci ces femmes nouvelles, qu'elle appelait les Filles atomiques, leur souhaitant, disait-elle, de rester au pensionnat où elles n'auraient pas à lutter pour la contraception ou à se soucier de harcèlement sexuel.

— Le gouverneur est-il parti ? demanda-t-elle.

— Tu ne l'as pas accompagné à la porte ? s'inquiéta Isaac.

— Non, j'étais dans la cuisine en train d'aider Mrs. Davis.

— Oh, oh ! dis-je. Organisons une battue. Il se cache sans doute quelque part dans l'appartement.

Je me trouvais à côté d'Adèle, qui leva la tête pour que je l'embrasse. Ses joues, qui s'était trouvées près des bougies, étaient tièdes.

— Tout s'est admirablement passé, annonça Isaac. Pour une fois, nota-t-il. C'est si rare...

Adèle s'empara de ma main et la serra très fort. Le geste me troubla ; ce fut comme si l'on m'avait discrètement touché sous la table.

— Alors, racontez-moi, dit-elle. Comment vous sentez-vous maintenant ?

Son accent n'avait pas accompli un périple semblable à celui d'Isaac : il venait de Russie, évoquait les couchers de soleil, les brises qui courbaient les blés, lourdes du parfum des tilleuls.

— Chanceux, répondis-je.

— Non, la chance n'a rien à voir là-dedans. La chance, c'est pour le mah-jong. Vous le méritez.

Isaac saisit la lourde carafe en verre taillé, versa du vin rouge dans leurs verres, puis de l'eau dans le mien.

— La seule explication, déclarai-je, c'est que Kinosis m'a choisi parce que tout autre candidat aurait gêné quelqu'un de puissant, et parce qu'étant parfaitement inconnu, je n'encombre le chemin de personne.

— C'est vrai, Fielding Pierce n'est pas un nom ordinaire, déclara Adèle.

De temps en temps, elle sortait une formule de son cru, qui me surprenait toujours. J'eus envie de lui dire : « Vous n'avez pas besoin de parler ainsi, Adèle. »

— Nous appartenons à une longue tradition, Fielding, dit alors Isaac. Ce qui est ici en jeu n'est rien moins que la civilité. Nous sommes dans l'âge de la médiocrité. Tissus synthétiques, énormes radios portables. La barbarie. Elle est partout, tout autour de nous. Quelqu'un m'a raconté qu'ils fabriquent maintenant du papier peint pour salle de bains avec comme motif le drapeau des États-Unis. Vous imaginez ça ? Qui peut dire combien d'armes sans permis se promènent dans cette ville ?

Au bas mot, il y en a trois cent mille. C'est une époque désespérée, mais c'est une occasion inespérée. Tu brilleras parmi eux, Fielding, comme un soleil. Ton honnêteté. Ta fermeté. Ton respect pour la décence et les valeurs éternelles.

Isaac me tendit le verre à vin rempli d'eau. Il ne me lâchait pas du regard. J'attendis qu'il eût donné un verre à Adèle, puis nous trinquâmes, debout devant la table.

— Au député Pierce, dit Adèle.

— Oui, oui.

— Tout ce que j'ai pu accomplir, je vous le dois, à vous deux, répondis-je.

Nous bûmes. La porte s'ouvrit. La cuisinière des Green, une petite femme perclue de rhumatismes, Cordelia Davis, que les Green appelaient Mrs. Davis — elle les appelait par leur prénom —, avec qui ils s'étaient rendus à Selma pour se joindre à la manifestation pour les droits civiques du Dr King, fit tranquillement son entrée, le visage souriant, portant le carré d'agneau du dîner sur un plat d'argent étincelant.

3

J'avais six affaires en cours chez le procureur du comté et maintenant que je partais, il me fallait tout mettre en ordre. J'avais su, dès le commencement, que je finirais par quitter le bureau du procureur un jour ou l'autre, mais voilà que, l'heure venue, je me sentais curieusement nostalgique et éprouvais presque du regret. Je n'étais pas célèbre, mais j'étais un bon avocat, et ce qui me manquait en profondeur et en subtilité, je le rattrapais en vigueur. J'étais un de leurs grands spécialistes de l'arrogance intimidatrice. J'adorais faire transpirer les riches escrocs. En deux brèves années, j'avais coincé un *alderman* [1], un entrepreneur de travaux publics, une entreprise de ramassage d'ordures qui avait l'habitude de rejeter les déchets en bordure du lac, dans des recoins éloignés, et une clinique qui prélevait le sang de patients sans ressources pour le revendre à l'hôpital du comté, quelques centaines de mètres plus loin. Il y eut quelques affaires, que j'avais été chargé d'instruire, dont je me serais bien passé, mais je m'efforçais de bien faire, même quand la tâche ne me plaisait pas particulièrement, sachant que je n'aggraverais pas mon cas en faisant comme si tout était parfaitement normal.

Et soudainement, tout cela allait devenir de l'histoire ancienne. J'avais une tonne de choses à mettre en ordre, et cela signifiait que j'allais devoir travailler tard. Il y avait trois jours que j'avais rencontré le gouverneur et, trois soirs de suite, je restais plus longtemps au bureau. J'appelai chez moi. Juliet répondit.

1. Magistrat, membre du conseil municipal.

— Je vais encore arriver tard, dis-je.

— Le téléphone n'a pas cessé de sonner toute la soirée, répondit-elle. J'ai l'impression d'être ton assistante.

— Débranche-le, suggérai-je, ou bien ne réponds pas.

— Oh ! je ne pourrais pas, dit-elle. Il se passe trop de choses en ce moment.

— J'ai presque terminé. Je ne vais pas tarder. Tu as dîné ?

Elle me répondit oui, mais, avec elle, on ne savait jamais. Je ne considérais pas ses goûters de fromage frais et de jeunes oignons crus comme de la nourriture. Je fermai les tiroirs à clé pour la nuit, entassai ce qui restait sur le bureau dans l'attaché-case. J'entendais les flocs du seau de la femme de ménage derrière la porte, et les heurts du vent glacé contre les fenêtres obscures de la pièce. Une solitude quasi voluptueuse résonna un instant en moi comme un accord d'orgue. Je sortis en laissant la lumière allumée. Ils avaient collé près des interrupteurs ces vignettes qui disaient : « Économisez un watt », et me rendaient fou. J'aurais été enchanté d'économiser un watt, mais après avoir obtenu du ministère de la Justice qu'il traînât les compagnies pétrolières devant le tribunal parce qu'elles fixaient les prix, créaient des pénuries artificielles, passaient des accords secrets avec les gouvernements étrangers.

La circulation en direction du sud — celle de chez moi — était ralentie. Là-bas, au-dessus du lac, l'état de l'atmosphère était chaotique. De nouveaux nuages de neige déferlaient dans un ciel qui devait recéler quelque chaleur : de blêmes éclairs de foudre hivernale zébraient les nues en direction de la surface de l'eau grise et hérissée, suivis de longs grondements de tonnerre. Neige fondue et grêlons éclaboussaient tour à tour mon pare-brise, et les essuie-glace laissaient des traînées crayeuses qui captaient les lumières des réverbères.

Téléphoner à Juliet avant de rentrer quand mon emploi du temps était modifié était devenu une habitude assez éprouvante. L'année précédente, j'étais revenu de New York un jour plus tôt que prévu, et je l'avais trouvée au lit avec un type qui avait été notre médecin, Ted Olden. Il dormait profondément, tandis que Juliet, adossée aux oreillers, lisait *The World of Our*

Fathers. Elle était nue. Je regardai ses seins émus, le livre, et l'expression d'horreur absolue sur son visage. Je crois que je dis alors : « Heureuse ? », avant d'allumer une autre lampe, une lampe de céramique grise coiffée d'un grand abat-jour noir, posée sur une commode rococo qui évoquait l'Europe, la culture, l'exil, et qui nous venait de sa mère. La lumière de la lampe tombait juste sur la chaise où était posée la gabardine défraîchie du costume d'Olden avec le caleçon encore niché dans le pantalon. Juliet essaya de ramener Olden du côté du monde conscient en le secouant légèrement, mais il résistait à ses efforts. Muet, je la regardai lui secouer le bras, puis, la panique augmentant son agressivité, le gifler, et enfin, tout à fait hors d'elle, crier : « Théodore, pour l'amour du ciel, lève-toi ! » Théodore ? me demandai-je. Pourquoi tant de formalisme ? Nous l'avions toujours appelé Ted. Ted ne veut pas renouveler mon ordonnance de Dexedrine. Ted vient dîner ce soir. As-tu vu la carte que Ted nous a envoyée de Glasgow ? Olden s'assit bien droit dans le lit, s'éveillant avec une trace de cette vivacité propre aux médecins. Ce qui se produisit ensuite est à la fois trop mondain, décevant et humiliant pour qu'on s'y attarde. Je ne dis rien de mémorable, et mon seul geste de violence fut absurde : je m'emparai de la lampe en céramique grise et la lançai contre le mur, mais la prise tint bon ; avec un brusque sursaut, la lampe s'immobilisa en l'air avant de tomber par terre. Je me demande si Olden a jamais confié à quiconque cette mésaventure sordide. Juliet et moi n'en avons jamais parlé à personne. La chose a pourtant vécu entre nous, élevant pour un temps, non sans perversité, les enjeux de notre passion ; l'infidélité a le pouvoir d'exaspérer et d'avilir le désir.

Nous habitions dans un bâtiment de grès brun à baies vitrées donnant sur Hyde Park Boulevard. Je me garai dans l'avenue voisine, remarquai la vieille Volvo verte de Juliet. Nos fenêtres, au troisième, étaient allumées. J'entrai dans la maison et gravis d'un pas lourd l'escalier menant à notre appartement.

Juliet était de petite taille et de proportions parfaites. Elle était certainement la femme la plus petite que j'aie connue, même si je ne l'ai remarqué un beau jour qu'en constatant que tout allait bien vite quand je l'embrassais de la tête aux pieds. Avec ses cheveux noirs et sa peau blanche, ses joues qui semblaient mordues par quelque air vif, elle était belle. Elle remettait en état les œuvres d'art de l'Institut oriental et dirigeait une petite affaire personnelle dans le département des restaurations européennes. Il lui arrivait à l'occasion de restaurer une œuvre de maître — un Holbein en pièces, une aquarelle de Whistler sur laquelle un enfant avait étalé de la crème glacée. Elle adorait les objets anciens, révérait le passé lointain avec la nostalgie de l'exilé privé du pays de ses ancêtres.

Fille de deux vieux universitaires, elle semblait avoir une connaissance innée de toutes ces choses qui m'échappaient complètement : la valeur et les origines de chaque objet, celle des gestes et des phrases ; la manière convenable d'agencer les strates de nos diverses relations : celles à qui l'on envoie un mot, celles à qui l'on envoie des fleurs, celles que l'on invite à des dîners de dix couverts, celles que l'on invite à des réceptions de cinquante personnes. Je ne me sentais pas apte à maîtriser ce genre de choses, et maintenant que Juliet était là pour s'en occuper, je m'en remettais à elle.

Orpheline, elle était arrivée à Chicago, venant de Paris, via Bucks County et Palo Alto. Isaac s'était occupé d'elle, de son mieux, mais elle demeurait une énigme pour lui. En fait, elle était une énigme pour nous tous, et aussi pour elle-même, je crois. On aurait dit qu'elle considérait sa sensibilité comme différente de celle des autres, et qu'elle se percevait comme un mélange de tendresse anormale et de profonde indifférence. Elle se montrait bonne envers autrui et se tournait en dérision. Elle traitait son cœur comme un personnage de dessin animé ou, à ses heures les plus fastes, comme s'il déclamait un passage de quelque livre. Elle avait par bonheur hérité le goût familial pour la politique et rencontrait Isaac au moins sur ce terrain. Juliet savait tout, de Metternich aux politiques de courtage électoral.

Lorsque Isaac nous présenta, Juliet vivait les dernières heures d'une liaison torride, déréglée et embrouillée, avec un homme marié ; une liaison qui, de son côté, semblait osciller entre des périodes d'indifférence et des accès de désir abject, quasi pathétique. Ils finirent pas se faire surprendre par l'épouse, et tout s'acheva sur un au revoir hâtif. Juliet entama sa liaison avec moi dans l'état d'esprit qui est celui des hommes d'affaires épuisés partant pour les Caraïbes. Quelle lueur d'espoir pouvait-elle bien entrevoir dans mon cœur, c'était là, pour moi, un mystère. Je crois qu'elle a été attirée par mon détachement : elle recherchait un terrain sentimental sans droits de douane, où elle pourrait trouver un peu de bonheur à vil prix.

J'entrai dans l'appartement. Juliet, assise sur le canapé de velours rouge, feuilletait un livre sur l'œuvre de Balthus avec un air de désapprobation.

— Je hais le vingtième siècle, déclara-t-elle en refermant le volume.

— Pas moi, dis-je en me penchant vers elle et en l'embrassant sur le front.

— Ne me touche pas avec tes doigts glacés, fit-elle.

Trois ou quatre semaines auparavant, j'avais glissé mes mains froides sous son chandail, et depuis, elle redoutait, tous les soirs, de me voir recommencer.

— Le maire a déjà fait intervenir les chasse-neige, dis-je en ôtant mon manteau, que je laissai glisser par terre.

— Il paraît que nous aurons vingt-cinq centimètres de neige ce soir. Oncle Isaac affirme qu'à Chicago la neige est un véritable enjeu politique.

— Comment va le travail ?.

— Très bien. Et de ton côté ?

— Je ne sais pas. Pas si bien que ça. Des appels ?

— J'ai tout inscrit. C'est sur ton bureau. Il y en a pas mal.

— Merde.

— Certains peuvent attendre, dit-elle, mais d'autres, non.

— Je ne pense pas qu'il reste grand-chose de moi, maintenant, avouai-je, allongeant les jambes et me frottant les yeux.

— Tu ferais mieux de t'y habituer. Tu es plutôt en avance sur ton programme, mais il faut savoir garder le rythme. On n'y peut rien.

— Je dois faire les choses à ma façon.

— Bon. Ce pauvre Jerry Carmichael a appelé. Deux fois. Je crois que ce serait une provocation inutile de ne pas le rappeler.

Danny avait dit, une fois, que ma vie avec Juliet ressemblait aux relations d'un drogué avec une infirmière. Je me rapprochai d'elle, bien que quelque chose au fond de moi — une lourdeur dans les os — m'empêchât de poser la main sur son épaule.

— J'ai pris une résolution aujourd'hui, annonçai-je. Je ne mettrai plus la radio sur la station Soul quand je laisserai la voiture à un gardien de parking noir.

— Voilà une bonne décision.

Elle restait assise, totalement immobile, attendant visiblement un geste de ma part.

— Tu avais remarqué que je faisais ça ?

— Oui. Je l'avais remarqué.

— Pourquoi ne m'as-tu rien dit ?

— Je m'imaginais que tu voulais que le type prenne grand soin de ta voiture.

— Mais c'est de la faiblesse.

Juliet haussa les épaules.

— C'est vrai.

Je fermai les yeux. La fatigue m'envahit comme un épais brouillard.

— Vas-tu répondre à ces appels ? demanda-t-elle.

Je glissai la main sous son chandail, touchai sa lourde, chaleureuse poitrine. Et j'appuyai la joue contre le généreux coussin de chevelure balkanique sombre, rassurante.

Notre appartement comportait trois chambres à coucher. Il avait été plus qu'occupé, à une époque, par un couple de musiciens avec quatre enfants. Avant de tout repeindre en blanc, nous avions vécu avec les vestiges de l'exubérance des enfants Belsito : éraflures de coups de pied violents, traits de crayon, pâte à modeler durcie sur le plancher de sapin, marques profondes de patins à roulettes dans l'entrée. Aujourd'hui, l'endroit était aussi net et bien rangé qu'un de ces appartements de jeunes professionnels qu'on vous présente dans les magazines. Les chambres d'enfants avaient été transformées en bureaux, un pour moi et un pour Juliet. Nous avions chacun un téléphone, une ligne personnelle. Nos bureaux étaient séparés par une vieille porte en bois avec un bouton de faux cristal que le soleil avait violacé, et que nous ne tournions jamais sans avoir préalablement frappé. Je pénétrai dans le mien. C'était un rectangle blanc où des livres étaient alignés. La fenêtre donnait sur un jeune chêne, aux branches épaissies par la neige.

Juliet avait rangé les messages près du téléphone. Je les parcourus du regard, trouvai le numéro de Carmichael que je composai aussitôt, ne me laissant délibérément aucune chance de réfléchir à ce que j'allais dire. Je savais depuis longtemps que pour être véritablement préparé au pouvoir, il fallait être né dans le contexte adéquat ; nous, les autres, devions simplement nous fier à notre instinct.

— Oui ? répondit Carmichael.

Il avait décroché à la première sonnerie. Sa voix était haut perchée, sèche, comme s'il avait attendu un appel de l'hôpital. Je me remémorai aussitôt son visage : des cheveux bruns qui commençaient à s'éclaircir, des lunettes d'aviateur, un nez gros comme la moitié de mon pouce, une petite moustache brune surmontant des lèvres de siffleur.

— Salut, Jerry ! C'est Fielding Pierce.

— Salut, Fielding ! répondit-il sur un ton familier assez exaspérant ; c'était sans doute délibéré. C'est gentil d'appeler.

— Bon, dis-je. (Un temps d'arrêt.) Que puis-je pour vous ?

— Hé, c'est plutôt : que puis-je pour vous ? Je voulais justement vous proposer mon aide, pour que le transfert se fasse sans pagaille. Je sais bien que nous lâchons un sérieux poids sur votre dos.

— Aucune importance, répondis-je.

Une voiture passa, en bas ; ses phares éclairèrent le chêne enneigé. Une pellicule de glace s'était formée sur la fenêtre.

— J'espérais que vous pourriez venir ici ce soir, enchaîna-t-il, et que nous pourrions examiner une chose ou deux ensemble. Vous serez surpris de constater à quel point, sous peu, tout va être terriblement compliqué et je crois que nous ferions bien de nous en occuper pendant que nous le pouvons encore.

— Je suis content de voir que vous ne vous souciez pas outre mesure de cette tempête hivernale, dis-je en m'asseyant sur le rebord de mon bureau. Je trouve que c'est un bon exercice de préparation pour une guerre nucléaire.

— Ah oui ? C'est une manière intéressante de considérer la chose. Bon, alors, vous venez ? Je ne suis qu'à cinq rues de chez vous.

— Certainement, répondis-je. Il faut que nous parlions.

Je consultai ma montre. Il était neuf heures et demie.

Il me donna son adresse dans Cornell. Ayant raccroché, je restai quelques instants sans mouvement, le cœur battant. Je me sentais tout à coup énorme. J'avais l'impression que si j'étendais les bras, je pourrais toucher les murs de la pièce, et que si je les étirais un peu plus, je pourrais atteindre l'autre côté du mur. Une certaine irréalité s'était toujours mêlée à mon ambition, mais maintenant que celle-ci commençait à prendre corps, une irréalité nouvelle apparaissait, plus profonde, plus étrange.

Juliet était en train de manger de la ricotta et des petits oignons crus dans la cuisine. J'entrai, habillé pour sortir.

— Il vaut mieux que j'aille le voir, dis-je.

— Je t'attendrai, répondit-elle.

J'acquiesçai d'un mouvement de tête. Nos relations venaient de prendre un nouveau tournant. Les événements nous forçaient la main, et nous étions tous deux un peu gênés de sentir l'accélération soudaine de notre association nous entraîner au-delà des frontières naturelles de nos sentiments réciproques. Nous étions en passe de devenir un couple public alors que nous nous connaissions à peine.

Pendant une heure, la neige avait cessé de tomber, mais les flocons réapparurent tandis que je conduisais en direction de l'appartement de Carmichael. La nouvelle neige était épaisse, dansante, comme si quelqu'un avait éventré un oreiller géant. Quand je m'arrêtai en bas de chez Carmichael, un centimètre et demi de neige fraîche recouvrait le sol. Il y avait un espace réservé aux voitures juste devant son immeuble, légèrement réduit par la présence d'une bouche d'incendie ; je me garai néanmoins, avec le sentiment qu'il n'était rien que je ne pusse arranger.

Je marchai contre le vent, en direction du bâtiment. L'appartement de Carmichael donnait sur le lac. A travers les portes vitrées, je pouvais voir l'intérieur du hall d'entrée. Un Noir râblé, d'apparence athlétique, vêtu d'un uniforme de portier faisait les cent pas, regardant d'un œil courroucé les écrans vidéo du système de sécurité. Les téléviseurs ne montraient que la porte fermée, glacée, du garage souterrain, et trois ascenseurs vides — leurs portes s'ouvraient sur un corridor désert et se refermaient aussitôt. On aurait dit que le portier était le seul être vivant dans l'immeuble.

— Je viens voir le député Carmichael, annonçai-je.

— Votre nom ?

Il ne leva pas les yeux des écrans. Je m'imaginais mal faisant son boulot. Dans quel état devait être sa tête, après huit heures de surveillance ininterrompue de ces écrans ?

— Pierce, répondis-je.

Le trajet du parking à l'immeuble m'avait refroidi le nez qui maintenant, avec la chaleur, commençait à couler. Je l'essuyai sur la manche de mon manteau.

L'œil rivé aux écrans, le portier décrocha un téléphone et m'indiqua :

— M. Carmichael se trouve au 10 A.

En raccrochant, il m'indiqua les ascenseurs d'un geste du pouce peu amène. Je sentis son regard me suivre tandis que je m'éloignais. Après toute cette publicité infecte, le portier me prenait peut-être pour l'un des amants de Carmichael. L'appartement de celui-ci se trouvait à l'extrémité du couloir, au dixième étage. Je m'y rendis d'un pas vif. Je voulais mener l'affaire rondement. Je frappai à la porte du 10 A. Il y avait un paillasson par terre, sur lequel séchait une paire de bottes portant des traces de sel.

— Fielding ! s'exclama-t-il en ouvrant la porte.

Il portait des jeans en velours côtelé brun, un blazer bleu et une chemise blanche. Il avait un corps de jeune homme, bien bâti, gracieux. Son visage reluisait. Sa peau semblait être dénuée de pores, impeccable.

— Je suis content que vous ayez pu venir.

Il s'approcha de moi, me donna une tape sur l'épaule.

— Il s'en est produit des choses, n'est-ce pas ? poursuivit-il en me faisant entrer et en prenant mon manteau. Mais tout va très bien, nous contrôlons la situation. Le gouverneur m'a dit que vous aviez accepté de vous présenter et, je vous l'avoue, rien ne pouvait me faire plus plaisir.

Je le suivis à l'intérieur pendant qu'il frottait l'une contre l'autre ses mains minuscules. C'était un décor chinois, avec des aquarelles représentant des pandas et des pagodes, des tapis bleu et or, des vases de fleurs séchées, des lampes aux abat-jour en papier de riz, des tables basses en laque noire. Je sentis une odeur de café et d'encaustique. Il n'y avait pas un livre ou un papier en vue. Du côté est de la pièce, une baie vitrée ouvrait sur le lac, obscurci par un rideau métallique de neige.

— Lorraine et les enfants sont en Floride en attendant que toute cette folie se calme, dit-il en m'indiquant d'un geste large le canapé. Sale situation, hein ?

Il s'assit sur une chaise à côté de moi et croisa les jambes.

— En effet, répondis-je.

Je voulus lui dire combien je trouvais ce scandale ignoble, mais la crainte de ne pas paraître sincère me retint : je songeai que si j'avais jugé cela réellement honteux, j'aurais refusé d'en profiter. Je ne pensais cependant pas que mon avantage n'était qu'un privilège ; j'étais sincèrement persuadé que je ferais un meilleur député que Carmichael. Il avait rempli sa fonction sans éclat ni courage.

— Bien, je suis content que vous vous soyez décidé à intervenir au moment où nous prenons nos décisions, dit-il.

Il serra les mains et les laissa retomber sur ses genoux.

— Bon, comme je vous le disais, Lorraine est en Floride — elle en a de la chance —, aussi n'y a-t-il rien à manger. Mais j'ai fait du café. En voulez-vous une goutte ?

— Non, merci.

— Très bien. Plus tard, peut-être. C'est un de ces gadgets qui gardent le café au chaud, alors si vous changez d'avis...

Il fit un geste en direction de la cuisine, et son blazer s'entrouvrit légèrement. A ma grande surprise, je vis qu'il portait un revolver dans un étui fantaisie, attaché sous le bras dans le style Pinkerton. Pendant quelques instants, je sentis la mort dans la pièce, comme un courant d'eau glacée traversant un lac tempéré.

— Bon, à une exception près, commença-t-il de son ton le plus enjoué, vous allez hériter d'une équipe du tonnerre. Je leur ai parlé, évidemment, et la plupart d'entre eux ont décidé de rester avec vous, mon vieux, et de vous apporter tout le soutien dont vous allez avoir besoin. A moins, bien entendu, que vous ne projetiez de mettre en place vos propres collaborateurs après l'élection.

— Je n'ai pas encore de collaborateurs, répondis-je.

Un instant, il me parut absolument évident que Carmichael, désaxé par la perte de son siège, m'avait attiré dans son appartement pour m'abattre. L'instant suivant, toutefois, ce fut mon idée qui me parut folle. Certaines personnes portent des armes à feu. Mon frère Danny, par exemple, avait un revolver ; et Eisenhower, lorsqu'il était président de l'université de Columbia, remontait l'Upper West Side avec un calibre 45 dans son pantalon.

— Quelle sorte d'arme avez-vous là, Jerry ? demandai-je d'un ton détaché.

— Oh, ce vieux truc, répondit-il en repoussant doucement l'arme du coude, il est ancien. Un 38. Je devrais vraiment m'en défaire et en acheter un nouveau, mais j'ai tant à faire. De toute manière, vu le climat de folie qui règne en ce moment, je vais aller profil bas pendant quelque temps. Mais je ne veux pas que vous vous imaginiez qu'on vous envoie au massacre. Je travaillerai avec vous, dans les coulisses. Je vous accompagnerai sur chaque centimètre du parcours.

Sa bonne humeur ne cessait de croître.

— J'en suis vraiment très heureux, Jerry. Espérons que ce ne sera pas nécessaire.

Son sourire s'épanouit de plus belle, outrepassant largement, à présent, toute limite raisonnable. C'était exactement le sourire du type qui va abattre quelqu'un.

— Oh, allons, ce sera nécessaire. Nul n'est une île, n'est-ce pas ?

Soudain, toute cette gaieté sembla exiger son dû et la figure de jeune garçon se décomposa, révélant en dessous un autre visage, plus âgé, terrifié. Il se cala dans son fauteuil, poussa un lourd soupir. Son regard se fit vague, sa peau vira au gris.

— Voilà du repos qui s'annonce, et je vais en profiter pleinement, dit-il.

Au même instant, le téléphone sonna. Il décrocha. « Oui ? » dit-il ; puis il s'éclaircit la voix. « Oh, hello ! » reprit-il, penché en avant, sa vivacité soudain ranimée. Il couvrit rapidement le récepteur de la main et me murmura :

— C'est ma femme.

« Alors comment est le soleil, mon chou ? (Ses doigts tambourinaient rapidement contre le bras du fauteuil.) Hé, reprit-il, hé, hé ! Vas-y doucement. S'ils t'embêtent, tu n'as qu'à ne pas leur répondre, c'est tout. (Il l'écouta encore pendant un bon moment, trépignant d'impatience : cela avait d'ailleurs été son signe distinctif, lorsqu'il était en fonction ; Carmichael adorait parler, mais détestait écouter.) Écoute, mon chou. Je crois que tu réagis de façon trop émotionnelle. Quoi qu'il arrive, les journalistes sont de notre côté. Ils nous ont apporté un sacrément bon soutien. (Puis il retomba dans un silence maussade, secouant vigoureusement la tête en écoutant sa femme.) Écoute, Lorraine... » essaya-t-il une fois, dans l'espoir de la détourner de son discours. Mais elle était accoutumée à ces obstructionnismes et continua de parler. (Son portrait était accroché au-dessus de la cheminée. C'était une de ces peintures de plein air passables, dont ma sœur Caroline disait qu'elles avilissent la réalité en la reproduisant avec niaiserie, comme si le maître de l'univers était un crétin sentimental épris de pastels et de petits lapins aux grands yeux. Lorraine Carmichael semblait être une belle femme : des cheveux courts, coupés à la Peter Pan, un nez pointu, un sourire timide. Les enfants Carmichael avaient posé à côté d'elle : l'une, qui devait avoir quatre ans, en tutu turquoise ; l'autre, un bébé, en salopette à grosses rayures.)

« D'accord, d'accord, dit Carmichael, il est antipathique,

eh bien, change ton programme. S'il t'importune à la piscine, tu n'as qu'à y passer moins de temps, dans cette foutue piscine. (Pause.) Non, il n'y a personne que je puisse appeler. (Il se cramponna au récepteur, et dit dans un murmure confidentiel, désespéré :) Tu ne comprends donc pas ? Il n'y a personne que je puisse *appeler.* »

Je me levai. Je n'avais pas à écouter ceci. Je levai la main, la paume dans sa direction, pour lui faire comprendre que nous pourrions parler plus tard. Jerry m'adressa de grands signes frénétiques, désigna le canapé, m'ordonnant pratiquement de m'asseoir et d'attendre. Je fis semblant de n'avoir rien saisi et me dirigeai vers la porte.

« Je ne peux pas te parler maintenant, Lorraine », dit-il brusquement, et il raccrocha.

— Fielding ! s'écria-t-il en bondissant de son siège. Où allez-vous ?

Je me trouvais au milieu de l'entrée, j'avais sous les yeux mon manteau et la porte, qui me narguaient, mais je n'avais pas le choix ; il fallait faire demi-tour.

— Il y a une sacrée tempête dehors, Jerry. Je ferais mieux de rentrer pendant que c'est encore possible.

— Hé, qu'est-ce qu'une tempête, entre amis, pas vrai ?

Il s'avança vers moi, le bras tendu comme pour me serrer contre lui. Il n'essayait pas de boutonner sa veste pour cacher son arme.

— Vous n'irez nulle part tant que nous n'aurons pas levé nos verres, tous les deux. D'accord ?

— Je ne bois pas d'alcool, dis-je.

— Allons, allons...

— Je ne bois pas. Je ne peux pas.

Cela faisait maintenant quatre ans que j'avais arrêté de boire, mais je me sentais encore mal à l'aise en refusant. Je n'avais jamais été un alcoolique irrécupérable ; je n'avais jamais perdu mon emploi, on ne m'avait jamais arrêté. Mais j'étais ce que l'on appelle un buveur *chronique* ; c'était du moins ainsi que je considérais mon habitude, dont j'étais venu à bout par mes propres moyens ; la menace n'était cependant pas écartée.

— Oh, s'exclama Carmichael, ce n'est pas de la blague ? Je ne savais pas. Et bien, il va falloir faire gaffe, à Washington. Vous n'avez pas idée de ce qu'ils peuvent descendre là-bas.

— Je ferai attention, Jerry, répondis-je.

Je lui tournai le dos, pour m'habiller avant d'affronter le trajet. Je sentis qu'il me regardait, qu'il frémissait. Mes gestes étaient lents. Je pris soin de bien nouer mon écharpe, de boutonner mon manteau jusqu'en haut, de relever le col.

— J'aurais vraiment bien aimé ne pas rester seul ce soir, dit-il d'un ton joyeux. Enfin, je peux toujours passer des coups de fil. Ou me tirer dessus. Ha, ha !

Je me retournai, pour le regarder une dernière fois.

— Ne vous tuez pas, Jerry. D'accord ?

Il sourit. Sans doute embarrassé.

— D'accord, répondit-il.

Il boutonna sa veste, effleura le renflement à peine visible.

— Si vous aviez voulu vous opposer à tout cela, dis-je, je vous aurais soutenu.

Ses lèvres se serrèrent, mais il souriait encore. De la tête, il fit un geste de dénégation.

— C'est une chasse aux sorcières, Jerry. Vous avez de mauvaises cartes.

Sans se départir de son sourire, les lèvres serrées, il secoua la tête.

— Aucune importance, dit-il, un peu de repos, et tout ira bien. Nous parlerons demain, d'accord ? Je veux dire, vous savez, si c'est possible. Nous étudierons deux ou trois choses. Il y a pas mal d'affaires en cours avec lesquelles je voudrais... vous familiariser.

Je ressentis un élan de sympathie envers lui, tout en sachant que si je m'abstenais de manifester mon sentiment, je m'en réjouirais plus tard. Je plongeai les mains dans mes poches pour récupérer mes gants, les mis, lui adressai un signe de tête, et franchis le seuil.

— Tout ira très bien, disait-il. Il faut simplement que nous maintenions la machine en marche, pas vrai ? Que rien ne s'arrête.

Lorsque je sortis dans la rue, la couche de neige avait gagné quelques centimètres d'épaisseur. Ma vieille Mercury, dont les roues patinaient, se creusa un tombeau de neige sale et glacée. J'essayai la marche avant, la marche arrière, mais cela ne me mena nulle part. J'étais environné d'un nuage de gaz d'échappement, derrière lequel la neige tombait de plus en plus vite. Renonçant à l'idée d'utiliser la voiture, je l'abandonnai, me disant que je n'aurais pas à marcher très longtemps.

Seul objet mobile dans les sombres rues arctiques, je me dirigeai vers chez moi. Les flocons bleu-gris se précipitaient vers le sol en rafales. Je glissais dans de la neige fraîche, tombai une fois sur les genoux. Le blizzard et le vent commençaient à fausser ma perception des choses. « Un pied devant l'autre », me dis-je. Ne pas penser. Seulement marcher. Comme les Alcooliques anonymes. Un pas à la fois.

Je n'avais pas traversé deux rues que les réverbères clignotèrent, puis s'éteignirent. Les éclairages des fenêtres, sur mon chemin, disparurent soudain. La terreur m'envahit, puis je m'expliquai calmement qu'il s'agissait d'une panne d'électricité ; c'était déjà arrivé lors d'une tempête précédente et ça n'avait duré que vingt minutes. J'entendis un cri étouffé, venu d'un des appartements que je longeais. Mais je ne distinguais pas grand-chose. Une grande immobilité pesait sur le quadrilatère neigeux ; une immobilité que moi seul brisais.

Ce fut à ce moment précis, dans la neige, l'obscurité, la solitude, avec le poids troublant de la journée sur mes épaules, que soudain Sarah fut avec moi ; pas son visage ni sa voix, mais la spécificité de sa présence dans l'éternité. Je la sentis dans la neige. Je savais qu'elle était partie, et pourtant je la percevais au plus profond de moi, et dans cette fissure entre ce que je savais et ce que je sentais, elle était palpable. Je sentais ses doigts tendres, immatériels, parcourir l'intérieur de mon corps. Son souffle emplissait mes poumons.

— Sarah ! m'écriai-je, ma voix s'élevant comme une vapeur, saisie et emportée au loin par le vent.

Le désir peut ressusciter les morts, la solitude troubler l'intelligence. Était-elle présente seulement parce que je la désirais si fort ? Morte depuis maintenant cinq ans... Nous étions le 14 décembre. C'était son anniversaire.

Elle était née trente et un ans auparavant à La Nouvelle-Orléans, à l'hôpital Touro. Elle avait eu la chance d'être appelée Sarah. Mrs. Williams aimait les prénoms joyeux, soumis, pour les filles : ses sœurs se prénommaient Tammy et Carrie. Peut-être avaient-ils deviné dès sa naissance qu'elle possédait une volonté farouche. Je me souvins de ses photos d'enfant — un visage long avec d'immenses yeux bleus et froids. Une petite fille inquiétante. Je sentis son cœur battre auprès du mien. Était-elle apparue parce que j'avais réalisé le rêve qu'elle avait tenté d'écarter de moi ? L'avais-je forcée d'être témoin de mon curieux triomphe ? Nous pouvons aimer les morts comme nous aimons Dieu, et Sarah était en moi, aussi terrifiante qu'un ange brandissant une épée.

Je fermai les yeux, trébuchai. Je sentis le poids de la neige dans mes cheveux. Mon pantalon était trempé. Mes os se mirent à vibrer. Sarah s'éleva en moi, avec ses cheveux bruns et raides, son front large, ses yeux graves et impérieux, sa bouche généreuse, son menton énergique, ses bras aux muscles apparents. Et même si, au moment de sa mort, nous ne traversions pas une période très facile — nous étions même, à vrai dire, en pleine décomposition —, j'aurais donné, j'allais dire mon bras droit, mais, en réalité, j'aurais donné davantage encore, bien davantage, pour la revoir.

Tout aussi brusquement qu'elle m'avait envahi, sa présence me quitta. L'éveil qui succéda à son départ se traduisit par un vide soudain accompagné d'un frisson, comme si cette absence avait creusé une nouvelle caverne de solitude. Il n'y eut plus que moi dans la nuit, peinant dans la neige pour rentrer à la maison fermement attaché à ce côté du mystère.

Je distinguais à peine notre immeuble. Une fois à l'intérieur, je dus me tenir au mur pour trouver la cage d'escalier, où il faisait noir comme dans un puits. Le silence était absolu, un silence sans courbes ni brisures, sinon celles du bruit de mes bottes, tandis que je montais l'escalier en tanguant, ma respiration coupée sifflant autour de moi comme une alvéole de givre.

La neige se détachait de moi, tombait par morceaux. Il faisait encore chaud dans l'appartement, bien que la coupure eût arrêté la chaudière.

— La maison, dis-je en agitant les mains pour faire tomber mes gants.

Juliet vint vers moi, une bougie à la main. Elle commençait à déboutonner mon manteau quand le téléphone sonna.

— Je vais répondre, dit-elle.

Je me découvris. Je pouvais à peine m'entrevoir dans le miroir à la lumière faible et vacillante des bougies parfumées dont les flammes, dans de petits verres rouges, tremblaient sous de légers courants d'air. Je fis bouger mes doigts. J'espérais qu'il y aurait assez d'eau chaude pour un bain. Mon visage brûlait, me démangeait au fur et à mesure qu'il se réchauffait. Je laissai tomber par terre mon pantalon trempé, me frictionnai les jambes. Juliet revint, portant un chandelier de céramique blanche ; la flamme de la bougie ne l'éclairait qu'à moitié, mais même sous cet éclairage insolite, elle paraissait calme, rassurante, bien dans sa peau.

— C'était une femme, dit-elle lentement, d'une voix rêveuse. J'ai répondu que tu n'étais pas là, et elle a dit qu'elle rappellerait. Je lui ai demandé son nom, mais elle a raccroché.

Au même instant, l'électricité revint, et toutes nos lampes se rallumèrent.

4

J'ai rencontré pour la première fois Sarah Williams quand j'avais vingt-quatre ans, en 1970. J'étais dans la Coast Guard, basée à l'époque à Governor's Island ; j'avais traversé Harvard comme un couteau chaud s'enfonce dans du beurre, apprenant ce que je pouvais, me liant singulièrement peu et me comportant dans l'ensemble comme un garçon qui se fait un curriculum vitae et non une vie. Mon plan de carrière ronronnant ainsi tranquillement, l'heure était venue de remplir mes obligations militaires de la manière la moins sanglante possible ; j'imaginais mal un homme investi de fonctions officielles importantes qui n'aurait pas fait son service comme tout le monde. Lorsque j'en aurais fini avec la Coast Guard, il y aurait une place pour moi à la faculté de droit de l'université de Chicago, une place que je devais au père d'un de mes rares copains de collège, Jeremy Green. J'avais rencontré Isaac, un jour de Thanksgiving, puis l'été suivant dans le Wisconsin, où les Green possédaient un chalet. Isaac repéra mon esprit calculateur, apprécia ma façon d'envisager l'avenir. Quant à ma famille, malgré son enthousiasme, elle avait ses doutes. Mon père redoutait que ma place n'ait pas été réservée quand j'arriverais à l'université de Chicago et qu'en accordant ma confiance à Isaac, je ne devinsse le jouet des promesses fallacieuses d'un homme riche, tout comme Charlie Chaplin dans la terrible comédie où il se liait d'amitié avec un milliardaire ivre mort qui le rejetait le lendemain, une fois dessoûlé. Ma mère, elle, était farouchement opposée à la guerre du Viêt-nam et, même si la Coast Guard n'était pas une unité de combat des forces armées, elle n'en était pas moins malade à l'idée que je pusse me faire tuer. « Tu n'as qu'à faire comme ton frère ; Danny s'est contenté de dire qu'il était pédé », affirmait-elle pour essayer de me convaincre, tout en sachant parfaitement bien que je ne recourrais jamais à un semblable procédé. Elle voulut persuader son patron, Earl Corvino, de faire intervenir certaines de ses relations au parti démocrate — le parti de la paix, maintenant que Nixon était en fonction —, mais il le lui déconseilla vivement. (Nous savions tous qu'il ne pensait qu'à une chose : s'épargner la peine de lui rendre service — maintenant qu'elle se faisait vieille, le vieux politicien se montrait de plus en plus distant, voire désagréable. Il voyait son propre déclin dans la chevelure grisonnante de ma mère.)

C'était une fin de semaine d'automne, exceptionnellement chaude, avec un ciel couleur d'huître avariée. Je me rendis à Manhattan, vêtu de mon uniforme blanc. J'étais vraiment maigre à l'époque, et avec ma coupe de cheveux militaire, pleine d'épis, j'avais tout à fait l'air d'être tombé d'un nid. Danny venait de lancer son affaire. C'était la première année d'existence de Willow Books, et j'avais rendez-vous avec lui à son bureau. Nous avions l'intention de déjeuner, puis de passer le reste de la journée à nous mettre dans de mauvais draps. (C'était avant que l'appétit de Danny pour les divertissements destructeurs n'eût tourné à la voracité : nous n'en étions encore qu'aux hors-d'œuvre, simples bribes de dégâts délibérés, avant la période de grande masturbation festive.)

J'étais à cent un pour cent conscient de l'aspect emprunté et désuet de mon apparence quand je pénétrai dans les bureaux de Willow Books, vêtu de mon uniforme blanc avec ses épaulettes bleues, le chef couvert de la casquette des marines, l'insigne de mon grade cousu à l'avant-bras de ma manche droite — à l'époque second maître de deuxième classe, avec l'aigle, les ancres croisées et le double chevron.

Danny avait fondé Willow Books après un séjour chez des amis qui vivaient en communauté dans le New Hampshire et tentaient d'éviter le service militaire. Il s'était retrouvé dans un dépôt de marchandises, à Keene, où il avait déniché un vieux bouquin intitulé *The Science of Marriage,* écrit par un certain Révérend Otto Olson, qui avait été publié en 1902. C'était un manuel d'éducation sexuelle, explosif, désopilant et assez dingue, destiné à ce que le Révérend Olson appelait « les braves gens de toutes catégories ». Ma mère l'aurait qualifié de « source d'informations fallacieuses ». Danny fut assez malin pour deviner que des milliers de gens s'amuseraient follement à la lecture de ce document sexuel guindé, marqué par la culpabilité, byzantin. Le livre appartenait au domaine public. Danny avait seulement besoin de trouver l'argent nécessaire pour fabriquer 10 000 exemplaires, et comme il avait le don de se lier avec des amis riches, l'affaire ne tarda pas à démarrer. *The Science of Marriage* se vendit à 250 000 exemplaires. La photographie de Danny apparut dans *Newsweek,* et il fut invité à participer à une émission télévisée avec cinq autres « hippies qui ont réussi », même si un best-seller et une cravate peinte à la main ne justifiaient guère l'un ou l'autre de ces qualificatifs. N'empêche qu'il était dans les affaires, maintenant. Il convertit les bénéfices en un appartement qu'il occupa, en une voiture d'entreprise, édita de nouveaux livres, et loua une partie d'un immeuble de pierre rouge en forme de tour, à l'angle de la 23e Rue et de la Cinquième Avenue. Le sol penchait, les fenêtres vibraient sous la lumière du soleil. En sortant de l'ascenseur, je débouchai dans le petit salon d'attente : sièges avachis en toile bourrée de kapok, numéros de *Rolling Stone,* et, au mur, une peinture représentant un saule au clair de lune. La réceptionniste s'appelait Tamara. Ses petits seins pointaient sous le tissu diaphane de sa blouse indienne.

— Hello, Fielding ! s'exclama-t-elle. Vous avez tué quelqu'un aujourd'hui ?

— Pas encore, Tamara. Est-ce que Danny est là ?

Danny ne manquait ni d'idées ni de projets, mais la méthodologie des affaires et un certain type de discipline lui répugnaient. Il vivait confortablement. Il vivrait toujours confortablement, quels que soient les revers à venir. Même lorsque nous étions adolescents, il se comportait un peu comme un joueur : il adorait les paris, les défis, tout ce qui n'était pas raisonnable. L'argent qu'il avait gagné avec son best-seller s'était évaporé à la chaleur de ses projets et de ses envies, et Willow, à peine né, vivait dans un état constant de précarité fiscale. Souvent, Danny payait ses employés avec une semaine ou deux de retard, et il en changeait souvent. Je n'étais pas allé à son bureau depuis trois mois, et sur les huit personnes qui y travaillaient, je n'en connaissais que deux — Tamara et Wilson Wagner. Wagner était un immense roux originaire de Providence, que Danny appelait le Roux de Rhode Island ; linguiste et traducteur, amateur de littérature d'avant-garde, il restait là parce qu'il n'avait pas vraiment besoin d'argent, et parce qu'il réussissait encore à persuader Danny d'investir dans la poésie beatnik, dont chaque volume édité faisait perdre de l'argent. Wilson était directeur de collection, Danny PDG de la Willow Books. Ils partageaient les services d'une assistante. Elle était installée dans la pièce du milieu, qui communiquait avec le bureau chaotique de Wilson dont la porte était toujours ouverte, et avec celui de Danny dont la porte était généralement fermée, et d'où émanait une atmosphère de mystère.

Quelle étrange sensation, à cette idée : je lui adressai la parole pour la première fois ce jour-là, et je sais à présent, mais je l'ignorais alors, à quel point j'allais l'aimer par la suite, comment je la suivrais où elle me conduirait, même lorsque cela détruirait le tissu de ma vie, mes projets ; même lorsque cela défigurerait l'image de moi que j'abritais en mon for intérieur comme une affiche de campagne électorale.

Elle leva les yeux vers moi. Un manuscrit enfermé dans une boîte orange brillante reposait sur sa table. Ses cheveux étaient à moitié dissimulés par un turban bleu et blanc, et elle portait des petites boucles d'oreilles turquoise, un chemisier à rayures rouge et blanc dont les trois boutons du haut étaient défaits d'une manière à la fois naturelle et chaste. Un voyant, sur son téléphone noir, s'allumait par intermittence.

Ce fut ainsi que nous échangeâmes notre premier signe de tête, et je lui dis :

— Je viens voir le patron.

— Qui êtes-vous ?

Elle me dévisagea des pieds à la tête, sans vergogne, essayant de deviner ce que cachait l'uniforme.

— Son frère.

— Oh oui, répondit-elle avec une sorte de gaieté, un enthousiasme que je pris alors pour un intérêt passager. Il vous attend. Allez-y.

— Vous êtes nouvelle, repris-je, bêtement.

— Oui.

Le voyant continuait à clignoter sur son téléphone.

— Ça vous plaît pour l'instant ?

— J'adore, dit-elle en me faisant signe de sortir.

(Plus tard, elle devait me dire : « Tu posais de ces *questions* ! Et cet uniforme ! Tu étais tellement *agaçant*. »)

J'entrai dans le bureau de Danny. Il se tenait devant la fenêtre, vêtu d'une ample chemise rose et d'un pantalon gris, ses cheveux platine touchaient presque ses épaules. Il fumait un joint en observant les employés des compagnies d'assurance qui profitaient de la pause du déjeuner dans Madison Square Park.

— Regarde ça, regarde ça, dit-il en tournant vers moi ses yeux apaisés et rougeoyants. Quelle partie !

C'était du *touch football*[1], six joueurs par équipe, des types qui avalaient des tonnes de chiffres dans le grand Metropolitan Life Building, des garçons qui auraient dû mener une existence bien plus aventureuse que celle que leur emploi de bureau pouvait leur offrir. Je m'approchai de la fenêtre au moment où un grand type noir interceptait une passe hésitante, avant de trébucher et de tomber sur les genoux.

— On en est à quatorze points, dit Danny. Tu es pour qui ?

— Je prends l'équipe qui a le ballon.

— Pari tenu.

Danny était de onze mois mon cadet. Il avait pour habitude d'acculer à l'épuisement et au désespoir Mom et Dad, qui sentaient bien, cependant, que ses problèmes devaient être liés à quelque qualité profonde, à quelque hâte précoce face aux indi-

1. Forme simplifiée de football américain où le fait de toucher l'adversaire remplace le placage traditionnel.

gnités de l'infantilisme. Ils avaient vraiment le don de considérer les choses sous leur meilleur angle. Danny était rebelle, avide de plaisir, intrépide, et particulièrement enclin à attirer les catastrophes, alors que j'étais réfléchi, empirique, calculateur, apte au commerce et à la négociation. Danny m'enseignait ce que je devais désirer et j'aime à croire que je lui ai un tout petit peu appris comment obtenir ce qu'il désirait. Il a toujours souhaité être riche, non pas pour le prestige, mais pour le pur plaisir physique ; il considérait la richesse comme un massage ininterrompu : douceur, confort, facilité. Il estimait qu'être pauvre ôtait tout sel à la vie, sel qui ne peut exister que dans une atmosphère de frivolité. Il détestait voir Dad vérifier sa monnaie. Ce qui me motivait, moi, c'était notre insignifiance. C'est curieux, ces choses qui font de nous ce que nous sommes, ces charrues de fortune qui labourent les champs de la destinée. Je me souviens, j'avais neuf ans, j'étais en train de feuilleter un journal, recherchant la page des sports, quand je tombai sur la rubrique nécrologique : le propriétaire d'une chaîne de magasins de chaussures venait de mourir, il y avait sa photo, et une colonne avec des détails pleins de déférence sur sa vie. L'évidence me frappa brutalement : si mes parents venaient à mourir, si nous tombions tous malades et succombions, il n'y aurait pas un seul mot sur nous dans un seul journal au monde. Trois enfants, un père typographe, une mère qui dactylographiait et classait pour le responsable local du parti démocrate. Nous n'étions pas destinés à nous éterniser.

— A quelle heure dois-tu embarquer ? demanda Danny.

— Dix heures ce soir.

— Hé ! C'est un nouveau galon que je vois là sur ta manche ?

— Ne t'excite pas. On les obtient pour ainsi dire automatiquement, si l'on est un bon garçon.

Danny me prit le bras pour examiner ma manche.

— Je trouve ça tout à fait rassurant, de savoir que vous êtes là, à patrouiller dans le port de New York. Saloperie de viet-congs ; de vrais petits diables rampants. Ils pourraient débarquer dans la Cinquième Avenue comme *ça*.

Il fit claquer ses doigts. Ses mains avaient la force et la dextérité de celles de Dad.

— Ouais, répondis-je, sentant monter en moi une petite vague de doute qui se manifestait par de la gêne.

Normalement, je me défendais assez bien, dans ces petits assauts plaisants ; mais alors, dans son bureau, percevant le style, le rythme accéléré de son mode de vie, qu'il conduisait comme une voiture de sport, et sentant également le scepticisme de tous ces gens, derrière la porte — des gens qui me jugeaient sévèrement sans nul doute, parce que je portais un uniforme, des gens qui n'avaient pas la moindre idée de ce que je pensais réellement ni de ce que je voulais faire de ma vie —, je me sentis mal à l'aise, isolé, et ma confiance se recroquevilla au fond de moi. Et puis, il y avait autre chose, quelque chose qui figeait momentanément en moi tout sens de l'humour : Sarah. Sarah qui paraissait si évidemment inaccessible, et dont le visage, au fur et à mesure qu'il se retirait dans cette exquise chambre où nous enfermons l'objet de notre désir, éveillait en moi un désir poignant, accompagné d'une sorte de désespoir misérable.

— J'ai vraiment hâte que tu quittes cette putain de patinoire flottante de garde-côte, dit Danny. Ça me flanque les jetons, mon vieux. Qui sait si Nixon ne va pas avaler la mauvaise pilule et vous envoyer tous au Viêt-nam ? Tu sais, Fielding, je crois que, cette fois, tu t'es fait avoir.

— Que veux-tu que je fasse ? Que je déserte ?

— Peut-être, peut-être. J'ai deux auteurs à Toronto. Ils ont récusé l'appel, tous les deux. Leur livre sort dans deux mois environ. Ça va se vendre admirablement. Une espèce de fantaisie scientifique intitulée *Saturn's Godfather*.

— C'est très encourageant, Danny.

— Je suis ton frère. Je veille sur toi. Rappelle-toi le chant de la Coast Guard que tu m'as appris. Eh bien, ma nouvelle assistante m'a expliqué ce que signifiait ce foutu *Semper Paratus*. Toujours prêt. Et je n'aime pas ce toujours prêt de merde. J'en perçois nettement les vibrations funestes.

— Ton assistante ? La fille, là, dehors ?

— Oui, Sarah. Catholique. Ils connaissent leur latin, ces gens-là.

Le désir, imbibé de sa saveur particulière de fatalité et de futilité, surgit en moi comme une nausée. Je brûlais d'interroger Danny à son sujet, mais je me dis que ça allait passer, si je la fermais et si j'oubliais tout.

Danny, la main sur la poitrine, tendit le bras en avant, comme Al Jolson, avec le genou plié.

— Tous ensemble ! s'écria-t-il avec un accent de music-hall.

So here's the Coast Guard marching song,
We sing on land and sea[2].

Je me mis à chanter avec lui. Nous fîmes le tour de la pièce en nous tenant par la taille ; nos pieds frappaient le sol avec une telle force que les images encadrées — sa lithographie des capucines d'Andy Warhol ; une photo de lui en compagnie de Mick Jagger et d'une pâle Anglaise avec un œil au beurre noir ; la photocopie, encadrée, du premier chèque reçu par Willow Books ; l'agrandissement de la jaquette de *The Science of Marriage* — tremblèrent sur les murs.

Through surf and storm and howling gale
High shall our purpose be
Semper Paratus is our guide
Our fame, our glory, too,
To fight to save or fight and die
Aye! Coast Guard, we are for you[3].

La porte s'ouvrit alors, et elle apparut. Elle se tenait à la pointe d'un rayon de soleil, un cône d'or tendre parsemé de

2. C'est la marche des garde-côtes, que nous chantons sur terre et sur mer.

3. A travers les rouleaux, la tempête et le vent mugissant / Nous visons droit devant / Semper Paratus est notre devise / Notre renommée et notre gloire, aussi, / Combattre et secourir ou combattre et mourir./ Aye ! Coast Guard, nous te sommes fidèles.

particules de poussière qui tombait juste à ses pieds ; elle portait des chaussures de cuir rouge au bout découvert. Ses longues jambes fermes étaient nues, animées par la présence, à peine visible, d'un léger duvet. Elle était vêtue d'une jupe noire taillée dans un tissu léger et vaguement brillant qui captait remarquablement l'électricité statique, si bien que le vêtement collait à ses genoux, à ses cuisses. Nous achevâmes notre chanson et demeurâmes plantés là. Danny ne me lâchait pas, maintenant son bras autour de ma taille, alors que j'aurais voulu pouvoir adopter une attitude plus digne.

— Tu as grandi, ou quoi ? me demanda-t-il.

— Je grandis à la tâche, répondis-je.

Cela me parut être un miraculeux sursaut d'inspiration, et j'espérai que ma repartie inciterait Sarah à ne pas me juger trop hâtivement.

— Je voulais vous montrer quelque chose, dit-elle en avançant dans la pièce après avoir refermé la porte et en serrant contre elle un épais numéro de *Publishers Weekly*. Vous me rendez nostalgique, tous les deux, ajouta-t-elle. Je marchais ainsi, avec mes sœurs, autrefois.

— Sœurs comme frère et sœur, ou sœurs comme religieuses ? s'enquit Danny d'une voix empreinte d'intimité ; c'était ainsi qu'il s'appropriait des bribes d'informations personnelles pour les incorporer à un réseau de suppositions.

— Sœurs comme frère et sœur, dit-elle. Au fait. Dans ce numéro, il y a une liste des livres qui sortent au printemps...

Elle s'approcha de nous, ouvrit la revue. Elle allait sans hâte, évaluait notre intérêt ; en passant devant moi, elle me jeta un coup d'œil et, comme un cousin de province, je regardai mes chaussures.

— ...Arlington Books publie un livre sur J. Edgar Hoover qui a l'air de ressembler au nôtre, annonça-t-elle.

Elle trouva la page, montra la publicité à Danny : une photo du patron du FBI, avec un sourire de fou. Le titre était *Night Comes to the Potomac*.

— Quand le sortent-ils ? demanda Danny.

— C'est prévu pour mars.

— Quand sortons-nous le nôtre ?

— Fin mai, début juin.

Il souffla en gonflant les joues.

— Oh, oh ! murmura-t-il d'une voix si douce qu'elle aurait aussi bien pu provenir de la pièce voisine. Pouvons-nous être prêts avant eux ?

— L'auteur n'a même pas rendu le manuscrit corrigé.

— Bien, déclara Danny d'un ton décidé. Annulons-le, et dégageons-nous de ce foutu contrat.

— C'est que..., dit Sarah en me regardant bien en face.

Je me demandai pourquoi, et compris qu'elle voulait que j'intervinsse. « Allons, du calme, soyons raisonnable », me dis-je. Mais comment diable savait-elle que tel avait toujours été mon rôle ?

— Puisque je suis appelé à devenir ton avocat dans l'avenir, puis-je me permettre de te poser une question ?

— Quoi ?

— As-tu signé un contrat avec ton auteur ?

Danny eut un « oui » un peu crispé.

— Dans ce cas, tu ferais mieux de t'y tenir.

— C'est fou ce que tu sais de choses, répondit Danny en allant jusqu'à la fenêtre. Un contrat est une maison avec un millier de portes. Plein de sorties. (Il jeta un coup d'œil dehors.) Hé ! Mon équipe vient de marquer. Ils ne sont plus à égalité. Tu me dois cinq billets.

Danny se retourna vers nous avec une expression qui indiquait que le sujet était clos, et déclara qu'il était temps d'aller déjeuner.

Je sus aussitôt que je n'allais pas trouver le ton léger qu'il fallait pour suggérer à Sarah de se joindre à nous. Je me frottai le front avec la paume de la main. Derrière la porte, j'entendis le rire névrosé de Wilson Wagner — d'énormes ha ! ha ! qui avaient quelque chose d'un peu répugnant. Penser aux instants où l'âme est en péril est une entreprise étrange. Vouloir qu'elle se joignît à nous pour le déjeuner se rattachait d'une certaine manière aux quelques moments où ma vie s'était trouvée menacée : celui où la Pontiac avait dérapé dans la neige et fait plusieurs tonneaux ; celui où, alors que je nettoyais un fusil, le coup était parti accidentellement, dans le lustre, au-dessus de moi ; j'avais reçu une grêle de verre brisé ; et encore celui où, enfant, j'étais tombé sur un clochard endormi près des buissons gelés de Prospect Park ; je lui avais donné mon argent de poche, ce qui m'avait valu d'être empoigné par le bras, tiré violemment en arrière et embrassé sur la bouche. Je jetai un coup d'œil désespéré à Danny, compris qu'il n'avait aucunement l'intention de l'inviter, et plongeai tout au fond de moi, espérant soudain y trouver le cran suffisant pour lui demander de venir.

— Ça vous ennuie, si je vous accompagne ? demanda Sarah.

Avec un sursaut de soulagement, je fis claquer mes mains l'une contre l'autre, produisant un bruit absurdement fort, comme celui d'un sac de papier gonflé d'air qui éclate.

— Formidable, dis-je. (La chaleur envahissait mon visage comme une marée rouge.) Allons-y tous ensemble.

Danny me regarda, la réprimande étincelant comme un vernis dans ses yeux bleus. Il me recommandait de me calmer — non parce qu'il s'opposait à ce que Sarah nous accompagnât, mais parce qu'il savait à quel point je la voulais, qu'il l'avait su dès le premier instant, et qu'il ne désirait pas me voir — bon, c'est lui qui l'a dit par la suite — « tirer le canon pour marquer les réjouissances et couler par hasard mon propre navire ».

— Allons chez Max, proposa-t-il.

La dernière fois que j'avais dîné chez Max, au Kansas City, j'avais trouvé un cheveu dans ma salade, mais Danny aimait bien l'endroit parce qu'ils le laissaient signer des ardoises sans le forcer à payer, alors qu'il leur devait dans les deux mille dollars.

— Je suis d'accord, dit Sarah, à condition qu'il n'y ait pas de cheveux dans la salade.

La coïncidence était trop belle. Je me demandai si je n'avais pas rêvé. C'était avant que mon cœur n'eût appris à redouter ses propres profondeurs.

Au restaurant, nous nous installâmes dans un compartiment.

Danny et Sarah d'un côté, moi en face. Nous mangeâmes des steaks hachés, bûmes des Coca-Cola tièdes, écoutâmes les airs de Marvin Gaye et King Pleasure que diffusait le juke-box, et je dominai la conversation. Comme un marchand de tissu déballe ses coupons les uns après les autres, je dévoilai sans retenue toute la panoplie de ma personnalité. J'étais conscient du ridicule de ma manière de mettre en valeur certaines transitions, de certains de mes traits d'ironie préfabriqués : le garçon pauvre qui va à Harvard, et toutes les petites secousses sociales qui en découlent ; le garçon de Harvard qui va à la mer, et toute la série des découvertes qui s'ensuivent ; l'enfant mal compris par un frère plus jeune et une sœur plus âgée ; l'homme né de la génération perdue, qui recherche les honneurs dans une profession que la plupart de ses semblables ne respectent plus.

— Dois-je prendre des notes ? demanda Sarah à un moment.

Mais est-ce que cela m'arrêta ? Est-ce que cela me contint seulement ?

Pour finir, alors que mon repas avait refroidi dans mon assiette et que les leurs étaient à peu près vides, Danny me fit dérailler.

— Pourrais-tu dire, rien qu'en l'écoutant, que Sarah vient de La Nouvelle-Orléans ? me demanda-t-il.

— Eh bien, repris-je, il y a deux types avec moi dans la Coast Guard ; tous deux originaires de La Nouvelle-Orléans. L'un d'eux semble venir du Bronx et l'autre...

— Hé ! dit Danny en m'indiquant du menton mon assiette, tu n'as rien mangé.

Je compris enfin que j'avais parlé sans discontinuer, et ma gêne, inévitable, fut suivie d'un épais et mortel silence. J'attaquai mon steak haché, en pris une bouchée. Je la mâchai, les yeux baissés.

Danny s'éclaircit la gorge et se tourna vers Sarah.

— Que se passe-t-il chez toi en ce moment ?

— Le petit ami de la fille qui partage l'appartement avec moi s'est installé chez nous.

— L'Égyptien ?

— Oui.

— Sarah habite avec une fille qui était dans sa classe, à Goucher College. Elle mesure à peu près un mètre cinquante-deux, menue, menue, et elle sort avec un énorme Cairote bidon.

— Il reste simplement assis là, nuit et jour, dit Sarah.

Je sentis que son attention s'était portée sur moi et je me forçai à la regarder, quoique encore gêné par mon comportement de naguère.

— Il porte un short et un maillot, et c'est tout, hormis sa montre Rolex qui doit bien peser dix livres. Et il reste assis là, l'air furieux, les yeux rivés à l'écran du téléviseur, à secouer la tête toute la journée d'un air dégoûté. Si l'on essaie d'éteindre le poste, il se met à hurler comme si on lui avait écrasé l'orteil.

Je rejetai la tête en arrière et éclatai de rire. Mon Dieu, quel rire : celui d'un animateur d'émission télévisée sur la drogue.

Tels des parents évolués qui éloignent tout doucement un couteau de boucher des mains d'un enfant déchaîné, Danny et Sarah mirent progressivement la conversation hors de ma portée. Ils parlèrent du bureau, des livres qui allaient sortir, des manuscrits qui leur avaient été proposés récemment. Je m'efforçais de recouvrer un calme suffisant pour les écouter. Les opinions de Sarah étaient hâtives et tendaient, estimai-je, vers l'extrémisme. Elle était de ces gens qui emploient souvent « nous » et « eux », entièrement dévouée à ceux que le destin avait en quelque sorte disposés autour d'elle et terriblement méfiante envers ceux qui étaient susceptibles de blesser ses proches.

Elle voulait que Danny fît publier dans le *New York Times* une riposte accusant les éditorialistes d'ignorer Willow Books. « Parce que nous n'achetons pas beaucoup de pub, que nous sommes petits et indépendants, et que nous ne faisons pas partie du bon vieux réseau des petits copains », expliqua-t-elle. Elle voulait que Danny transformât l'affaire en coopérative. « Comme ça, nous aurons tous la même part et si l'argent vient à manquer, personne ne s'en plaindra. Ce sera à nous, et chacun travaillera deux fois plus. » Il la regardait comme si elle était devenue folle. Moi, je la trouvais incroyablement, surnaturellement magnifique. Je ne partageais aucune de ses positions, ou presque aucune, mais ce n'était pas important : je désirais follement la connaître et n'avais jamais expérimenté auparavant semblable humiliation, semblable mépris pour moi-même, j'étais soudain devenu un de ceux qui ne connaissaient pas Sarah Williams.

En rentrant au bureau, Sarah marcha entre nous deux. On aurait dit que le ciel s'était rapproché de la terre et il faisait encore plus chaud. Pour se rafraîchir, Sarah tirait sur le tissu de son chemisier, soufflait dans son décolleté. Je ne savais pas s'il s'agissait d'un geste de séduction, et si tel était le cas, je n'osais espérer qu'il s'adressait à moi. Après tout, Danny était son patron. Ils avaient beaucoup de choses en commun. Ils se trouvaient du même côté de la ligne qui divise l'Amérique, celui de la culpabilité. Moi, tous les vieux cons et les jeunes dingues, nous nous trouvions de l'autre côté. De surcroît, dans l'histoire de nos compétitions sexuelles, Danny l'avait toujours emporté.

Je regardai Sarah du coin de l'œil. Nous remontions Park Avenue en direction du nord. Les camions recrachaient leur pestilence, les taxis faisaient retentir leur klaxon. Elle tira encore sur sa blouse, puis essuya avec son avant-bras la sueur qui couvrait sa lèvre supérieure. Le désir me gagna comme une onde de panique. C'est alors qu'elle nous prit l'un et l'autre par le bras, et nous avançâmes comme dans les films français. Sarah nous précédait légèrement, nous tirait en avant.

— Vous n'avez pas encore raconté comment l'idée vous est venue de devenir sénateur, me dit-elle.

— Ce serait trop long, répondis-je.

— Oh ! n'avons-nous pas le temps ?

Cette remarque était adressée au patron, qui fit non de la tête.

Ce sera pour plus tard, chantai-je dans ma tête, au moins cinquante fois, mais je fus bien incapable de le dire.

L'ascenseur de l'immeuble Willow était minuscule et très décoré ; un petit opéra pour poupées. Le préposé était un vieil homme en uniforme bleu qui mâchonnait du chewing-gum et agrippait farouchement le levier de commande. Ma manche frôla Sarah, qui ne broncha pas. Lorsque la cabine s'arrêta en sursautant, elle me demanda :

— Au fait, quand retournez-vous à la guerre ?

Je marmonnai :

— Puis-je vous inviter à dîner ce soir ?

Et elle répondit :

— Épatant.

Cet après-midi-là, j'assaillis Danny de questions la concernant. Je commençai par m'assurer qu'il n'avait pas couché avec elle, éprouvai bientôt un immense soulagement. Puis je vérifiai s'il n'y avait pas le moindre flirt entre eux. Nous étions assis dans son bureau. Danny, les pieds sur la table, se penchait dangereusement en arrière, mettant en péril l'équilibre de son fauteuil pivotant. Il fumait un joint après l'autre. Je ne pouvais soutenir le rythme. De temps à autre, le téléphone sonnait, et Danny réglait les problèmes avec une efficacité remarquable, d'un ton vif, mordant, spirituel et assuré, tout à fait différent du marmonnement légèrement pâteux dans lequel il retombait après avoir raccroché.

— Elle a fait ses études supérieures à Baltimore, au Goucher College. Elle passait son temps libre à s'occuper d'une soupe populaire sur le quai. Un de ces vieux tripots où, dans le temps, les effeuilleuses ramassaient la monnaie du bar avec les lèvres de leur vulve. C'est aujourd'hui un de ces paradis pour âmes en détresse. Elle n'a même pas terminé ses études. Ses parents lui ont coupé les vivres. Apparemment, ce sont des monstres. La mère picole, le père est un sadique.

— De l'argent ?

— Rien de particulier. Les grands-parents sont bourrés aux as, mais ils ont déjà annoncé leur intention de tout laisser à la Société protectrice des animaux.

Nous éclatâmes de rire. J'étais assis sur le petit canapé de cuir, à taper nerveusement du pied.

— C'est vrai ?

Danny haussa les épaules.

— Je vais te dire ce qui est vrai : c'est qu'elle va à la messe. Je trouve cela drôlement archaïque.

— Quoi encore ?

— Quoi encore ? Eh bien, je suis surpris qu'elle ait accepté de dîner avec toi ce soir.

— Pourquoi ?

— Je ne sais pas. Elle est très réservée. Amicale, mais froide, sur le plan sexuel. Tu peux le sentir en la touchant. C'est comme toucher un homme. Difficile à expliquer.

— Elle fréquente des types ?

— Elle a un petit ami. Un peintre. Un grand mec riche ; il s'appelle Peter Blankworth, porte un bandeau perlé et des vêtements sales. Je vais te dire, il mesure près de deux mètres et trimbale un couteau de chasse dans une de ses bottes. Il a commencé à peindre après avoir laissé tomber la mescaline, et il vend ses trucs à des amis de la famille. Sarah a essayé de me convaincre qu'il pourrait dessiner une jaquette pour nous. Ce qu'il a présenté était ignoble, et je ne lui donnerai pas un sou. Sarah est furieuse.

— Elle aime bien ce type, alors ?

— Je ne crois pas. Je ne suis même pas sûr qu'ils couchent ensemble. Je ne les vois jamais se toucher quand il vient la chercher. Mais qui sait ? Les gens peuvent se montrer surprenants, en matière de sexe. D'habitude, pourtant, je peux dire dès la première rencontre ce que quelqu'un vaut au lit. Ainsi, Sarah, Sarah...

— Je peux la ramener chez toi, ce soir, dans la chambre d'amis ? demandai-je, lui coupant la parole.

— Tu sais ce que j'aimerais faire ? dit Danny. Prendre une once de Méthédrine, aller chez Julian, dans la 14ᵉ Rue, et toucher quelques billes. Ça t'va ?

— Allons-y. Je peux l'emmener chez toi ce soir ou non ?

Il écrasa son joint, ouvrit le tiroir supérieur de son bureau, chercha le flacon de Méthédrine. Quand il l'eut trouvé, il le tint dans la lumière du soleil, le tapota pour contrôler le contenu.

— Certainement pas, dit-il. Si j'avais voulu me mêler de sa vie privée, je lui aurais demandé de sortir avec moi. De toute manière, ce n'est pas la peine d'essayer. Ce ne sera pas ce genre de soirée.

— Elle est belle, n'est-ce pas ?

— Oui. Elle est absolument sensationnelle, mon vieux. Allons, tu es sûr de ne pas vouloir de ce truc et d'une partie de billard ? Souviens-toi de ce que Caroline a dit la première fois que je lui en ai donné : Hitler en cinq secondes.

Ce soir-là, Sarah et moi allâmes dîner chez Max, au Kansas City. Nous n'étions pas prêts à nous aventurer sur nos territoires respectifs. Retourner chez Max, c'était comme prolonger le déjeuner avec Danny. Notre serveuse avait des cheveux noir de jais, une coupe de choriste, les yeux de Bambi, et de petites dents pointues de félin. Elle semblait avoir peur de moi, physiquement, comme si l'homme en uniforme assis devant elle personnifiait la guerre et la violence. Je crois qu'elle s'attendait à me voir bondir de mon siège en hurlant : « Ça sent le pédé, ici », et commencer à tout dévaster.

— Elle ressemble à Jeanne d'Arc, vous ne trouvez pas ? demanda Sarah tandis que la fille s'éloignait.

— Je ne sais pas.

Je ne me sentais pas dans mon élément. Max était encore l'endroit à la mode parmi les marginaux du pop'art et autres oiseaux prospères qui se considéraient comme les hors-la-loi de la nuit, et je m'imaginais parfaitement l'effet que je produisais sur eux, assis dans mon uniforme blanc et coiffé du bonnet d'âne du devoir.

— J'ai trouvé qu'elle avait l'air d'une petite snob maigre à bout de nerfs, dis-je.

Sarah regarda autour d'elle les tableaux accrochés aux murs, la fumée planant autour des lumières tamisées, les compartiments occupés par des hommes qui portaient des veste de cuir et parlaient à des femmes coiffées à la japonaise, et je pus lire sur son visage qu'elle voyait soudain tout cela avec mes yeux, manifestation de bonté et de générosité qui me donna envie de franchir la distance qui nous séparait pour lui prendre la main.

— Allons ailleurs, voulez-vous ?

— Non, ça va. C'est parfait.

— Vous en êtes sûr ?

— Tout à fait, voyons. Vous allez me mettre mal à l'aise. Je trouve la serveuse formidable, ça va ?

— Très bien. Je vais tenir le discours de circonstance, dans ce cas. Que faites-vous dans la Coast Guard ?

— En ce moment, nous patrouillons dans le port de New York. Une nouvelle race de monstres marins a fait son apparition, répondis-je.

J'eus à l'instant même terriblement honte d'avoir répété, mot pour mot, ce que j'avais dit à une fille rencontrée dans un bar de Chambers Street, quelques semaines auparavant. Nous nous étions masturbés dans un taxi ; j'avais donné cinq dollars au chauffeur pour qu'il ne zieute pas ouvertement, puis, de retour à la base, j'avais attrapé un de ces rhumes qui vous tombent dessus à la suite de ces dégoûtations qui ne passent pas. L'histoire n'en était pas moins vraie. Plusieurs d'entre nous avaient repéré des poissons nécrophages pareils à des aiguilles de mer, dans le fond de la rivière ; tout ce qu'on pouvait en dire, c'est qu'ils avaient l'air de mutants : tête énorme, corps très long, multiples rangées de dents.

— Où ? demanda Sarah.

— A un mile de l'endroit où nous sommes assis. Tous ces produits chimiques déversés dans l'eau. Les laboratoire pharmaceutiques, les brasseries. Les poissons doivent évoluer pour survivre, et les mutations sont monstrueuses. Ils sont comme des serpents. Il leur arrive de se jeter carrément contre nos canots. Certains d'entre eux luisent même sous l'eau.

— Croyez-vous que vous devrez aller au Viêt-nam ?

— Non, la guerre est sur le point de se terminer.

— Ça fait un bout de temps que la guerre est sur le point de se terminer, dit-elle. Sa voix s'était assourdie, imprégnée par la coloration opulente de sa morale particulière.

— C'est simplement quelque chose que je dois faire.

— Je crois savoir ce que vous voulez dire. J'ai ça, moi aussi.

— Ça, quoi ?

— Le sentiment de la destinée.

Je me mis à rire. Je pensais qu'elle se moquait de moi, et je voulais simplement lui montrer que je le tolérais. Puis je compris qu'elle parlait sérieusement. Je ravalai mon rire, qui céda la place à un sentiment d'extase. Était-il possible qu'elle me comprît ?

— Parlez-moi de votre sentiment de la destinée, lui demandai-je.

Il me sembla alors plus naturel de tendre le bras par-dessus la table et de poser la main sur son poignet, un instant.

— Lorsque j'étais petite, je voulais être religieuse.

— Qu'est-ce qui vous a fait changer de cap ?

— La puberté.

— Et que désirez-vous à présent ?

— Une vie incroyablement aventureuse et dissipée, puis, au dernier moment, la sainteté.

C'était mon tour de dire quelque chose d'intelligent, mais mon esprit s'aventurait sans crampons sur une plaque de verglas.

— Je veux une vie qui ait un sens, dit-elle doucement. Elle inspira et expira très lentement.

— C'est une des raisons pour lesquelles je suis dans la Coast Guard, confessai-je. Il y a, à mes yeux, une grande coupure dans ma vie ; un avant et un après, et ça ne me plaît pas. Il y a d'abord un moi élevé par des parents pauvres, et puis un moi qui se faufile à Harvard et commence à traîner avec ceux qui fréquentent les écoles renommées ; tout le monde a cinquante chandails et dix cartes de crédit. Je veux que ma vie ne forme qu'un bloc. Faire mon service m'aide à assembler le tout. Je retrouve maintenant les gars que je connais bien, ceux qui auraient dû devenir mes amis. Non que je rejette les autres, loin de là, je veux appartenir aux deux univers. J'ai besoin des deux.

— Deux vies ?

— Non, seulement une très grande vie.

— C'est pour ça que vous voulez être sénateur ?

— Ce n'est pas vraiment ça que je veux.

— C'est pourtant ce que vous avez dit.

— Eh bien, ce que je veux vraiment, c'est être président.

— Sans blague ?

— Pourquoi souriez-vous ?

— C'est très enfantin, non ? C'est un peu comme vouloir être pompier.

— Et pourquoi ne pas vouloir être pompier ? Il faut bien que quelqu'un monte à l'échelle.

Après le dîner, je la raccompagnai chez elle, à pied. C'était soixante-quinze rues plus haut dans le nord et six avenues à l'ouest. Nous sommes restés côté est jusqu'à Central Park, que nous avons traversé :

— Je me pousse à venir marcher ici de temps à autre, dit Sarah. Tout le monde m'affirme que c'est affreusement dangereux, mais je refuse de me laisser intimider.

— Toute seule ? demandai-je

Le moment était, semblait-il, venu de la prendre par les épaules. Elle se rapprocha de moi, et je compris, avec un sursaut qui était presque de honte, qu'elle avait attendu mon geste. Si j'avais au moins disposé d'un peu plus de temps, tout n'aurait pas été si terrible, mais il fallait que je sois de retour à Governor's Island d'ici deux heures. Je sentis qu'il était absurde, infantile, d'être assujetti à un coup de tocsin.

— Lorsque j'avais onze ans, commença-t-elle, l'idée m'est venue que Frank Sinatra était sur terre pour me servir de guide spirituel. Il paraissait tout savoir. Je lui ai écrit plusieurs lettres. Lorsque je lisais dans le journal qu'il chantait à tel ou tel endroit, je tentais ma chance, et je l'appelais. Et puis, un jour, j'ai décidé que ça ne pouvait plus durer. J'avais trop besoin de lui pour vivre sans lui. C'était une urgence, une urgence spirituelle prépubertaire. J'ai appris qu'il passait au Caesar's Palace à Las Vegas, et je me suis décidée à partir. J'ai emprunté les vêtements de ma sœur Tammy — elle avait seize ans —, je me suis maquillée pour paraître plus âgée. Puis je me suis rendue à l'aéroport avec environ quarante dollars en poche, tout ce que j'avais pu ramasser. Il y avait un vol pour Las Vegas, l'après-midi même à quinze heures, et j'espérais parvenir à me glisser dans l'avion. Ce qui pourrait se produire ensuite n'avait aucune importance, puisque je me trouverais au royaume d'une force cosmique supérieure.

— Qu'est-ce qui vous faisait croire ça ?

— Une chose qu'il avait dite à la télévision ; que le plus important était de vaincre la nuit, et que tous les moyens d'y parvenir — Dieu, le gin ou n'importe qui — devenaient ainsi sacrés. Je croyais qu'il était Jésus en personne et que nul autre que moi ne le savait. Peut-être ne le savait-il pas lui-même. Il m'arrive encore de penser, parfois, que tout aurait pu tourner autrement pour ce pauvre vieux Frank si j'avais pu le rencontrer et lui annoncer qu'il était Jésus.

Nous atteignîmes la route nord-sud qui traverse le parc ; une théorie de taxis déferla, puis la voie fut libre. Nous la traversâmes en nous tenant par la main. Quelques lumières, tombant des immeubles donnant sur Central Park, perçaient la brume de chaleur, planaient au-dessus de l'obscurité totale comme des petits navires de l'espace.

Sarah habitait un immeuble de quatre étages en pierre de taille, avec des volets et une porte rouges. A côté du bouton de sonnette de son appartement, je lus : Williams & McCabe, Inc. McCabe, c'était Patricia McCabe, qui partageait le logement avec elle. Le " Incorporated " était une blague, une manière de célébrer la belle époque où elles fréquentaient le même établissement d'enseignement supérieur.

Je demeurai à côté de Sarah tandis qu'elle fouillait dans son sac à la recherche de ses clés : mon embarras était aussi tangible que ma peine.

— J'ai passé une excellente soirée, dit-elle en exhibant sa clé, attachée avec cinq autres à un anneau d'argent agrémenté d'une petite écrevisse en matière plastique rouge.

— Pourrai-je vous revoir ?

— D'accord, répondit-elle. (Elle posa une main sur mes yeux pendant quelques secondes, puis l'ôta et me dit :) Voilà, vous me revoyez. (Elle comprit alors que j'étais trop troublé pour rire.) Désolée. C'est une vieille blague qui m'est revenue... à l'instant.

Je m'emparai de la main qui avait couvert mes yeux et la gardai entre les miennes. Je la regardais attentivement, comme si j'étais capable d'en déchiffrer les lignes, et lentement, lui laissant la possibilité de la retirer, je la portai à mes lèvres et déposai un baiser, doux, fervent, tout à fait sincère, sur la ligne de chance. De sa main libre, elle me caressa la nuque.

— Puis-je monter ? demandai-je, saisissant sa main, que je serrai très fort.

— Trop rapide, dit-elle en secouant la tête.

— Ne pouvons-nous considérer ça comme une idylle en temps de guerre ?

Elle passa la paume de sa main sur ma joue puis, au moment de se détourner, la pinça. Fort.

Je restai près de la porte pendant qu'elle montait l'escalier. Je vis d'abord ses pieds disparaître, puis son ombre. Je regardai l'interphone : elle habitait au quatrième étage. Sur le trottoir, j'attendis qu'elle apparût. Une douce lumière jaune éclairait une fenêtre. Un chlorophytum pendait, dans un macramé, comme une breloque. J'attendis longtemps et son visage finit par apparaître à la fenêtre. Elle regarda d'abord à gauche, puis à droite, puis elle me vit, debout dans la rue, la partie inférieure de mon corps cachée par une vieille Chrysler bleu et crème ; le lampadaire, juste au-dessus de ma tête, m'illuminait comme si j'étais un ténor prêt à entamer son air. Ensuite, elle essaya d'ouvrir la fenêtre qui, après lui avoir résisté, finit par se lever lentement, et un craquement de peinture qui se détache me parvint nettement.

— Monte, Fielding, cria-t-elle en passant la tête par la fenêtre, comme un ange perce le voile d'incertitude qui sépare le paradis de la terre.

5

Le mardi qui suivit ma rencontre avec Kinosis, Isaac et Adèle donnèrent un dîner en mon honneur. Ils l'avaient organisé en un rien de temps. Byrne — le maire — était invité, ainsi que Mike Royko, et Field — le chef de la police ; tous ceux que les Green estimaient utiles à ma cause et qui ne trempaient pas trop, hormis le maire, dans les magouilles et les pressions de la politique électorale.

Juliet et moi nous habillâmes pour le dîner. On parlait encore beaucoup de Carmichael dans la presse. Au fur et à mesure que le scandale vieillissait, une catégorie inférieure de journalistes s'en emparait, tout comme les hyènes les plus faibles tentent leur chance une fois que les plus fortes sont repues.

Jerry n'avait rien fait pour arranger les choses. Il avait organisé une nouvelle conférence de presse. L'ennui le gagnait, l'abrutissait. La rencontre avec la presse, prévue pour ce jour-là, devait se tenir dans son bureau de la 53e Rue, un petit local ensoleillé qui avait autrefois été une boulangerie. Carmichael arriva en tenue décontractée — pantalon de velours, simple chemise de lainage à carreaux —, sans doute pour donner l'impression qu'il partait chasser dans le Michigan. Son regard semblait égaré par la douleur. « Je voulais simplement présenter mes excuses aux électeurs de mon district, dit-il en fixant la caméra. Je sais... que je les ai laissés tomber. Et je vais devoir... je vais devoir vivre avec cette pensée jusqu'à la fin de mes jours. » Coupé des ancrages de son ancienne existence, il n'avait pas plus de chances qu'un canot pris dans un cyclone.

J'apparus en personne dans les informations locales, ce soir-là, comme une simple note au bas d'une page des « contes » de Carmichael. Ma photo s'inscrivit brièvement sur l'écran, réveillant en moi le souvenir du visage de Sarah, tel que je l'avais vu aux informations télévisées. Le présentateur disait : « Certains informateurs bien placés avancent que le successeur de Carmichael au Congrès pourrait être un juriste de trente-quatre ans qui a fait partie de l'équipe du District Attorney, Fielding Pierce ; Pierce, célibataire et sans passé politique, semble bénéficier du soutien des démocrates de la circonscription, et on s'attend à ce que le gouverneur Kinosis annonce sa candidature aux élections dans deux ou trois jours. »

— Juliet ! m'écriai-je en me levant ; je me dirigeai vers la chambre. Juliet ! Sors de là. On me présente aux actualités.

— Qu'est-ce qu'ils disent ? répondit-elle.

Sa voix semblait affreusement lointaine.

Jerry avait disparu et moi aussi, et ils purent s'attaquer aux *véritables* informations : aujourd'hui, ils avaient *deux* spécialistes de la météo ; le zigue habituel avec son costume de camelot et sa mèche aux crans d'agité, et un assistant, spécialiste des tempêtes hivernales, qu'un organisme appelé Surveillance du temps américain nous avait délégué pour comparer l'actuelle série de tempêtes de neige à celles de jadis. Ses évocations étaient illustrées par de vieilles photos de Chicago dans les années trente, dépourvues de tout intérêt, où l'on voyait des gens emmitouflés avançant avec difficulté dans la neige qui leur arrivait aux genoux, et des clichés artistiques en couleur d'arbres dénudés dont les branches étaient alourdies par une éclatante neige glacée.

Juliet entra dans la pièce, vêtue de ce que vous appelleriez, sans faillir, une robe du soir ; un de ces vêtements légers, impossibles, étincelants, qui semblent conçus pour annoncer : j'ai un manteau de fourrure, une voiture chauffée et un puissant protecteur mâle.

— Bonté divine ! m'exclamai-je. Où allons-nous ?

— Tu veux être député ou sénateur ? Eh bien, voici comment on y parvient. Ne te fais aucune illusion, Fielding, ceci fait partie de la politique, comme tout le reste.

— Je sais. Et s'il te plaît, ne va pas croire que je ne l'apprécie pas.

— Tu plaisantes ?

— Absolument pas.

Elle sourit. Juliet n'insistait jamais, une foi qu'elle avait entendu ce qu'elle désirait entendre. Isaac ne connaissait rien aux femmes. Sans en avoir saisi les multiples facettes, il m'avait remis Juliet, me l'avait fourrée dans la poche comme un mouchoir de soie, s'imaginant sans plus ample considération que sa présence rehausserait quelque peu ma prestation. Avec ses idées passionnées et ses blue jeans râpés, Sarah l'avait effrayé. Il était cependant trop intelligent et trop délicat pour dire un mot contre elle. Au fond, il m'estimait incapable d'aborder seul le parcours. Peut-être aurais-je dû me sentir vexé, peut-être aurais-je dû lui dire de trouver un autre *protégé*[1], un autre garçon perdu, une autre flèche à mettre à l'arc de ses désirs frustrés. Mais tout cela me laissait de glace.

L'ambition gèle les émotions, et si j'étais vexé, il ne s'agissait encore que d'un sentiment des plus théoriques, d'un murmure qu'anéantissait le grand vacarme de la parade. Ce qui me blessait, je le logeais là où mon activité était la plus rentable : dans mon travail, dans mes projets professionnels, et si cela n'était pas suffisant, je pouvais toujours sillonner le périphérique, le volume de la radio au maximum, jusqu'à atteindre, avec l'épuisement, un seuil suffisant de docilité pour dormir toute la nuit et me réveiller prêt pour une nouvelle journée de croisade... une croisade qui avait commencé, comme la plupart des croisades, par l'idéal le plus élevé et les meilleures intentions ; mais en cours de route, j'avais peu à peu oublié les torches éteintes que j'aurais désiré rallumer, les torts effroyables que j'aurais voulu redresser, et aujourd'hui le foutu long voyage jusqu'à Jérusalem était alimenté par une énergie provenant d'une source plus sombre et plus profonde : le pétrole brut de l'égoïsme.

— Tu as fait une tache sur ton costume, dit Juliet en effleurant les revers de ma veste de ses longs doigts habiles.

1. En français dans le texte.

— Il y a des taches sur tous mes costumes, répondis-je. Nous autres prolétaires mangeons salement.

— Un jour, tu seras très puissant et insolemment riche, et tu continueras de dire ça, lança-t-elle en essayant de prendre un ton affectueux et moqueur.

— Eh bien, quelles que soient les hauteurs planétaires où je réussirai à me propulser, je serai toujours moi.

— Garde ça pour la campagne électorale, Fielding.

Je souris, frappé par le fait qu'ayant voulu dire quelque chose de sincère sur mon propre compte, j'avais exprimé autre chose, d'aspect facétieux, bidon. Juliet me tourna le dos, me demanda de l'aider à fermer sa robe. Je remontai la glissière et parvins à accrocher la minuscule agrafe qui me glissait entre les doigts, près du col. Cette robe devait bien avoir coûté un millier de dollars. Cela me semblait immoral, mais on ne dit pas ces choses-là. Son cou était long, blanc, osseux, et je sentis que je devais l'embrasser. Bien entendu, il y avait l'autre possibilité : arracher toute cette soie impalpable, et la prendre par-derrière — le sexe offre ce pouvoir de faire basculer le monde en un clin d'œil et de mettre à nu le désir sous-jacent, sauvage, fondamental. J'écartai doucement une mèche de ses cheveux noirs, et l'embrassai dans le cou. Elle émit un son sourd, comme si elle frémissait en dormant.

Puis le téléphone sonna. Les nerfs qui s'étaient noués au creux de mon estomac s'élancèrent comme un vol de pigeons sur une place. Juliet fit un pas en direction de l'appareil, mais je l'arrêtai.

— Je le prendrai dans mon bureau.

— Ne te mets pas en retard, dit-elle tandis que je me précipitais. Je levai le combiné à la troisième sonnerie.

— Allo ?

— Fielding ? La tempête va couper la route.

C'était Isaac. Mes nerfs retombèrent comme le contenu d'une pièce après une explosion ; tout obéissait de nouveau aux lois de la gravité, et Dieu sait dans quel ordre.

— Je crois que nous allons devoir annuler le dîner, ce soir. Ils annoncent trente centimètres de neige. Aïe. C'est la Sibérie, ici.

— Allons, vous connaissez les gars de la météo, Isaac. Ils veulent faire de chaque tempête une alerte. Je vous assure, ils sont en train d'organiser une répétition générale pour la guerre nucléaire. Il suffit de les entendre.

— Ah, oui. C'est une manière intéressante de considérer la chose. Mais, tout de même, on ne peut s'attendre à ce que les gens conduisent lorsqu'on a sonné l'alarme à cause de la neige. Je suis désolé. Je vois bien que tu es déçu. La femme du maire est une raseuse émérite, si ça peut te consoler. Une des personnes les plus mesquines et désagréables que je connaisse.

— Bien. Je me sens tout de suite beaucoup mieux.

Il rit. J'avais dit ce qu'il fallait.

— Ne sortez pas ce soir ; pelotonnez-vous bien au chaud tous les deux, et espérons que la tempête passera rapidement.

Nous nous souhaitâmes bonne nuit, mais, chaque fois que j'allais raccrocher, Isaac se souvenait de quelque chose dont il devait absolument me parler. Serais-je prêt à rencontrer quelques représentants démocrates de l'Illinois, lundi prochain, à condition, bien entendu, que le gouverneur ait fait sa déclaration d'ici là ? Quand devais-je partir pour New York, voir ma famille ? A Noël ? Est-ce que l'on ne pouvait pas remettre ça à plus tard ? Non ? Alors dans ce cas, pouvait-on écourter le séjour ? Et ainsi de suite. Quand Isaac en eut enfin terminé avec ses questions et ses recommandations, nous nous étions dit au revoir une cinquantaine de fois.

— Mon Dieu, dis-je à Juliet, c'est quelque chose de se séparer de ton oncle au téléphone.

— Ça signifie simplement qu'il t'aime.

— Le dîner est annulé. Effacé par la neige.

Elle posa une main sur son ventre, comme pour lui communiquer la nouvelle.

— Bon, eh bien ! tant mieux, il y en aura bien d'autres.

— Tu veux vraiment traverser tout ça avec moi ?

— Traverser tout ce qui va arriver ? Pourquoi pas ? C'est la partie que nous attendions avec impatience. Tu vas être reconnu. Tu vas avoir une voix.

— Mais pour toi, quel avantage ?

Elle me regarda. Je l'avais vexée, mais son visage traduisait sa peine comme si, semblait-il, elle était née de quelque *souvenir.*

— Je ne voulais pas dire ce que mes mots paraissent signifier.

— Je sais, dit-elle doucement.

— C'est simplement qu'il y a quelques jours encore tu avais ta vie, j'avais la mienne, et voilà que tout à coup nous parlons comme si...

— Tu vas avoir besoin de quelqu'un, Fielding. Maintenant plus que jamais. J'avais le choix entre avancer avec toi et me retirer, et j'ai choisi d'avancer. Je suis navrée que tu le ressentes comme une pression.

— Pas du tout. Je suis désolé. Je ne sais pas pourquoi je parle comme ça.

— Tu as peur.

— Sans doute.

— Tes rêves se concrétisent.

— Ce doit être ça. Je suis désolé. Allons. N'en parlons plus. Gardons nos magnifiques vêtements, et passons une soirée à la maison comme les couples des réclames de Smirnoff. Un feu qui ronronne. Coupes de cheveux impeccables. Et une grosse bouteille de vodka entre eux.

J'éclatai d'un rire tellement forcé et faux qu'il aurait pu, une fois lancé dans les galaxies, éloigner à jamais les extra-terrestres de notre planète.

— La soirée idéale, d'accord ? Tu t'imagines, deux personnes en tête à tête vidant un litre de vodka ? Quelle horreur, non ?

— Ta nervosité *me* rend nerveuse, dit Juliet en me tendant la main.

Je la pris et elle vint vers moi. Nous restâmes dans les bras l'un de l'autre, doucement, calmement.

— Est-ce que ça ira, si je bois un verre ou deux ? demanda-t-elle.

— Bien sûr que ça ira.

— Tu en es sûr ? Je n'en ai pas besoin.

Juliet se montrait toujours pleine de tact quant à ma manière de boire, ou plutôt de ne pas boire. Ma sobriété me transformait, à ses yeux, en une sorte de bombe à retardement qui tictaquait en elle, et elle redoutait, tout en le courtisant non sans morbidité, le personnage qu'elle croyait que je deviendrais si je me mettais à boire ; un personnage à la fois plus brutal, plus grossier et plus réel que l'homme avec qui elle avait jusqu'alors vécu.

Juliet ne buvait pas comme Sarah, dont l'agressivité était stimulée par l'alcool, et qui, éméchée, se montrait moqueuse, chicaneuse, provocatrice, et, sur le plan sexuel, d'une franchise à laquelle je ne m'adaptais pas aisément. Si le vin la ralentissait et la rendait cérémonieuse, les spiritueux, en revanche, la rendaient infernale, et elle pouvait boire à grandes lampées, comme un cow-boy, au goulot, croyant avec ferveur, ou désespérément, que l'alcool saurait dénouer en elle quelque nœud gordien de rigueur et d'incertitude.

Juliet traîna dans la chambre à coucher pendant que j'allais chercher une bouteille et un verre. Elle aimait boire au lit ou tout à côté, pour n'avoir pas à se traîner bien loin. Je lui servis de la vodka polonaise, qu'elle accepta avec une certaine résignation, comme si je la mettais dans un train. Je sortis de la pochette de ma veste un joint de marijuana colombienne — cadeau de Sid Ablin, un avocat de vingt-sept ans, qui ne quittait guère qu'au tribunal son petit chapeau melon noir, et que nous surnommions Chainsaw[2] par révérence pour son aptitude à découper en menus morceaux bien réguliers les témoins récalcitrants. C'était un bon procureur qui, s'il n'avait pas exercé cette profession, aurait probablement fini à l'asile.

J'allumai le joint avec lequel je touchai légèrement le verre de Juliet :

— Aux tempêtes, dis-je.

Elle me regarda par-dessus le bord de son verre, but une gorgée.

— Pourquoi nous conduisons-nous comme ça, Fielding ?

— La gêne, prétendis-je. Nous nous trouvons dans une situation très embarrassante.

2. Tronçonneuse.

— Sans doute, répondit-elle.

Elle s'allongea sur le lit, se débarrassa de ses chaussures et croisa les jambes à la hauteur des chevilles. Tenant son verre à deux mains, elle le porta de nouveau à ses lèvres.

— Nous étions simplement en train de nous laisser couler, repris-je avec un soudain et singulier sursaut d'enthousiasme dans la voix. Je comprenais tout, et le plaisir du diagnostic eut raison à cet instant de la fatalité de la maladie.

— Nous avions du plaisir à être ensemble, tu ne me demandais pas grand-chose et je ne te demandais pas grand-chose non plus. C'était agréable.

— Je crois que c'était un peu plus qu'*agréable*, dit-elle en détournant le regard.

— Oui, je suis d'accord. C'était plus qu'agréable. Mais il y a toujours eu une distance, une barrière. Et quand nous la franchissons nous nous refroidissons un peu, et nous devons, chaque fois, la franchir.

— Oh, arrête.

— Je ne dis rien de méchant, repris-je. (M'asseyant sur le lit, je posai la main sur son bras.) Nous avons eu du bon temps. Quand les gens nous voient, ils se disent : « Oh ! Pourquoi n'est-ce pas pareil pour nous ? » Pas vrai ? Nous l'avons tous deux remarqué. Nous avons fait les choses simplement comme elles doivent être faites. Nous avons fait ce que nous voulions. C'est ce qui nous plaît. C'est ce que nous sommes capables de *faire*. Mais maintenant, je vais être candidat et, soyons francs, je vais probablement l'emporter. (Je marquai une pause, attendant qu'elle hochât la tête, qu'elle manifestât son assentiment.) Je vais gagner, tu sais. C'est quasiment inévitable. Ils ne parlent pas de la machine démocrate de Chicago pour des prunes. Après, j'irai à Washington. Il faudra que je prépare presque aussitôt mon programme de réélection car quoi qu'ils fassent ou évitent de faire, les républicains ne manqueront pas de me filer le train avec deux revolvers fumants, la prochaine fois. Et il y aura peut-être même quelqu'un de mon parti qui visera mon siège.

— Je sais tout ça aussi bien que toi.

— Tu ne comprends pas ce que je veux te dire.

— Admettons. Mais je hais ce sérieux de pacotille. Je déteste considérer les choses comme plus importantes et plus angoissantes qu'elles ne le sont réellement ; ne pouvons-nous pas les prendre tout simplement pour ce qu'elles sont ?

Son visage semblait placide, ses yeux dépourvus d'expression comme si, d'un seul coup, tout avait dépendu de mon incapacité de percevoir ses sentiments réels. Je savais pourtant qu'à ce jeu je n'étais pas la seule dupe.

— Il ne s'agit pas, en l'occurrence, de prendre les choses simplement, Juliet. Seigneur, je me demande ce que tu as dans la tête. Je parle de deux individus. Je parle de toi et de moi. Je parle, dis-je beaucoup plus doucement, du fait que nous sommes parvenus à très bien nous entendre sans nous engager...

— C'était donc ça, notre vie ? demanda Juliet.

Son regard vide s'anima soudain. J'eus comme une nausée en comprenant qu'elle était au bord des larmes.

— Qu'était-ce donc, à ton avis ? poursuivis-je avec une vigueur toute professionnelle.

— Je n'en sais rien. Si je te comprends bien, ce que je peux dire maintenant n'a aucune espèce d'importance. Tu peux tirer tes conclusions tout seul.

— Non, ce n'est pas vrai.

Je sus alors que je mentais, et qu'elle ne l'ignorait pas.

— Tu ne sais même pas ce que tu dis, affirma-t-elle. (Elle vida son verre d'un geste étonnamment vif et me le tendit. Je lui versai une autre dose, identique.) Pourquoi ne nous mettons-nous pas tranquillement au lit ? reprit-elle.

— Je ne suis pas fatigué.

— Veux-tu faire l'amour ?

— Ah ! C'est un interrogatoire.

— Ce n'est pas ce que je veux dire. J'aimerais bien.

— Attends-moi un peu, alors. Je vais me dégourdir les jambes.

Elle haussa les épaules, but sa vodka ; la couleur montait à ses joues, une lente marée rouge. Mes propres sentiments étaient bien loin de mon attitude, mais en même temps, ils m'irritaient, comme un aboiement de chien dans la campagne, à quelque distance.

Dans la cuisine je me préparai un sandwich. Je lus les journaux, puis je fis quelques pas de long en large, m'abandonnant à des pensées qui demeuraient confuses. Quand je regagnai la chambre, Juliet s'était glissée sous les couvertures ; sa magnifique robe, par terre, faisait un petit tas noir, brillant. Je ramassai le verre qu'elle avait posé sur la table de nuit, afin qu'elle ne respirât point dans son sommeil les vapeurs de l'alcool, et j'éteignis la lumière. Je me sentais soulagé. Je me glissai avec précaution hors de la pièce et refermai la porte sans faire plus de bruit que si j'avais boutonné mon pyjama.

Je me rendis dans mon bureau et m'assis à ma table de travail. Il était à peine neuf heures et demie du soir. La nuit allait être longue. Je m'approchai de la fenêtre pour regarder la neige. En bas, je vis ma voiture, que la neige recouvrait comme une douce doublure blanche. Je me sentais pris au piège de la soirée, de moi-même, des lois impitoyables de l'univers. Je désirais boire un verre, des verres, de nombreux verres ; venait un moment, après le premier, où je savais qu'il y en aurait d'autres, et où je pouvais marcher en moi-même comme dans les pièces d'une belle propriété que les peintres vont commencer à repeindre, et qui sera bientôt de ma couleur préférée. Je me souvenais très bien de la sensation, mais ne pouvais la reproduire, ni même m'en approcher. C'était seulement quelque chose dont je pouvais me souvenir, et dont je devais me passer.

Je retournai à mon bureau et composai le numéro du domicile de Danny à New York. Il y avait un message enregistré qui vous répondait dès la première sonnerie : « Vous êtes à Bip-bip-ville », puis venait la tonalité. J'étais certain qu'il n'était pas loin de l'appareil, en train d'écouter, pour voir s'il s'agissait de quelqu'un à qui il avait envie de parler ; il pouvait, de cette manière, filtrer les appels, non par désir de se montrer hautain, mais parce qu'il devait de l'argent à des auteurs, à des imprimeurs, à des correcteurs d'épreuves indépendants, à des photographes, à des avocats, à des banquiers, et à des tas d'autres encore, moins officiels, plus menaçants. Au bureau, il disposait encore, comme bouclier, de la standardiste, mais ses créanciers les plus acharnés avaient maintenant son numéro personnel et il devait prendre garde, bien qu'il n'eût pas complètement perdu le don d'amener même les plus enragés d'entre eux à l'aimer, à lui accorder quelque répit. Il avait encore l'avantage d'être si lourdement endetté que certains devenaient malgré eux ses complices, car où se retrouveraient-ils, s'il venait à sombrer pour de bon ? Il pouvait charmer, manipuler, prolonger les délais, mais il lui en coûtait et, ces derniers temps, Danny avait besoin des nuits pour se remettre des pressions subies dans la journée. Je l'imaginais dans son élégant six pièces de la 70e Rue Est, avec une créature magnifique à ses côtés, une bouteille de Piper Heidsieck et une assiette en porcelaine de Limoges remplie de drogue, levant un doigt afin que sa compagne cessât un moment de bavasser, et se penchant vers le répondeur Panasonic pour savoir qui appelait. Je ne voulais pas qu'il répondît parce que c'était moi, aussi raccrochai-je sans piper mot.

Ensuite, je composai le numéro de ma sœur. (Prenez garde à l'homme solitaire qui a un téléphone sous la main.) Elle répondit à la deuxième sonnerie. Sa voix semblait inquiète.

— Salut, Caroline. J'ai l'impression que tu attendais un appel.

— Fielding ! Où es-tu ?

— Chez moi, à Chicago. Est-ce que Mom et Dad t'ont annoncé la nouvelle ?

— Et comment ! Tu t'imagines qu'ils garderaient ça pour eux ? Ils sont fous de joie. Ils t'ont dit, pour moi ?

— Pour toi ? Non. Que se passe-t-il ?

Il y eut un silence, puis elle reprit :

— Ils ne t'en ont même pas parlé...

— Attends. Il se peut qu'ils l'aient fait, et que j'aie été trop préoccupé pour...

— C'est ça. J'en suis persuadée. Et comme ça, tu peux te rendre compte à quel point ils sont fiers de *moi*.

— Dis-moi ce que c'est, Caroline, demandai-je.

Ma voix avait adopté la tonalité à demi neutre à demi forcée de qui redoute de céder ses privilège éphémères. Je savais que les vieux griefs de Caroline étaient tout à fait fondés : sauf lorsqu'il s'agissait de lui adresser à l'occasion quelque remontrance, nos parents l'avaient négligée dès sa plus tendre enfance. Ils avaient laissé faire Danny, m'avaient encouragé, mais ils avaient tenu Caroline à distance ; craintifs quant à sa sexualité, suspicieux quant à son intelligence, ils l'avaient traitée comme si elle était en liberté conditionnelle, et je n'avais jamais trop su comment intervenir en sa faveur. Comment aurais-je pu les incliner à l'aimer davantage ?

— Laisse tomber, dit-elle.

— J'aimerais savoir de quoi il s'agit, Caroline.

— Et moi j'aimerais qu'on laisse tomber.

Je me penchai en avant, au-dessus de la table ; ma main libre couvrait mon regard. Je poussai un soupir dans le récepteur, et la ligne devint silencieuse. J'étais assis dans l'obscurité de mon bureau, qui devenait de plus en plus froid, à regarder les reflets des phares d'une voiture balayer le plafond.

— Peut-être pourrons-nous en parler lorsque je viendrai à la maison pour Noël, finis-je par dire.

Elle attendit quelques instants encore avant de répondre :

— Nous aurons le temps, n'est-ce pas ?

— J'ai acheté des cadeaux formidables pour tes fils.

— Ils sont tellement excités à l'idée de voir leur oncle, et aussi par ce qui t'arrive. Tu n'as pas idée. Ils sont jeunes, mais ils ont *compris*.

— Compris quoi ?

— Que tu allais faire partie du Congrès et vraiment *faire* quelque chose.

— Épatant. Et quand ils auront vu tout ce que je peux faire, ils deviendront sans doute anarchistes.

Caroline garda le silence un instant avant de dire :

— Ne t'inquiète pas. Tu te débrouilleras très bien.

— Tu sais ce que j'aimerais ?

Je me levai, pris le téléphone, allai jusqu'à la fenêtre. La neige tombait dru maintenant et, en bas de l'immeuble, un chasse-neige s'était arrêté, sa lumière orange tournait, indéfiniment.

— Qu'aimerais-tu ? demanda Caroline parce que je ne lui avais pas laissé le choix.

— J'aimerais que Sarah soit ici.

Debout, regardant la neige tomber, j'attendais ce que Caroline allait bien pouvoir dire.

— Elle me manque également, Fielding. C'était vraiment quelqu'un.

— Tu sais, ça va mieux, ça va mieux, et puis, tout à coup, c'est comme si rien ne pouvait plus jamais aller mieux.

— Tout va bien entre Juliet et toi ?

— Oui. Ce n'est pas ça ; peu importe que je sois heureux ou malheureux avec quelqu'un d'autre. Ce n'est jamais que *quelqu'un d'autre*. Je veux... Je ne sais pas. Elle me manque, tout simplement. C'est toute cette neige.

— Que veux-tu dire ?

— Ça tombe vraiment fort.

— Je sais. Ils en ont parlé aux informations.

— Je me sens seul.

— Ce sera bientôt le printemps.

Je l'entendis remuer sur sa chaise. C'était comme si je la voyais se pencher en avant, et je savais ce que cela signifiait : elle se rapprochait de moi, me serrait fort.

— J'aimerais seulement qu'elle soit là, pour voir ce qui se passe. Je pense qu'elle n'aurait jamais cru que tout cela puisse se produire.

— Je peux te dire quelque chose ? demanda Caroline. Si tu étais encore avec Sarah, rien de tout ça ne serait arrivé. Je ne parle pas seulement de toute cette affaire Isaac-Juliet, ça n'a rien à voir avec les relations ; mais tout ce qu'elle représentait t'aurait éloigné de ton objectif. Tu n'aurais pas pu rester avec une femme telle que Sarah et avoir la situation que tu désirais.

— Eh bien, je ne pourrai jamais le savoir, pas vrai ?

— Fielding, je ne voulais pas te blesser.

— Je sais.

Je ne pouvais rejeter l'hypothèse qu'elle me tourmentait

à cause de ma réussite évidente. Caroline excellait à ce jeu. Elle était capable de mettre mal à l'aise le propriétaire d'une Cadillac.

— Je commence à faire comme si elle était encore en vie, avouai-je enfin.

— Mais pourquoi ? Pourquoi t'infligerais-tu pareille épreuve ?

— Je ne sais pas. Je n'y peux rien. C'est en train de se produire, tout simplement.

— Ça ne peut pas arriver tout simplement. Ça a dû être provoqué par quelque chose. Te sens-tu coupable d'avoir tiré profit de la situation ?

— Pas le moins du monde. Je la sens seulement autour de moi. Dans la neige. Il neigeait quand elle est morte.

— Je sais.

— Je la sens seulement autour de moi, comme tu peux sentir que quelqu'un te regarde. Je crois qu'elle a téléphoné ici l'autre soir.

Caroline resta silencieuse pendant quelques longues secondes.

— Oh, mon Dieu, Fielding ! Ne t'embarque pas là-dedans.

— Mais tu ne comprends pas. Ça ne me dérange pas d'avoir cette sensation. C'est bien. C'est intéressant.

— Ce n'est pas intéressant. C'est tout à fait affligeant.

— Je ne suis pas affligé. Je me demande seulement ce qui va se passer maintenant.

Nous parlâmes encore quelques minutes avant de nous dire bonne nuit. Je replaçai le téléphone sur la table et j'allai me coucher. Lorsque je me glissai auprès de Juliet, elle le sentit du fond de son sommeil, et se rapprocha de moi. Ses fesses nues se pressèrent contre ma cuisse. Je sentais leur douceur, leur fente, et la sombre chaleur qui montait de son sexe. J'allongeai le bras pour la toucher. Elle était loin de moi. Une odeur doucereuse émanait de sa peau : elle était en train de cuver la vodka.

Dehors, dans le silence fragile de cette nuit d'hiver, un passant courageux cheminait avec une radio portative, qui diffusait une vieille chanson. Mon cœur s'arrêta de battre un instant. C'était Stevie Wonder qui chantait *I was made to love her.*

> *I was born in Little Rock*
> *Had a childhood sweetheart*
> *We were always hand in hand*
> *I wore high-topped shoes and shirttails*
> *Susie was in pigtails*
> *I knew I loved her even then*[3]...

Je m'assis dans le lit. Quelqu'un, dehors, écoutait la chanson favorite de Sarah. Un jour, elle avait passé vingt fois de suite ce 45 tours. Nous avions dansé sur cet air. Elle avait copié les paroles sur un carnet, et les avait intégrées comme exercice de lecture au cours du soir de la Maison de la Résurrection.

Je l'avais évoquée. Je pouvais la sentir dans la chambre, ni moins réelle ni davantage visible que l'air, la température. Je regardai autour de moi, mais ne vis aucune lumière particulière ; aucun rideau ne bougeait. Je retins ma respiration, guettant son contact. Je repoussai les couvertures avec précaution et me coulai vers le bord du lit. Juliet réagit instinctivement à la disparition de la chaleur de mon corps en se rapprochant de moi à l'aveuglette. J'attendis un moment qu'elle eût retrouvé sa position, mais aussitôt que je bougeai de nouveau, elle leva la tête de l'oreiller.

— Ne t'en va pas, dit-elle d'une voix qui traversa l'épaisseur du sommeil.

— Juste une seconde, murmurai-je.

— S'il te plaît, insista-t-elle.

Elle n'était pas comme d'habitude. Elle manifestait son sentiment avec une âpreté qui était étrangère à l'idée que je me faisais d'elle, et j'eus le sentiment abrupt, morbide, qu'après tous ces mois de vie commune, je ne la connaissais que bien peu.

Je me penchai au-dessus d'elle, embrassai tout d'abord le

3. Je suis né à Little Rock / Où j'avais une petite amie d'enfance / Nous allions toujours main dans la main / Je portais des godillots et un polo / Susie avait des nattes / Et je savais déjà que je l'aimais.

côté tiède de son visage, puis le côté frais. Je dégageai les cheveux qui recouvraient sa tempe. La musique montait encore de la rue. Je mourais d'envie d'aller à la fenêtre.

— Je reviens tout de suite, dis-je ; et il y eut soudain un fil à nu dans ma voix.

Je pressai ma main et la replaçai contre son corps. Puis, avant qu'elle eût pu dire quoi que ce soit, je quittai le lit.

J'étais à la fenêtre. La neige tombait toujours, quoique plus lentement, et tandis qu'elle tombait, maintenant, le vent s'en emparait, la poussait en avant, en arrière. Elle glissait devant les réverbères, se posait sur le toit des voitures garées. De l'autre côté de la rue, quelqu'un faisait chauffer le moteur d'une Saab. Les gaz déboulaient du tuyau d'échappement et remontaient dans la lumière du réverbère le plus proche, où ils devenaient d'un blanc de craie. Je ne connaissais pas le propriétaire de la voiture, mais je savais où il habitait : il occupait l'appartement du rez-de-chaussée, en face, et il avait une vieille affiche de Kennedy, bleu et blanc, à la fenêtre, un souvenir de la campagne électorale de Bobby Kennedy en 1968. Je regardai alentour. Les trottoirs étaient déserts, les empreintes nombreuses, mais aucune ne paraissait plus fraîche que les autres. Presque toutes les fenêtres que je pouvais voir étaient obscures. Celles qui étaient éclairées semblaient pâles et sinistres, comme si Chicago était une ville en état de siège. Et la voix de la radio s'était éteinte comme si elle n'avait jamais existé. Je pressai la paume de ma main contre la vitre glacée.

— Viens près de moi, Fielding, dit Juliet. (Elle était assise dans le lit, maintenant, tenant pudiquement le drap devant ses seins nus.) Que regardais-tu ?

— J'ai entendu de la musique, dis-je.

— Et alors ?

— Je ne sais pas. Je perds la boule.

— Viens au lit.

Elle me tendit les bras, le drap tomba, ses seins aux pointes brun foncé étaient pleins, lourds. Elle semblait émerger des draps repliés sur son estomac telle une apparition, un symbole de fertilité surgissant de notre vaste lit froid.

— Tu es tellement belle, dis-je.

Je m'allongeai, me serrai contre elle, pris dans la grande logique charnelle du désir et de la douleur. Je pressai mes lèvres contre les siennes, goûtai l'ivresse qui s'élevait d'elle comme monte de la route la chaleur, et l'en désirai d'autant plus. Sa main était posée sur mon épaule, et elle enfonçait maintenant ses ongles dans ma chair. Juliet n'était pas une femme cruelle, ni une amante féroce. L'idée d'être, pendant l'acte sexuel, différente de ce qu'elle était à d'autres moments la gênait ; si l'on ne grogne pas, si l'on ne crie pas hors du lit conjugal, pourquoi devrait-on adopter une autre personnalité pour ces quelques minutes d'amour ? Elle estimait que les femmes qui font tout un cinéma pendant l'acte sont fausses ou folles, et refusait de se prêter au jeu. Cela m'était égal. La douceur de son comportement, quand nous nous aimions, était le reflet fidèle de la vie tranquille, coulante, que nous partagions.

Sa bouche était grande ouverte sous la mienne et sa main recherchait avidement mon sexe, comme si mon érection était la preuve de Dieu sait quoi. Elle se serra contre moi, soulevant les hanches, et je pus sentir sa moiteur contre ma cuisse. Les battements de son cœur vibraient dans sa poitrine, comme un tam-tam. C'était l'ivresse, bien entendu, et c'était aussi l'urgence engendrée par le changement soudain de ma vie. Elle sentait que je lui glissais entre les doigts, et cela la stimulait. Je savais que tout ce qu'elle voulait, c'était me communiquer la chaleur de son désir, mais comme l'éclat de la lune laisse accroire que sa face obscure est hantée, la hâte de sa passion fit paraître d'autant plus désolées toutes les nuits que nous avions passées ensemble.

Elle s'empara de ma main, la mit entre ses jambes, referma ses cuisses de nageuse, dures et fraîches. Elle me poussa sur le dos et m'enjamba. Elle me dominait maintenant de ce qui me paraissait être une hauteur vertigineuse. Un moment, elle se toucha les seins, les yeux fermés, en attente, comme si elle allait chercher au fond d'elle-même l'image d'une femme en extase ; mais où aurait-elle pu la trouver ? Elle se balançait d'avant en arrière, sans me faire pénétrer en elle. Elle poussa un soupir et je perçus son hésitation ; un courant de sobriété traversait la brume lumineuse de son inspiration éthylique. Elle attendit qu'il eût passé, pour se consacrer de nouveau à la recherche d'une extase qui se situait bien au-delà de notre portée. Et pourtant, nous nous désirions, et, plus encore, nous avions besoin l'un de l'autre. Nous n'étions pas des enfants abandonnés dans la tempête, je ne sais pourquoi nous nous percevions ainsi, mais il n'en allait pas autrement. Peut-être avions-nous simplement conscience de l'échec. Nous faisions l'amour en n'ignorant rien de notre attentive défaite personnelle, et même si cette connaissance nous rapprochait, je n'étais pas sûr que nous pourrions, ensuite, nous regarder en face. Juliet se retourna, glissa ses jambes près de mon visage et pris mon sexe dans sa bouche. Ce n'était pas particulièrement bon, mais ses intentions étaient bonnes et cela suffisait à nous donner du plaisir. Au bout d'un moment, elle se retourna de nouveau et se coula sur ma poitrine. Nous nous embrassâmes. La fatigue commençait à se manifester chez l'un et chez l'autre. Je la fis passer au-dessous de moi, elle releva les genoux, posa doucement les mains sur mon dos, et la spécificité de ce contact fit que tout redevint tout à coup comme d'habitude... Quand ce fut terminé, je roulai de mon côté du lit, les mains croisées sous la nuque. Juliet se recroquevilla près de moi ; son contact avait quelque chose de désinvolte, d'assoupi.

— C'était si bien, dit-elle.

— Oui, répondis-je. C'était vraiment bien.

Alors, à ma grande horreur et à ma plus grande honte encore, un sanglot monta du fond de moi, si lourd et si rond que je pensai vomir. Je me couvris les yeux. J'aurais voulu que toute vie m'abandonnât à ce moment précis, toute cette vie douceâtre, vulnérable, humiliante, incontrôlable.

— Qu'ai-je fait ? demanda Juliet, inquiète, épuisée, guettant une réponse et commençant en même temps à s'en désintéresser.

— Tu n'as rien fait.

— Qu'est-ce qui ne va pas alors ?

— Je n'en sais rien. Depuis que toute cette histoire avec Carmichael a commencé, je me suis mis à avoir vraiment peur.

Je me tournai sur le côté et regardai le profil de Juliet, qui s'écarta de moi.

— C'est la tension, repris-je. L'angoisse d'obtenir enfin ce que l'on a désiré.

— Ça va très bien se passer, dit Juliet. Es-tu inquiet parce que je t'accompagne à Washington ? Si c'est ça, j'y ai réfléchi. J'en ai parlé à oncle Isaac. Je *pense* que je me suis faite à l'idée d'un changement.

Elle leva les mains dans un geste qui signifiait : tu sais comme je suis.

— Qu'as-tu décidé ?

— Nous ferons la navette. Si ensuite tu es réélu, nous envisagerons un arrangement permanent. Je crois que ça peut détendre l'atmosphère. Du moins je l'espère.

Elle me regarda, attendant une réponse.

— C'est ça qui te préoccupe ? reprit-elle après un silence.

— Je ne sais pas.

Je n'avais jamais attendu de Juliet qu'elle devinât mes pensées secrètes. La perception extrasensorielle n'était pas son point fort, apparemment. Parfois, si elle n'était pas préparée à ce qu'elle allait entendre, elle comprenait à peine ce qu'on lui disait clairement. Elle venait de poser le dos de sa main contre son front, et demandait pourtant :

— Tu es très loin d'ici, n'est-ce pas ?

— Oui, répondis-je. Je crois bien. Je me souviens de Sarah, ce soir. Cette musique. Je la sens tout près. Je suis désolé.

Elle garda le silence pendant un long moment puis déclara :

— Ça me blesse vraiment que tu ne penses pas à moi.

Elle soupira. Je comprends aujourd'hui qu'elle s'attendait à ce que je réagisse, que je la contredise, que je remette les choses dans leur ordre habituel. Mais je n'ai rien dit. Un nouveau bruit montait de la rue ; ce n'était qu'une voiture. Ses phares éclairèrent la fenêtre glacée, faisant d'elle, un instant, un étain. Puis brusquement, Juliet explosa. Elle me regarda avec des yeux égarés, furieux, bafoués, et sortit du lit. Elle s'empara d'un oreiller, du dessus de lit et traversa la chambre, complètement nue. Je savais que j'aurais dû lui crier de revenir, l'empêcher de partir, mais j'en étais incapable. Le moment de me retrouver seul était venu. Je voulais être allongé, là, et prier pour obtenir une apparition. Je voulais seulement sentir la chaleur d'une lumière impossible.

La lumière de l'entrée zébra le sol de la chambre quand Juliet ouvrit la porte et la claqua, et je me retrouvai plongé dans le noir. J'étais dans l'obscurité et dans la douleur, et malgré tout ce que je croyais, et tout ce que je ne pouvais croire, bien que n'attendant pas davantage un miracle que tout autre contemporain ordinaire, malgré tous les arguments de bon sens et toutes les précautions de la peur, j'attendais.

6

Nous passâmes notre premier Noël ensemble en 1971. J'avais une permission de quatre jours et nous nous rendîmes à La Nouvelle-Orléans. J'étais en uniforme et voyageais à demi-tarif. Sarah était en jeans, bottes lacées et chandail noir. Elle avait peur de l'avion. Elle avala deux bouteilles de whisky miniatures, me prit dans ses bras et enfouit son visage entre mes bras. L'avion était plein.

— Mourir à Noël avec le seul homme que j'aie jamais aimé ! s'exclama-t-elle en levant les yeux vers moi, essayant de prendre un air désinvolte.

Mais ses paroles l'effrayèrent plus profondément encore. Elle ferma les yeux et frissonna.

Nous fûmes accueillis à l'aéroport par la sœur de Sarah, Tammy, une grosse fille un peu négligée. Elle portait une robe à fleurs et un collant rouge aux mailles filées. Ses cheveux couleur miel étaient ramassés au sommet de sa tête. Les deux sœurs s'embrassèrent, poussèrent des petits cris aigus. Tammy avait cinq ans de plus que Sarah, semblait pleine de déférence, peut-être un peu méfiante.

— Allez, mon chou, je suis en triple file, dit-elle, saisissant la main de Sarah et me considérant de pied en cap avec un sourire.

Nous montâmes dans son Opel. J'étais derrière, les jambes repliées de telle sorte que mes genoux touchaient presque mon menton. La voiture était une épave. Le tissu des sièges, déchiré, puait la marijuana. La natte de Sarah, retombant de l'autre côté du dossier, allait et venait comme un pendule tandis que nous nous dirigions vers Airline Highway. Sarah demanda des nouvelles de Derek, le mari de Tammy. Je baissai la fenêtre et passai la main à l'extérieur ; il ne faisait pas particulièrement chaud. Tammy expliqua que Derek et elle allaient probablement divorcer.

— Il ne cesse de me reprocher d'être trop grosse et de me droguer, dit-elle. De toute manière, que peut-on attendre d'un type qui dort avec un pyjama de soie, en gardant son caleçon en dessous ?

— Il est tellement petit et maigre, dit Sarah en hochant la tête.

— Maintenant, il a un petit caniche brun et il a appelé la pauvre bête Cynthia, dit Tammy avec une certaine pitié. Et il s'est mis à se raser le torse.

— Il semble bien que le mariage soit dépassé, conclut Sarah.

— Je sais, je sais.

Tammy rabattit le pare-soleil. Un joint, gros comme un criquet, était coincé sous un élastique. Elle le détacha et l'alluma. Elle repéra mon reflet dans le rétroviseur et me dit :

— Toutes les femmes de notre famille marchent au bord du gouffre. Papa est un tyran, c'est pourquoi nous sommes faibles d'esprit. Nous formons simplement un groupe de *victimes*.

— Parle pour toi, dit Sarah avec bonhomie.

Tammy tira sur le joint avant de me le passer. A cause de mon uniforme, je me sentais toujours obligé de prouver que je n'étais pas un type coincé. Je pris une bouffée, mais c'était la dernière des choses dont j'avais envie.

— Sarah était la seule à pouvoir lui tenir tête. Une fois, il était en train de nous insulter, disant tout simplement des horreurs, et elle l'a griffé au visage. De grosses marques.

— Comment a-t-il réagi ?

— Il s'est mis à la secouer de toutes ses forces, à lui taper la tête contre le sol, répondit Tammy avec un rire explosif qui fit monter une fumée grise de sa bouche.

— Et les autres restaient là à regarder, dit Sarah.

— Nous avions si *peur*, mon chou, vraiment peur. Nous n'étions pas comme toi. Nous n'avons pas grandi avec la certitude d'être directement reliées à Dieu.

Nous nous arrêtâmes tout d'abord à Metairie, chez le grand-père de Sarah. C'était une plantation de banlieue : entrée de service pour les domestiques, deux chênes verts, une pelouse humide ; un nègre en fonte tenait une attelle ; deux colonnes grecques flanquaient le porche. Tammy et Sarah appelaient leur grand-père Grand-papa, mais c'était bien la seule marque de tendresse entre eux. Il vivait seul maintenant ; leur grand-mère était morte l'année précédente, recroquevillée devant sa coiffeuse, une bouteille de rhum Bacardi contre la joue. « Il t'adorera, Fielding, avait assuré Sarah. Il sera fou de ton uniforme. »

Il s'appelait Eugène Williams, et n'avait jamais travaillé de sa vie ; pas un seul jour. Il vivait des restes d'une fortune familiale (acquise dans l'immobilier), et il aimait l'idée qu'il ne resterait presque rien à sa mort. Il s'agissait là de la sorte de purisme, d'absolu, qui veut qu'on ne se lève pas de table avant d'avoir vidé son assiette. Il gardait tout ce qu'il avait en comptes chèques, disséminés dans plusieurs banques de La Nouvelle-Orléans, et partout à Jefferson Parish. Chaque fois qu'il avait besoin de liquide, il se rendait dans une des banques et retirait cinq mille dollars en espèces. Les infirmières noires qui se relayaient à ses côtés vingt-quatre heures sur vingt-quatre étaient payées en liquide.

Il n'y avait pas de livres dans la maison, pas de tableaux aux murs, mais des tapis dorés, du papier peint saumon, du maïs soufflé caramélisé dans un bol d'argent, et des odeurs de cuisine, de détergent, de poussière, de vieillesse, et de chien. Il possédait huit chiens, d'innombrables chats, une cage blanche bourrée de pinsons, un aquarium rempli d'une eau trouble traversée de bulles, où des files de poissons rouges se démenaient comme des déments. Il venait juste de perdre son raton laveur ; une des infirmières avait laissé sortir la bête, qui avait choisi la liberté. Le raton perdu s'appelait Chapman, et la disparition du jeune Chappie faisait l'essentiel de la conversation du vieil homme. Nous restâmes là, à l'écouter, tandis que chiens et chats paradaient autour de nous, se frottaient contre nos jambes. « Elles ne pensent à rien, disait Eugène. Comment peut-on lâcher un animal comme celui-là ? Aucune chance qu'il survive, voilà le problème. Je suis certain que Sarah va nous dire qu'elle ne l'a pas fait exprès. » Il allongea la main, attrapa un chat angora blanc par la peau du cou ; il le laissa tomber sur ses genoux et caressa l'animal surpris de sa grande main maladroite. C'était un homme de forte stature, malgré le tassement dû à l'âge et à la maladie. Prognathe aux oreilles d'éléphant, il ressemblait à un bouddha albinos. Il portait une veste de pyjama marron et un pantalon de lainage gris. Il n'avait pas encore regardé dans ma direction. Il ne supportait tout simplement pas d'être troublé par des informations nouvelles.

Un énorme poste de télévision en couleurs diffusait un match de football entre deux collèges. Eugène était à peu près sourd et tenait sur ses genoux un petit téléviseur en noir et blanc. Il gardait la main posée dessus, ce qui lui permettait de percevoir les vibrations et de les interpréter.

— Tu piges ? me demanda Sarah, sans se donner la peine de baisser la voix.

Tammy lui jeta un regard nerveux. Elle n'appréciait pas sa désinvolture. Je hochai la tête en signe d'assentiment.

— Sens l'odeur de cet endroit et regarde-le, reprit-elle. C'est l'homme le plus égoïste du monde, et il nous méprise tous.

L'infirmière de service ce jour-là était Violet McAndrews, une Noire maigre et bancale. Elle aida Eugène à se préparer pour que nous puissions l'emmener chez les parents de Sarah. Elle lui mit un chandail, un foulard, des gants et un bonnet de laine. Il avait l'air d'un homme ahuri, sans foyer. Pendant qu'elle l'habillait, il se tortillait et marmonnait des insultes. Elle ne paraissait pas y prendre garde, mais ce n'était, bien sûr, qu'une contenance. Ses yeux étaient opaques, il ne levait pas les pieds pour marcher. Un instant, j'eus conscience de sa fin prochaine et ressentis un élan de pitié envers lui. Il allait mourir terrifié, malheureux, pétri d'incomplétude. Tammy lui prit le bras pour le soutenir jusqu'à la voiture, tandis que Sarah marchait derrière eux, exécutant une imitation grotesque des faibles pas traînants de son grand-père. Tammy se mordit les lèvres pour ne pas rire. Mrs. McAndrews nous observait de la fenêtre. Eugène, évidemment, ne voyait rien de la plaisanterie méchante de Sarah, et je fus choqué de ressentir ce que je ressentais : une forte envie de la prendre par les épaules, et de la secouer.

Et ce fut Noël chez les Williams ; leur vilaine maison rectangulaire, en brique, ressemblait un peu à un gros abri anti-aérien tout juste surgi du sol ; dans l'arrière-cour entourée d'un grillage couraient deux chihuahuas, Benny et Penny.

— Regardez le pénis de Benny, s'écria Sarah, n'est-il pas dominateur ?

C'était vrai ; le chien semblait hors de lui.

Le père de Sarah s'appelait Eugène, comme son propre père. Il était costaud, avait des yeux d'un bleu polaire, le bleu d'une vague de grand froid qui s'annonce. Il portait des vêtements de golf : pantalon vert, chemise jaune citron. Les poils de ses bras musclés étaient bruns et frisés, et son sourire à la fois désemparé et vengeur. Sa poignée de main était écrasante. Il était courtier en assurances et adorait faire des déclarations provocatrices sur son compte : « Je ne joue que pour gagner », ou « Mon salaire est mon livret scolaire. » La mère de Sarah, Dorothy, jouait les coquettes avec moi. Cette attitude automatique avait l'air d'être pour elle presque un devoir, comme si elle avait lu ça quelque part. C'était une forte femme et ses filles aînées avaient hérité son embonpoint. Elle était blonde, avec des yeux verts écartés et une de ces bouches sensuelles et amères que les auteurs de romans policiers qualifient de « blessées ». Elle était aussi de toute évidence alcoolique, et je crois qu'elle reconnut en moi un de ses semblables.

— Je pense qu'un verre ne vous ferait pas de mal, me dit-elle avant même que nous ne fussions entrés dans la maison, avant même que les présentations n'eussent été faites.

La chaîne haute-fidélité d'Eugène était placée en évidence, ses disques Music Minus One empilés sur l'amplificateur Sherwood.

— Salut, Daddy, fit Sarah, se hissant sur la pointe des pieds pour l'embrasser sur la joue. Joyeux Noël. Es-tu sain d'esprit ou gâteux, aujourd'hui ?

— Je t'en prie, Sarah, ne commence pas, dit Dorothy sur un ton qui alliait l'avertissement et le désespoir.

— Je suis complètement gâteux, répondit Eugène.

— Il ne veut pas boire la nouvelle vodka que nous lui avons achetée, déclara Dorothy.

— Elle a un goût d'eau de vaisselle, lança Eugène à mon intention.

— Trois dollars vingt-neuf cents le *litre*, souligna Dorothy. Est-ce que quelqu'un saisit ce que ça représente comme économie, sur une année ? De toute manière, la vodka est un alcool que l'on *mélange*.

Sarah était considérée par ses parents comme une fille mal élevée, obsédée par un besoin maladif de les critiquer, de les prendre en défaut. Ils accueillaient ses opinions, sa rigueur, comme autant de trahisons, et échangeaient apparemment dans son dos des petites plaisanteries, des commentaires sarcastiques auxquels il n'était pas facile de résister ; il ne me fallut pas trois mois pour comprendre ce qu'ils signifiaient : sa moralité *avait* quelque chose de réellement fanatique. Son autre sœur aînée, Carrie, était venue avec son nouveau petit ami, Oliver, un ancien joueur de football qu'Eugène semblait adorer et que Dorothy traitait comme s'il avait grossièrement refusé ses avances ; elle se montrait brusque, impatiente, faisait tout pour éveiller en lui un sentiment de faute. Carrie paraissait prête à tout pour obtenir l'approbation de ses parents. Elle opinait à leurs moindres propos et finit par adopter leur attitude vis-à-vis de Sarah.

— Calme-toi, Sarah, lui dit-elle, (et encore :) Oh, oh, nous ferions mieux de changer de sujet, regardez la tête de Sarah.

— Peu m'importe, dit Sarah avec détachement. J'ai déjà expliqué à Fielding que nous étions une famille de grippe-sous.

Elle me prit par le bras, me demanda si je voulais voir sa chambre de jeune fille. Nous grimpâmes l'escalier recouvert d'un tapis, dépassâmes la fenêtre en trapèze, sur le palier, avec sa vue sous-marine sur la maison voisine. Sa chambre était grise et verte, avec un lit à baldaquin et une petite coiffeuse devant laquelle on pouvait représenter, en modèle réduit, le malheur adulte.

— Je suis désolée, dit-elle en refermant la porte et en s'y adossant. Je sais que je te mets mal à l'aise. Chaque fois que je viens ici, c'est la même chose. Je me comporte toujours comme une idiote. (Elle balaya la chambre du regard.) Peux-tu imaginer un endroit pareil ? Ça fait six ans que je ne vis plus ici et rien n'a changé. C'est la chambre de la petite fille qui est morte. (Elle joua au guide.) Voici mon lit. Ici c'est le placard. Voilà la fenêtre par laquelle je regardais dehors, le soir. De l'autre côté de la rue, c'est la maison où vivaient les Charbonnet. Bobby Charbonnet avait deux ans de plus que moi et je l'adorais. Souvent, je passais nue devant la fenêtre, très vite et pleine d'espoir. Aujourd'hui, Bobby est marié et s'occupe de je ne sais quels silos à céréales, en dehors de la ville. Voici ma coiffeuse. Tous mes produits de beauté de collégienne vierge y sont encore. Ça, c'est « Cerises dans la neige ». (Elle prit le bâton de rouge, en appliqua un trait léger sur sa lèvre inférieure, pliant à peine les genoux pour pouvoir se regarder dans le miroir, un de ces miroirs démodés dont le cadre rappelle le contour d'une tranche de pain de mie.) Oh ! voici « Jungle Gardenia ». (Le bouchon du flacon qu'elle voulut dévisser résista un peu, puis céda avec un léger craquement. Elle le porta à ses narines.) Mon Dieu ! Il me semble que j'ai de l'acné.

— Tu devrais prendre ça plus à la légère, lui dis-je. Crois-tu qu'ils soient si différents des autres ?

— Je le sais bien ; mais c'est mon rôle, dans cette famille. Si je cessais de leur botter les fesses, ils ne me le pardonneraient pas.

— J'en doute.

Je la pris dans mes bras. Peut-être étais-je en train de saisir les motifs de son comportement, mais ma présence dans la petite chambre de son adolescence chaste éveillait aussi quelque chose d'impérieux, d'excitant. Elle se pressa contre moi d'une manière qui aurait été vulgaire si elle n'avait pas été pleine de pureté, de joie et d'un désir violent. Elle guida ma main, nicha son sexe dans ma paume. Elle était vêtue d'une jupe ample de soie verte, maintenue à la taille par un élastique. Elle la souleva, posa tout d'abord ma main sur son ventre, puis plus bas, sur son fourré, sur sa moiteur, son évidence biologique nue.

— Ton doigt. Enfonce ton doigt. J'ai toujours désiré que tu me prennes dans cette chambre.

Elle émit un léger râle quand je lui obéis, fit un demi-pas, m'enveloppant plus profondément.

— Toutes ces protestations, ces empoignades et l'incohérence de mon malheur, n'étaient rien d'autre que ma manière de t'attendre. Fielding, dit-elle.

Je la crus alors et je le crois encore.

La nuit était venue. Tous les cadeaux auxquels nul ne semblait s'intéresser vraiment avaient été déballés. Une tristesse tangible régnait, semblable à une indigestion ou à ce sentiment de vide et de misère que l'on ressent après avoir regardé trop longtemps la télévision. Comme Sarah l'avait prévu, on nous installa, elle et moi, dans des chambres séparées. En matière de moralité, ses parents ne se risquaient guère au-delà du comportement conventionnel — mais voici que je me mets à parler comme elle. Je me retrouvai sur un divan dans le cabinet d'Eugène ; un bureau métallique, des attestations de mérite de la Prudential Company, encadrées et accrochées au mur comme des diplômes, et une photo d'Eugène parmi d'autres courtiers, debout sous une bannière annonçant : SAN DIEGO SOUHAITE LA BIENVENUE AUX HOMMES ENTREPRENANTS !! me cernaient.

Allongé sur le canapé, je regardais la Westclox fluorescente, luttais pour rester éveillé. On m'avait appris, dans la Coast Guard, à m'endormir dès que j'étais couché, où que ce fût, mais ce soir, j'avais rendez-vous avec Sarah dans sa chambre. A minuit, je quittai mon lit et me glissai dans l'entrée. Je pouvais entendre des respirations derrière les portes closes. Je me sentais comme un criminel. Une lumière était allumée dans la salle de bains. L'eau des toilettes coulait. Quelqu'un avait laissé l'armoire à pharmacie ouverte, et j'aperçus mon reflet dans le miroir en passant.

J'entrai dans la chambre de Sarah. Un clair de lune se déversait généreusement par la fenêtre. J'entendis le bruit sourd d'un bateau sur la rivière. Il y avait dans l'air une odeur de café qui grille, des millions de livres de café. Je murmurai son nom en m'approchant de son lit. La lune effleurait son visage, le dorait, le rendait étrange. Je vis qu'elle avait les yeux fermés et manquai défaillir. Je la désirais si fort. Je me rapprochai encore, m'allongeai contre elle et écoutai sa respiration profonde, incontrôlée. Puis je découvris quelque chose sur sa poitrine, un petit mot épinglé à la bordure de satin froid de la couverture : « Réveille-moi et baise-moi. Sincèrement vôtre, Miss Sarah Williams. »

La nuit suivante, à minuit, je me faufilai de nouveau dans sa chambre et la trouvai de nouveau endormie, mais cette fois il n'y avait pas de petit mot. La terrible crainte d'un refus s'empara de moi, gagna mon instinct, et je me sentis menacé de mort. Je la regardai dormir et, finalement, le grand besoin que j'avais d'elle et l'intensité de mon désir m'inspirèrent cette idée folle que Sarah n'aimerait rien davantage que d'être réveillée par un long orgasme, telle une houle. Oui ! Une surprise-partie pour la libido. (Ma sexualité n'était pas sans ressembler à celle d'un marin en permission. La fréquence des rapports comptait énormément pour moi. Je ne songeais pas aux coups qu'elle encaissait lorsqu'elle était en famille.) J'écartai les couvertures et contemplai sa nudité au clair de lune. J'étais un homme en plein rêve. Puis je me glissai au pied du lit, l'enjambai avec précaution, ouvris légèrement ses cuisses d'une légère pression des pouces. Elle gémit dans son sommeil. A titre d'expérience, juste pour voir si elle allait se réveiller, j'embrassai son ventre, et la frontière imprécise de son épaisse fourrure pubienne.

Je posai mes lèvres sur l'ouverture, dardai lentement la langue. Je plongeai deux doigts à l'intérieur, les fis aller d'avant en arrière, prenant conscience de mon propre corps, qui se couvrait d'une sueur froide. Le désir à son paroxysme se mêlait en moi au sentiment de commettre un acte indécent. Mon cœur battait la chamade, sauvagement, et je me dis : « Quelle bonne mort ! » Je l'embrassai encore et encore. Elle s'ouvrit davantage à moi et dit d'une voix douce, embrumée : « Daddy ? » Choqué, je bondis loin d'elle et la regardai. Elle se redressa, appuyée sur les coudes, et me sourit largement. Puis elle se mit à rire, et je ris également. « Idiote », dis-je, et cela nous fit rire de plus belle. C'était ce genre de rire nerveux auquel on cède quand on ne doit pas faire de bruit. Ses parents se trouvaient juste de l'autre côté du palier. Les fenêtres étaient ouvertes, les cloisons plus légères que chez moi. Notre rire se mua en hoquets. Je grimpai dans le lit et m'allongeai à côté d'elle. Nous enfouîmes nos têtes dans l'oreiller. Je l'embrassai et elle rit encore, sous mes lèvres. Nos dents s'entrechoquèrent et mes poumons s'emplirent de son haleine noire de vin.

Le jour de notre départ, nous nous rendîmes chez son grand-père pour la visite de rigueur. Elle boudait au volant.

— J'ai fait ces petites visites obligatoires toute ma vie, dit-elle.

Elle conduisait lentement, empruntait le chemin des écoliers, me montrait les lieux de son enfance : l'école Sainte-Rita, le manège où elle montait à cheval, le hangar à bateaux, dans Audubon Park, où elle avait fait l'amour pour la première fois, le cimetière où reposaient ses ancêtres ; les milliers de sépultures exposées à l'air libre ressemblaient à une décharge publique.

— Il se plaint si je ne vais pas le voir, reprit-elle. Alors, j'y vais. Je choisis la solution de facilité. Mon Dieu, c'est un type tellement froid et égoïste, et il a tout fait pour que mon père soit encore pire que lui : froid, mais sans assurance. Et Dieu seul sait ce que mon père a fait de *moi.*

— Je n'ai jamais vraiment connu mes grands-parents. Les gens meurent jeunes dans ma famille.

— Tu ne connais pas ton bonheur. Pourquoi regardes-tu dans tous les sens, comme ça ? Tu veux boire un verre, ou quoi ?

— Pas vraiment.

— On peut s'arrêter, si tu veux.

— Non, ça ira très bien.

— Tu bois réellement beaucoup. Je ne m'en étais pas encore aperçue.

— Les vacances, expliquai-je en détournant les yeux.

Je ressentais à la fois du soulagement et de la gêne.

Elle demeura un moment silencieuse. Nous passions sous des magnolias dont les fleurs, là-haut, sur les rameaux noueux, étaient fanées. Le ciel était d'un gris de navire de guerre.

— Je ne sais pas pardonner, dit-elle.

— Tu le peux, puisque tu le dis, répliquai-je, sans être bien sûr de ce que j'avançais.

Une intuition grandissante me soufflait que Sarah était une fanatique.

— Voilà qui est gentil, dit-elle, souriant, acceptant. Je me fais peur. La vie file, la mienne n'a pas été mauvaise, pas *si* mauvaise. Mais je suis plus irritable que la plupart des gens.

— Tu es plus irritable que moi, notai-je.

— Je sais.

— Je n'ai pas de temps pour la colère, dis-je en me redressant, et je brossai mon pantalon pour enlever quelque poussière qui n'existait que dans ma tête.

— Tu dois être très occupé.

— Non. Je veux seulement ce que je veux, et la colère ne m'aidera pas à l'obtenir.

— Alors tu devrais vouloir autre chose, affirma-t-elle.

Elle me tendit son sac, que j'ouvris pour lui donner une cigarette. Je découvris un tube de rouge à lèvres, un briquet Zippo, une dizaine de dollars en petite monnaie et des billets d'un dollar froissés, une serviette en papier de Pat O'Brien avec une invitation idiote imprimée en vert : « Amusez-vous bien ! » Ses Camel étaient dans un étui en cuir rouge, un de ces trucs pour touristes où l'on a gravé *New York City*. Je l'ouvris, allumai une cigarette et la lui passai. En remettant le paquet, je remarquai, ramassé au fond du sac, dans une couche brune de poussière et de fragments de tabac, un chapelet.

Nous nous arrêtâmes sur le bord de l'allée circulaire qui menait à la maison de son grand-père, un de ces trucs conçus pour évoquer la grandeur, comme si la baraque était la demeure d'un collatéral obscur de quelque famille royale. « Comme c'est *exquis* ! » s'exclama Sarah et je partageais entièrement son avis, bien que notre mépris commun de ce genre de décor bourgeois n'eût pas, j'en étais conscient, la même origine. Je percevais les privilèges comme un pied appuyé sur ma nuque, alors que, pour Sarah, ils ressemblaient à des chaussures voyantes qu'elle était supposée porter, mais qui ne lui seyaient point et heurtaient son goût. Le jardinier qui venait deux fois par mois était là à tailler les haies et à arroser les cornouillers. Mrs. McAndrews l'accompagnait pour passer le temps. Lorsque nous sortîmes de la voiture, elle agita le bras et cria :

— Votre grand-père est à l'intérieur. Il regarde la télévision.

— Merci, répondit Sarah. La pauvre femme a tellement besoin de compagnie, ajouta-t-elle à voix basse, à mon intention ; grand-père la traite comme de la merde. Il est comme ça avec toutes les infirmières. Son argent lui en donne le droit.

Nous entrâmes dans la maison, puis dans la tanière où se trouvait l'énorme téléviseur. Le vacarme qui en jaillissait était tel qu'il me parut menaçant, mais ce sentiment émanait peut-être de l'odeur qui imprégnait l'atmosphère. Nous avançâmes. Le vieil homme, vêtu d'un pantalon bleu et d'un ample chandail blanc, était assis dans son fauteuil à oreilles couleur tabac. Il nous tournait le dos, et ne fit pas un mouvement quand nous entrâmes. Il tenait sur ses genoux le téléviseur portatif d'où venait, en fait, tout le bruit. Quelques vedettes participaient à un jeu. Un type, dans une cabine isolée, essayait de deviner ce que sa femme venait de dire.

Nous crûmes tout d'abord qu'il était simplement endormi. Mais son visage était trop flasque, son torse trop immobile. Ses doigts, sur le petit appareil de télévision, étaient déjà raidis.

— Oh ! non, s'écria Sarah d'une voix désarmée.

Elle chercha son pouls maladroitement, en tâtonnant. Je l'enlaçai, essayai de la détourner, de l'éloigner du corps. Je savais qu'il était mort, et je ne voyais pas pourquoi elle aurait dû assumer ça. Il était mort dans son fauteuil et c'était une belle mort.

— Je vais appeler Mrs. McAndrews.

— Non, non, je t'en prie

Elle resta là, contemplant son grand-père, puis tendit la main avec une certaine timidité pour toucher la joue de laquelle le sang s'était retiré. Elle fit le signe de la croix et s'agenouilla près du fauteuil. Elle éteignit le petit téléviseur, je me chargeai de l'autre. La pièce retomba dans un triste et profond silence. Elle joignit les mains, ferma les yeux et appuya son front contre l'accoudoir du fauteuil.

— Oh, Seigneur ! murmura-t-elle en sanglotant, je vous en prie, accueillez son âme.

7

Les choses allaient vite, mais sans adopter une orientation bien définie. Le temps allait aussi en s'accélérant, sans nulle résonance profonde, comme un pouls qui s'éteint. Je ne me rendais plus à mon bureau, mais au tribunal du comté. Le parti démocrate de l'Illinois m'invita à une réunion au cours de laquelle je devais être officiellement proclamé candidat, mais elle fut annulée à la dernière minute parce que le neveu de Kinosis avait eu un accident de la route — six voitures étaient entrées en collision près de Carbondale — , après quoi le gouverneur et madame partirent en vacances d'hiver. Il n'est rien de plus agaçant, chez les autres, qu'un excès de confiance en soi, surtout si l'on se sent soi-même pourvu de tout, sauf d'assurance. Je jouais une partie de squash avec Ed Pinto, un avocat, quand sa raquette frappa mon visage, de côté. Le blanc de mon œil fut transformé, pendant une journée, en purée de tomate, puis redevint normal ; je me sens encore tout drôle dans la tête, comme si quelqu'un avait laissé tomber une petite fourchette glacée dans mon cerveau et l'avait laissée là. Juliet passa deux ou trois jours agréables avec moi, puis le moment vint d'aller à New York fêter Noël en famille. Juliet n'avait toujours pas décidé si elle m'accompagnerait ou non, mais elle régla la question en entrant en fureur, résolution à laquelle je ne demeurais pas étranger. Ce qui la motiva m'échappe ; mais ma participation n'en est pas moins indéniable.

Tout ce que nous désirions, l'un et l'autre, c'était nous dire gentiment adieu, ce qui n'aurait pas dû poser de problème, l'habitude étant déjà prise. Elle ne me parut pas moins lourde, quasi comateuse pour autant, quand je la pris dans mes bras pour lui dire au revoir. Ses lèvres étaient aussi dures que froides, et les miennes n'étaient probablement pas plus attirantes.

— Je t'appellerai ce soir, dis-je.

— Tu oublieras certainement, répondit-elle.

— Bien sûr que non.

— Bon. Ça n'a aucune importance.

— Pourquoi dis-tu ça, alors ?

— Tout simplement parce que c'est toujours pareil quand tu vas à New York, tu m'oublies.

— Je suis navré pour l'autre nuit, Juliet.

— Je le sais. Cesse de t'excuser. Je te le dis du fond du cœur. Il y a trop à faire. Passons à autre chose.

— Aux affaires en cours ?

— Exactement.

Je l'attirai contre moi pour une nouvelle tentative et cette fois, alors qu'elle faisait de son mieux pour me rendre mon étreinte, je compris à quel point mon geste était pitoyable et dénué de sens. Ma valise était faite, fermée, posée près de la porte avec le paquet de cadeaux de Noël. Un klaxon retentit dans la rue. Isaac avait insisté pour m'accompagner à l'aéroport. C'était le matin de Noël, avant huit heures.

Juliet regarda par la fenêtre pendant que je me dirigeais vers la voiture d'Isaac. Je levai les yeux vers elle. Encadrée par les rideaux beiges, le visage presque obscurci par la réverbération de la neige qui recouvrait le trottoir, elle agita lentement la main — ou il me parut qu'elle l'agitait — et je fis de même. Isaac resta au volant de sa Continental, dans son pardessus à chevrons, coiffé de sa toque russe. Il avait trop de discrétion pour me demander pourquoi Juliet ne m'emmenait pas à l'aéroport, pourquoi elle ne m'accompagnait pas. Isaac ne s'intéressait pas aux inévitables désordres de la vie privée des autres.

Je montai dans la voiture. L'intérieur sentait la pipe, et la lotion d'après-rasage qu'il se faisait envoyer spécialement par un pharmacien bulgare de Portobello Road.

— Vous avez le bonjour de Juliet, dis-je tandis que la voiture démarrait.

— Elle va bien ? demanda-t-il d'un ton détaché qui ne sollicitait pas de réponse.

— Très bien, dis-je doucement.

Je regardais les immeubles défiler devant nous, et j'essayais d'imaginer tous leurs habitants comme des électeurs. J'aurais désiré qu'ils vécussent et réussissent mieux, qu'ils eussent besoin de moi comme j'avais besoin d'eux. Pour l'heure, ils dormaient, avec leurs cadeaux sous l'arbre, et s'ils connaissaient mon nom, ils s'imaginaient probablement que je n'étais qu'un chacal parmi tant d'autres en train de s'enfuir avec la caisse, un nouveau tas de doigts poisseux plongé dans la poche publique, un nouvel athlète hyperdéveloppé avec un « Tous ensemble[1] » à la place du cœur.

— Nous verrons Juliet plus tard dans l'après-midi, dit Isaac en se tournant légèrement avant de tourner à gauche pour voir s'il n'y avait pas de voiture derrière lui ; il ne faisait pas confiance aux rétroviseurs.

— Ne la perdez pas de vue, s'il vous plaît, demandai-je, elle garde tant de choses pour elle.

— Son père n'agissait pas autrement, Fielding ; et il s'en est toujours bien tiré.

Il accéléra, et nous nous retrouvâmes sur le périphérique, longeant la rive du lac, gris et moutonneux.

— Je suppose que tu es heureux d'aller voir ta famille à New York, dit Isaac d'un air songeur.

Je crois qu'Isaac ne comprenait pas bien pourquoi j'avais besoin de mes parents, maintenant que je les avais, lui et Adèle. Il les considérait comme des personnages imprévisibles. Ma sœur avait épousé un Noir, et le peu qu'Isaac savait de Danny suffisait à l'agiter. Il devait les soupçonner d'exercer une mauvaise influence sur moi, et ma fidélité à leur égard lui paraissait dangereuse ; on aurait dit qu'ils incarnaient pour lui la vie dissolue dans laquelle je pouvais encore me perdre, sombrer.

— Ce sera bon de les voir. J'aurais simplement aimé que ça dure plus longtemps.

1. De *gung ho*, travail d'équipe, en chinois, mot d'ordre des marines au cours de la Seconde Guerre mondiale.

— Oui, dit-il, mais ce n'est pas possible. Tu l'as compris, n'est-ce pas ?

— Oui.

— Le scrutin aura lieu le 22 janvier. C'est tout proche.

— Je sais. Mais comment pourrais-je perdre ? Il n'y aura personne en face de moi.

— S'il suffisait de gagner... Il y aura bien plus à faire. Après les élections, il ne faudra pas s'arrêter un instant.

Nous roulâmes en silence pendant quelques minutes. Une vague d'espoir insensé, terrifiant, m'envahit alors. Je venais de voir Sarah à l'aéroport. Je voulus fermer les yeux afin de sonder cette vision, de harceler ce nerf enflammé d'espoir, mais je n'osai pas. Pourtant, alors que j'essayais de m'en défaire, la vision laissa des traces en moi, comme le brouillard abandonne des lambeaux de lui-même au faîte des arbres dénudés.

— Ainsi, tu vas passer Noël en famille, reprit Isaac.

— Oui, répondis-je. Je n'ai même pas vu leur nouvelle maison. Vous l'ai-je dit ? Ils ont quitté le centre ville.

— Ah, dit Isaac en souriant. Les héros du prolétariat ont choisi la banlieue.

— Vous n'avez rien compris. La banlieue est faite pour eux. La vie citadine est trop frivole pour les gens normaux, et déborde même sur Brooklyn. L'appartement de mes parents a été mis en vente en copropriété il y a trois ans. Il leur fallait l'acheter, ou partir. Sans parler des problèmes que pose un tel changement. Pour eux, ça a été une tragédie. Ils ont cédé l'appartement à un couple de Wall Street et, avec l'argent de la transaction, ils ont acheté une maison en banlieue.

— Très entreprenant, commenta Isaac. Est-ce qu'ils ont changé ?

— Que voulez-vous dire ?

— Eh bien, ils ont toujours été du même côté de la barrière. Maintenant le système capitaliste a joué en leur faveur. Je posais simplement la question.

— C'est la fin d'un mode de vie, pour eux, Isaac. Ne comprenez-vous donc pas ? C'est comme si la masse de tous ces nouveaux venus avec leur argent tout neuf avait ouvert un trou, dans lequel tout ce que mes parents avaient toujours connu était tombé, pour disparaître à jamais.

— Oui, et ça a tourné à leur avantage, dit Isaac. C'est ça qui importe : survivre.

Lorsque nous atteignîmes l'aéroport, Isaac me regarda du coin de l'œil et dit :

— Il y a quelque chose dont je voulais te parler.

— Bien.

— Bien ?

— Cela explique pourquoi vous vous êtes donné tout ce mal. J'aurais aussi bien pu prendre un taxi.

— Je ne me suis donné aucun mal, Fielding. Je me lève toujours tôt.

Il était tout aussi conscient de ma tactique que je l'étais de la sienne, et il savait que je l'avais, momentanément, déstabilisé. Il s'humecta les lèvres et reprit :

— Je suis un peu inquiet, pour ta famille.

— Admettons.

— Je parle uniquement des répercussions éventuelles sur notre campagne.

— Que suis-je censé faire, Isaac ? Trouver une autre famille ?

— C'est une chose qu'il ne faut pas perdre de vue, c'est tout. Le mariage de ta sœur n'est pas conventionnel, et ton frère... Bon, tu le sais, ton frère porte toutes les marques d'un mode de vie dangereux.

— Ils comptent énormément pour moi.

Nous commencions à nous fondre dans la masse des autres voitures arrivant à l'aéroport.

— Bien. Mais le problème n'est pas de savoir ce que *tu* en penses.

— Ils font de moi un être humain.

— Je te trouve bien assez humain comme cela.

Il me jeta un coup d'œil pour voir si je souriais.

— Pas moi, répondis-je, sans sourire. De toute façon, si le président peut s'en sortir avec un frère bourré de bière jusqu'aux oreilles qui passe des contrats personnels de vente d'armes avec la Libye, je pense que je m'en sortirai avec Danny et Caroline.

— Et avec Sarah Williams aussi, ajouta Isaac. Nous devons nous attendre à ce que cela ressorte un jour ou l'autre.

— Oui, dis-je. Un jour ou l'autre.

Nous allâmes jusqu'au terminal d'American Airlines. La circulation était dense, brutale — même le jour de Noël, me dis-je bêtement, comme si la naissance du Christ pouvait empêcher les gens d'appuyer sur leur klaxon. Isaac s'éclaircissait la gorge nerveusement, ses sentiments étaient-ils logés là, dans le fond ? Il faisait chaud dans la Lincoln, mais il gardait sa toque d'agneau, et ses cheveux blancs étaient humides de transpiration.

— Je ne sais même pas comment vous remercier, Isaac, dis-je.

— Tu n'as aucune raison de le faire.

— J'oubliais : Pinocchio ne devait rien à Geppetto.

— Folklore, déclara Isaac en haussant les épaules. (Il se tourna vers moi et, dans un accès opiniâtre et gauche de tendresse, il me prit dans ses bras et pressa sa joue contre la mienne.) Que Dieu te bénisse, Fielding. Je sais que tu vas y arriver. Souviens-toi simplement de ceci : nous sommes entourés de Barbares. (Il mit la main dans sa poche et en sortit une enveloppe.) Prends ceci. Adèle m'a demandé de te la donner.

Je regardai l'enveloppe vert pâle sur laquelle mes initiales étaient inscrites. La neige entraînée par l'essuie-glace faisait un bruit de rideau de perles. Autour de l'aéroport, les taxis, les voitures et les autocars formaient un anneau compact. Les porteurs poussaient les bagages dans des chariots en tubes de métal, creusant dans la neige humide des sillons incertains. Il y avait au moins une centaine de voyageurs, et chacun d'eux aurait pu être Sarah. Sarah en manteau de fourrure, Sarah travestie, Sarah modifiée par le temps. Je me promis de ne regarder personne en face. J'étais pris dans les rets d'une hallucination aussi puissante que persistante : je m'en garderais.

— Qu'est-ce que c'est ? demandai-je à Isaac, l'enveloppe en main.

— De la part d'Adèle. Vas-y. Ton avion décolle dans dix minutes. Va.

Je lui tapai sur l'épaule et lui présentai un visage déterminé : lèvres serrées, yeux grands ouverts et francs, tête légèrement inclinée. Il me sourit, une flamme dans le regard.

« Magnifique carrière », l'entendis-je dire pendant que je sortais de la voiture. Un porteur qui se tenait près de la porte d'American Airlines me regarda d'un air interrogateur et je tentai de lui faire comprendre d'un hochement de tête que j'étais suffisamment vigoureux et viril pour me passer de son aide. Je me retournai, regardai Isaac une dernière fois. La neige collait à mes cheveux, à mes cils. Le poids de ma valise creusait un sillon dans ma paume.

— Je vous appellerai, lançai-je.

Je traversai rapidement le hall, descendis le long de la rampe couverte d'un tapis dont les parois laissaient passer le froid, et au bout, il y eut l'odeur aseptisée de l'avion, où je trouvai ma place. Le 727 était plein. C'était le matin de Noël, et les hôtesses avaient épinglé des rennes à leur uniforme.

Après le décollage, j'ouvris l'enveloppe et découvris avec étonnement qu'Adèle m'avait dédié un poème.

To a Man at the Beginning[2]

Life is a journey between solitudes.
Wa are born in aloneness and we
Die in aloneness
We dance on graves
We are solitary as stones
The wind through the window extinguishes the
Last candle
Sorrow is everywhere
Betrayal

2. A un homme qui débute, La vie est un voyage entre des solitudes. / Nous sommes nés et nous / Mourrons dans le dénuement / Nous dansons sur les tombes / Nous sommes aussi seuls que des pierres / Le vent entre par la fenêtre, éteint / La dernière bougie / Le chagrin est partout / La trahison / Un univers de camps de la mort et de manteaux de fourrure / Abat-jour en peau humaine et chocolats délicieux / Un oiseau prend son vol et le ciel s'obscurcit / Et alors vient la lumière / Obscurité et lumière. L'obscurité de nouveau et / Ensuite c'est la lumière, c'est la lumière, c'est / La lumière.

A world of death camps and soft fur coats
Human lampshades and exquisite chocolates
A bird on the wing and then the sky darkens
An then there is light
Darkness and light.
Darkness again and
Then there is light, there is light, there is
Light.

Adele Green, December 24, 1979

A New York, je louai une Ford et conduisis de LaGuardia à la nouvelle maison de mes parents, à Nyack. Ils habitaient Mayfair Street, une étroite bande d'asphalte pointée droit sur l'Hudson comme un canon de fusil. La rivière était pleine d'îles de glace qui se déplaçaient un peu comme le font les losanges métalliques de ces petits puzzles aimantés. La rue était verglacée et je me cramponnai des deux mains à mon volant, ne me sentant pas vraiment maître du véhicule.

La maison de mes parents était près du fond de la rue. Elle était faite de pierre rustique et de bois clair. Forts de leurs prérogatives de propriétaires, ils avaient posé sur la pelouse gelée un grand bonhomme de neige en polystyrène. Les instructions de Dad étaient de remonter l'allée et de me garer derrière leur Impala, mais le chasse-neige municipal avait laissé devant l'allée un monticule triangulaire de neige dure et sombre aussi haut que la clôture, et je dus me garer dans la rue. En portant ma valise et le paquet de cadeaux jusqu'au sommet de la pente, j'eus le souffle court d'un vieillard. C'était nerveux. Je crachai, plaçai ma jambe gauche devant la droite pour pivoter comme un gondolier. Le ciel bas s'affaissait comme un ciel de lit chargé de plâtre.

Je longeai le petit chemin couvert de sel qui menait à la maison, tapotai le bonhomme de neige en polystyrène et cherchai à apercevoir leurs visages à la fenêtre. Je gravis les trois marches du porche et sonnai à la porte. L'instant suivant, elle s'ouvrit et ils se dressèrent devant moi. J'étais la douille de l'ampoule, ils étaient la prise de courant. Nous étions enfin réunis, et la lumière fut.

— Joyeux Noël, député, dit Dad en m'ouvrant la porte — blindée comme pour résister aux cyclones.

J'avançai lourdement, laissai tomber la valise sur le parquet nu, ciré à outrance, avant de tendre les bras à Mom qui glissait vers moi comme un navire rentrant à quai. Ils avaient une mine superbe, tous les deux. Plus jeunes, en quelque sorte, en meilleure forme qu'un an auparavant. Les cheveux de Mom étaient coupés court, comme ceux d'un lutin. Sa mâchoire était ferme, juvénile. Elle avait mis un rouge à lèvres rouge foncé et un vernis à ongles assorti, un chandail à col roulé et des blue-jeans neufs. Dad portait lui aussi des jeans, et une chemise de flanelle bleue et verte ; il avait légèrement grossi, et ça lui allait bien. Ses cheveux d'un blanc éclatant, coiffés en arrière, formaient trois vagues, fort distinguées. Son visage était rose, sain, soigneusement rasé.

— Mais, dis-je, vous êtes magnifiques tous les deux !

— A quoi t'attendais-tu ? répondit Dad, fronçant les sourcils à la John L. Lewis et levant les deux poings. Qu'avons-nous d'autre à faire qu'à nous pomponner ?

Il s'empara de ma valise en faisant, pensai-je, tout un cirque, la soulevant comme si elle pesait une livre ou deux.

— Je suis le premier arrivé ? demandai-je.

— Danny et Caroline seront bientôt là, dit Mom. (Elle regarda la valise que Dad portait ; elle avait toujours eu le coup d'œil pour les objets de luxe.) Joli sac, mon chou.

— Cadeau d'Isaac.

— C'est ce que je pensais.

Nous pénétrâmes dans le salon : plafond bas, murs lisses, canapé couleur moutarde, cheminée toute neuve en brique avec des panneaux de verre au-dessus de l'âtre. La radio était en marche, branchée sur une station dont le programme ne gênait personne.

— On te fera faire le tour plus tard, député, dit Dad.

— Ça a l'air extra.

— Oui, mais il y a encore plein de travail à faire, dit-il, enchanté.

Toute sa vie, il avait été un bricoleur frustré, ne voulant rien entreprendre dans un endroit qui n'était pas à lui, pour ne pas être roulé par le propriétaire.

— Est-ce que quelqu'un veut m'accompagner dans la cour pour planter des oignons de tulipes et de jonquilles ? demanda Mom.

— Mom, dis-je, nous sommes en plein hiver. Le sol est couvert de neige et de glace.

— Les bulbes sont arrivés trop tard, remarqua Dad. Escroquerie par correspondance.

— Si je les plante maintenant, ils pourront sortir au printemps, insista-t-elle.

— Mais le sol est gelé, dis-je.

— On les plantera petit à petit. Ce sera si joli quand ils sortiront au printemps. Je ne veux vraiment pas rater ça.

— Des bulbes *hollandais*, fit Dad, mécontent.

— Dad est partisan du mouvement « Achetez américain », dit-elle.

— La moitié des roses American Beauty viennent du Moyen-Orient, affirma-t-il, comme si cela ouvrait et clôturait le débat. (Il se tourna vers moi.) As-tu entendu ce truc sur la Jamaïque, aux nouvelles ? Dès l'année prochaine, trente pour cent des bouteilles en plastique utilisées dans ce pays viendra de la Jamaïque.

— Je n'ai pas entendu ça.

— C'était aux nouvelles du soir. John Chancellor.

— Je n'ai pas encore mon équipe de collaborateurs, aussi n'y a-t-il personne pour me renseigner, dis-je avec un grand sourire conciliant.

— C'est pourquoi il faut que tu m'emmènes à Washington avec toi, grand sachem, dit-il en faisant monter et descendre ses épais sourcils et en concluant sur un clin d'œil : Depuis que je suis un citoyen du troisième âge — c'est ainsi qu'on nous appelle, nous les gens qu'on envoie à la décharge des outils hors d'usage — , mon esprit fonctionne à un mille minute. J'ai étudié l'histoire, la philosophie, tous ces trucs que l'ouvrier est supposé laisser à ceux qui sont *mieux* que lui.

Il pointa le doigt dans ma direction, comme si j'appartenais à la catégorie des ânes et des snobs qui l'avaient sous-estimé.

Peu après, Dad descendit à la cave pour examiner la chaudière qui diffusait une chaleur un peu intempestive à son avis. Mom avait à faire à la cuisine, et je la suivis. Elle ouvrit le four pour jeter un coup d'œil sur la dinde de Noël, qui était enveloppée dans un tissu beurré et trônait sur la grille comme un dictateur d'Amérique latine dans son sauna.

La cuisine était jaune et bleu, délicieusement vieillotte ; la table et les chaises de notre ancien appartement de Brooklyn semblaient un peu bizarres dans ce nouveau contexte. Le vieux bloc-notes de Mom, où elle inscrivait chaque jour la liste des tâches à accomplir, était là aussi. Elle le gardait bien en vue, comme un témoignage public de son sens du devoir, même si en fin de journée elle n'avait coché que la moitié des tâches. A côté, il y avait des coupons de supermarché, un prospectus annonçant un réveillon de Jour de l'An organisé sous l'égide du Rockland County Support Group, une facture des services de déblaiement de la neige, une publicité de Willow Books sur *A History of Altered Consciousness,* un article du *Family Circle* sur les enfants des mariages mixtes, et une carte postale rappelant que le comité directorial du parti démocrate du comté se réunirait le 6 janvier.

— Les démocrates sont bien organisés, par ici ? demandai-je.

Elle était en train de refermer la porte du four. Son visage mince, presque sévère, avait rougi à la chaleur. Elle le tapota du plat de la main.

— Pas comme à la ville, chéri. Plutôt des amateurs. Eddie et moi finissons toujours par mener les débats, bien que nous soyons de nouveaux venus.

— Je suis certain qu'ils l'apprécient.

— Je ne pense pas. Tu sais comment sont les gens.

« Comment sont les gens » était sa spécialité. Son regard se fit plus perçant, et cela me rappela ce que j'avais toujours pensé d'elle : qu'elle était extrêmement rusée, plus intelligente que la plupart des gens, capable de détecter au premier coup d'œil sous l'artifice les subterfuges, de repérer la partie gangrenée des motivations, la moelle des intentions cachées sous des écrans de fumée. Elle était, après tout, la fille d'un flic, accoutumée à vivre sur la brèche. Elle éprouvait une douleur luthérienne face à la corruption humaine, et avait la foi du charbonnier quant à son aptitude à l'éviter. Je n'ai jamais rencontré son père, mort d'une crise cardiaque à quarante-deux ans et enterré dans un uniforme de sergent. Hollandaise et allemande, énorme, dégoûtée du monde, tranquillement apocalyptique dans son fauteuil à bascule, une couverture posée sur ses gros genoux carrés, Grandma n'était qu'un nuage de mauvais augure.

— Est-ce que New York te manque ? demandai-je à Mom.

— Pour te dire la vérité, terriblement, certains jours. Ton père apprécie tout ce charme désuet, ici, et c'est agréable d'avoir son emplacement pour garer la voiture. Mais c'est si affreusement calme que l'on peut entendre ses propres artères durcir. Et je deviens vraiment folle, parfois, de me voir entourée d'une bande de femmes gâtées qui n'ont jamais connu une honnête journée de travail de toute leur vie. Tu sais, ces femmes des réclames, à la télévision, qui se pètent une artère parce que le caleçon de leur mari n'est pas sorti assez blanc de la machine ? Eh bien, elles existent, Fielding, et elles habitent ici. Tu peux les voir au supermarché se précipiter sur un baril de lessive comme si c'était une radio en pleine guerre.

— Mais tu ne manques pas d'occupations, n'est-ce pas ?

— Allons, allons, que vas-tu t'imaginer ? Que je me plains ? Je suis simplement en train de m'adapter.

Elle haussa ses petites épaules rondes — sa manière à elle de se désintéresser de son sort plutôt que de l'accepter.

Elle alla vers un placard d'où elle sortit six assiettes qu'elle posa sur la desserte. Elles étaient rouge et blanc avec un motif circulaire ressemblant à un gros plan des yeux de Donald Duck quand il se met en colère.

— Nous avons été un peu surpris que tu aies pu venir, dit-elle. Il reste si peu de temps avant les élections. Nous pensions que tu serais trop occupé.

— Je ne dispose que de deux jours, dis-je d'un ton légèrement insolent.

Mais sa fibre maternelle, qui n'atteignait jamais son plein développement lorsqu'il s'agissait de choses telles que les menus affronts et les malentendus, était maintenant complètement atrophiée. Elle ne mordit pas à mon appât sentimental.

— Bon, je ne devrais pas m'en faire. J'imagine que si tu en es arrivé là, tu devrais pouvoir faire le reste du chemin sans les conseils de ta mère.

— Ils disent que je ne risque rien, répondis-je en haussant les épaules.

Je pris un haricot vert dans la passoire et Mom me donna une tape sur la main.

— Dad a perdu la tête avec toute cette histoire. Il a passé des nuits sans dormir.

Elle jeta un coup d'œil vers la porte pour s'assurer qu'on ne nous écoutait pas. Elle protégeait toujours son intimité ; des membres de la famille, des passants, des clients de l'allée voisine, au supermarché : tous des espions potentiels.

— Il est vraiment très fier de tout ça, reprit-elle.

— Tu sais, avouai-je, quand on y pense, c'est plutôt déprimant. Je veux dire, je croyais que tout le monde était déjà content de moi, avant.

— Voilà ! Je *savais* que tu dirais cela. Je savais que tu allais tout retourner de façon à être vexé, en fin de compte. Et tu *sais* très bien ce que je veux dire, aussi n'as-tu aucune excuse. Tout ce que j'essaie de dire, c'est qu'il a toujours cru très fort en toi.

— Pas toi ?

— Moi aussi, bien sûr. Qu'est-ce que tu as, aujourd'hui ? Enfin, Fielding, j'essaie de te parler de Dad et tu ne cesses de ramener la conversation à toi. Qu'est-ce qui ne va pas ? Tu es inquiet, ou quoi ?

— C'est vrai, je suis anxieux.

— Eh bien, c'est un luxe que tu ne peux pas te permettre. Tu dois apprendre à le supporter et t'attendre à ce que ça empire. (Elle leva un doigt pour me mettre en garde.) Tu es un type astucieux, Fielding, et tu sais comment gagner.

— Je sais comment, mais je ne sais pas pourquoi.

— Ne fais pas le malin. Si tu ne sais pas pourquoi

aujourd'hui, tu ferais mieux de trouver en vitesse, car tu n'auras plus le temps d'y penser demain. Je crois que Dad va te faire quelques suggestions, juste deux ou trois choses qu'il a notées. Et promets-moi de le remercier, et de le laisser... (Sa respiration s'accéléra brusquement, comme si des doigts froids l'avaient touchée.) Oh, c'est vraiment merveilleux, mon chou, réellement amusant.

J'aurais pu être interloqué, mais je savais que cette volte-face soudaine signifiait que Dad pouvait nous entendre. Car si Mom n'entendait pas les sonneries du téléphone, de l'entrée, ni la bande son au cinéma, elle avait l'ouïe aussi fine que Cochise quand il s'agissait des pas de son mari.

Dad entra dans la cuisine, vêtu d'un anorak de laine verte, le pantalon rentré dans des bottes de caoutchouc, déboutonné. Il ressemblait à un grand enfant débraillé.

— Qu'y a-t-il de drôle ? demanda-t-il.

— Mon Dieu, dit Mom d'une voix dont la chaleur n'était pas tout à fait naturelle, est-ce que deux personnes ne peuvent avoir une conversation dans cette maison sans devoir tout répéter aux autres ?

Dad haussa les épaules. Cela lui était égal.

— Veux-tu faire un tour avec moi ? demanda-t-il avec une jovialité proche de l'agressivité.

Il avait horreur des refus, même dans les affaires les plus triviales. On ne lui avait pas confié suffisamment de responsabilités dans sa vie, son intelligence avait été sous-employée et son sens de l'honneur s'était affirmé dans sa fierté.

— Où allons-nous ? demandai-je.

— Juste en bas de la colline. Je dois prendre quelques hors-d'œuvre chez Skipper.

— Comme s'il savait qui est Skipper, dit Mom en secouant la tête.

— Laissez-moi deviner. C'est un restaurateur. Au bord de l'eau. Spécialité de fruits de mer, mais aussi steaks et poulet.

— Tu vois ! s'exclama Dad.

Il paraissait sincèrement impressionné par ma capacité de déduction.

— Le pouvoir politique a fait de moi un génie, dis-je. Bon, je viens.

— Ne te sens pas obligé de m'accompagner. Je peux très bien y aller seul. Je pensais seulement que cela t'intéresserait peut-être de voir le voisinage.

— Oui, épatant.

Il fit encore quelques manières, puis nous partîmes. Nous avancions lentement sur le trottoir en pente couvert de glace ; une fumée argentée sortait des larges narines de Dad. Le vent montait de la rivière, avec un hululement lugubre et incertain. On pouvait voir quelques centaines de mètres de l'Hudson, encadrées par les parois de deux immeubles gris et blanc. Une bande de mouettes volant bas traversa le cadre sous nos yeux.

— Ainsi, nous devons remercier ton parrain juif pour tout ceci, dit Dad alors que nous nous rapprochions du bord de la rivière.

— J'imagine, répondis-je.

J'avais toujours redouté qu'il ne se sentît diminué à cause de tout ce que j'avais pu demander à un étranger, et obtenir.

— Je pense que le meilleur est arrivé pour toi le jour où le fils de cet homme est devenu hippie, dit Dad en souriant.

Il secoua la tête, en fin connaisseur des destinées, en cartographe des privilèges. Le radicalisme de mon père ne l'avait jamais entraîné vers les partis socialistes des années trente et quarante. Il croyait en la valeur de la classe ouvrière, était persuadé qu'il y avait certaines choses qu'un ouvrier sentait et comprenait qu'aucun bourgeois ne concevrait jamais. Néanmoins, il considérait en définitive la classe ouvrière comme une prison. Aussi longtemps qu'on en faisait partie, on se comportait convenablement ; si on était vraiment doué, on ne cessait d'élaborer des projets d'évasion. Lui-même n'était jamais parvenu à en sortir, mais aujourd'hui, enfin, il pensait s'être jeté contre le mur avec une force suffisante pour que ses enfants pussent le franchir comme un simple brouillard.

— Ce doit être vrai, dis-je. Toutefois, je crois que cela aurait fini par se produire, d'une manière ou d'une autre.

Dad haussa les épaules.

— Plaisanterie mise à part, tu as besoin d'aide. Il a les relations, les cocktails, la cravate du collège et tout le bataclan. A moins d'être né avec de la fortune, ou d'être un voleur de premier plan, la politique coûte trop cher de nos jours. Avais-tu le choix ? Comment va Juliet, au fait ? Je pensais qu'elle viendrait peut-être ici avec toi ?

— Elle va bien.

— Gentille fille. Une véritable... (Il pinça les lèvres, grimaça presque, comme chaque fois qu'il pensait à une des délicieuses créatures de l'univers.) Une véritable dame, dans le meilleur des sens.

Nous marchâmes en silence quelques minutes puis, à ma grande surprise, je lui demandai :

— Tu penses quelquefois à Sarah ?

— Que veux-tu dire ? Évidemment. Comment peut-on oublier ça ?

— A quoi penses-tu quand tu te souviens d'elle ?

— Je pense à un tas de choses. L'enterrement. Tous ces journalistes, ton incapacité de faire une déclaration convenable. Et encore comment tout ça... a disparu comme s'il ne s'était jamais rien passé.

— Elle me manque tellement, avouai-je. Je ne peux m'en défaire.

On aurait dit que l'air ne portait pas ma voix ; les mots retombaient sans vie, comme si je les avais prononcés directement dans le creux de ma main. Dad me regarda du coin de l'œil, sans s'arrêter. Nous étions presque arrivés au pied de la colline, à une trentaine de mètres de la rive de l'Hudson. Nous approchions d'un grand restaurant de style auberge de famille, Skipper's. L'enseigne montrait un homard buvant une chope de bière mousseuse. Nous traversâmes le parking où le vent venant de la rivière poussait la neige sur les diagonales des lignes jaunes. Au-dessus de nos têtes, un fin halo de rayons de soleil semblait pris aux branches dénudées d'un arbre.

— Il faut que tu continues comme ça, c'est tout, dit enfin Dad.

— Je sais, c'est ce que je fais.

Il me fit un signe, et je le suivis jusqu'à l'entrée de service de Skipper's. C'était une porte blindée métallique portant l'inscription LIVRAISONS SEULEMENT. Sarah avait coutume de dire que tout le monde rêve de passer par les coulisses. Même Dad aimait agir autrement que le commun des mortels.

J'entrai derrière lui dans la salle du restaurant, sombre et couverte de moquette ; ça sentait le détachant au citron, le désinfectant et la bière éventée. L'endroit, gigantesque, aurait pu accueillir deux cents clients. Les tables et les chaises auraient été parfaits sur un bateau. Pas un bruit, sinon le ronronnement lointain d'un aspirateur.

— C'est Skipper, déclara Dad. Il fait tout lui-même. Un homme d'affaires, mais qui sait ce que c'est que le travail.

Le bruit de l'aspirateur s'arrêta au même instant, et le silence gagna la salle comme un changement d'éclairage. Nous regardâmes dans l'obscurité par les grandes portes à double battant décorées de pères Noël, au-delà de la desserte à hors-d'œuvre avec son écran en plexiglas qui protégeait la salade de pois chiches ou les betteraves au vinaigre des crachats hypothétiques de la clientèle. Skipper était quelque part, mais nous ne pouvions le voir. Je guettais son pas, quand sa voix retentit soudain.

— Allez, pauvre con, prépare-toi à mourir, cria-t-il d'une voix écumante de rage.

— Ho, ho ! C'est nous, Skip. C'est moi. Eddie. Eddie Pierce.

Skipper émergea de l'obscurité, un calibre 45 très gros, très noir, à la main. Il semblait qu'être député impliquait d'une part avoir des revolvers braqués sur moi, et de l'autre écouter la bague de Sarah, ornée d'une perle, frapper à la vitre gelée qui sépare ce monde de l'autre. Skipper avait de l'estomac, une chevelure blanche et le visage rougeaud. Il avait l'air d'un bigot braillard en goguette. A la vue de mon père, il se mit à sourire.

— Qui est avec toi, Eddie ?

— C'est mon fils. Celui dont je t'ai parlé.

— Oh, oh ! Le garçon d'Eddie.

Skipper avançait dans notre direction, le revolver toujours pointé vers nous. Il lui imprimait un mouvement de balancier pareil à celui d'une caméra de surveillance dans un magasin d'alcools.

— En route pour la capitale et leur en faire voir ?

— A moins que vous ne m'abattiez avant.

Skipper sourit, dirigea le canon de l'arme vers le sol et mit le cran d'arrêt.

— Ils m'ont piqué dix cartons de bouillon de poulet et un demi-bœuf, ces foutus singes.

Il glissa le revolver sous sa ceinture ; l'arme s'enfonça dans son ventre rebondi.

— Il faut faire attention avec ça, Skip, dit mon père.

Je devinais à sa voix qu'il jugeait important, pour quelque raison obscure, d'amener Skipper à l'aimer.

— Ouais, ouais, répondit Skipper. La seule foutue raison pour laquelle je porte ce truc, c'est qu'avec ça, ces types feront attention. N'ai-je pas raison ? (Il fit un clin d'œil à mon père avant de me regarder.) J'ai raison, n'est-ce pas, député ?

— Je serais plutôt partisan du contrôle des armes.

— Hé, hé ! J'ai un permis, répondit Skipper en tapotant la crosse noire.

— Bon, repris-je, ressentant tout à coup un bien-être intérieur, celui que l'on éprouve lorsque, après avoir conduit longtemps une voiture, on sent enfin l'océan à proximité. Je trouve que les armes à feu n'ont rien apporté de bien fameux à l'Amérique. Si l'on considère tous ceux qui ont été abattus, on trouve que le nombre de types *bien* excède largement celui des salauds.

Nous examinâmes pendant quelques minutes le problème du contrôle des armes. C'était sans surprise, mais plaisant, comme relâcher son coup droit au tennis quand on tape contre un mur de ciment. Je conservai mon avantage sans faire sentir à Skipper qu'il perdait du terrain. Les bonnes raisons de faire comprendre à quelqu'un qu'il a tort sont rares, et même si on réussit à faire bassement admettre à un type qu'il se trompe, il suffit de lui tourner le dos pour qu'il se précipite après la première idée qui le ramène à ses instincts les plus obscurs. En public, on peut bien essayer d'ériger un quidam en exemple, mais, seul à seul, il vaut mieux prétendre que vous êtes tous les deux des types raisonnables, agissant du même côté de la barrière. La construction de mes phrases était du type : « Je suis *d'accord* avec vous, et c'est pourquoi nous devons... »

Dad était fou de ce qu'il appelait ma « touche populaire ». Il était persuadé que je la tenais de lui et adorait me voir l'exercer. Lorsque nous avions pris le chemin du restaurant, j'avais cru qu'il m'emmenait simplement avec lui par fierté paternelle, pour montrer à un idiot local le fils aîné qui s'était fait un nom. Maintenant que nous y étions, je comprenais que ses motivations étaient plus compliquées. Il avait également voulu me faire rencontrer Skipper, estimant que cet homme au visage congestionné était d'une certaine manière le symbole d'un électorat. Dad redoutait de me voir lutter sans cesse contre la tentation de faire le malin, et oublier inopinément que la réalité de la vie américaine grouille dans le ventre d'hommes tels que Skipper.

— Je vais vous dire ce que j'aimerais, déclara Skipper, j'aimerais que cette terre redevienne un pays où les gens seraient capables de prendre leurs responsabilités au lieu d'attendre une assistance. Sérieusement, tous ces parasites de merde me rendent malade.

— Vos parents sont en vie ? lui demandai-je.

— Ma mère, oui, Dieu merci, répondit-il avec une courbette aussi rapide qu'un clin d'œil.

— Elle a la Sécurité sociale ?

— Bien sûr.

— J'imagine qu'elle bénéficie aussi de celle de votre père, n'est-ce pas ?

Skipper haussa les épaules.

— Et Medicare[3] ? Est-ce que votre mère y a droit ?

— D'accord, d'accord, dit Skipper, levant les mains comme si je lui avais fait un sermon de plusieurs heures. C'est Noël aujourd'hui.

— C'est bien vrai, répondis-je.

Je sentis soudain que quelque chose en moi se libérait un

3. Programme gouvernemental de soins médicaux pour les personnes âgées.

peu : cette chaleur qui avait toujours été semblable à la brûlure du désir m'apparaissait maintenant étrangère, moins contrôlable. J'eus une vision de Sarah, les pieds sur le radiateur, vêtue seulement de ses sous-vêtements et de chaussettes marron, fumant une cigarette en regardant la neige tomber par-delà la fenêtre de notre maison.

— C'est quelqu'un, votre fils, Eddie, dit Skipper à mon père. Si je le laisse continuer, il va finir par faire de moi un démocrate ou quelque chose comme ça.

— Il pourrait vous arriver pire, Skipper.

— Écoutez-le, me dit Skipper en pointant son gros pouce dans la direction de mon père. Il ne sait pas que chez moi on sert de la viande et des pommes de terre, pas du vin blanc et du brie ?

— C'était excellent, Fielding, me dit Dad dès que Skipper eut tourné les talons. Tu *lui* as parlé exactement comme il fallait. Tu ne t'es pas adressé à son chapeau, mais tu n'as pas abondé dans son sens non plus.

— Je ne pense pas l'avoir convaincu de quoi que ce soit. Dad me regarda d'un drôle d'air, comme s'il s'attendait à ce que je fisse quelque chose qu'il devrait m'empêcher de faire.

— Tu as l'air un peu fatigué, dit-il, tendant la perche.

— J'ai tout simplement laissé tomber, sais-tu.

— Qu'as-tu laissé tomber, mon petit ?

— J'aurais pu passer le reste de mon existence à essayer de découvrir ce qui est arrivé à Sarah, pourquoi c'est arrivé, qui l'a fait, qui a laissé faire, mais j'ai abandonné. Ça me semblait une cause perdue.

— *C'était* une cause perdue. On ne coule pas avec le navire. Pourquoi devrais-tu le faire ? Tu as des choses à accomplir. (Il me prit par le poignet et ajouta, les dents serrées :) Et tu as l'occasion de le faire.

Skipper apparut, avec un grand plat blanc où étaient disposés des rondelles de salami, des cubes de fromage dans lesquels étaient piqués des cure-dents garnis d'olives vertes, des crakers couronnés de macarons de fromage fondu. Le plat était couvert de cellophane et surmonté d'un nœud rouge.

— Et voici, Eddie. Hors-d'œuvre pour huit.

— C'est superbe, Skipper. Ça m'enlève une épine du pied. J'avais promis à ma femme de l'aider pour le dîner.

— Ma sœur a un copain polonais, c'est lui qui a fabriqué le saucisson. Vous me direz ce que vous en pensez, d'accord ? (Il tendit le plat à mon père, s'essuya les mains à sa chemise et se frotta joyeusement le ventre.) Vous aimez le salami pimenté ? demanda-t-il en me regardant.

— Je ne suis pas venu de Chicago pour rien, mon vieux.

Skipper éclata de rire, et je sentis la fierté prendre son essor dans la poitrine de mon père comme un cygne bat des ailes sur le lac, monte et monte, sans pouvoir pour autant s'envoler. J'étais, lui semblait-il, en train d'agir en accord avec mon origine.

Portant le plateau de nourriture froide découpée, mon père remonta la colline, et je lui emboîtai le pas. Le vent nous poussait. J'entendis le couinement aigu de pneus dérapant sur la glace, mais n'aperçus aux alentours aucune voiture occupée, aucun panache de fumée montant d'un pot d'échappement. La vapeur qui sortait des narines de mon père flottait derrière lui en ondulant, comme un fantôme d'écharpe sur son épaule. Une sensation inconnue me traversa, comme une bille dévale une volée de marches. J'eus la prémonition que quelque part à Chicago, chez Juliet peut-être, ou dans mon bureau, ou encore chez mes parents, au bout de la rue, le téléphone sonnait, et que c'était pour moi. Je pouvais presque entendre la sonnerie. Je m'arrêtai pour m'appuyer sur une Impala rouge, essayant de reprendre souffle, de retrouver mon rythme. Je sentis au creux de ma poitrine l'une de ces douleurs débilitantes, affaiblissantes, humiliantes ; humiliante parce qu'en dépit du bouleversement qu'entraînait mon anxiété, je savais fort bien que je n'allais pas avoir de crise cardiaque.

— Qu'est-ce qui ne va pas ? demanda Dad qui s'était retourné en me voyant appuyé à la voiture.

— Juste un peu de repos, dis-je, mais remarquant qu'il continuait de me regarder et venait maintenant près de moi, je compris qu'aucun son n'était sorti de ma bouche.

Dad posa sur le capot gelé de l'Impala le plat qui se mit à

glisser du côté de la rue ; il le rattrapa d'une main malgré l'épaisseur du gant et tendit l'autre vers moi.

— Qu'est-ce qu'il t'arrive ? demanda-t-il, sa voix s'élançant comme un acrobate entre les anneaux de l'amour et de l'impatience.

— Je ne sais pas, répondis-je en un murmure qui parut mille fois plus désespéré que je ne l'aurais voulu.

— Allons, dit mon père, rentrons, rentrons.

Il me prit par le bras avec une tendresse dont il avait à peine conscience, me soutint, essaya de faire de son mieux. Sa détermination laissait percer une dévotion véritable, aussi brillante qu'une flamme derrière un rideau. Je posai le regard sur la main qui serrait mon bras, puis ma main sur la sienne.

— Je suis désolé, dis-je. Je suis seulement... je ne sais pas. J'ai peur.

Il secoua la tête comme s'il n'ignorait rien de ce que je voulais dire, et peut-être était-ce vrai. Le plateau de hors-d'œuvre qu'il tenait encore de la main gauche se remit à glisser ; il le poussa contre la voiture pour raffermir sa prise.

— Puis-je te dire quelque chose maintenant, que je ne répéterai plus, c'est promis ?

— Bien sûr. Comment peux-tu poser une question pareille ?

Ma cage thoracique se dilata, je sentis ma nervosité décroître, retomber dans les vieux sillons connus ; il me semblait qu'une pièce ravagée par une explosion retrouvait son apparence ordinaire ; ni une fourchette ni un napperon n'avaient été déplacés. Je devais parler au plus vite car bientôt j'aurais retrouvé trop d'aplomb pour me le permettre.

— Je veux être bon, dis-je.

Je respirai de nouveau profondément, essayai de découvrir ce que j'avais voulu dire avant de me rendre compte que je l'avais dit, tout simplement. Le regard brun, perçant de mon père, qui m'observait, révélait sa perplexité ; il ne savait trop que dire :

— Tu es bon, peut-être trop bon.

Je souris.

— Je ne sais pas ce que je suis.

— Il y a beaucoup d'énigmes à résoudre dans une vie, dit-il, et les commissures de ses lèvres se relevèrent en un sourire mesuré. C'est une sale affaire. Être en vie.

J'eus l'impression qu'il avait assumé le poids que je portais, pas pour toujours, pour un instant. Il m'avait offert un moment d'apesanteur, un moment suffisant pour que je perçoive mes limites sans plus d'entraves. Je fis un pas vers lui, l'embrassai, enfouissant mon visage dans le col de son manteau. Il sentait le café et l'Aqua Velva. Son bras se referma sur ma taille comme une ceinture. Nos pieds glissaient sur la pente verglacée, tentaient de rétablir nos équilibres, et comme nous ne pouvions nous détacher l'un de l'autre et que nos souffles se mêlaient, mon père finit par lâcher le plat de hors-d'œuvre dont le fond, par bonheur, avait adhéré au capot.

Quand nous arrivâmes à la maison, je vis la voiture de Danny garée à côté de la mienne, pare-chocs contre pare-chocs. Cette année, il conduisait une Jaguar marron foncé qu'il avait méchamment éraflée, remarquai-je, sur la portière gauche. Danny adorait posséder des objets extravagants et il aimait les abîmer. Il avait, par rapport aux biens, le comportement anarchique des étoiles du rock de la décennie précédente, qui aimaient descendre dans les suites des vieux hôtels de luxe, décoller le papier peint, et balancer les verres de sherry dans les toilettes. Danny était attiré par la lumière des privilèges et de l'élégance comme un papillon de nuit d'une espèce particulière, qui essaierait d'éteindre la flamme qui l'attire. Il habitait des appartements deux fois trop grands pour lui, qui ressemblaient, lorsqu'il les quittait, à Beyrouth. Il s'était offert une table en merisier de dix mille dollars, sur laquelle il mangeait de la pizza sans utiliser d'assiette. Il portait des costumes de soie sur mesure, dans lesquels il dormait. Il voulait se comporter, supposais-je, comme si tout ce que l'on pouvait obtenir de meilleur avec de l'argent lui était échu de droit, comme s'il était las d'avoir dormi pendant des siècles dans le giron du luxe ; il avait toujours été ainsi.

Adolescent, il dépensait quinze dollars pour une cravate de soie — une somme incroyable à l'époque, autant dire un millier de dollars — , puis il l'employait comme bandeau pour jouer au basket dans le jardin municipal jouxtant Grand Army Plaza.

Caroline et ses fils étaient venus avec lui, et quand j'entrai dans le salon avec Dad, ils étaient tous réunis autour de la cheminée, Danny enflammait le journal qu'il avait roulé en boule sous les bûches. Caroline, Rudy et Malik étaient assis sur le canapé, et Mom sortait de la cuisine, portant les verres sur un plateau.

— Fielding ! s'écria Caroline, qui fut la première à me voir entrer.

Elle avait l'air extrêmement surprise, comme si on avait omis de lui dire que je serais là. Elle bondit du canapé et se jeta sur moi, me serra dans ses bras avant que j'aie pu enlever mon manteau. Je pouvais sentir le froid de mon corps passer dans le sien.

— Caroline, dis-je, frottant ma joue contre ses cheveux ; ma chérie, tu es toute en os.

— Et toi donc, répondit-elle en souriant, pinçant la chair de mon menton.

— Voici mon avocat, dit Danny en se levant.

L'âtre, derrière lui, était plein d'une épaisse fumée. Soudain, tandis qu'il se tenait là, souriant, les mains sur les hanches, une langue de feu orange apparut dans l'angle que formait son coude.

— Ma taupe à Washington, ajouta-t-il.

Mom posa le plateau sur une console, joignit ses mains sur sa poitrine. Ses yeux étincelaient, presque affligés de bonheur. C'était la première fois depuis un an que nous étions tous réunis dans la même pièce.

— Tu es magnifique, dis-je à Caroline, ce qui était la stricte vérité.

Son long visage étroit était coloré, ses cheveux relevés en une tresse fantaisiste, compliquée, dans laquelle des brins de gypsophile avaient été piqués avec grâce et humour. Elle portait un collier de ce qui me parut être, dans mon ignorance de ces choses, des diamants, et un ravissant chandail, rouge et pêche. Caroline n'avait pour ainsi dire pas un sou, mais se débrouillait toujours pour avoir une allure sensationnelle, à la mode. Elle affirmait que c'était un talent qu'elle avait acquis lors de son séjour à Paris. « Une Parisienne qui travaille en usine a meilleure apparence qu'une épouse de médecin américain », avait-elle dit un jour. Depuis, elle cultivait une élégance dépenaillée comme un des beaux-arts.

— Ciel, regardez ce pantalon de velours, dis-je, reculant d'un pas, soudain tendu, prêt à m'élancer vers la porte pour respirer, seul, un instant. Fantastique !

— Il est à Danny, dit-elle. Je m'affame pour garder son tour de taille.

— Oh, oh ! Et qui est là ? dis-je, allant vers le canapé où se trouvaient les fils de Caroline, Rudy et Malik.

Rudy avait les cheveux noirs de son père, et ses grands yeux blessés. Malik ressemblait davantage à un Pierce : grand, avec quelque chose de puéril, des cheveux bruns bouclés et la mâchoire supérieure proéminente. Tous deux gardaient les yeux fixés sur l'âtre, apparemment fascinés par le feu, bien qu'il fût évident qu'ils espéraient seulement le laisser croire, par timidité. Je posai une main sur leur tête, dans un élan d'affection. Ils étaient mes seuls héritiers.

— Salut, oncle Fielding, dit Rudy.

Il se retourna, me regarda. Il portait un costume d'été bleu ciel et un nœud papillon fixé par une broche. Les vêtements de Malik étaient mieux adaptés à la saison, il avait choisi le fonctionnel en dépit des circonstances : pantalon de velours brun et chandail orné d'un renne.

— C'est formidable de vous voir, les garçons, dis-je.

J'aurais aimé les embrasser, mais je craignais qu'ils fussent trop âgés pour ce genre de chose.

— Félicitations, oncle Fielding, dit Malik.

Il avait la voix atone de son père.

— Merci, mon vieux. Comment va votre père ces jours-ci ?

Nous nous montrions tous possessifs à l'égard de Rudy et Malik, mais je ne voulais pas faire comme s'ils nous appartenaient entièrement ; Eric McDonald était leur père, l'autre moitié de leur vie.

— Il va bien, répondit Rudy. (Il paraissait content que j'en aie parlé. J'allai m'asseoir entre eux sur le canapé, les entourant de mes bras.) Il t'envoie ses amitiés, poursuivit Rudy.

— C'est quelqu'un.

J'étais content de tourner le dos à Caroline au moment où je disais cela. Dès qu'il était question d'Eric, elle éprouvait des sensations d'angoisse aussi irrésistibles que la malaria. Nous n'avions jamais cru que ce mariage pouvait durer. Trop de choses les opposaient, au départ : ils s'étaient rencontrés alors que Caroline voyageait en Europe, et leur discorde frémissait même dans les lettres que nous recevions d'elle : « J'ai jeté le saxo d'Eric par la fenêtre de notre chambre d'hôtel, hier soir. Il était si parfait dans la neige, une petite boucle d'or tombée tout en bas, dans les jardins de Tivoli. » Caroline ne le quitta pas pour autant ; son carnet de croquis à la main, elle le suivit tandis qu'il effectuait sa tournée en Europe du Nord avec son quatuor. Quand ils arrivèrent à Paris, les marronniers étaient en fleur, et elle envoya à la maison une carte postale de la tour Eiffel au coucher du soleil : « Si cette carte est sentimentale, c'est parce que je suis enceinte. » Elle reparut enfin chez nous quand Rudy avait deux ans. Cinq mois plus tard naissait Malik et un an après elle se séparait pour de bon d'Eric.

— Regardez-moi ça ! dit Danny en pointant l'index dans ma direction. (Il portait une veste de mineur trop ample, dont il avait remonté les manches avec celles de la chemise rose qu'il portait en dessous ; les poils, sur ses bras, étaient dorés et frisés, ses tendons épais et à fleur de peau.) Tu y es vraiment arrivé. Le député Pierce. Ça redore le blason familial.

— Nous avons toujours eu de la classe, Danny, dit Dad. (Il venait d'entrer avec le plat de Skipper, qu'il posa sur une desserte.) Et la meilleure sorte.

— Ouais, dit Danny, classe *ouvrière*.

— Tu as toujours voulu davantage que ce que nous pouvions te donner, riposta Dad. Mais le fait que je fasse mon chemin et que je devienne un typographe de premier plan n'aurait pas dû te faire détourner le nez de dégoût.

— Nous n'avons pas détourné le nez, dit Danny. C'est toi qui nous l'as maintenu au-dessus de vous.

Il sourit, mais on sentait que sa bonne humeur était factice. Il y avait dans sa voix une impatience aiguë, infantile, et une veine battait rapidement à sa tempe.

— Ça va, vous deux. Vous commencez à m'énerver, dit Mom. (Elle se tourna vers moi avec un haussement d'épaules et me confia :) Ils se sont querellés toute l'année.

— A quel sujet ? Prises de bec ?

— C'est plus vrai que tu ne le crois, me dit Danny en faisant un de ces drôles de gestes façon Las Vegas, ban-bang, je t'ai eu.

— Qui sait pour quoi ils se battent ? dit Mom, laissant errer son regard, qui tomba sur Caroline.

Ma sœur hocha la tête avec sympathie. Caroline avait toujours manifesté, à l'égard de notre mère, un amour si absolu et si dévoué qu'il ne pouvait connaître de retour. Enfant, elle suivait sa mère dans toute la maison, l'étudiait ; le caractère de Mom était suffisamment trempé pour qu'elle redoutât semblable adoration, qui ressemblait, il est vrai, à de la faiblesse, à de la folie. Tout ce qui était facile rebutait Mom, et il était trop facile de plaire à Caroline. Pour rendre la situation plus intéressante, elle se mit à interpréter l'admiration aveugle de Caroline, à rechercher l'agressivité cachée, l'antipathie profonde qu'elle recelait, et cette violation de la loyauté maternelle fit de leurs rapports une tragédie. Caroline se mit à exprimer son affection par une sorte de haine diabolique envers elle-même. « Je t'aime, Maman », hurlait-elle en claquant la porte de la maison pour se rendre à quelque rendez-vous d'adolescents. Elle faisait partie d'une bande de filles complètement cinglées qui se rendaient avec leurs petits amis dans un endroit sordide, un bout du monde proche du pont de Brooklyn où, par tous les temps, ils engloutissaient du Southern Comfort, et baisaient à l'arrière des Buick Skylark, des Plymouth Fury, des Chrysler LeBaron. Du coin où ils étaient garés, ils pouvaient voir l'horloge de la Watchtower se détacher au-dessus des arches nues du pont, compter les secondes que nous autres pécheurs gaspillions dans notre marécage spirituel. Je me rappelle encore ces aubes laiteuses où Caroline se faufilait à l'intérieur de la maison comme un ivrogne parmi les bandes dessinées du dimanche, ses chaussures à la main, et Mom assise dans le fauteuil de chintz jaune, l'extrémité de sa Pall Mall rougeoyant entre ses doigts, une tasse de thé tiédi près de son coude. J'entendais les cris de ma chambre, là-haut, et dévalais l'escalier dans mon tee-shirt Fruit of the Looms. « Ils se moquent de toi, une fois qu'ils t'ont eue, tu le sais, n'est-ce pas ? » disait Mom d'une voix sifflante, et Caroline était assise par terre, devant elle, tête baissée ; ses bras enserraient les genoux de sa mère, comme si elle s'attendait à être battue.

Dad présidait à l'ouverture des cadeaux. Campé près de l'arbre, il ramassait les paquets enrubannés un par un, appelant le nom du destinataire.

— Caroline, ceci est pour toi, de la part de Santa et Danny, dit-il en secouant avec une mimique d'ogre la boîte près de son oreille.

Danny, une fois de plus, fit des cadeaux qui nous couvrirent de honte — ils étaient comme d'habitude coûteux et bien choisis ; il offrit à Caroline une montre ancienne de Cartier, je reçus un attaché-case français avec mes initiales gravées, Mom eut une photo dédicacée de Franklin D. Roosevelt, encadrée avec une lettre que le président avait envoyée au maire Walker en 1930, et Papa reçut une énorme histoire du CIO[4], et des lunettes spécialement conçues pour lire au lit. Comme des bandits, les enfants s'emparèrent des cadeaux, qui semblaient toutefois plus les gêner que les réjouir. Je supposais que ce qu'ils apprenaient à l'école musulmane de la ville haute où leur père les envoyait devait faire paraître, à leurs yeux, nos rituels ridicules. Lorsque je vis Rudy défaire sans la moindre hâte le papier rayé comme un sucre d'orge qui enveloppait les jumelles que je lui avais achetées, et m'adresser un sourire affectueux mais retenu, j'eus le sentiment fugace et navrant que, d'ici quelques années, ce garçon serait un étranger pour moi. Malik, plus jeune, d'un naturel accommodant, paraissait plus proche de nous, mais lorsqu'il vint m'embrasser après avoir ouvert son cadeau, je commis l'erreur de le serrer trop fort et pus sentir, en même temps que son torse osseux collé au mien, son esprit

4. Congress of Industrial Organisation.

qui bondissait en arrière comme un torero esquivant les cornes d'un taureau.

Les cadeaux étaient tous ouverts et le salon pareil à un champ de bataille jonché d'emballages de couleur réduits en lambeaux. Danny ranima le feu qui se mit à crépiter joyeusement, et notre père se versa un verre du punch diabolique préparé par Mom. (Je commençais à détester mon eau gazeuse.) Dad se campa devant l'âtre, leva sa coupe. A voir son haut et noble visage, son épaisse chevelure blanche, ses épaules larges et son regard ardent, on avait l'impression qu'il allait se mettre à chanter.

— Je veux porter un toast, dit-il. Le premier d'une longue série. (Le feu dansait dans son dos et la chaleur le fit se retourner.) Ça me brûle le cul, déclara-t-il.

Nous rîmes tous, surtout Caroline. Elle avait toujours trouvé nos parents extrêmement puritains et toute aberration de l'image gothique qu'elle conservait d'eux dans le coin le plus dévasté de sa conscience l'étourdissait.

— Et j'en porterai un autre après celui-ci, dit notre mère.

— Chaque chose en son temps et à sa place, Mary, dit Dad en s'inclinant. A Noël ! s'écria-t-il d'une voix retentissante. Que cette année apporte à notre famille bonheur... entente... et paix. (Sa voix s'arrêta net, comme bloquée par un déferlement d'émotion ; le visage assombri, il détourna les yeux ; il avait de ces luxes, en matière de sensibilité, qu'il ne se serait jamais permis dix ans auparavant, auxquels il estimait maintenant avoir droit, comme s'il s'agissait d'une pension.) A la nouvelle année qui vient, la première d'une décennie. Une année qui, je l'espère, nous réunira souvent dans la joie !

Il s'interrompit de nouveau, inspira profondément pour refouler quelque chose au fin fond de lui-même.

— Secoue-toi un peu, Pop, dit Danny, avec l'intonation d'un adolescent gêné qui plaisante.

Dad lui adressa un signe de tête signifiant que c'était entendu, et encore qu'il lui savait gré d'avoir été ainsi arrêté.

— Je veux maintenant porter un toast aux enfants, reprit-il. A Rudy et Malik. Les plus... (Une fois encore, il respira profondément, puis avança la lèvre inférieure et secoua la tête en un vieux geste affectueux, qui cherchait peut-être à symboliser la fragilité de toute chose bonne et honnête en ce monde.) La plus formidable paire de petits-fils qu'on puisse rêver. Et je veux aussi porter un toast à mes enfants. D'accord ? A ma première née, Caroline, qui a toujours su faire de moi ce qu'elle voulait...

— Première nouvelle ! s'exclama Caroline d'une voix qui se voulait plus gaie qu'elle ne l'était.

— Et qui nous comble de fierté à la fois en tant que mère et en tant qu'artiste. Et à notre deuxième enfant, Fielding, en route pour la capitale pour contribuer à la venue d'un jour nouveau, à la réalisation des orientations nouvelles de notre pays. Telle une flèche qui n'a jamais manqué sa cible, ou un marteau dans les mains d'un homme qui sait s'en servir, Fielding a toujours su mener sa barque, et si nous sommes tous fiers de lui, aucun de nous n'est surpris, je crois.

Il m'adressa un signe de tête auquel je répondis d'un sourire, tout en me sentant quelque peu irrité, dupé. J'avais toujours été l'enfant facile, celui qui considérait le monde à travers leur regard ; celui dont on savait qu'il ne créerait pas de gros ennuis, et j'avais attendu toute ma vie — en vain, je le comprenais à présent — le moment où je serais enfin considéré tel que j'étais, où, à mon tour, je les ferais suffoquer, se ronger les sangs, où je les obligerais à réviser toutes les idées, nettes et commodes, qu'ils se faisaient de moi.

— Et à Danny, notre dernier.

— Et le pire, fit Danny, le doigt levé.

— Exact, exact, dit Père, souriant.

— Et le plus vain, le plus satisfait de lui-même, renchérit Caroline.

— Et le plus décadent, ajoutai-je.

— D'accord, d'accord, mon Dieu ! dit Danny.

— Minute, minute, intervint Père en levant la main. (Il voulait en finir.) Ses réussites sont nombreuses. Pour un enfant de la classe ouvrière, vivre comme un prince...

— Ciel, dit Danny, nous y voici.

Je jetai un coup d'œil sur Rudy et Malik. Ils étaient assis

mains croisées sur les genoux, lèvres serrées. Caroline se tenait derrière eux, une main sur leur épaule.

— Et monter sa propre affaire, poursuivait Père, avec des gens qui dépendent de lui pour vivre. Tous mes enfants sont de gros travailleurs, qui connaissent la dignité du labeur et la fierté de la tâche accomplie, et puisque... (Il marqua une pause et approcha la coupe de ses lèvres, nous indiquant ainsi que nous allions bientôt pouvoir boire.) Puisque aucun de vous, petits délicats, ne serait venu sur terre sans moi, j'estime avoir sacrément le droit de me sentir épatant, moi aussi.

— Bon, bon, lança Caroline. Maman aimerait porter un toast, maintenant.

— Je crois que je ferais mieux de me taire, dit Mom.

— Ça promet, fit Danny.

Mom le regarda et embrassa l'articulation de son pouce. Nous avions toujours ignoré et l'origine et le sens de ce geste, qui devait lui venir de son voisinage de jadis ; et quand nous lui demandions ce qu'il signifiait, elle répondait : « Quoi que vous désiriez, faites un vœu, comme ça. » Elle regagna son fauteuil, s'assit, croisa les jambes et but une gorgée de son punch : œufs battus avec du sucre, ginger ale, rhum, cognac espagnol, Old Bushmill's.

Alors, en la regardant boire, en parcourant des yeux la pièce où mon père, mon frère, ma sœur tenaient chacun une coupe de punch, et en écoutant le battement régulier et morne de mon cœur — aussi immuable et accablant que le temps imparti à l'homme, dans les rythmes de marées duquel j'étais emporté vers la fin de ma propre existence — , j'éprouvai un brusque désir qui lacéra mes résolutions comme un couteau déchire une œuvre peinte : j'allais boire un verre, moi aussi.

— Allez, Mom, disait Caroline.

— Ton punch coule sur la moquette.

Mom montrait d'un mouvement de tête le verre de Caroline.

Je me faufilai à l'autre bout de la pièce et me servis, le plus discrètement possible, un demi-verre de punch. Je comptai dans ma tête : un, deux, trois, puis je bus ; mon cœur se mit à bondir comme un taureau aveugle d'une stalle obscure.

— Eh bien, si tu ne le fais pas, je le ferai, moi, dit Caroline.

Elle vida sa coupe et la posa bruyamment sur la desserte, donna à Dad une petite bourrade faussement enjouée et prit sa place devant la cheminée. L'écorce des bûches éclatait et sifflait. Des filaments de fumée gris foncé, mêlés à des étincelles orange, s'élevaient dans l'âtre.

— A maman et papa, pour leur premier Noël dans cette nouvelle maison, dit-elle, d'une voix que la timidité faisait chevroter légèrement. A Danny, qui réussit à s'en tirer *sans* inculpations. A Fielding, qui est comme un sacré train qui arrive toujours à l'heure, et à la pauvre chose que je suis, qui a survécu encore une année. Et à Rudy et Malik : *bon voyage*[5] *!*

— Bon voyage ? demanda Dad. Où vont-ils ?

— Avec Eric. Il part en tournée en Afrique. Nairobi, Monrovia, Tunis. Il emmène les enfants.

Si Caroline tentait de présenter la chose avec un sang-froid apparent, elle s'en tirait fort bien : son sourire était large, franc, ses épaules détendues. Les paupières de ses grands yeux étaient rosies par le manque de sommeil, mais cela n'avait rien d'exceptionnel, elle s'était toujours retournée dans son lit comme sur une broche posée au-dessus des flammes de l'enfer.

— C'est épatant, les garçons, dis-je.

— Monrovia ? demanda Danny en secouant la tête.

— Liberia, précisa Caroline.

— Je sais, dit-il. Mais qui diable peut aller là ?

— Ne parle pas sans savoir, répondit Caroline.

— Le voyage va durer longtemps ? demanda Dad.

— Et l'école ? Comment allez-vous faire ? ajouta Mom.

— Nous avons une autorisation, répondit Rudy. Nos professeurs *veulent* que nous y allions.

— Eh oui ! Comme ça, ils n'auront pas à vous supporter ! s'exclama Danny.

Les garçons ne semblaient pas avoir un très grand sens de l'humour en ce qui les concernait — pas plus qu'aucun d'entre nous, il est vrai ; on oublie trop facilement la sincérité ardente de l'enfance, le culte frénétique du moi.

— Vous finirez probablement par en apprendre davantage

5. En français dans le texte.

en deux semaines que vous ne l'auriez fait en une année d'école, déclara Dad, s'adaptant au changement avec une facilité déconcertante.

— Le voyage durera deux mois, l'école leur accorde des équivalences, précisa Caroline.

L'école, c'était la Malcolm X Academy, à l'angle de la 137e Rue et de Riverside Drive, un établissement musulman d'enseignement secondaire où, redoutait-elle, on apprenait à Rudy et Malik à ne plus la considérer comme une mère digne d'affection, mais simplement comme une Blanche, autrement dit, une créature assoiffée de cruauté.

— Eh bien alors, joyeux Noël et bon voyage, répéta-t-elle. Le moment est venu, pour vous autres, de promettre que vous ne me laisserez pas tomber parce que.... (Elle s'interrompit et se laissa en partie submerger par les émotions accumulées.) Parce que je vais être bien seule. Non, pas seule. Mais ils vcnt me manquer. Alors, chacun de vous devra veiller sur moi, s'assurer que je vais bien, d'accord ?

— C'est ce que nous aurions fait de toute manière, dit Mom d'un ton légèrement réprobateur. Il n'était pas nécessaire de le demander.

— Ton quartier recommence à vivre, Car, dit Danny. Clubs, coins louches, c'est un endroit en vue, maintenant.

— Mon quartier est un ramassis de taudis, dit Caroline. Et je suis trop vieille pour toute cette saloperie.

Mon regard se posa sur Dad. Il était assis dans son fauteuil et regardait ses pieds. Il craignait que Caroline ne perdît ses garçons, un jour ; qu'Eric, les contraintes historiques, l'endoctrinement persuasif des musulmans, ne finissent par rendre leurs relations impossibles, qu'elle ne devînt une mère de façade, et de ne plus être du tout, lui, grand-père.

— Je m'occuperai de toi, Caroline, à condition que tu t'occupes de moi, dis-je.

— Feras-tu le nécessaire pour que j'obtienne une allocation du gouvernement ?

— Pourquoi ne rentres-tu pas à Chicago avec moi pour m'aider à m'organiser ? Je peux te faire entrer dans mon équipe de collaborateurs. Tu serais payée.

— Ah non ! Tu ne feras pas ça, s'écria Dad, réellement inquiet. Es-tu fou ?

— De quoi parles-tu ? répondis-je.

— Eddie a raison, dit Mom. C'est du népotisme et bien des politiciens prometteurs sont tombés pour des affaires de cet ordre.

— C'est très courant, d'avoir des gens de sa famille dans son équipe, dis-je. Jack a eu Bobby et Bobby a eu Ted.

Je regardai Caroline. Elle s'était redressée et fixait mes parents du regard comme s'ils étaient en train de la trahir.

— Peu m'importe que ce soit *courant*, dit Dad. Ce n'est pas bien.

— Je ne pense pas que je pourrais le faire, même si c'était bien, dit Caroline. Toutes mes affaires sont ici et j'ai trois boulots, tu le sais.

— Que tu peux larguer, dit Danny.

Il était allongé près de la grille de fonte où une bonne douzaine de bûches étaient empilées.

— Je travaille dans la boulangerie d'un ami. Je donne toujours ce cours pour adultes, et je suis retournée dans le club de gym, où je suis responsable de la classe d'aérobic.

— Viens à Chicago avec moi, pour une quinzaine. Les écoles sont fermées pour le moment, et tu peux demander un congé, pour les deux autres boulots. Tu habiterais chez nous.

— Que devrais-je faire ?

— Tu pourrais m'aider à organiser la campagne ; y réfléchir avec moi, dis-je en allant m'asseoir à côté d'elle et en la prenant par le bras. Nous prendrions des décisions politiques.

— Il ne s'agit plus maintenant d'un de tes petits jeux, Fielding, dit Dad, furieux de ne savoir comment alimenter sa colère.

— Si ça devait poser un problème, dis-je, je ne la déclarerais pas ; je la paierais autrement.

— Non, non, dit Mom. Ce serait pire encore. Ne sois pas malhonnête.

— Je ne serai pas malhonnête, Mom. Ça se passera très bien.

— Tu crois que ça pourrait te plaire ? demanda Mom à Caroline.

— Deux semaines ? fit Caroline, ça me ferait sans doute du bien de m'éloigner quelque temps. Qu'en pensez-vous, les enfants ? Pensez-vous que maman devrait aider oncle Fielding à gagner les élections ?

— Qu'aurais-tu à faire ? demanda Rudy.

— Je ne sais pas, dit Caroline. Coller des enveloppes, n'importe quoi.

— Tu seras là quand nous rentrerons ? demanda Malik.

— Si j'y vais. Il faut que je réfléchisse. Mais je serai de retour bien avant vous, les garçons.

— Oh, chic ! m'écriai-je en la serrant contre moi. Tu vas venir, je sais que tu vas venir. Mon Dieu, je me sens mieux.

— Formidable, dit Danny à voix basse, se relevant avec une bûche de bouleau blanc dans les bras. Et on me laisse ici pédaler dans la semoule.

Je ne pouvais voir son visage, et ne savais pas s'il plaisantait. Il jeta dans le feu la bûche, qui souleva une gerbe d'étincelles en touchant les braises.

Danny saisit sa coupe et la leva vers nous.

— Allons, c'est mon toast. A la fin des années soixante-dix, et bon débarras. Nous allons nettoyer l'assiette. Ce sera comme entamer le chapitre onze. Toutes les dettes anciennes effacées ! Demain nous appartient !

Il joignit les talons avec un claquement sec, à la prussienne, et porta la coupe à ses lèvres.

Nous bûmes tous avec lui et, en avalant une nouvelle gorgée, je vis quatre années de sobriété se détacher de moi comme une écharde. Je n'avais jamais été, du moins de mon point de vue, un ivrogne titubant. Je ne m'étais jamais vraiment qualifié d'alcoolique. J'étais très délicat et très discret dès qu'il s'agissait de décrire mes difficultés, et ne me considérais guère, dans le pire des cas, que comme étant porté sur la boisson ; j'étais même parvenu à enrober ma faiblesse d'un certain nombre de plaisanteries passables. « Bien entendu, je contrôle ce que je bois, disais-je à Sarah : je vérifie s'il y a assez de bourbon, assez de glace. » Mais je savais aussi que son pouvoir excédait mes possibilités de contrôle, et qu'un jour il me terrasserait. Aussi m'étais-je arrêté avant que n'eût sonné l'alarme, arrêté froidement, sans grande préparation ni dérapage ultérieur. Je pris une autre petite gorgée et sentis mon sang tourner comme la foule de visages au moment où l'on frappe la balle.

— Je ne sais absolument pas à quoi je bois, disait Caroline. Que signifie ce toast, Danny ?

— Je suis sûre que si nous le savions, nous ne boirions pas avec plaisir, dit Mom.

— Attendez une minute, dis-je, levant ma coupe ; portons un toast.

Si l'un d'eux s'avisa qu'il y avait quelque chose de plus sombre que de l'eau minérale dans mon verre, nul n'en laissa rien paraître. Leurs regards étaient doux, attentifs. L'heure était venue d'écouter le garçon raisonnable.

— Aux morts, dis-je, aux morts.

J'étais à la maison, et quand on est chez soi, il n'est pas nécessaire de réfléchir à ce que l'on va dire avant de parler. Tranquille, je ne savais vraiment pas où j'allais. Je levai les yeux vers le plafond.

— A Bobby Kennedy. Et à Jack. Et à Malcom X et Martin Luther King. (Le plafond était fraîchement repeint et je pouvais distinguer de minuscules crêtes dans la couche jaune, comme de la chair de poule.) Et à Otis Redding, Sam Cooke, James Agee, Humphrey Bogart et Edward. R. Murrow...

— Fielding, entendis-je mon père dire.

— Et à Sarah Williams, (la voix aussi voilée et vague qu'une lumière dans le brouillard) puisse-t-elle reposer en paix.

Les lumières, autour des ponts, étaient à peine visibles dans la neige qui tombait, épaisse, lente, semblable à du coton. La soirée de Noël s'écoulait dans la Jag de Danny, avec Danny au volant, lui le plus sobre des Pierce ; sa capacité d'absorption était terrible. J'étais assis à côté de lui, subissant tour à tour les éclats de l'ébriété douce et ceux de la terreur absolue. Trois verres, et j'étais complètement dans le cirage ; à travers la sciure humide de ma légère hébétude montait la peur de m'être engagé sur la spirale qui me conduirait, pour finir, dans une chambre de location où mes sous-vêtements sécheraient sur le radiateur... Je me laissai aller en arrière, occupai mon esprit à imaginer un accident de voiture... Toutes ces voitures que nous doublions, et toutes celles qui nous doublaient : tout le monde, sur cette route, avait passé la journée à boire, et encore la moitié de la nuit ; je tentai d'évaluer le degré d'ivresse et le désespoir des nuits de Noël et le vieux Thanatos manifeste de tous les jours en chaque conducteur qui accompagnait notre lente et glissante progression vers la ville. Caroline était assise à l'arrière, entre Rudy et Malik, qui dormaient tous deux, avachis sur elle. Danny tendit le bras, ouvrit la boîte à gants, devant moi, et fouilla dans un tas de cassettes.

— Steely Dan ? demanda-t-il.

— Hou ! fit Caroline, trop froid.

Elle parlait d'un ton uni, à la hauteur qui — l'expérience le lui avait enseigné — ne réveillerait pas les enfants.

— Mom et Dad ont l'air vachement en forme, c'est incroyable, dis-je.

— N'empêche que Dad prend du ventre, vous n'avez pas vu ? remarqua Danny.

— Je trouve que cela lui va bien.

— Tu parles. Vous êtes d'accord pour Lou Reed ?

— Lou Reed, d'accord, dit Caroline. Mais fais attention de ne pas mettre celle avec les paroles racistes. Mom a l'air fatiguée, non ? Elle continue à se conduire avec lui comme une servante.

— Lou Reed raconte que c'est sacrément branché d'être un drogué, dis-je.

— C'est branché, répondit Danny en glissant la cassette dans le lecteur. Mais Lou Reed déteste l'héroïne.

— Il chantait cette chanson sur l'héroïne, dans le temps. Celle où il disait qu'elle est sa femme, sa vie.

— C'était il y a bien longtemps, Fielding. Écoute, si veux devenir un grand député, tu aurais tout intérêt à mieux connaître la musique pop. Même Jimmy Carter peut citer Bob Dylan. Il faut sauter là-dessus et s'y cramponner.

Nous conduisîmes Caroline à son appartement, Première Avenue, à la hauteur de la 10e Rue. Noël paraissait avoir effacé une dizaine ou une vingtaine de pâtés de maisons au nord de celui qu'elle habitait. Quand nous nous arrêtâmes en bas de l'immeuble dont l'escalier de secours était couvert de neige fraîche et les fenêtres comme désolées et mystérieuses, les lumières de Noël ne furent plus qu'un souvenir. Près de son logement, entouré d'une clôture métallique, s'étendait un terrain vague jonché de monticules de briques, vestiges de l'immeuble qui se dressait là autrefois ; l'endroit ressemblait à un cimetière abandonné, vu d'en haut. Je remarquai trois formes humaines recroquevillées dans l'ombre du terrain vague. Les phares de la Jaguar creusèrent deux tunnels dans la nuit noire et neigeuse.

J'accompagnai Caroline et les deux garçons jusqu'à leur appartement, au deuxième étage. Les murs de la cage d'escalier semblaient friables, on aurait dit qu'il était possible d'en détacher de gros morceaux avec les doigts. La lumière tombait du plafond en cercles fluorescents, et en bourdonnant. Nous devions monter tous les cadeaux à l'étage, et nous nous traînions. Il était presque onze heures du soir, les garçons titubaient de fatigue.

— Étais-tu vraiment sérieux, quand tu m'as proposé de t'accompagner à Chicago pour t'aider quelque temps ? demanda Caroline en ouvrant les trois verrous de la porte.

— Bien sûr. Pour moi, tu as déjà donné ta parole, et tu ne peux plus refuser.

— Échec, échec, deux fois échec à l'aigle américain ? demanda-t-elle.

— Exactement.

Il s'agissait de la formule rituelle qui scellait nos pactes quand nous habitions le pays lointain de l'enfance.

— Appelle-moi demain, alors, dit-elle. Quand vous vous réveillerez, les garçons. Nous verrons alors.

— D'accord.

Je l'embrassai sur la joue. Elle m'embrassa à son tour, et ouvrit la porte qui donnait directement sur la cuisine. Une lampe était posée sur la table, un foulard à fleurs couvrait l'abat-jour. On entendait une radio ; signes de vie pour rassurer les désespérés. Je posai maladroitement un bras sur l'épaule de Malik, et l'autre sur celle de Rudy, tentai de les embrasser d'une manière à la fois naturelle et sportive, en employant ce code masculin que la honte a conçu pour exprimer l'affection. A ma grande surprise, ils m'étreignirent soudain, me serrèrent de toute la force de leurs petites mains. Ils se cramponnèrent à moi, et tout en les embrassant, je regardais Caroline avec des larmes dans les yeux.

Danny était appuyé contre le volant quand je regagnai la voiture, pénétrai dans la chaleur parfumée. Il avait allumé la radio. Les informations se terminaient, on en était à la météo. Même sur les ondes, les météorologues adoptaient le pathos des grandes catastrophes.

— Toutes ces conneries sur les alertes à la tempête de neige et les secours d'urgence ne sont qu'une façon de nous préparer à la guerre nuclé...

— J'aimerais que tu m'accompagnes quelque part, m'interrompit Danny. Tu n'es pas trop fatigué ?

Je lui répondis que je ne l'étais pas, car si je lui avais avoué que je l'étais, il m'aurait certainement proposé de la drogue, pour me remonter.

— Tu ne veux même pas savoir où nous allons ? demanda-t-il.

Nous prîmes la Première Avenue en direction du nord. Toutes les devantures étaient obscures, excepté celle d'un gros marchand de fruits en tablier, qui enlevait la neige tombée sur son étalage d'oranges. A côté, un autobus municipal était arrêté, et le conducteur se balançait d'un pied sur l'autre, se battait les bras pour conserver sa chaleur, en attendant d'être servi.

— Eh bien, où allons-nous ?

— Dans un salon de massages orientaux, bien entendu.

Il accéléra pour passer un feu orange. Devant nous, à peine

perceptible dans cette nuit d'épaisse neige, s'étendait une infinité de feux semblables. Danny se mit à rire ; il avait depuis son enfance un rire crispé, assez contraint, le rire d'un enfant qui a des difficultés auxquelles le luxe et la réussite n'ont rien pu changer ; c'était encore le rire de l'enfant à qui l'on fait franchir les portes en le tirant par le bras.

— Tu te souviens de cette réplique, dans *Les Enchaînés*, quand Claude Rains entre dans la chambre de sa maman nazie et lui dit : « Mère, je crois que j'ai épousé une espionne américaine » ? Eh bien, aujourd'hui, mon frère, je crois que je suis amoureux d'une pute coréenne.

Et, s'étant défait de ce fardeau, il se mit à rire comme un fou. On aurait dit qu'il venait de m'escroquer, de m'entraîner dans une situation dépassant largement les bases de notre accord, échappant à mon contrôle. Son rire, en fait, était de ceux qui paraissent outrés à force de contrôle. Montrer son plus mauvais côté était sa manière, simple et sombre, d'interpréter l'honnêteté personnelle : il laissait volontiers traîner, froissés sur son bureau, les petits paquets dans lesquels arrivait sa cocaïne. Il ne cachait jamais un échec ou un ennui. Il racontait en détail ses affaires louches, ses dérobades chorégraphiques devant ses créanciers, ses échappatoires fiscales conçues avec des avocats rapaces représentant de rapaces docteurs, comme s'ils avaient tous quelque chose d'admirable, d'amusant : un rôle audacieux, un travers qui épouserait une frontière inattendue de la vertu.

— Je n'ai pas envie d'aller dans un salon de massages orientaux, Danny, dis-je.

— Fais-le pour moi, Fielding, pour moi.

— Tu es sérieux ? Tu t'intéresses réellement à quelqu'un qui travaille dans un de ces endroits ?

— Doucement, Fielding, c'est important pour moi.

Dans la 14e Rue, nous nous dirigeâmes vers l'ouest. C'était de nouveau Noël. Des guirlandes de grosses ampoules vieillottes, vertes et rouges, grimpaient comme de la vigne vierge aux réverbères gelés. Un chasse-neige municipal nettoyait la rue. Nous dépassâmes l'Academy of Music, qui avait été un opéra du temps d'Edith Wharton et n'était plus aujourd'hui qu'un grand local poussiéreux et décrépi, avec, au fronton, l'inscription : GRATEFUL DEAD — ANNULÉ.

Nous continuâmes jusqu'à la Sixième Avenue, pour nous diriger vers le nord en sens interdit, et traverser le quartier des fleurs : palmiers, bambous, oiseaux de paradis, collés aux vitrines embuées, baignaient dans une lumière rose.

— Pourquoi allons-nous là-bas, Dany ?

— Je veux que tu la rencontres, répondit-il de sa voix fuyante.

Il était passé maître dans l'art de mettre les gens mal à l'aise quand ils posaient des questions trop directes. Il me regarda du coin de l'œil. La voiture patina quand le feu passa au vert.

— Tu dois nous aider, Fielding, je t'en supplie.

— Tu n'as rien demandé, je n'ai pas dit non, et tu me supplies déjà.

— Oui.

— Pourquoi devons-nous aller là-bas ?

Il me regarda avec un air surpris, aussi évidemment joué que stratégique, comme s'il me voyait pour la première fois sous mon vrai jour, comme si je venais de révéler quelque chose qu'il n'avait jamais soupçonné en moi auparavant.

— Tu as peur d'y aller ? C'est ça ? Tu crains de démolir ta réputation ?

— Je n'ai pas de réputation.

— Ne me raconte pas tes salades, Fielding. Tu es si sacrément obnubilé par tout ce foutu projet d'avenir que tu n'es même plus capable de passer un moment avec ton frère et de rencontrer sa maîtresse.

— Tu as une drôle de façon de présenter les choses. Ce n'est pas comme si...

— Je n'ai pas l'intention d'être drôle, dit Danny en donnant un coup de poing sur le volant.

— D'accord, d'accord, fis-je en lui tapant sur l'épaule.

Son humeur m'impatientait, comme toujours. J'avais élaboré une tactique de défense qui consistait à le traiter à la légère.

— Seigneur, Fielding ! Ne vois-tu pas dans quel état je suis pour agir comme je le fais ? Cette fille — elle s'appelle Kim Hahn — parle affreusement mal l'anglais. Elle est tout ce qu'il y a de convenable. Elle vient de Séoul. Ces salauds de Coréens l'ont amenée ici, lui ont promis un emploi et puis ils l'ont coincée dans cette saloperie de bordel.

— Que tu subventionnes, de temps en temps.

— Un de nos auteurs m'y a amené. Ben Lacoste, celui qui a écrit *Les Techniques amoureuses de l'Orient*. Pour vingt-cinq dollars, elles te lavent des pieds à la tête, te marchent sur le dos, te font subir une espèce de massage shiatsu qui est horriblement douloureux et ennuyeux, et puis, pour cinquante dollars de plus, elles te font tout le reste sur de minuscules lits durs. Elles ont toutes des magnétophones portatifs et écoutent de la musique coréenne. L'endroit est dirigé par une minuscule vieille femme qui n'ouvre jamais la bouche. Elle reste assise à son bureau dans un pantalon corsaire et une blouse de soie noire ; une Mme Tchang Kaï-chek d'opérette. Mais l'établissement est en fait dirigé par des gangsters coréens et *ces* types-*là* — c'est une chose que tu devrais savoir, député — , ces types sont de mèche avec les militaristes coréens fanatiques d'extrême droite, avec la CIA, et avec le diable sait quoi encore. Ce sont des types de ce genre qui peuvent tuer quelqu'un comme Sarah pour cinq cents dollars et une caisse de fusils. C'est un endroit effrayant, et Kim veut en sortir, mais elle ne peut pas. Même s'ils ne lui tailladent pas le visage, ils la renverront en Corée ; elle est entrée ici illégalement, comme toutes les autres. Aucune d'elles n'a de papiers valables. Si elle retourne en Corée, c'est la disgrâce, car tout le monde sait ce qu'on leur a fait faire ici. Et si elle repart, je ne la reverrai jamais et je ne suis pas prêt pour cela, pas encore en tout cas. Cette fille me plaît vraiment.

— Tu l'aimes ?

— Non, je ne l'aime pas, dit-il comme s'il s'adressait au rejeton d'un conseiller matrimonial et d'un canard. Je l'aime bien. Il y a quelque chose de particulier... Écoute, je n'ai pas à t'expliquer ça. Elle me plaît. Elle mérite mieux. Elle fait merveilleusement l'amour, en plus, mais j'imagine que vu les circonstances, je ne devrais pas dire ça.

— Quelles circonstances ?

— Tu es assis là à me juger, hors de toi, parce que je t'entraîne dans un sale coup. Et que se passera-t-il si, une fois sur les lieux, il y a une descente de police et que le lendemain ta carrière est foutue. C'est ça ?

— Que veux-tu que je fasse, Danny ?

— Tu as le pouvoir, Fielding ; et je suis ton frère.

Il sourit. Son sourire avait été si attirant autrefois, tellement plein de vivacité et de sentiment ; aujourd'hui, d'avoir tant servi à écarter le désastre, il sentait un peu trop le calcul.

— Nous appartenons à la même espèce, reprit-il. Nous sommes tous les deux entraînés dans un processus qui nous dépasse. Un jour, nous devrons payer. La chance nous abandonnera, et nous aurons une vie pire que celle de Caroline et nul ne misera un centime sur nous. Mais pour l'instant nous sommes ici, ensemble, et nous devrions nous entraider, d'accord ?

— J'aimerais savoir à quoi je donne mon accord.

— Tu peux prendre Kim sous ton aile. Te servir de tes relations et de ton influence pour lui obtenir une carte verte ou quelque chose qui lui permettra de rester ici sans devoir dépendre de ces salauds de gangsters.

— J'aimerais que ce soit aussi facile que tu le dis.

— Ça y est, tu parles comme un politicien.

— Je suis un politicien, Danny.

Danny replia et déplia ses longs doigts carrés sur le volant.

— Eh bien, tu n'es pas ce que tu promettais d'être. Tu étais celui qui voulait améliorer le monde. J'ai toujours cru que tu voulais faire de la politique afin, une fois au sommet, de mettre fin aux guerres, de donner de quoi bouffer aux gens et de virer les snobs. Maintenant, tu te comportes exactement comme un politicien dont le premier souci est d'assurer ses arrières et pour qui tout le reste n'a qu'une importance secondaire.

— Ce dont je suis sûr, c'est que je ne me présente pas aux élections dans le seul but d'obtenir une carte verte pour une fille qui travaille dans un salon de massage, dis-je, puis je respirai profondément.

— Ce n'est pas *n'importe quelle* fille, dit Danny.

Les lumières de la rue, pénétrant dans la voiture, firent paraître ses cheveux complètement blancs.

— Depuis combien de temps la connais-tu ?

— Six, sept semaines.

— Un salon de massage. C'est tellement... ridicule. Tu prends trop de drogue. C'est un excès de drogues diverses.

— Tu te rappelles ce que disait Sarah ? Nous marchions dans Union Square, et nous avons vu un drogué sur un banc, avec des chaussures trouées, des mouches plein le visage, et Sarah a dit : « Peux-tu dire que ce n'est pas le Christ ? Peux-tu le dire ? » Voilà ce que disait Sarah ; et tu l'aimais. Ou peut-être le nies-tu, maintenant ?

— C'est donc cela, fis-je, la fille du salon de massage est Jésus.

Dans la 30e Rue, Danny prit vers l'ouest ; les chasse-neige n'étaient pas allés aussi loin. Nous avancions dans dix centimètres de neige nouvelle. Les flocons tombaient en frôlant les lampadaires, des millions de pointillés.

— C'est simplement une gentille fille, Fielding. Et je me sens bien avec elle. Rien à voir avec sa conscience professionnelle. Elle a quelque chose de bien.

Nous nous arrêtâmes devant un vieux hangar, avec une enseigne peinte à la main encastrée dans la verrière qui surmontait les portes métalliques coulissantes. Au second étage, à la hauteur des réverbères, s'ouvraient les fenêtres de la fabrique Lopez & Portillo Fashion Outlet. Les autres fenêtres du bâtiment étaient dans l'obscurité. Une rangée d'ampoules électriques rouges perçait la noirceur de cette nuit d'hiver, signalant l'escalier sur le côté de la construction. Les essuie-glace de la Jaguar allaient d'un côté à l'autre, éliminant patiemment la neige au fur et à mesure qu'elle tombait.

— C'est là, dit Danny.

Je ne saurais dire si c'était par prudence ou par lâcheté, mais il était affreusement difficile de suivre Danny à l'intérieur de ce bâtiment plongé dans l'obscurité. Il alluma son briquet en or pour éclairer la rangée des boutons de sonnette à côté de la porte et il appuya sur le bouton 9 qui portait également des caractères orientaux. Une voix féminine résonna dans l'interphone :

— Bonjour, joyeux Noël, dit-elle. Que désirez-vous ?

— J'ai vu votre annonce, dit-il.

La serrure s'ouvrit avec un bourdonnement, et nous pénétrâmes dans une petite entrée sale, éraflée, qu'éclairait une rampe fluorescente émettant un sifflement nerveux. Il y avait dans l'air une odeur de cuir brut. Je suivis Danny jusqu'à l'ascenseur. Il appuya sur le bouton, et nous entendîmes un cliquètement de chaînes, comme si nous venions de déranger un fantôme. Je fantasmai un guet-apens, l'antre d'un meurtrier, une rafle de la brigade d'immigration, la honte publique, posant chaque évocation catastrophique devant moi comme une carte de tarot. Nous pénétrâmes dans un monte-charge poussif ; au-dessus de nos têtes, des panneaux manquaient, nous pouvions voir une perspective de poulies dans une obscurité froide où glissaient quelques luisances, et je songeai aussitôt à une autre catastrophe éventuelle : une chute de l'ascenseur. La cabine s'éleva avec un sursaut tout à fait encourageant, mais monta ensuite avec une extrême lenteur.

— C'est ouvert le soir de Noël ? demandai-je.

— Oui, répondit Danny. Choquant, n'est-ce pas ?

Il m'enlaça et pour camoufler son affection fit semblant de me tordre le bras. Je pouvais nous voir dans le miroir rond, sous les panneaux restants : deux mecs en pardessus avec des flocons de neige dans les cheveux.

La porte de l'ascenseur était verrouillée au neuvième étage. Une jeune femme coréenne aux yeux maquillés de violet et aux cheveux noirs bouclés nous observait à travers une petite ouverture grillagée. Son visage s'illumina lorsqu'elle reconnut Danny. Elle poussa le verrou et ouvrit la porte. Elle recula d'un pas. Elle était vêtue d'une petite jupe de patineuse en velours éponge. Ses orteils aux ongles violets étaient rondelets ; elle portait des sandales de caoutchouc qui claquaient quand elle marchait.

— Bonjour, comment allez-vous ? dit-elle avec une intonation qui mêlait la lassitude au sarcasme, comme si elle ne faisait qu'imiter les choses dénuées de sens que se disent les gens.

Elle nous conduisit dans une pièce couverte d'épais tapis, où quatre Coréennes étaient assises sur des sièges tubulaires noirs. L'une était vêtue d'un collant noir, la seconde d'un short de putain d'un rouge éclatant, la troisième d'un kimono (elle louchait, gênée par la fumée de sa Salem, en essayant de gratter son talon avec une lime en carton) et la quatrième, d'un bikini et de chaussettes de laine hautes.

L'atmosphère était imprégnée d'un relent d'ail et d'huile, et d'une odeur de lessive. Des planches recouvertes de draperies de velours rouge barraient les fenêtres. Nous nous tenions devant un bureau sur lequel étaient posés une grosse rose de bois dégageant un parfum que le fabricant avait interprété comme un parfum de rose, un téléphone noir et une étroite caisse-comptable verte, la femme que Danny m'avait décrite, la vieille dans la blouse de Mme Tchang Kaï-chek, était assise derrière ; elle buvait du thé dans une tasse blanche en porcelaine épaisse qui aurait pu venir d'une cafétéria. Son petit visage ambré semblait triste, suspicieux ; elle paraissait émettre une sorte de corruption qui confinait à l'idiotie.

— Vous deux ? demanda-t-elle.

Sa voix était haut perchée, pointue, mal assurée.

— Ouais, dit Danny.

— Cinquante, fit-elle en ouvrant la caisse.

Danny jeta un billet de cinquante dollars sur le bureau.

— Attends un instant, dis-je, nous ne sommes pas venus pour ça.

Mme Tchang inclina la tête en me regardant. Elle pouvait, rien qu'au son de ma voix, sentir que quelque chose n'allait pas et souriait, à tout hasard.

— Laisse-moi faire, dit Danny. Tu t'inquiètes pour le fric ?

— Es-tu en train de m'offrir un massage ?

Je me sentais parfaitement ridicule. Le petit cousin de province que l'on traîne par les cheveux (en brosse) vers un tourbillon de plaisirs interdits. La fille en collant noir et celle en short rouge se levèrent et s'approchèrent de nous.

Danny leva la main pour les arrêter.

— Non, dit-il à l'intention de Mme Tchang, je veux Kim.

— Kim ? Kim ? Qui, Kim ? répondit-elle en secouant la tête. Elle enferma son billet dans la boîte.

— Kim, répéta Danny avec force. (Les bordels fonctionnent bien à condition que leurs clients se montrent honteux et timides, mais Danny semblait parfaitement à son aise et convaincu de la rectitude morale de ses désirs.) Vous savez bien, Kim.

— Pas Kim, pas ce soir.

Elle montra les deux femmes qui s'étaient arrêtées net quand Danny avait élevé la voix.

Derrière les canapés tubulaires noirs, une arcade drapée d'un rideau de perles laissait deviner l'activité exacte de l'endroit. Le rideau s'entrouvrit pour livrer passage à une jeune Coréenne aux épaules carrées vêtue d'une culotte courte et d'une chemise d'homme turquoise trop grande pour elle, qui donnait le bras à un jeune Chinois vêtu de sa tenue blanche de marmiton. Il avait de longs cheveux mouillés, coiffés en arrière. Ceux de la fille étaient brillants, assez courts, réunis en une petite queue de cheval retenue par un élastique rouge.

— Kim ! s'exclama Danny, avec un rire de soulagement.

— Oh, *Kim, Kim,* dit Mme Tchang, comme si le seul problème, dès le début, avait été la prononciation de Danny.

Danny attendit que Kim eût accompagné le cuisinier chinois à l'ascenseur, et quand elle eut fait demi-tour, elle s'approcha de lui, glissa un bras autour de sa taille. Elle avait aux oreilles de petites boucles dorées en forme d'étoile, et son corps dégageait un parfum d'huile pour bébé. Elle le serra simplement, rapidement contre elle, effleurant juste son épaule de la tête. Je devais être complètement ébahi, à des miles de l'endroit où je me trouvais, car je sursautai lorsque la femme en collant me prit par la main pour m'entraîner vers le fond.

— Douche et sauna ? demanda-t-elle.

— Non, non, répondis-je, plus par confusion que par moralité.

— Prendre douche d'abord, ensuite massage, dit-elle.

Son visage était tout rond, ses yeux durs et sombres, et elle avait un grain de beauté à la commissure des lèvres. J'eus soudain une idée fantastique : j'irai dans n'importe quelle petite cellule où elle voudra me conduire, je me déshabillerai, et lui ferai l'amour. Comment n'y avais-je pas pensé plus tôt ?

Danny se tenait devant le bureau, s'entretenait avec la vieille femme. Elle secouait la tête. Kim était debout derrière lui, les yeux rivés au tapis. Une autre fille apparut à travers le rideau perlé, celle-là suivie d'un Anglais, une sorte d'Isaac Green avec une brindille de houx épinglée à sa veste, dégageant une odeur d'excellent whisky.

— Vous voulez verre ? me demanda ma compagne afin de me mettre en train.

— D'accord, dis-je.

— Non, déclara Danny, se retournant vers moi. Arrête. Nous partons.

Il reprit sa négociation avec la vieille desséchée, posa cent dollars sur le bureau, puis encore cent dollars. Elle les accepta en haussant les épaules, les enferma dans la caisse et, histoire de préserver sa dignité, s'éloigna pour rejoindre les autres, qui regardaient la télévision.

— Nous allons chez moi, annonça Danny.

— Vous ne m'achetez pas ? dit la femme que le destin, ou un simple signe de la main, m'avait assignée. (Elle paraissait fort en colère et assez effrayée, aussi.) Je ne bouge pas d'ici.

Elle interpella la vieille femme, et elles se mirent à discuter en coréen. La patronne vêtue de soie agitait les mains au-dessus de sa tête comme si la situation lui échappait complètement.

— Allons-y, Fielding, dit Danny d'un ton de commandement.

Kim repartit de l'autre côté du rideau de perles et réapparut quelques instants plus tard, avec un blue-jean, des bottes, une veste de cuir pourpre à col de fourrure rouge. La fille en collant retourna s'asseoir sur le canapé. Aucune des autres femmes ne nous regardait. L'une d'elles se leva pour changer de chaîne. C'était l'heure de Tonight Show. Johnny Carson et deux partenaires se saluaient avec emphase, comme s'ils appartenaient à l'un de ces clubs de province où les pochards se retrouvent. Ensuite nous nous dirigeâmes, Danny, Kim et moi, vers l'ascenseur. Il nous attendait. Au moment où nous entrions, la vieille cria quelque chose à Kim, qui lui répondit sans se retourner.

— Je dois être de retour dans deux heures, dit-elle tandis que les portes se refermaient.

— On en reparlera, dit Danny en enfonçant son large pouce avec ses cuticules mâchonnées et sa forme singulièrement phallique, sur le bouton marqué R.Ch.

L'ascenseur eut un frisson et commença à descendre, centimètre par centimètre.

— Voici mon frère, Kim. C'est Fielding.

Elle me tendit une petite main frêle, que je serrai. Je me trouvais énorme, ridicule, à côté d'elle.

— Il va t'aider, ajouta Danny.

— Bonjour, dit-elle. Désolée mon anglais, ajouta-t-elle, avec un haussement d'épaules.

— C'est très bien, c'est très bien, dit Danny vivement.

Sa nervosité commençait à me tordre l'estomac. Je pouvais sentir l'énergie qui le traversait, mais je n'avais pas la moindre idée de ce qu'il pensait. C'était éblouissant, troublant et extrêmement perturbant, comme une dispute passionnée que l'on entend de l'autre côté du mur sans en comprendre un seul mot. Une de ses jambes tremblait — le premier de ses tics, celui sur lequel tous les autres s'étaient greffés : se ronger les ongles, renifler, secouer la tête, s'éclaircir la gorge. La lenteur de l'ascenseur était une torture pour lui.

La cage de l'ascenseur était visible à travers la vitre, et nous la regardions défiler centimètre par centimètre. « Allez, allez », murmurait-il entre ses dents. Il se demandait s'il n'y avait pas eu un appel d'en haut, et si nous n'allions pas trouver un comité d'accueil en bas. Lorsque, enfin, nous atteignîmes le rez-de-chaussée, et que la porte s'ouvrit, Danny sortit comme une flèche de la cabine avec cette hystérie maîtrisée que l'on m'avait enseignée à la Coast Guard, quand nous nous entraînions à gagner nos postes en cas d'attaque. Le hall était vide. Danny ne voulait qu'une chose : rejoindre la voiture, enlever la neige du pare-brise, mettre le moteur en marche.

— Venez, allons-y, cria-t-il par-dessus son épaule.

— Mon sac, dit alors Kim, se collant à la paroi du fond de la cabine. Mon sac est là-haut.

— Il sera toujours là quand vous reviendrez, dis-je. D'accord ? Allons.

Je la pris par le bras. Elle m'avait paru fragile, presque défaillante lorsque nous nous étions serré la main, mais là, elle m'échappa avec la férocité d'un fouet.

— Mon sac, j'ai besoin de mon sac.

— Il faudra s'en passer, répondis-je en l'agrippant à nouveau.

Je savais que si je la laissais filer elle retournerait au neuvième étage, nous nous retrouverions dehors, la porte verrouillée, et ce serait fini.

Danny, lui, avait pour ainsi dire franchi la porte d'entrée. Il se retourna pour nous engager à faire vite, et vit que je me cramponnais à Kim, qui luttait pour se dégager.

— Laissez-moi y aller, supplia-t-elle.

La peur donnait à sa voix une résonance électronique.

— Ne la lâche pas, Fielding, cria Danny.

Il accourut vers nous pendant que je tirais Kim hors de la cabine. Les portes se refermèrent et, comme la cabine remontait, la petite ouverture grillagée s'obscurcit.

— Bon, dit Danny, grâce au ciel. (Puis s'adressant à Kim :) Tu veux retourner là-haut ?

Elle haussa les épaules et détourna les yeux.

— C'est ça que tu veux ? Tu ne comprends donc pas ? J'essaie de t'aider.

— J'ai peur, dit-elle dans un souffle, se redressant.

Danny la regarda, fit un pas vers elle ; il l'enlaça. Kim se laissa passivement embrasser.

— Allons, Kim, nous ne te ferons aucun mal. On se débrouillera, une fois dehors. Tout ira mieux pour toi.

— J'ai peur, répéta-t-elle.

— Allons, dit Danny. Sortons de là.

Nous montâmes dans la voiture, et il démarra, sans prendre le temps de dégager la neige accumulée sur le pare-brise. Pendant quelques instants, nous roulâmes sans visibilité. Nous ne pouvions voir que la neige éclatante sur la vitre, illuminée par chaque réverbère que nous dépassions.

Nous remontâmes la Dixième Avenue. Personne ne parlait. Kim finit par allumer la radio et trouva, après avoir manipulé le sélecteur quelques secondes, une station qui diffusait de la musique orientale.

— Je dois m'arrêter un instant, dit Danny.

Nous étions maintenant dans West End Avenue. Il se gara devant un énorme immeuble des années vingt, avec une entrée ornée de colonnes et de bas-reliefs. Une longue marquise crasseuse reliait le trottoir à la porte d'entrée. A travers la vitre, je pouvais voir le portier qui lisait un journal, assis sur un siège pliant, près d'un radiateur électrique.

— Qu'est-ce qu'on fait ici ? demandai-je.

— Je dois juste m'arrêter un moment, dit-il.

Avant que j'aie pu répliquer, il se glissa dehors et fila vers l'immeuble. Je le vis parler au portier, puis il sortit de mon champ visuel.

Aussitôt après son départ, je me retournai vers Kim, assise à l'arrière.

— J'espère que je ne vous ai pas fait mal en vous prenant par le bras, dis-je.

Elle fit non de la tête.

— Danny veut vous aider, repris-je.

— Danny très gentil. Dépense beaucoup. Drôle.

— Il vous aime, dis-je, puis je hochai la tête.

— Lui beaucoup de classe. Votre nom, quoi ?

— Fielding.

Elle essaya de le prononcer, y arriva presque.

— C'est drôle de nom, remarqua-t-elle.

— Je sais. On s'est moqué de moi toute ma vie à cause de ça.

— Vous faites quoi ? Quelle est profession ?

— Je siège au Congrès, dis-je après avoir réfléchi et décidé de tout avouer.

Elle secoua la tête, comme si c'était une réponse tout à fait admissible, pleine de sens.

— Savez-vous ce que cela signifie ? demandai-je. Je siège au Congrès des États-Unis.

Kim regarda par la fenêtre.

— Danny achète drogue ici ?

Mais bien entendu. C'était exactement ce qu'il était en train de faire, et l'idée ne m'avait même pas effleuré avant que Kim n'eût parlé.

— J'espère que non, dis-je.

— Pas de problème, dit Kim, si on fait attention.

Danny ressortit de l'immeuble avec un air extrêmement heureux. Son manteau ouvert claquait dans le vent rude chargé de flocons. Il me fit signe de prendre le volant ; je me glissai sur le siège du conducteur. Danny s'approcha de l'autre porte et entra. Le froid que dégageait son corps fit baisser la température dans la voiture.

— Bravo, se mit-il à chanter, bravo, bravo.

— Viendrais-tu d'acheter de l'héroïne ? demandai-je en passant la vitesse.

— Mon pauvre, dit-il en secouant la tête.

— Ton pauvre parce que j'ai un frère totalement dépravé, ou ton pauvre parce que je suis complètement paranoïaque ?

— Les deux, conclut-il.

Je traversai Central Park pour rejoindre l'endroit où Danny habitait alors, dans la 70e Rue Est. Il parlait à Kim, essayait de la mettre à l'aise. A un moment, il passa par-dessus le siège pour se retrouver derrière, auprès d'elle ; pour la toucher. Une fois — nous avions treize et quatorze ans, et bien qu'il eût un an de moins que moi, son goût du risque et son goût de l'aventure sexuelle étaient bien plus développés que les miens — , j'avais regardé par une fente de la porte de la chambre, pendant que Danny exerçait son charme magique sur une voisine, Sally Margiotta. Elle était allongée sur son lit, et il était assis au bord du mien. Les yeux de la fille paraissaient fermés. Danny lui lança un oreiller sur l'estomac et lui demanda comment elle se sentait, après l'atterrissage. Elle répondit qu'elle allait bien. Alors il le lança à nouveau, l'oreiller atterrit plus bas, il lui posa de nouveau la question, et elle répondit une seconde fois que tout allait bien, et je dus me tordre comme un ver pour voir un peu mieux, mais aussi sous l'effet de la douleur que provoquaient le désir et l'envie en train de m'envahir comme une intoxication alimentaire. Maintenant, je pouvais entendre Danny — sa voix basse, vibrante, il avait toujours eu une voix grave, même à treize ans — , et Kim, qui lui répondait dans un murmure. Il s'adressa à elle avec insistance, et ce fut le silence. Ensuite, elle murmura de nouveau, et ils se mirent à rire tout doucement.

Après avoir traversé le parc, je dus m'arrêter à un feu, au croisement de la 66ᵉ Rue et de la Cinquième Avenue. Une limousine Mercedes s'arrêta à ma hauteur ; je regardai à l'intérieur. Les fenêtres étaient opaques, mais l'une d'elles s'abaissa et je reconnus Henry Kissinger et sa femme, Nancy. Attendez ! N'était-ce pas la voiture où j'aurais dû me trouver ?

Mon Dieu, les pays occidentaux étaient en train de se refiler le shah d'Iran moribond de main en main comme une pomme de terre brûlante ; le président était vulnérable ; on prenait des décisions, on concluait des accords, mes collègues et mes rivaux travaillaient nuit et jour, et *moi*, j'étais là, conduisant un consommateur de diverses drogues et une employée de bordel coréenne.

Quelques minutes plus tard, nous entrions dans le nouvel appartement de Danny, cinq vastes pièces à peine meublées au sommet d'un immeuble ancien donnant sur le parc. Les plafonds ressemblaient à des gâteaux de mariage, il y avait des miroirs sombres veinés au-dessus des cheminées. Danny avait entrepris une étude des magazines de mode européens. Il aimait ce genre de photo où l'on voit une femme dans un manteau de renard qui lui arrive aux chevilles, attaquée par une meute de terriers. Chaque revue coûtait quinze, ou vingt, ou vingt-cinq dollars, et elles jonchaient par douzaines le parquet de noyer. Il y avait aussi, par-ci, par-là, des téléphones gris à touches, d'aspect étranger — comme s'ils appartenaient à un grand hôtel de Budapest — , parfaits pour un type qui traine dans son appartement et doit sans cesse passer des coups de fil importants. Le loyer était de deux mille huit cents dollars par mois. Danny devait déjà trois mois.

Kim s'assit par terre, le dos au mur, allongea les jambes droit devant elle, et regarda l'extrémité de ses bottes. Danny était allé chercher une bouteille de vin et trois verres dans la cuisine ; Kim se trouvait en face de moi.

— Vous aimez New York ? lui demandai-je.

— Oui, répondit-elle, et Honolulu. Mais surtout, j'aime Holland[6]. Belle ville.

— Vous êtes née en Corée ?

— Oui, répondit-elle, tendue.

— C'est loin.

— Oh, oui ! Très loin.

Elle jeta un coup d'œil en direction de la cuisine et son visage s'illumina lorsque Danny apparut.

— Quelqu'un a laissé une sublime bouteille de champagne, dit-il. Nous avons de la chance.

Il tenait les flûtes par le pied, entre ses doigts, et une bouteille de Taittinger dans l'autre main. Il s'assit par terre à côte de Kim, s'attaqua au bouchon, le poussa d'avant en arrière avec ses pouces de costaud arrogant, des pouces de bûcheron greffés sur des mains d'hypnotiseur.

Après quelques secousses, le bouchon sauta brusquement, frappa Danny en plein front, roula de-ci, de-là, en retombant sur le parquet tandis que Danny se tenait le front à l'endroit de l'impact. Kim se mit à rire, sa main délicate couvrant ses yeux et non sa bouche.

— Ça va ? demandai-je.

— Que s'est-il passé ? dit Danny. (Il allongea le bras, ramassa le bouchon.) C'est à peine croyable, ajouta-t-il.

— Tu vas bien ?

Il écarta la main, me laissa voir son front. Il y avait un petit cercle rose foncé là où il avait été touché ; un peu de sang suintait.

6. Au bord du lac Michigan.

— Ouch, dis-je.

— Est-ce que ça saigne ?

— Un petit peu.

Il versa le champagne. Très peu de vin était perdu. Il tendit un verre à Kim, se pencha pour me tendre le mien, puis s'empara du sien et dit : « Fini, Noël », avant de boire longuement, vidant sa flûte d'un trait. Il se resservit aussitôt.

— Ça me donne envie de faire pipi, dit Kim.

— J'étais sûr que tu dirais ça, répondit Danny en se rapprochant d'elle.

Il posa la main sur ses cuisses, l'embrassa derrière l'oreille, puis il allongea le bras pour prendre une soucoupe sur le rebord de la fenêtre. Elle était vide. Il la posa sur ses genoux, prit un paquet dans la poche de sa chemise, l'ouvrit et versa un peu d'héroïne dans la soucoupe. Près de la fenêtre, il trouva encore une moitié de paille.

— Je vais insister pour que tu en prennes un peu, Fielding, dit-il. Normalement, je ne le ferais pas. Mais normalement, je n'ai rien d'une telle qualité.

— Je passe.

Danny leva le doigt et inclina la tête.

— Je reviendrai à la charge, dit-il. Tu changeras peut-être d'avis.

Il mit la paille dans sa narine et se pencha au-dessus de la soucoupe. Il aspira une ligne d'héroïne qui ne devait pas excéder un centimètre de long, peut-être un centimètre et demi. Puis il ferma les yeux et relâcha l'air retenu dans ses poumons. On pouvait vraiment voir ses muscles se détendre. Il parut soudain plus petit, plus souple

Il passa la soucoupe à Kim. Elle ramassa un peu de poudre sur son ongle long et laqué de rouge foncé et prisa.

— Tu fais une droguée de moi, dit-elle en lui donnant une petite tape enjouée sur le bras.

Danny lui retira doucement la soucoupe des mains et la posa sur le rebord de la fenêtre. Puis il enlaça Kim, l'embrassa sur la joue, sur l'œil, sur le front, sur les cheveux et enfin sur les lèvres. Il pesa de tout son poids sur elle, qui glissa gracieusement en arrière. Elle ouvrit ses jambes pour l'accueillir et leva les bras.

— Tu appuies fort sur moi, dit-elle en l'attirant de ses doigts ondoyants.

Je me levai.

— Où est-ce que je couche ?

— Au fond de l'entrée. Deuxième porte à gauche. Tu es sûr ?

— Oui. Je suis crevé.

— Désolé de ne pas t'accueillir mieux.

— Tu n'as rien à te reprocher.

Je regardai le champagne dans la flûte que j'avais laissée par terre ; j'en avais pris une petite gorgée ; les bulles remontaient encore à la surface. « Laisse-le où il est », me dis-je.

Ma chambre était petite, blanche, avec une fenêtre donnant sur une cour intérieure, un matelas couvert d'un édredon rouge et noir à même le sol, et un de ces curieux téléphones gris, par terre, près du lit. J'entendis le rire de Kim dans la pièce de devant, puis un bruit ressemblant à *oouff*. Je fermai la porte et me déshabillai. Je regardai ma montre. Une heure du matin seulement — minuit à Chicago. Je pourrais appeler Juliet sans trop dépasser les limites. Non, il était vraiment trop tard. Et elle serait capable de déceler, rien qu'au son de ma voix, que j'étais un peu ivre. Je m'allongeai sur le matelas et levai les yeux vers les deux ampoules nues au beau milieu du plafond décoré. J'éprouvais une curieuse chaleur dans tout mon corps. Je passai la main sur ma poitrine, fermai les yeux...

Je fus encore conscient de ceci : j'atteignis le téléphone, obtins les renseignements. Je demandai le numéro d'une certaine Sarah Williams et l'opérateur, un homme, me le communiqua, comme s'il n'y avait là rien d'extraordinaire. Je le composai aussitôt, avant de l'oublier. Une sonnerie. Une autre. Puis elle décrocha.

— Allô ? dit-elle.

— Salut, répondis-je. C'est moi.

Il y eut un silence. Je me levai et marchai dans la pièce de long en large. Je ne pouvais sentir le sol sous mes pieds.

— C'est toi, vraiment ?

— Oui. Comment vas-tu ? Tout tourne rond ? Y a-t-il quelque chose que je pourrais faire pour toi ?

— Depuis quand sais-tu ? demanda-t-elle.

— Je ne sais pas. Depuis toujours. Je peux venir te voir ?

— Je t'en prie. Maintenant ?

— Oui.

— Il est tard. Et les routes sont mauvaises.

— Mais c'est notre neige, n'est-ce pas ? C'était la neige dès le commencement. La neige t'a gardée en vie.

— Comment l'as-tu compris ? demanda-t-elle.

Aussitôt qu'elle eut demandé ça, je me réveillai. Mon cœur battait follement. J'ouvris les yeux, regardai les ampoules de cent watts, au-dessus de ma tête. Je me sentais gelé, pris de panique. Mes os étaient comme du sable humide. Je me forçai à me lever, à traverser la pièce pour éteindre la lumière. La chambre parut sauter légèrement de côté, quand l'obscurité vint tout à coup. Je m'allongeai de nouveau sur le matelas, me couvris. Je me sentais au bord des larmes, tout en me disant qu'il valait mieux ne pas pleurer et, pour mieux me contrôler, je demeurai parfaitement immobile, sur le dos, les yeux grands ouverts dans l'obscurité, m'exhortant à rester calme, parfaitement calme. Je me le répétai un certain nombre de fois et finis par m'endormir, et à ce moment-là, je fis un autre rêve : Sarah se tenait accroupie au pied du lit, comme une créature des origines ; les yeux étincelants, les traits empreints de vigilance, elle me regardait dormir.

8

Pendant tout le temps que nous vécûmes ensemble, et l'un pour l'autre, Sarah ne m'écrivit qu'une seule fois. J'étais encore M. Coast Guard, en mer, à bord d'un navire qui faisait route vers l'Alaska ; l'objectif de notre mission était de porter secours à un autre navire de la Coast Guard qui s'était ouvert comme une boîte de kippers en heurtant l'arête d'un iceberg. Sarah ne travaillait plus chez Danny. Elle vivait dans un appartement — dans la moitié d'une maison, en fait — de Staten Island où j'habitais avec elle quand je le pouvais. Le matin, elle partait dans le bas de Manhattan, où elle effectuait des recherches pour une équipe qui travaillait sur le projet d'Action catholique pour la réforme de la justice. J'éprouvais une fierté mâtinée de susceptibilité à l'idée d'avoir réussi à l'intéresser au droit, et glissais rapidement sur le fait que le groupe qui l'employait cherchait surtout à prouver que nous autres, hommes de loi, ne nous soucions guère de l'égalité des chances. Diable, après tout, l'affaire ne m'intéressait pas. Je n'étais pas une personnalité en vue et n'avais aucune intention d'en devenir une. J'étais encore persuadé que Sarah et moi partagions les mêmes convictions et que seules des questions de caractère et de tactique nous opposaient.

Voici ce qu'elle m'écrivit :

Cher Fielding,

Il est difficile de croire que cette lettre pourra jamais te parvenir. Tu me sembles si loin. J'ai une carte devant moi, avec un cercle indiquant le détroit de Béring où le *Portland* doit se trouver maintenant, je pense. Si tu étais parti à la guerre, te battre pour la juste cause, alors je pourrais t'écrire ceci à la lueur de la bougie en versant des larmes, et aller ensuite à l'église, prier pour toi. Mais notre guerre à l'étranger est une mauvaise guerre, la pire de toutes, et bien que tu m'aies assuré que ton navire n'ira nulle part du côté de l'Asie du Sud-Est, je ne peux m'empêcher de penser qu'à la dernière minute votre plan va être modifié et que tu devras tirer sur ceux que je voudrais voir triompher. Est-ce cela que vous autres garçons de Harvard appelez l'ironie ? Je t'aime et je les aime et je ne veux pas devoir choisir un favori, toi seul ou un millier d'entre eux. Je ne pourrais survivre à un tel choix, quel qu'il soit.

Peter Blankworth est venu me voir à mon travail aujourd'hui. (Personne ne me rend visite dans notre petite cachette de Staten Island ! ! !) Après tout ce temps, il veut soudain me rembourser ce qu'a coûté l'avortement ; c'était il y a trois ans ! Peter est devenu un de ces types qui essaient de se rendre intéressants en toussant énormément.

Salut. Il est tard maintenant. J'ai écrit la première partie de cette lettre en attendant que ma sauce de clams Progresso ait un peu réduit. Il est trois heures du matin, je suis éveillée, tu me manques et j'ai terriblement envie de me défoncer. Je gèle ici. J'aimerais bien aller frapper à la porte à côté, réveiller les O'Mara. (Leur moitié de maison est bien plus chaude que la nôtre.) J'ai mis ton tee-shirt noir sous ma chemise de nuit. Tu te rappelles ? Tu l'as cherché partout avant de partir. C'est moi qui l'avais caché. Ma faute cachée. J'ai besoin d'avoir ici quelque chose qui ait ton odeur, ce mélange de Mennen, de sueur, d'amidon des draps de la Coast Guard, et quelque chose d'autre, d'inqualifiable, de délicat, et d'innocent comme un gâteau dorant au four. Tu es mon seul véritable amant, Fielding. Je me sens à la fois surprise et humble à la pensée que tu grandissais à New York pendant que je grandissais à La Nouvelle-Orléans, que nous mangions, rêvions, voyions des poils apparaître sur nos corps et abordions la sexualité alors que nous étions encore des étrangers l'un pour l'autre, mais que nos destins avaient été scellés et que chacun de nos pas ne faisait que nous rapprocher l'un de l'autre, nous rapprocher jusqu'à ce que nous tombions dans ce lit, et que tu me prennes, et que nous sachions tous les deux, en un instant, que nous avions touché le port. Nous ne serons jamais séparés. Je le sais. Je le sais à cent pour cent. Il nous arrivera peut-être de nous prendre à la gorge, ou d'être séparés par plus de sept mille kilomètres, mais nous serons toujours ensemble. Nous sommes un, désormais, et tel est notre amour, un idéal né de nous et qui nous survivra — car le véritable amour est indestructible.

Tu es mon amour. Oh, Christ! Si tu pouvais être ici en ce moment... tout ce que je ferais. Tu crierais grâce, mon vieux. Voilà. Quitte ce bateau. Quitte ce bateau et rentre à la maison. S'il te plaît!!

— Voici mon rêve, dit-elle, en s'allongeant sur le lit, de mon côté, le menton dans la main. Tu veux l'entendre ? (Je le voulais, bien sûr, même si mes yeux n'arrivaient pas à s'ouvrir.) Tu es un jeune sénateur, je suis ta femme, et nous nous trouvons dans une grande soirée chic à Washington. Ils sont tous là, sénateurs, président, ministres, tu sais, tout ça. Tu portes un smoking, moi une robe très chère ; bustier, avec de minuscules bretelles. Et la seule chose qui me préoccupe, c'est de garder les mains baissées, les coudes au corps, car je ne me suis pas rasée sous les aisselles, et si quelqu'un s'en rend compte, ta carrière est brisée.

Nous partîmes ensemble pour Chicago, un vol de nuit au cours duquel nous fêtâmes le second anniversaire de notre rencontre. Ils ne servaient pas de champagne ; nous mélangeâmes bourbon et eau gazeuse, bûmes plein, plein de verres, sans qu'il y parût. Elle portait un blue-jean et un chemisier rouge. J'étais encore en uniforme, mais c'était mon dernier voyage à demi-tarif. Toutes les lumières, au-dessous de nous, paraissaient enveloppées dans un linceul de brouillard.

Grâce à ses amis qui collaboraient au projet d'Action catholique, Sarah avait trouvé du travail à Chicago. Elle allait diriger un programme d'éducation du loisir dans un prieuré au nord-ouest de la ville, un endroit baptisé Maison de la Résurrection. Lorsque nous descendîmes de l'avion, à Chicago, il était dix heures du soir. On pouvait sentir la chaleur de septembre dans l'aéroport. Un appartement nous attendait, au dernier étage d'un immeuble en pierre de taille de trois étages, dans Blackstone Avenue.

Nous avions préparé l'argent pour prendre le taxi, mais une surprise nous attendait. Nous fûmes accueillis à la sortie par un prêtre, le père Mileski. Il avait trente-trois ans, de longs cheveux noirs, une barbe broussailleuse, apocalyptique. Il était massif, et s'il désirait ressembler au Christ, c'était alors sans nul doute à un Sauveur qui aurait fréquenté un ou deux ans un club d'haltérophiles. On pouvait voir ses muscles saillir sous ses vêtements noirs. Ses sourcils formaient une ligne continue, sous laquelle ses petits yeux bruns semblaient toujours en mouvement, même lorsqu'il les rivait sur vous.

— Sarah ? demanda-t-il en s'approchant de nous. Sarah Williams ?

Il avait une voix de basse profonde, les mouvements lents d'un géant oppressé par sa taille.

— Comment avez-vous deviné ? lui demanda-t-elle.

On m'avait toujours appris à ne pas livrer mon identité à des inconnus, mais j'imagine que cet homme n'était déjà plus un inconnu pour elle ; évidemment, elle adorait les prêtres, surtout s'ils ressemblaient à des désaxés.

— Vous étiez... (Il fit un geste, parut lutter pour trouver ses mots, et lissa sa barbe.) Je savais à quoi vous ressembliez, dit-il enfin.

— Quel début épatant, dit Sarah en me prenant par le bras.

— Je pensais que vous auriez besoin d'un coup de main, murmura le père Mileski en se balançant d'un pied sur l'autre. J'espère que j'ai pris la bonne décision. J'ai une voiture. Je peux vous conduire à votre nouvel appartement.

— C'est tout simplement merveilleux, dit Sarah.

Elle m'attira vers elle, regarda mon visage, souriante. Ses yeux étaient éclatants de bonheur, comme si l'apparition de ce prêtre massif et immense nous avait oints en quelque sorte, avait placé nos débuts à Chicago sous d'heureux auspices. Quelles qu'eussent été ses résistances à suivre le mouvement tandis que je marchais dans les sillons creusés bien avant notre rencontre, elles furent instantanément effacées par l'accueil que Mileski lui avait réservé. Elle appartenait désormais elle aussi à Chicago. Elle désirait intensément que l'on eût besoin d'elle et c'était effectivement le cas. Sa joie fut si spontanée et si totale que la présence du prêtre me réjouit également.

Mais, comme dit le proverbe : « Qui vivra verra. »

— Tu bois trop, dit-elle. Ce n'est pas drôle.

— Ah ! Parce que ça l'a été ? demandai-je.

Les alcooliques ne détestent pas être houspillés lorsqu'ils se servent à boire. Je me versai un petit supplément.

— Ne tourne pas autour du pot, Fielding.

— Mais je ne fais rien de tel. Simple curiosité. Ça a été drôle, un jour ? Si nous pouvions nous en souvenir, je serais peut-être capable d'être de nouveau drôle.

Je lui tendis la bouteille, lui offris une gorgée. Proposition mal venue. Il était minuit. Elle portait sa robe de velours éponge, celle avec les taches de café sur la manche, qui avait toujours eu une odeur de toast beurré, et dont l'aspect était des plus domestiques.

— Tu te sens nerveux ? demanda-t-elle. Tu as du mal à dormir ? La fac ?

— Oui, oui, oui, tout ça.

Je pris une gorgée, crus qu'un peu d'alcool avait coulé sur mon menton, mais mon menton était sec quand je le touchai avec ma paume.

— Ne me fais pas ça, dit-elle d'une voix basse et égale.

— Que suis-je donc en train de te faire ? demandai-je avec le sourire froid du vrai dur qui fait la fête.

— Je ne veux pas avoir à te surveiller comme ça. C'est triste d'être la fille en peignoir de bain qui dit au garçon de faire attention.

— Alors ne le fais pas.

Elle vint à ma hauteur, fit sauter le verre de ma main. Il y eut du bourbon sur ma chemise et des glaçons dans ma poche, le verre roula sur le petit tapis oriental, puis sur la bordure et enfin sur le plancher gris.

— Voilà qui est persuasif, dis-je.

— Tu parles comme un collégien. Tu ne parlais pas ainsi quand tu étais dans la Coast Guard.

— Je n'arrive pas à faire grand-chose correctement avec toi, n'est-ce pas ? dis-je.

Je ramassai le verre, sortis la glace de ma poche, la remis dans le verre, puis me versai à boire. C'était comme si j'étais en train de remporter une incroyable victoire. La tache humide, sur ma chemise, se trouvait exactement sur mon cœur.

Le père Mileski devint son meilleur ami et je me retrouvai dans la position — d'une stupidité à la dimension du cosmos — de celui qui est jaloux d'un prêtre. On parlait beaucoup cette année-là de prêtres quittant les ordres pour se marier. Les religieuses participaient à des débats où elles annonçaient leur intention d'avoir des enfants. Mes soupçons n'étaient pas fondés, je le savais, mais je faisais comme si, essayant de camoufler, je le vois bien aujourd'hui, une jalousie beaucoup plus profonde et douloureuse : il s'agissait là d'un accord d'âmes qui m'excluait. Ils travaillaient à la Maison de la Résurrection pendant dix, douze, parfois quatorze heures, tandis que j'étais assis parmi des petits futés, des vendus, des ambitieux venus, comme moi, de nulle part, pour étudier le règlement des contrats et les bases de la Constitution. Il était difficile d'atteindre le niveau du flot émotionnel que soulevait la vie à la Maison de la Résurrection, avec ses crises, ses moments radieux d'amitié passionnée : le petit garçon qui finissait par parler, le propriétaire avare obligé de payer en partie le chauffage, les batailles rangées de l'autre côté de la rue. A côté de ce que Sarah et Mileski — Steven, à présent, il y tenait — se racontaient tous les jours, mon discours semblait exsangue.

Leurs clients étaient, pour la plupart, mexicains ; ils avaient des petits visages lisses, des blue-jeans raides, des chaussettes avec des fils d'argent. Il y avait aussi quelques féroces réfractaires blancs qui fréquentaient le local pour son panier de basket-ball et son distributeur de Coca-Cola, mais les Blancs du quartier étaient des habitants des Appalaches et se méfiaient autant des catholiques que des moricauds et des Noirs.

Sarah se mit à perdre du poids. Des cernes violets apparurent sous ses yeux. Son haleine sentait la cigarette. Sa manière de faire l'amour révéla quelque chose de sauvage. Sa véhémence me fascinait parfois, et parfois me faisait simplement peur. Je me souviens aujourd'hui d'elle, en train de me chevaucher, agitée tout entière, brutalement, comme un homme en colère. Ses ongles labouraient si profondément mon épaule que, lorsque tout était terminé, huit petits sillons marquaient ma peau.

Un soir, elle invita à dîner, avec Mileski, une nouvelle recrue du prieuré, le père Stanton, et sœur Anne. Stanton venait de Rhodésie où ses nerfs avaient été mis à rude épreuve ; il avait vu ce qu'étaient la torture, les échanges de coups de feu avec la police ; quand les phares de sa Land Rover glissaient sur des buissons épineux, il se demandait lequel d'entre eux abritait un homme armé d'un fusil automatique. Il avait perdu tout crédit des deux côtés, auprès des Noirs parce qu'il était blanc, et auprès des Blancs à cause de ses sympathies. Il était de haute taille, avec des cheveux gris et de grandes oreilles. C'était un homme brisé. Ses mains tremblaient. Parfois, il ouvrait la bouche pour parler, mais aucun son ne sortait qu'un bruit sinistre, étouffé. Sœur Anne enseignait l'anglais à Loyola, mais faisait ses vingt heures par semaine à la Maison de la Résurrection. C'était une femme bien charpentée, au visage rouge, aux épais cheveux gris d'acier, à la mâchoire masculine, et aux prunelles pâles divisées par les verres à double foyer de ses lunettes sans monture. Stanton avait apporté une bouteille de vin rouge, sœur Anne une salade de haricots verts et de pois chiches, Mileski arriva avec un paquet de beignets au sucre. Stanton essayait de nous expliquer le bon usage des trottoirs à Salisbury, comment les Noirs devaient quitter la chaussée aussitôt qu'un Blanc l'empruntait. Nous bûmes du vin, et je me tenais en tête du peloton. Sarah était assise à côté du père Mileski et lui tapait sur la jambe lorsqu'elle désirait l'entendre commenter quelque chose. Soudain, l'improbabilité même de leur avenir comme amants me parut constituer la preuve de son inéluctabilité : Sarah n'aimait rien tant que nager vigoureusement à contre-courant. Elle était la victime prédestinée des aventures douloureuses et inaccomplies. (Je me rappelais la fenêtre de sa chambre à La Nouvelle-Orléans et les charades érotiques destinées au garçon qui habitait à des millions de kilomètres de là, dans la maison d'en face.)

Sœur Anne me demandait comment je comptais participer aux activités du prieuré, quand j'aurais obtenu mon diplôme de droit.

— Vous avez certains des avocats les plus marrons, les plus corrompus de la ville qui travaillent pour le diocèse, dis-je.

— Oui, mais ce que nous essayons de faire est très différent, répondit-elle. Nous sommes une Église au sein de l'Église.

Ses yeux se rétrécirent et, derrière les épais verres déformants de ses lunettes, ils ressemblèrent à ces petits poissons plats que la lumière traverse.

— Êtes-vous catholique ? demanda-t-elle.

— A moitié, répondis-je.

— Vous ne pouvez pas *être* à moitié catholique, affirma sœur Anne.

— Regardez-moi, dis-je en dessinant avec mon doigt une ligne imaginaire qui partait de mon front et descendait jusqu'à mon ventre.

— Ne discutez pas avec lui, dit Sarah. Il aime trop ça.

Elle quitta son siège près de Mileski, et vint s'asseoir sur le bras de mon fauteuil. Elle joua celle qui secoue son amant par les épaules.

— Alors, Steven, dit Stanton en terminant son vin d'un geste très viril. (Puis croisant les jambes :) Qu'allons-nous faire pour marier ces deux-là d'une manière décente ?

Son accent était rhodésien, recherché mais râpeux.

— Ça viendra, dit Steven.

Il avait un sens élégant de la fatalité, une sorte de passivité qu'il pouvait assumer simplement à cause de sa puissance physique.

— Elle est géniale avec les enfants, me dit Stanton. (Ses dents paraissaient dépourvues d'émail protecteur, un seul verre de bordeaux avait suffi à les tacher.) Elle est tout simplement exquise avec eux. C'est réconfortant de les observer.

— Je ne crois pas être son genre pour ces choses-là, dis-je.

Je le fis vraiment avec style, souhaitant sincèrement paraître amusant, comme si j'étais tellement sûr de la perfection de notre amour que je pouvais faire semblant de le dénigrer en public ; mais ils ne me connaissaient pas suffisamment bien pour comprendre la plaisanterie et je ne l'avais sans doute pas lancée avec la moitié de l'aplomb nécessaire. Mon cœur se mit à trépider tandis que mes paroles restaient suspendues en l'air comme de la fumée dans la petite pièce mal aérée. Nos invités vêtus de noir me considérèrent de leur regard épuisé, compatissant quoique étrangement froid, car, bien entendu, ils se souciaient moins de savoir si j'allais survivre au malaise de l'instant que de déterminer si le paquet de sang qu'ils avaient devant eux possédait une âme vouée au ciel ou à l'enfer.

Il y eut aussi ce dimanche au bord du lac. Nous étions à l'endroit de Hyde Park que les gens appellent le Point, une promenade au milieu de gros rochers incolores que cerne l'agitation grise et quelque peu sinistre du lac Michigan. C'était une chaude journée d'été et les gens étaient étendus sur les rochers comme des lézards. Sarah et moi nous trouvions là en compagnie du père Mileski. Il portait un petit maillot de bain iridescent comme en ont les nageurs de compétition, et ses jambes massives ressemblaient à des arbres bruns et velus. Sarah avait un bikini vert pâle légèrement trop petit pour elle. Elle ne cessait de tripoter les élastiques autour de ses cuisses et de glisser ses poils sous le tissu. J'étais le seul à vouloir nager. On avait parlé de la pollution de l'eau dans les journaux et, même si la municipalité avait assuré que le problème était résolu, il semblait que Sarah et Mileski avaient décidé de rester au sec pour des raisons politiques.

Je les regardai en entrant dans l'eau. Appuyés sur leur coude, ils bavardaient comme s'ils ne s'étaient pas vus depuis des semaines. En revenant, je me penchai pour attraper une serviette lorsque j'aperçus les yeux de Sarah : ils semblaient contenir des torrents de larmes. Je lui demandai ce qui n'allait pas, m'accroupis et touchai son visage.

— Rien, répondit-elle. Steven était simplement en train de me rappeler ce que Jésus a dit aux pharisiens.

— Tu te fous de moi ? dis-je

Puis, tentant de camoufler la dureté de mon incrédulité, je demandai à Mileski de me répéter ce que Jésus avait dit.

Mileski haussa les épaules avec modestie, comme s'il hésitait à commencer.

— C'était quand les pharisiens voulaient regagner son estime ; Jésus leur expliqua pourquoi il allait s'éloigner d'eux et il leur dit : « Lorsque j'avais faim vous ne m'avez pas nourri, quand j'étais nu vous ne m'avez pas vêtu et... et quand je ne savais où loger, vous ne m'avez pas offert d'abri. » Les pharisiens lui dirent : « Attendez une minute. Nous n'avons jamais eu l'occasion de le faire. Nous ne vous avons jamais vu affamé, ou nu ou sans abri. » Jésus leur dit alors : « Chaque fois que vous avez rencontré un homme affamé et que vous ne lui avez pas donné à manger, c'était moi ; chaque fois que vous avez rencontré un homme nu et que vous ne l'avez pas vêtu, c'était moi ; et chaque fois que vous avez rencontré un homme sans abri et que vous ne l'avez pas accueilli, c'était également moi. »

Je le regardai. Le soleil, poursuivant, tel un animal stupide, sa course vers l'ouest, se trouvait maintenant derrière Mileski. Je dus loucher pour regarder dans sa direction. Une demi-douzaine de plaisanteries se retournèrent au fond de moi et il me fallut faire un tel effort pour ne pas les laisser jaillir que je dus avoir l'air de retenir un éternuement. « Et qu'en serait-il, me dis-je, si c'était aussi simple que ça, si l'on ne nous demandait que d'être *bon*, s'il existait vraiment un guide, un critère permettant d'évaluer nos actions et d'accomplir ainsi les desseins du ciel et de la terre bien mieux que toute une vie de calculs et de compromis nous permet de l'espérer ? »

Sarah roula sur le dos, posa sa tête sur mes mains. Elle croisa les jambes, je regardai la plante de ses pieds, pâle et ridée comme des mains de vieillard, je sentis alors un courant de sentiments chaleureux me traverser, et je me dis : « Ils ont raison. Nous devons *faire* quelque chose. »

Ce soir-là, j'étais assis à mon bureau, en train de lire la *Harvard Law Review* à la lueur d'une lampe capuchonnée de verre vert. Je pouvais entendre le crépitement monotone de l'eau de la douche, et lorsque Sarah se plaça sous le jet, la modification du bruit me suggéra les formes de son corps. La tuyauterie émit un son métallique, puis elle s'écarta du jet ; l'eau frappa alors de nouveau le carrelage sans nulle variation, et quand elle se mit une nouvelle fois sous le jet, un autre double de Sarah se découpa dans le silence de la pièce où je lisais. Quelques minutes plus tard, elle sortit de la salle de bains. Hormis une serviette jaune qui enveloppait sa tête et lui faisait une crête de coq, elle était nue. Son corps vigoureusement frictionné était couvert de rougeurs. Je levai les yeux, puis repris ma lecture. Je ne sais pas pourquoi je me montrais aussi désagréable. C'était mon atroce mode de séduction qui la forçait à me courtiser. Elle vint vers moi. Elle se pencha dans mon dos, et m'enlaça.

— Je veux avoir un enfant, murmura-t-elle à mon oreille.

Je bondis de ma chaise comme un homme en transe, me retournai pour lui faire face, l'embrassai et la serrai contre moi. Sans un mot. Les phares des voitures qui passaient dans la rue dessinaient des arceaux dans la pièce. Nous respirions à l'unisson. Elle se pressa à son tour contre moi et dit :

— Faisons-le, d'accord ? Ce n'est pas la peine d'en parler.

Je la portai jusqu'à la chambre. Ce n'était pas une petite femme, mais elle me parut légère, ce soir-là. Je la posai sur le lit. Elle croisa les mains sous sa tête, me regarda me dévêtir. Elle écarta les jambes, puis les serra l'une contre l'autre.

— J'ai tellement envie de toi, murmura-t-elle.

Mon érection était énorme, absurde. Je me jetai sur le lit, l'embrassai, la touchai, la préparai. Je m'enfonçai en elle ; elle semblait plus épanouie que d'habitude, et cette cavité soyeuse dilatée était plus érotique que la moindre ombre de résistance. J'avais plongé en elle aussi profondément que je le pouvais. Elle s'ouvrit plus largement encore et me serra plus fort contre elle. Un grognement de plaisir bourdonna dans le fond de sa gorge, et comme je commençais à me mouvoir, je me sentis partir à la dérive dans un abîme de sensations ; c'était la première fois de ma vie que je faisais l'amour avec une intention aussi définitive, la première fois que j'envisageais la possibilité qu'une seule éjaculation eût le pouvoir de modifier l'histoire du monde dans son ensemble, et je fus submergé par la nouveauté et la gravité de ce qui était en train de se produire, cette perte de ma virginité réelle, cet accouplement qui anéantissait tous ceux qui l'avaient précédé.

Sarah sentit ma turgescence, s'accrocha plus étroitement à moi. Ma bouche se mêla à la sienne en un long baiser indistinct, et au moment même où ma semence et ses innombrables messages génétiques étaient sur le point de jaillir de mon corps, je sentis ses mains, soudain raidies et affolées contre ma poitrine.

— Non, s'écria-t-elle avec frénésie. Arrête. S'il te plaît, arrête.

Je me retirai vivement, coupable tout à coup. Une douleur me traversa, l'air semblait lourd, comme une atmosphère étrangère. Sarah releva les genoux, ferma les yeux.

— Tu as joui en moi ? demanda-t-elle. (Elle allongea la main et toucha l'extrémité de mon sexe du bout du doigt.) Désolée, reprit-elle en s'efforçant de rire. Je pensais... Je ne peux pas faire ça.

Je ne savais que dire. Une heure auparavant, l'idée d'un enfant ne m'avait même pas effleuré et, maintenant, j'en désirais un avec une intensité irrationnelle. Je m'allongeai sur le dos pendant qu'elle sortait du lit. Elle alla dans la salle de bains, je l'entendis se laver, comme une putain. En revenant dans la chambre, elle me demanda si je désirais qu'elle mît son diaphragme pour que nous puissions quand même faire l'amour. Je lui répondis non. Elle s'offrit encore de me sucer, de me branler. Elle obtint deux réponses négatives, haussa les épaules, ramassa ses vêtements et les emporta dans la pièce voisine. C'était fini. J'écoutai ses pas, l'entendis remonter la fermeture Éclair de son pantalon. Ensuite ce fut le silence, un long, long silence. Je me redressai, quittai le lit, entrai dans le salon. Elle était partie. Elle m'avait laissé un mot : elle avait besoin de marcher, de réfléchir, elle serait de retour dans une heure ou deux. Le message se terminait par : « Tendresses. » Je m'assis sur le canapé, le message à la main, pour le lire et le relire. Puis je me levai, me versai à boire et allumai la télé. C'était le petit poste en noir et blanc qui avait appartenu à son grand-père et portait l'empreinte de sa main.

9

Au dernier moment, ces salauds de républicains se dirent qu'ils pourraient profiter du fait que je n'étais pas de la ville, mais new-yorkais, et ils décidèrent de faire entrer en lice un autre candidat.

Ils choisirent Enrico Bertelli qui était né à Chicago et y habitait depuis quarante et un ans ; il possédait un petit café dans Hyde Park, le Golden Portal, où l'on pouvait boire un cappuccino parfumé à la cannelle en écoutant du Vivaldi en stéréophonie. Bertelli avait un torse énorme, une crinière blanche. Il se déplaçait avec légèreté, et adoptait un style vaguement bohème : béret, chaussettes à losanges et sandales, foulard de laine fine imprimée de motifs indiens. Il était si terriblement sympathique que vous vous sentiez prêt à lui confier vos malheurs, à vous asseoir à une petite table bancale pour manger du pain de seigle et du fromage, pour l'écouter énoncer ces lieux communs philosophiques que les professeurs employaient, trente ans auparavant, pour inciter les étudiantes de première année à leur faire des pipes : la vie est tellement tragique ; c'est à nous d'apporter un peu de beauté, de paix et d'amour — plus bas, mon chou, plus bas. Ils avaient vraiment trouvé un candidat épatant, les républicains, il fallait bien l'admettre. S'il devait y avoir un vote de rancune contre moi, Bertelli était l'adversaire idéal. Charmant vieil imbécile dépourvu de la moindre fibre politique, il pouvait compter sur les quinze pour cent de votants du district qui étaient vaguement républicains, et après cela, qui sait combien d'obsédés du cappuccino et de supporters locaux il serait encore capable d'embobiner. Il ne semblait pas qu'il pût vraiment me battre, mais, soudain, j'avais une campagne à mener.

Les républicains annoncèrent sa candidature quatre jours après le Nouvel An, et les hommes de Kinosis, avec leur tact habituel, prétendirent tout d'abord qu'il était trop tard, que les bulletins de vote pour le scrutin étaient déjà sous presse. Mais le gouverneur apprit que les gens n'étaient pas particulièrement enchantés de voir leur droit de vote supprimé à cause d'une imprimerie, aussi fit-il tout un foin, le lendemain, pour annoncer qu'on allait fabriquer de *nouveaux* bulletins, avec cette fois un candidat pour les républicains et un candidat pour les démocrates.

Kinosis était irrité parce qu'il allait devoir à présent organiser une véritable campagne en ma faveur, mais Isaac, de son côté, était très excité. « Je n'aimais pas beaucoup te voir entrer au Congrès *aussi* discrètement, me dit-il quand il m'appela pour m'annoncer la nouvelle. Avec un concurrent, les gens auront l'occasion de t'entendre ; tu vas pouvoir te constituer un électorat. »

J'étais à la maison avec Juliet, et notre version d'un confortable après-midi d'hiver n'avait rien de bien fantaisiste ; elle était assise devant son bureau, moi devant le mien. Elle lisait un livre sur d'ignobles faussaires que je lui avais offert deux ans auparavant et qu'elle venait à peine de commencer. J'avais toujours pensé que Juliet pourrait devenir un grand faussaire, si le monde venait à sombrer dans la folie. Elle était en effet méticuleuse et cultivée et Dieu sait qu'une élégante petite escroquerie était justement ce dont nous avions besoin — en tant que couple, s'entend. Bien sûr, lorsque Sarah s'était laissée glisser vers la face obscure de la loi, j'avais eu la jambe molle et j'avais refusé de la suivre. Quand le moment était venu pour elle de commencer à prendre des risques graves, des risques qui finirent littéralement par lui exploser au visage, je ne m'étais pas trouvé à ses côtés. Ressemblais-je à ce couard moral du roman de Camus, qui regardait de l'autre côté pendant qu'une femme se jetait d'un pont, puis passait les brumeuses et alcooliques années de son âge mûr à errer dans Amsterdam à la recherche d'une autre femme prête à sauter, dans l'espoir de mieux se comporter la fois suivante ?

Je dis à Juliet que les républicains avaient désigné Bertelli. Elle referma son livre, le pouce glissé entre les pages.

— Il semblerait que je doive travailler un peu plus la question que je ne le pensais au départ, dis-je.

Elle fronça les sourcils. Elle portait un gilet rouge avec des petits boutons pareils à des perles, une jupe noire, des bottes hautes ; j'étais surpris de la voir s'habiller avec une telle élégance pour traîner dans l'appartement et lire un livre sur les faussaires.

— Je pense que ce n'est pas plus mal, dit-elle après un moment de silence. Ça te donnera l'occasion de former une équipe. Et l'on s'intéressera davantage à toi. Les gens auront la possibilité de t'entendre.

— Ce sont exactement les mots de ton oncle, dis-je.

Le rouge vint à ses joues aussi vite que passe l'ombre d'un faucon.

Je fis comme si je n'avais rien remarqué. Je glissai les mains dans mes poches et commençai à arpenter la pièce.

— Je vais devoir me contenter de ce que je trouverai, en matière de collaborateurs, c'est-à-dire un tas de vieilles rosses de l'organisation. Et puis merde. Ça n'a pas d'importance. Quand les élections seront terminées, et que je pourrai reprendre mon souffle, je commencerai à choisir mes hommes. Tout ce dont j'ai vraiment besoin, pour l'instant, c'est de gens pour répondre au téléphone et faire imprimer des trucs.

— Tu vas avoir besoin de bien davantage, dit Juliet. Il va te falloir une attachée de presse, un conseiller en communication, une espèce d'assistant judiciaire pour t'aider à éclaircir tes positions...

— Non, pas ça. Je n'en aurai pas besoin. Je connais mes positions. Je sais ce que je veux dire.

— Maintenant, tu fais l'idiot.

— Ce Bertelli, ce n'est rien. Ce n'est pas un vrai candidat, tu sais, c'est comme voter pour Tiny Tim. Et c'est un débauché.

— Tu vas te servir de ça ?

— Non, mais nous ferions peut-être mieux de nous marier pour que je puisse jouer la carte morale. Qu'en dis-tu ?

Je trouvais que c'était une repartie sinon vraiment amusante, du moins *joyeuse*. Je ne m'attendais pas à ce que Juliet la prît sérieusement. Mais les commissures de ses douces lèvres, colorées de lilas foncé, s'affaissèrent.

— Je ne pense pas que tu sois dans l'état requis pour épouser *qui que ce soit*, dit-elle avec une sincérité proche de la véhémence.

— C'était juste pour plaisanter, répondis-je, comme si ces mots avaient pu suffire à ranimer ses dispositions bienveillantes.

— Oncle Isaac pense que nous *devrions* vraiment nous marier, tu sais, dit Juliet en rouvrant son livre.

C'était une journée froide et nuageuse. La lumière, dans la pièce, était désagréable.

— Il n'oserait pas m'en parler.

— Eh bien avec moi il est moins timide. Depuis la mort de mes parents, il s'est octroyé ce droit.

— Et qu'as-tu répondu ? demandai-je.

Je m'appuyai contre le chambranle de la porte, les bras croisés sur la poitrine.

Elle réfléchit pendant quelques secondes, puis secoua la tête.

— Je ne me souviens pas. Je n'aime pas parler de ce genre de choses. Cela rend tout si explicite, si moche. Je crois que ces choses doivent arriver simplement ; c'est affreux quand on en fait toute une histoire. Comme ces tarés en Californie qui applaudissent les couchers de soleil.

— Il est vrai que ce serait plutôt atroce si nous nous mariions et que je perdais quand même les élections.

— Oui. J'imagine que nous ferions une drôle de tête.

Je poussai un soupir. Je me sentais lourd, comme souillé.

— Tu devrais allumer la lampe pour lire ici, repris-je, la lumière est si faible.

— Pourquoi serait-ce si atroce, que nous nous mariions, Fielding ; dis-moi ; il faut que je sache.

— J'envisageais seulement ce qui se passerait si nous nous

mariions simplement pour que je sois élu, et si je ne l'étais pas, c'est tout.

— Pourquoi est-ce que ça me fait mal à l'estomac, alors ?

— Écoute, si c'était moi qui te disais : marions-nous, c'est toi qui me dirais ce que je dois te dire maintenant. N'est-ce pas là le système de contrôle et d'équilibre que nous avons établi entre nous ?

Elle secoua la tête et son regard glissa en direction de l'obscurité peu engageante qui régnait tout au bout de la pièce.

— A t'entendre, j'ai l'impression d'être une marchandise bon marché.

— Comment peux-tu dire une chose pareille ? Tu ne pourras jamais être ce que tu dis. Tu es simplement perturbée de devoir demander à un pauvre type comme moi de t'épouser, et tu...

— Je ne te demande pas de m'épouser. Tu deviens d'une cruauté.

— Tu as raison. Je suis désolé d'avoir dit ça.

— As-tu encore de ces... crises ? demanda-t-elle.

Pour poser cette question, elle chercha mon regard, et comme elle était assise, et devait lever les yeux, quelque chose de fou traversa un instant le sien.

J'attendis un bon moment avant de répondre. C'était une question vache à laquelle je devrais bon gré mal gré répondre un jour ou l'autre. Je l'avais sans doute méritée, pour m'être confié à elle la nuit où la chanson de Sarah était montée de la rue, pour ne pas avoir pris la peine d'inventer quelque mensonge.

— Des crises ?

— Oui, comme celle que tu as eue avant de partir pour New York.

— Oh, ça !

J'attendis encore et dis : « Oui. » Je suppose que j'aurais dû la remettre à sa place, lui battre froid, pour m'avoir cherché de la sorte, mais ma tactique se retourna contre moi, et le naturel de mon aveu, le simple fait de l'entendre, d'entendre ma propre voix livrer au monde ce signal singulier, provoqua en moi une tempête de nostalgie, doublée d'une tempête de peur.

J'avais toujours assez bien réussi à cacher mes sentiments, mais, à cette heure, mon visage devait présenter la fermeté d'une coquille d'œuf brisée.

Je vis Juliet, à son bureau, qui se levait, et sus qu'elle désirait s'approcher de moi. Face à ma détresse, son instinct ou quelque pli féminin éveillait en elle le désir de me protéger de ma propre misère. Elle ouvrit la bouche pour me demander si tout allait bien, mais d'autres forces qui étaient maintenant entrées en jeu l'en empêchèrent. Nous nous trouvions plongés dans une situation compliquée qui, elle commençait à s'en rendre compte, la dépassait. L'arrangement entre nous était censé fonctionner sans heurts et voilà qu'elle vivait à présent avec un homme qui, autant qu'elle pouvait en juger, risquait de perdre complètement la tête du jour au lendemain, qu'elle vivait avec un homme qui en aimait une autre, et le lui avouait avec la franchise et le défaut de bon sens que l'on réserve aux amours inaccessibles.

Juliet m'avait accepté tout en sachant qu'à bien des égards je n'étais pas l'homme qu'il lui fallait : les radiateurs contre lesquels j'avais dormi dans mon enfance étaient trop bruyants ; à l'école, j'avais été trop roublard, et trop mesquin ; j'avais acquis une sorte d'impertinence et de dureté qui me rendait un peu trop grossier et odieux pour une personne aussi délicate et cultivée qu'elle. Je veux dire par là que je prenais un malin plaisir à ouvrir et à fermer la bouche en agitant les bras pendant qu'elle regardait un opéra à la télévision et que, même quand je me conduisais tout à fait correctement, et faisais bien tout ce qu'il fallait faire, en me contrôlant au point d'avoir terriblement mal à la tête, il y avait toujours quelque chose qui clochait : j'étais un Russe qui jouait du jazz. Mais maintenant qu'elle s'était aventurée jusque-là, Juliet devait se dire qu'à trente-quatre ans il n'était pas facile de faire demi-tour. Je ne sais pas exactement ce qui se passait en elle, mais il devait s'y passer bien des choses, et comme une aiguille qui vibre dans le champ magnétique entre les deux pôles d'un aimant, Juliet ne pouvait ni se rapprocher ni s'éloigner de moi. Elle n'était même pas capable d'énoncer ce qu'elle aurait voulu dire. Elle se contentait de me regarder, d'un œil qui exprimait la trahison à un moment, la compassion à un autre et, bientôt, ce fut moi qui me dirigeai vers elle, et tandis que je me rapprochais, elle se redressa pour m'accueillir, et se retrouva finalement dans mes bras. Je la serrai très fort, murmurant « Je suis désolé, je suis désolé », dans les replis parfumés, blancs et tendres de son cou.

Le dimanche, au cours d'un déjeuner chez Isaac et Adèle, on me présenta les gens qui allaient organiser ma campagne. Juliet et moi arrivâmes avant les autres. Elle avait noté chez moi un retour à un comportement plus professionnel et j'imagine que nous devions en remercier les républicains et le vieux Bertelli. Dès lors que je retrouvais mes habitudes, il en allait de même pour Juliet. Tout en étant plus caractérielle, plus brouillonne que moi quant aux sentiments, elle était encore parfaitement capable de calculer les profits et les pertes, et était, semble-t-il, arrivée à la conclusion que je demeurais, pour l'essentiel, celui que j'avais toujours été, d'une part ; d'autre part que j'abordais la phase importante de ma carrière, qui serait certainement intéressante, et enfin, que ce qui me poussait à lui enfoncer la tête dans les cendres des morts n'était probablement qu'une réaction à ma bonne fortune, qui disparaîtrait sûrement, si elle n'était pas déjà en train de disparaître.

Juliet aidait Adèle et Mrs. Davis dans la salle à manger tandis qu'on nous chassait, Isaac et moi, en direction de son grand bureau de style Tudor. Il s'agissait là, semblait-il, d'une sorte de superstition ancestrale, comme si nous ne devions pas voir la table — avec ses napperons individuels, ses timbales et ses coupes, où les beignets reposaient sur des serviettes blanches —, avant qu'elle fût dressée, et que le repas fût prêt, tout comme le fiancé doit éviter de regarder sa promise pendant qu'elle s'apprête pour les noces.

— Ce sont des animaux, tu ne l'ignores pas, n'est-ce pas ? me dit Isaac en se penchant en avant pour me donner une tape sur le genou ; il était en train de me communiquer quelques renseignements sur les gens que nous allions rencontrer.

— J'en suis un, moi aussi.

— Non. Ce sont des animaux d'une autre espèce, celle qui fouille les poubelles pour se nourrir.

— On les appelle des ratons laveurs, Isaac. Les ratons laveurs sont mignons.

— Ne te défile pas, Fielding. J'essaie de t'aider.

— Eh bien, j'imagine que c'est le minimum que vous puissiez faire, n'est-ce pas ?

Il m'adressa un drôle de regard. Isaac me lâchait considérablement la bride, mais il n'aimait pas que je dise n'importe quoi. Il croyait aux contrats, écrits ou verbaux, et le nôtre stipulait qu'il me formerait, me guiderait, me fournirait introductions et soutiens, tandis que je l'écouterais, le respecterais, porterais le flambeau qu'il levait à mon intention.

— Je ne fais jamais le minimum pour toi, Fielding, dit-il, seulement le maximum.

— Je le sais bien, répondis-je en m'enfonçant dans mon fauteuil et en étendant les jambes.

Je regardai mes pieds. J'avais marché sur une plaque de neige entre la porte de notre immeuble et l'allée, et mes chaussures noires étaient tachées, à la hauteur de la semelle, d'un fin réseau pâle de glace et de sel.

— Mais, repris-je avec un soupir, je ne peux m'empêcher de me demander ce que Kinosis vous doit. Il ne me connaît pas vraiment et il ne semble pas beaucoup m'aimer.

— Accordé, fit-il brusquement, essayant, j'imagine, de me faire reprendre mes esprits.

— Alors, quel est votre arrangement ? Je pense qu'il serait préférable que je le sache, non ?

Je voulais le coincer sur cette question. J'avais envie de me lever et de lui enfoncer l'index dans la poitrine.

— Si je le pensais, moi aussi, je te l'aurais dit, répliqua Isaac en arborant un de ses pâles sourires désuets.

— Je subis de nombreuses pressions, Isaac. Je veux que les choses soient claires.

— Quel genre de pression, Fielding ? demanda-t-il.

Trois rides impeccables apparurent sur son front, comme un trio de mouettes. Nous avions depuis longtemps dépassé le dernier tournant d'où il était encore possible de distinguer son inquiétude paternelle à mon égard de ses ambitions personnelles.

— Pressions intérieures.

— Difficultés avec la famille new-yorkaise ?

Comme si ce n'était pas la seule famille que j'avais.

— Non, non. Aucune. Ils sont très excités.

Il haussa les épaules, comme s'il me faisait la grâce de ne pas relever le ridicule de l'expression. C'était incroyablement désobligeant de sa part, mais on avait l'impression qu'il ne pouvait s'en empêcher.

— Alors, quel genre de pression ? Tout va bien entre toi et Julie ?

— Hé ! Nous sommes bien en train de nous parler d'homme à homme, non ? répondis-je avec un sourire éclatant dont son intelligence ne pouvait manquer de déchiffrer le sens : prends garde.

— J'essaie de t'aider à bien te tirer d'une période de transition qui doit être difficile, je le sais bien. Tout d'abord, tu dis que tu veux parler, et ensuite tu ne veux plus.

— Je veux parler de la raison pour laquelle Kinosis me met le pied à l'étrier.

— C'est une dette très complexe, Fielding ; une accumulation. En premier lieu, si je ne t'ai pas donné beaucoup de détails à ce sujet, c'est, en toute franchise, qu'il me faudrait des heures, des semaines, pour démêler l'imbroglio. Comme tu le sais, l'intelligence du gouverneur n'a rien de particulièrement remarquable. Mais c'est un homme qui sait écouter, et mieux vaut un homme comme lui qu'un républicain. Un démocrate est tout simplement tributaire d'un électorat plus cosmopolite et doit apporter des réponses à une plus grande variété de gens. Kinosis vient de temps en temps me trouver pour me demander conseil. Nous jetons un coup d'œil sur les problèmes. Je flatte sa vanité, si tu veux savoir. Il adore cela. Et puisque me voici sur la sellette, autant te dire que c'est une tâche *épuisante*. Rien n'est plus fatigant que le travail qui s'exerce sur les sentiments.

— C'est ce que mon père a toujours dit.

— Oh ? fit Isaac en levant les sourcils — des petites choses plates et disciplinées qui ressemblaient à un maquillage blanc au-dessus de ses yeux.

— Oui, poursuivis-je, faisant semblant de ne pas déchiffrer le message dans les yeux d'Isaac, légèrement opalescents, mais brillants, pareils à des morceaux de quartz plongés dans de l'eau glacée. Mon père disait toujours qu'il préférait trimbaler des plaques de plomb plutôt que de répondre à une question de son patron.

— Avait-il peur de ce que son patron allait lui demander ?

— Là n'est pas le problème. Travail sur les sentiments. Voilà de quoi nous parlions.

Quelque chose, du côté de la fenêtre, attira mon attention. Un changement de luminosité, comme si une main avait soudain voilé le soleil. La fenêtre s'assombrit, une sensation pénible, incontrôlable, naquit au creux de mon estomac. L'ombre avait l'air de planer comme un étrange oiseau, puis elle disparut et la lumière dure de l'hiver s'installa de nouveau.

Isaac se frotta les mains, signe qu'il était temps de passer aux choses sérieuses.

— Bien, commença-t-il, laisse-moi te dire qui va venir. Un drôle de mélange à coup sûr.

Il plongea la main dans la poche intérieure de sa veste et en sortit un élégant agenda. L'année précédente, sa mémoire avait commencé, prétendait-il, à lui jouer des tours, et il avait eu une réaction des plus pragmatiques : il s'était simplement mis à tout noter, sans pathos ni effort, comme on rince sa tasse après avoir bu du thé. Il ouvrit l'agenda, serra les lèvres.

— Ce sont pour la plupart des membres du parti, dit-il. Des gens que nous connaissons depuis des années.

— Vous voulez dire des haridelles, dis-je en souriant.

— Hier, c'étaient des haridelles, Fielding. Aujourd'hui, ce sont nos chers amis, compris ?

— Compris. Allons-y.

— Rich Mulligan.

— Le vampire.

— Je t'en prie, pas de commentaires. Finissons-en. Tony

Dayton. Il donnera un coup de main pour la campagne. Roman Kurowsky.

— Non.

— Oui. Il est au Congrès. C'est un démocrate, son district jouxte le nôtre.

— C'est un porc sénile.

— Bon. D'accord. Lucille Jackson. Le docteur Henry Shamansky...

— Attendez une minute. Le *docteur* Shamansky ? Je connais ce type, Isaac. C'est un professeur de sociologie. Il est à la tête des électeurs indépendants de l'Illinois. Il porte des costumes de velours et ne parlons pas de ses favoris. Je ne pourrais pas appeler ce type « docteur ».

— Appelle-le comme tu voudras, Fielding. (Il cligna des yeux en regardant son carnet.) Mon Dieu, je n'arrive même pas à me relire. Oui, oh ! oui. Sonny Marchi.

— Là, vous m'avez eu. Jamais entendu parler de lui.

— C'est un rapide. Une tête de tueur. Marié à la fille du gouverneur, Cynthia.

— Oui. Je vois. Vous m'en avez parlé, je m'en souviens. Vous disiez que c'était un babouin.

— C'est vrai. Écoute, Kinosis ne peut pas tout simplement nous faire un cadeau. Il attacherait plutôt une ficelle à son jeton avant de le glisser dans la fente, s'il le pouvait.

— Tout ceci pue, n'est-ce pas, Isaac ?

— Absolument pas. Ce que nous tenons est tout à fait extraordinaire. Nous allons à Washington. C'est ce que nous voulions, tu te souviens ? C'est ce que *tu* voulais, et pour un tas de bonnes raisons.

— Je n'ai pas changé d'avis, dis-je, légèrement sur la défensive.

S'imaginait-il que j'avais oublié ? Ce que Sarah méprisait dans l'ambition, c'était sa propension à se convertir en tautologie : « Je veux gagner parce que je veux avoir le pouvoir ; je veux le pouvoir parce que l'on n'est rien sans lui. »

— Eh bien, sois réaliste, alors, dit Isaac, comme si ça suffisait à résoudre le problème.

J'acquiesçai d'un signe de tête. Il avait raison, comme toujours. Si je pouvais, par exemple, héberger les sans-abri, celui qui se glisserait enfin dans un lit chaud se foutrait complètement de savoir si le député Pierce avait dû, pour obtenir ce lit, sourire quand il avait envie de mordre ; mes scrupules malmenés ne seraient même pas le petit pois qui troublerait son sommeil.

— Qui d'autre ? demandai-je.

— Kathy Courtney.

— Connais pas.

— Elle a été l'attachée de presse de Carmichael, ces quatre dernières années. (Il marqua une pause, pour me laisser le temps d'ingurgiter.) Elle est compétente. Elle vient de New York.

— C'est très loyal de sa part de travailler pour moi.

— Je ne crois pas que la loyauté ait grand-chose à voir là-dedans. Carmichael avait dix-sept personnes à son service ; cinq ici, dans le district, et douze à Washington. Que crois-tu qu'ils soient en train de faire ? Ils rédigent leur curriculum, et même ceux que tu garderas avec toi continueront de rédiger leur curriculum, de lancer des appels et de déjeuner avec quiconque les aidera à se recaser.

— Alors je n'en garderai aucun.

— C'est une solution. Bien entendu, tu devras passer ton temps à interroger des candidats pour former une nouvelle équipe.

— D'accord. Continuons. Kathy Courtney.

— Elle connaît les journalistes. Ici et à Washington. Elle est organisée. Énergique. Célibataire.

— Célibataire ?

— Simple observation, précisa Isaac en haussant les épaules.

— Que veut-elle faire pour moi ?

— Elle veut être ton attachée de presse. Elle veut conserver sa position, et en attendant, elle peut te parler des affaires que Carmichael a laissées en suspens, de tous ceux qui attendent une réponse et ne savent peut-être même pas qu'on l'a surpris le pantalon baissé.

Députés cul nu, attachées de presse célibataires, tout cela

donnait à Isaac matière à s'exciter. La fièvre commençait vraiment à le gagner.

— On y va ? dit-il en se levant.

Il se faisait, comme mon père, un point d'honneur de ne *jamais* se lever en s'appuyant aux accoudoirs ou en émettant un grognement.

Pour le déjeuner, Adèle présenta des mets qu'elle n'aurait normalement jamais songé à servir sur sa table : crêpes aux fraises, fines tranches de bacon dorées et roulées, en quantité, pichets de jus d'orange préparé avec du concentré, jambon au four garni de tranches d'ananas. Isaac prétendit qu'il était au régime et se contenta de café et de *coffee Rich*. Adèle avait depuis longtemps perfectionné une manière de faire croire qu'elle mangeait sans qu'une ombre de nourriture franchît ses lèvres. Quant à moi, évidemment, je succombai au charme irrésistible de la nourriture gratuite et je me gavais de grand cœur quand Juliet vint poser la main sur mon poignet dans un geste qui aurait pu passer pour de la simple tendresse et qui était en fait un avertissement subtil mais péremptoire, pareil à ceux qu'un dresseur expérimenté adresse à un chien qui montre les dents. Je lui souris, reposai ma fourchette et me mis à boire du jus d'orange. Il me vint à l'esprit qu'au bout de deux semaines de campagne je finirais par ressembler à Taft[1].

Mais je faisais davantage qu'enrober mes nerfs d'hydrate de carbone, j'essayais de me frayer un chemin dans ces eaux rapides et peu profondes où j'étais à la fois un outsider et un pôle d'attraction. Tony Dayton était assis à ma gauche ; il fumait, tenant bizarrement sa cigarette avec quatre doigts, et laissait tomber la cendre dans son assiette pleine ; ses yeux sombres avaient une expression blessée. Il portait une veste coupée dans un pied-de-poule voyant, avec un badge JAZZ épinglé au revers. Il me jeta un coup d'œil, remarqua que j'avais l'air préoccupé.

— Ne vous laissez pas abattre, mon vieux, je suis votre nouveau meilleur ami.

D'emblée, Isaac mena la conversation. Il parla de mes

1. Le plus gros des hommes d'État américains (1857-1930).

compétences, de mes atouts, de mes éventuelles faiblesses comme si je ne me trouvais pas dans la pièce. « Nous avons là du sang neuf », disait-il, et nul, hormis Lucille Jackson, ne m'accorda un regard.

Lucille Jackson était la seule Noire de l'assemblée. Elle possédait, avec son mari, quelques entreprises de pompes funèbres dans le ghetto ; c'étaient des nègres d'antan, défrisés, qui roulaient en Cadillac. Les bras croisés sur sa poitrine énorme, Lucille m'observait, les sourcils exagérément froncés, comme un lutteur sumo. Son crucifix reposait sur sa gorge, sombrait dans une mer de glace au chocolat. Le bruit courait que Lucille pouvait apporter les voix de cent mille Noirs, mais, dès l'instant où nos regards se croisèrent, je n'en crus plus rien. Elle n'était, comme la plupart des autres, qu'un chaînon dans un engrenage qui la dépassait largement, et ce bruit au sujet des voix noires n'était que le claquement de mains du sorcier qui retentit juste avant l'orage pour laisser croire qu'il commande aux éléments. Je n'avais peut-être pas, à l'ouest de Cottage Grove, autant d'amis qu'il m'en aurait fallu, mais j'en savais assez sur ce qui se passait là-bas — l'âge moyen de la population, le taux de chômage, le prix du sachet d'héroïne — pour pouvoir, le cas échéant, me passer d'elle.

Tony Dayton allait organiser la campagne et se préoccupait avant tout des fonds que le parti allait mettre à notre disposition.

— Il faut au moins que ça ressemble à une campagne et pas à une espèce de bal dans la salle des fêtes du syndicat, dit-il.

Ensuite, Rich Mulligan, qui connaissait bien les fonctionnaires de l'administration, exerçait une certaine influence sur les ouvriers de la circonscription et contrôlait les camions équipés de haut-parleurs, sombra dans la nostalgie :

— Il y a dix ans, dit-il en regardant ses ongles, on pouvait réaliser une campagne décente pour dix mille dollars. Aujourd'hui, il faut un bon Dieu de million.

— C'est la réalité du monde moderne, dit Shamansky, dont la voix avait une sonorité telle qu'elle suscitait la controverse.

— Qu'est-ce que ça veut dire ? fit Sonny Marchi. (Il ramenait ses cheveux gras en avant, avait des yeux perçants de braconnier, et je me demandais comment une jeune femme aussi belle que la fille du gouverneur avait bien pu l'épouser ; mais elle s'avéra pour sa part assez navrante.) Nous avons tous les suffrages qu'il nous faut. Je veux dire, diable, qu'il me semble bien que par ici on vote de bonne heure et plusieurs fois par jour.

Il y eut un silence gêné, tandis que les chevaliers de la table ronde se demandaient qui allait attaquer la forteresse.

— Il n'y a déjà que trop de plumes hérissées, dit Mulligan. Je crois qu'il faut nous contenter de caboter et que, la meilleure façon de le faire, c'est encore de rester neutre. Et pour ce qui est de l'argent, nous pouvons avoir suffisamment d'articles gratuitement. Les journalistes n'ont rien à faire à cette époque de l'année. J'ai raison, Kathy ?

Je regardai Kathy, assise de l'autre côté de la table, et ressentis un vif tiraillement dans mes tripes : le visage de Sarah se superposa un instant au sien, et même lorsque ma raison eut gommé cette vision, il n'en demeura pas moins quelque trace. Kathy Courtney avait des cheveux roux coupés court, un visage énergique, obstiné. Elle portait une blouse de soie bleue, un rang de perles parfaites. Sa voix était voilée.

— Vous avez raison sur ce point, Rich, dit-elle. Les journalistes de la presse et de la télévision sont prêts à se jeter sur ce que nous leur fournirons. Je voulais également vous dire que nous pouvons compter sur l'entière coopération de Jerry Carmichael. Je ne sais pas si nous souhaitons sa participation active, mais il est disposé à faire tout son possible pour soutenir notre candidat.

— Voilà qui est très bien de sa part, Kathy, dit Henry Shamansky avec un signe de tête approbateur.

— Je n'en attendais pas moins de lui, renchérit le député Kurowsky d'une voix égale qui mêlait piété et agressivité.

Il porta la main à son cœur en un geste qui tenait moins de la prestation solennelle de serment que du mouvement instinctif d'autoprotection que déclenche un propos particulièrement perfide, comme celui qui nous pousse à couvrir les oreilles d'un enfant pour l'empêcher d'entendre quelque chose de troublant ou d'effrayant.

— Jerry a toujours essayé de faire de son mieux, dit Kathy Courtney d'une voix chaleureuse.

Je compris à ce moment-là que cette réunion pouvait fort bien se terminer sans que j'eusse ouvert la bouche. J'étais en train de les laisser mener le débat, et il était évident que je m'étais montré suffisamment passif pour qu'ils pussent se sentir investis d'un sentiment de supériorité fallacieux.

— Bien, fis-je, laissez-moi intervenir avant que les choses n'aillent trop loin. (Je me frottai les mains pour leur faire entendre que j'attendais ce moment depuis longtemps.) Tout d'abord, je veux vous remercier d'avoir sacrifié votre dimanche et d'être venus ici à la dernière minute. Je l'apprécie sincèrement. (Cela me paraissait souligner le point auquel je tenais le plus : ils étaient là pour *moi* ; ensuite, je voulais leur faire comprendre que s'ils ne me connaissaient pas, je *les* connaissais.) C'est très encourageant pour un novice comme moi, dis-je (en leur présentant un sourire dont ils connaissaient, je le savais, le caractère artificiel, mais cela faisait partie du jeu), de savoir que quelqu'un tel que Rich Mulligan participera à la campagne. J'ai toujours pensé que le jour où l'on écrirait l'histoire de la politique de la circonscription, Rich aurait un chapitre pour lui tout seul.

Mon regard fit le tour de la table. Ils étaient tous attentifs, ce qui me donna envie de rire. On éprouve une sorte de terreur merveilleuse en apprenant combien il est facile de contrôler les gens.

— Et c'est formidable de voir Henry Shamansky ici et de savoir que les électeurs indépendants de l'Illinois soutiendront ma candidature. Je sais que le fonctionnement interne des EII de Hyde Park lui pose bien des problèmes, et je ne le remercie que plus vivement de s'être déplacé à un moment aussi difficile. (Je détournai mon regard de lui pour ne pas voir son visage se décomposer ; tout serait fichu si mon triomphe était trop apparent.) Et bien entendu, je suis enchanté de voir le député Kurowsky dont j'apprécie également le soutien, qui me surprend bien un peu, je l'avoue ; mais on ne sait jamais, n'est-ce pas ? Peut-être Roman va-t-il changer d'avis, peut-être voterons-nous ensemble contre cette législation absurde sur les armements, et pour une armée fédérale.

— Ne vous mettez pas à retenir votre souffle en attendant que ça se produise, mon garçon, dit-il.

J'éclatai de rire avant que les autres aient pu le faire, de façon à tourner la plaisanterie à mon avantage. Je dominais la réunion. Je jetai un coup d'œil en direction d'Isaac. Il était appuyé au dossier de son siège, le bout des doigts joints sous le menton, et quand il capta mon regard, il hocha la tête en signe d'assentiment.

— Et bien entendu, poursuivis-je, je suis très heureux de voir Lucille Jackson, d'autant plus que les élections se joueront dans les quartiers noirs de la circonscription. *Non pas* parce que nous avons des démocrates inscrits dans le secteur, mais parce que j'ai l'intention de proposer aux pauvres et aux victimes de la discrimination des programmes et un engagement cohérents qui leur donneront une bonne raison de me soutenir. (Je marquai une pause.) Mrs. Jackson, repris-je, je me souviens de ce que vous avez dit il y a trois ans à un journaliste du *Defender* : « Les hommes politiques qui font des promesses et se défilent sont des agresseurs. » Eh bien, j'ai passé un certain temps à envoyer des escrocs en prison et je n'ai aucune intention d'en devenir un moi-même. Je suis également heureux que Tony Dayton soit à mes côtés. J'ai suivi un certain nombre de vos campagnes, Tony, et je pense que notre collaboration sera bénéfique à l'un comme à l'autre. Ce qui m'amène au point qui est pour moi le plus important. Pour en revenir à cette idée de neutralité, je sais bien que nous ne disposons que de peu de temps, que deux semaines ne suffiront pas pour résoudre les problèmes épineux. Mais je n'ai pas l'intention d'entrer en douce au Congrès. Je veux que ceux qui voteront pour moi sachent pour qui ils votent. Je ne pense pas que nous devrions couvrir tout le terrain en brandissant nos déclarations de principes comme une bande d'amateurs, mais je désire sélectionner une ou deux questions et frapper fort.

Je pouvais sentir des vibrations de haine dans la pièce, sans vraiment localiser leur source. Cela venait probablement de Kurowsky, qui pouvait sans aucun doute émettre et projeter ses sentiments comme un ventriloque fait sortir sa voix du sucrier.

— Et comment allons-nous faire pour tomber d'accord sur les questions, avec le peu de temps qui nous reste ? demanda Tony Dayton.

— Ne vous souciez donc pas de cela, répliquai-je.

Haussant les épaules comme si rien n'était plus simple, et sur un ton parfaitement aimable, je dis alors, comme si j'assumais simplement une responsabilité supplémentaire pour épargner quelque peine aux autres :

— J'en fais mon affaire.

Comme un homme pourvu d'ailes artificielles est soudain pris dans un courant ascendant, je sentis le monde familier s'éloigner de plus en plus au-dessous de moi. Maintenant qu'il se trouvait à ma portée, l'azur vers lequel je m'élevais me parut profondément froid, et même hideux. Tous ceux qui m'entouraient étaient des étrangers, et le plus étranger encore était cet homme qui se présentait au Congrès, cet imposteur souriant avec sa meute de subordonnés, personnage nouveau qui semblait ne survivre qu'en déchirant à belles dents tous ceux qui l'avaient précédé.

Ce fut le lundi qui suivit le déjeuner chez les Green que Caroline appela de O'Hare Airport pour annoncer qu'elle était arrivée et demander où diable j'étais passé. Je n'avais pas oublié qu'elle devait venir à Chicago, mais le fait était resté assez loin de moi, comme un outil dont on a besoin mais qu'on ne peut atteindre. J'étais seul à la maison lorsqu'elle appela, assis dans mon pyjama brun et or, en train de manger du raisin en lisant les journaux de la veille. Je traversais une période autocritique, et ma confiance en moi était sérieusement ébranlée. Les élections auraient lieu dans deux semaines, j'avais un tas de tâches qui m'attendaient, plus urgentes, certes, que celle consistant à manger du raisin en pyjama, mais je ne pouvais rien faire d'autre à ce moment-là. Comme la plupart des types qui se sont conçus eux-mêmes, j'avais toujours senti que j'avais deux destins, l'un étant celui que me réservait ma naissance, l'autre, celui que je désirais. Aujourd'hui, avec le moral à zéro, il ne me restait plus qu'à sombrer derechef dans la destinée vague et insatisfaisante qui m'était échue de par la loi organique. Mais la voix furieuse de Caroline me rappela à l'ordre.

— Tu veux que je prenne un taxi pour te rejoindre ? demanda-t-elle.

— Je crois que oui. Mon Dieu, Caroline, je suis désolé. Je l'avais noté, c'est juste sous mes yeux, mentis-je en ne considérant rien du tout. Et ton arrivée est prévue pour quatre heures.

— D'accord, d'accord, merci pour le mensonge. J'arriverai quand j'arriverai.

Sur quoi, elle raccrocha.

Je raccrochai aussi. Nonchalant, je pris le *Hyde Park Herald*, l'hebdomadaire de notre quartier, le feuilletai, cherchant un article sur la campagne, mais on ne parlait que foires du livre et voleurs de bicyclettes. J'arrivai enfin aux petites annonces, en dernière page, et me mis à les lire, ce que je ne faisais jamais, sans me demander pourquoi je les parcourais aujourd'hui. Mais, sous la rubrique MESSAGES PERSONNELS, je trouvai le texte suivant :

F. — Je ne peux pas arrêter la musique. S.

Très calme, je me levai, pris des ciseaux, découpai l'annonce, et la plaçai dans mon portefeuille. J'éprouvais un élan de joie folle, qui ne dura pas. « N'y pense pas maintenant », me dis-je, mais j'étais enflammé comme un amant par son premier vrai secret.

Je me lavai, m'habillai. Il aurait été indécent de me présenter à Caroline autrement que plein d'énergie et de détermination. C'était après tout dans l'espoir de se retrouver galvanisée à mon contact qu'elle avait fait le voyage. Si ce qu'elle désirait était des fruits talés et un lit défait, elle aurait aussi bien fait de rester chez elle.

Normalement, c'était vers Danny que nous nous tournions

lorsque nous avions besoin de sentir l'accélération du risque, la proximité des grandes espérances — Danny avec ses projets, ses appartements-palaces qu'il n'avait pas les moyens de s'offrir, ses amis européens ou japonais aux noms impossibles à prononcer et aux goûts exotiques. Et avant Danny, c'était Caroline qui avait été notre avant-garde, avec ses petits amis au volant de leur BMW, son long voyage en Europe, ses lettres cryptographiques rédigées sur du papier couleur saumon, ses rêves d'immortalité accrochés aux murs de froids musées, son mariage avec Eric McDonald, et ce miracle terrifiant, la naissance de ses fils. C'était maintenant mon tour. Les fils de Caroline étaient en Afrique avec Eric, ses propres ambitions avaient été écrasées par le piétinement de la nécessité : faire face à la maternité, à la solitude, aux soucis matériels. C'est dur d'être un génie quand on a trois emplois différents.

Un taxi cabossé s'arrêta devant la maison et j'ouvris la fenêtre pour crier bonjour. Caroline descendit du véhicule, vêtue de collants noirs, d'un long manteau et de cache-oreilles noirs. Elle portait un sac de voyage sur une épaule et une valise écossaise si lourde qu'on devait la prendre à deux mains. Elle se pencha vers l'intérieur de la voiture pour saluer trois personnes assises à l'arrière, et le taxi démarra, faisant gicler deux éventails de neige sale.

— Je descends tout de suite, lui lançai-je.

— J'ai tout, ça ira, cria-t-elle en retour.

Je me redressai. Une vague d'émotion me submergea. Entendre ma voix qui l'appelait, puis entendre la sienne, c'était des sons de jadis, les cris, les signaux, les appels furieusement impatients qui filaient comme des oiseaux dans la haute cage spacieuse de l'enfance. Je courus à la porte, dévalai l'escalier, atteignis la porte de verre biseauté, qui était verrouillée, avant que Caroline n'ait fini de gravir les marches du porche, et je lui ouvris. Le vent me frappa de plein fouet, tourbillonna autour de son corps comme l'écume autour d'un rocher.

— Vite, je gèle, dis-je.

— Quelle ville ! s'exclama-t-elle dans un ultime effort.

Elle lâcha la poignée quand je pris la valise ; je la posai sur le paillasson où était écrit Bienvenue et serrai Caroline dans mes bras. L'extérieur de son manteau était comme de la glace contre ma chemise.

— Mmmm, tu sens si bon, Fielding. J'ai l'impression que tu ne mets plus cette lotion Old Spice.

Elle me caressa le dos de haut en bas, d'un geste qui paraissait nerveux. Peut-être la serrais-je trop fort.

Je fis un pas en arrière et refermai la porte.

— Exact, dis-je. Je n'en mets plus depuis que tu m'as envoyé cette crème après-rasage française en tube. Tu m'as gâté.

— Mais tu n'en voulais pas.

— Je l'ai laissée traîner un temps, et finalement je l'ai essayée.

— Ah, dit-elle en me pinçant l'estomac, tu n'es qu'un petit démon.

Nous montâmes l'escalier. Le poids de sa valise était incroyable.

— Mais que transportes-tu là-dedans ? demandai-je.

— Ça fait si longtemps que je ne suis allée nulle part. J'ai oublié comment on fait une valise. Aussi ai-je pris tout ce que je possédais.

— Mon Dieu.

— Peur que je reste trop longtemps ?

— Ne plaisante pas. Si tu savais à quel point j'ai besoin de toi ici, tu ne...

Ne quoi ? Je n'en savais rien. ...le croirais pas ? ...resterais pas ? J'avais perdu le fil. Lorsque je levai les yeux vers Caroline, elle me regardait un peu bizarrement.

— Tu vas bien, n'est-ce pas ? demanda-t-elle.

— Oui, je vais bien.

— Bon. Je n'ai que trop subi les folies de Danny. J'ai besoin d'un peu de repos.

Caroline posa ses bagages dans mon cabinet de travail, où elle dormirait sur le canapé transformable. Je tentai de me mettre à sa place pour regarder la pièce, qui me parut se situer en équilibre précaire entre la stérilité et le désordre. Les rayonnages étaient nets, aussi dépourvus de livres que de poussière. Le tapis chinois de Marshall Field impeccable, or et bleu vif, avec un motif tissé au centre, mais qui pouvait dire ce que signifiait cet idéogramme ? Quelque obscénité de mandarin, qui sait ? Mon bureau, en revanche, portait l'empreinte d'un esprit agité : il était couvert de piles de quotidiens et de feuillets, et encore de petits bouts de papier où étaient inscrits des numéros de téléphone, et des magazines qui n'avaient même pas été ouverts, des tasses à café vides, des ciseaux à ongle, mon journal relié en basane, maintenu ouvert par deux stylos ; il y avait encore un magnétophone Sony et un tas de cassettes, un cadeau des témoins de Jéhovah que j'étais trop superstitieux pour jeter à la poubelle, et au-dessous s'empilaient les papiers rejetés, feuillets, carnets de notes et minutes du tribunal repoussés vers le sol par les nouveaux arrivages. Cette table était le poste frontière entre le moi public sémillant et le moi intérieur qui était en train de sombrer lentement.

— As-tu songé que ce bureau, tel qu'il est, vaudrait un jour une fortune si tu devenais un homme d'État de réputation internationale ? demanda Caroline.

Elle était en train d'ouvrir sa valise et d'en sortir deux ou trois robes pour les défroisser.

— Eh bien, emballons-le et expédions-le, dis-je.

Je la regardais se dépêtrer avec les cintres. Jamais je ne l'avais vue aussi nerveuse.

— Allons-nous au bureau, là où s'organise ta campagne ?

— Si tu veux. On vient de commencer.

— Je veux. Je veux vraiment en faire mon lieu de travail.

— Tu as tout le temps.

— Non. J'aimerais commencer tout de suite. Si tu es battu, je ne veux pas que Mom puisse me le reprocher.

— Ha-ha ?

— Oui, ha-ha, insista Caroline. Mais j'aimerais vraiment m'y mettre. Je ne sais même pas ce que tu attends de moi. Il faut que je sois occupée. De toute manière, je suis très excitée, pas toi ?

Elle s'assit soudain, les bras étendus sur le dossier du

canapé, sourit, et inclina la tête comme si on allait la prendre en photo.

— Tu es si jolie, lui dis-je.

— J'aurai trente-six ans le mois prochain.

— Fais de la politique. A *cinquante*, on est encore jeune, chez nous.

— Euh, il n'en va pas de même dans mon métier qui consiste à être une artiste combative vivant dans un taudis. Pour ça, on est censé avoir vingt ans.

— Lorsque je serai au Congrès, je verrai ce que je peux faire pour que tu touches une allocation.

— Je sais que tu le feras. Mais, pour l'instant, si tu me nourrissais ?

Nous allâmes dans la cuisine et, pour la première fois depuis son arrivée, Caroline prononça le nom de Juliet.

— Juliet se nourrit toujours de fromage frais et d'échalotes ?

— Elle a un peu laissé tomber. Elle préfère le blanc de dinde, maintenant.

— Elle ne s'en portera que mieux, dit Caroline.

Elle se tenait à côté de moi, étudiant le contenu du réfrigérateur. Il y avait de l'eau en bouteille, du jus de pamplemousse fraîchement pressé, un pot de miel, une vinaigrette du Maine, une livre de blanc de dinde enveloppé dans de la cellophane, de petits pots de marmelade d'orange, un pain de beurre provenant d'une crèmerie casher, une barquette de fromage frais Breakstone écrémé.

— Tu t'es trouvé une drôle de petite amie, Fielding, dit Caroline. On dirait le frigo de Danny.

— Nous pouvons aller manger quelque chose dehors, si tu veux. C'est en général ce que je fais.

— Ça se voit, dit-elle en me regardant des pieds à la tête.

— Je pèse onze livres de plus que lorsque j'étais au collège, Caroline.

— Qui a dit que tu étais un Adonis au collège ? (Elle fit claquer la porte du réfrigérateur.) Ne fais pas attention à ce que je dis. Je suis obsédée par la ligne. C'est à force de vivre dans la Première Avenue et de voir ce qui arrive aux femmes quand elles ont dépassé la trentaine.

— La Première Avenue ? Et l'endroit où nous avons grandi, alors ? Tout le monde avait l'air de peser cent kilos.

— Pas les vraies dames irlandaises, en tout cas. Elles étaient comme des baguettes. Avec des yeux étincelants.

— Comme Mrs. O'Mara, la mère de Bobby.

— Ciel, quelle sorcière ! Je ne peux pas l'imaginer donnant naissance à un enfant. Je pense que Bobby a dû sortir comme une merde douloureuse.

— Et être content de le rester, dis-je.

Le visage de Caroline s'éclaira. Elle était surprise de m'entendre m'exprimer ainsi, comme les gens sont estomaqués lorsqu'un prêtre hasarde une petite plaisanterie frivole.

— Je croyais que tu aimais bien Bobby O'Mara, dit-elle.

— Moi, Bobby O'Mara ?

— Oui, je le croyais. Et je croyais que tu aimais tout le monde. Ce n'est pas vrai ?

— Non. Bien sûr que non. Quelle sorte d'idiot aime tout le monde ?

— Exact. C'est justement ce que je me demandais.

Je respirai profondément, comme si sa tournure d'esprit avait un arôme. Caroline avait toujours eu ce que Mom appelait une langue de vipère. Le temps qui passe gâche la plupart de nos traits d'humour. Qu'y a-t-il de drôle à planter ses dents dans l'ego de ses ennemis, quand l'âge a déjà divisé cet ego ? Et dans quelle mesure pouvons-nous nous moquer de nous-mêmes, quand nous avons eu la preuve que les autres voient nos défauts bien mieux que nous ne le pourrons jamais ? Le terrible sens de l'humour de Caroline l'avait maintenue au-dessus de la mêlée pendant toute son adolescence, placée sous le signe du malentendu, et il l'avait encore propulsée à l'Institut d'art de Boston, puis en Europe ; avec lui, le cheval noir de son venin, elle semblait contrôler le temps et l'expérience, nous dominer. Elle était loyale, et Dieu sait combien elle était gentille, mais elle avait la manie de dire d'une manière plaisante des vérités désagréables. J'avais eu pitié des garçons dont elle tournait, devant nous, les habitudes sexuelles en ridicule, pitié d'eux à cause des mots qu'ils lui demandaient de murmurer et des endroits secrets qu'ils la suppliaient de toucher. Mais ils ne l'avaient jamais su. Caroline ne cherchait pas à les blesser, elle voulait simplement ajouter du piment à sa vie, l'assaisonner avec son sens de l'humour, tout comme Sarah gardait toujours une bouteille de Tabasco dans son sac, pour épicer discrètement la fade nourriture nordique.

Nous prîmes la voiture pour aller déjeuner à l'Amazing Zucchini. L'Amazing Zucchini appartenait à un de mes anciens amis de la fac de droit, Victor Tomczak. Victor n'avait jamais été un étudiant zélé, il avait plutôt tendance à se retrouver dernier dans toutes les matières, mais il était un formidable débrouillard, et pouvait trouver de l'argent comme un missile à tête chercheuse les sources de chaleur. Il possédait maintenant une chaîne de restaurants, qui portaient tous des noms drôles : Paul Onion, Veal Thing, Pizza My Heart. Ce dernier avait une enseigne montrant une courgette — Zucchini, avec une moustache italienne —, attachée à une chaîne, lestée de lourds cadenas, à la Houdini. C'était un rendez-vous d'hommes d'affaires dans la journée, et un lieu de drague pour jeunes cadres célibataires le soir. J'espérais que Victor serait là, et je ne fus pas déçu. Assis à une table du fond avec son cuisinier chinois, il examinait le contenu d'une boîte à chaussures Florsheim pleine de recettes de cuisine. Victor était grand. Il disait de lui-même qu'il était un doux géant, redoutant que sa haute taille n'intimidât les clients, les femmes plus particulièrement. Il avait des cheveux clairs frisés, des yeux bleus, ronds et candides, un sourire chaste de chérubin.

— Fielding ! s'écria-t-il.

Il se leva si rapidement qu'il entraîna avec lui la table en forme de losange. Le cuisinier se précipita pour protéger les piles de recettes, mais Victor ne prêta aucune attention au petit drame qui se jouait derrière lui. Il battit des mains, puis les serra fort l'une contre l'autre, comme s'il venait de découvrir en Caroline et moi le clou d'une somptueuse fête.

— Je vais enfin pouvoir faire main basse sur ton argent, dit-il, venant vers nous.

Il traversa le restaurant en cinq enjambées, puis fit quelque chose qui ne manquait jamais de provoquer en moi une légère bouffée de terreur : il me prit dans ses bras et m'étreignit avec ce qui devait être — estimais-je— trente-cinq pour cent de sa force. Je lui donnai une petite tape dans le dos, comme le lutteur vaincu frappe le tapis de la main. Il me libéra et me regarda de haut en bas :

— Tu viens pour déjeuner ?

— C'est l'idée de base, dis-je. Voici ma sœur, Victor, Caroline McDonald. Caroline, voici Victor Tomczak. Un bon ami de la fac de droit, en Californie, et le propriétaire de ce restaurant et de bien d'autres.

— J'imagine que c'est une sorte de gaspillage d'enseignement, dit Victor en prenant la main de Caroline et en rougissant.

Caroline lui adressa un sourire qui paraissait véhiculer une pointe de provocation sexuelle. Lorsque j'étais adolescent, avec tout juste quelques poils entre les jambes, la manière de flirter de Caroline pouvait faire entrer en activité des volcans de désir au fond de moi. Elle avait alors une sorte de spontanéité physique, comme celle d'un animal sauvage, qui lui donnait un avantage indiscutable sur toutes les autres filles de son âge. Danny et moi étions allés mettre sa chambre à sac une douzaine de fois, non, un millier de fois, en purs archéologues, pour y découvrir des morceaux du puzzle sexuel. Nous n'y avions jamais rien trouvé ; pas de préservatif, pas d'étui à diaphragme bleu ciel, hormis un exemplaire de l'*Art d'aimer* d'Erich Fromm, mais ce très ancien sermon maniéré ne recelait pas davantage de lumières sur l'acte graveleux et retentissant de grognements que nous n'en détenions, Danny et moi. D'une certaine manière, Caroline avait réalisé un tour de prestidigitation, révélation et escamotage, chaque parcelle de notre vie recevait le rayonnement de sa sensualité, mais nous ne pouvions jamais en découvrir la source. Vers la fin, Danny avait dû en savoir davantage que moi sur elle : il était à ses côtés lorsque, abandonnée par Eric, elle avait mis Malik au monde. Elle s'était cramponnée à ses doigts, il avait plongé son regard dans ses immenses yeux pleins de souffrance, révulsés, et soulevé ses hanches pendant que l'infirmière tirait le drap imprégné de sang pour le remplacer par un autre, parfaitement propre. Leur lien de fraternité s'était naturellement resserré après ce long après-midi de juillet, sous le soleil rouge et diffus accroché au rebord granuleux de la fenêtre de l'hôpital Saint-Vincent. Danny avait présenté Malik, lavé et langé, à Caroline, qui s'était redressée en prenant appui sur ses coudes, avec ses énormes seins pleins de lait ruisselants de sueur et ses cheveux collés au front, tandis que je me trouvais à Chicago en train de poser les rails qui devaient me permettre de traverser ma vie. Et parce que j'étais seul au moment où leur amour se renforçait, mes relations avec l'un et l'autre avaient paru dès lors un peu immatures. Si Danny avait été à ma place dans ce restaurant, il n'aurait pas froncé les sourcils dans son for intérieur en voyant Caroline retenir un instant la main de Victor. Danny avait perdu une certaine acuité de perception en échange de plus de douceur et de compassion. Cela ne l'aurait pas gêné de remarquer qu'elle avait retenu cette main quelques secondes de trop, ou encore sa manière de camoufler son besoin d'être touchée, comme qui veut sortir discrètement d'une pièce et tousse pour couvrir le grincement de la porte.

Victor nous conduisit vers une table du fond, prit quelques bouteilles de Perrier vides transformées en vases d'œillets mignardise, et les posa devant nous.

— Voilà qui donnera un air de fête, dit-il, puis il recula d'un pas en se frottant les mains.

— Vous ne vous asseyez pas avec nous ? demanda Caroline.

— Oh non, non ! fit-il comme si on lui proposait des richesses imméritées. Il faut que je retourne à mes recettes.

— Bon, plus tard, peut-être, insista Caroline.

— Oui ! dit Victor. Plus tard ! J'apporterai de la tarte aux fraises quand vous aurez terminé votre déjeuner.

— Gentil garçon, dit Caroline quand il fut parti. Comme quelqu'un de chez nous.

— Ah oui ? Où est-ce donc ?

Une serveuse apparut, portant un panier de petits pains de seigle aux raisins.

— Chez nous est un endroit fuyant, dit Caroline, me regardant attraper un petit pain. C'est l'endroit où nous avons envie de retourner. En ce moment, pour moi, c'est... (Elle ferma les yeux, appuya son pouce et son index sur ses paupières mauves et fripées.) ...avenue DeKalb.

L'histoire de Caroline avait toujours suivi un parcours simple : la fille aînée, destinée à partager les tâches de sa mère, incomprise, maltraitée, à qui l'on refusait la dignité des hautes ambitions. Dad était par instinct extrêmement juste lorsqu'il s'agissait de classe sociale, mais ne l'était guère quand il s'agissait de sa fille. Il était outré que ceux qui construisent les tours et pavent les routes ne soient pas considérés comme les rois de la terre, mais cette idée toute simple qu'une femme puisse disposer à son gré de sa seule et unique vie lui paraissait ridicule, bohème, fatale. J'avais toujours pensé que, pour Caroline, même les sommets de l'hédonisme étaient occultés par les broussailles et les mauvaises herbes de la vindicte. Il semblait qu'elle ne pouvait avoir une liaison ou se brosser les cils avec du mascara moka ou se glisser dans un collant rose flamboyant sans avoir l'esprit à demi hanté par nos parents.

— Sais-tu ce à quoi je ne peux m'habituer ? demanda-t-elle en se penchant pour enlever un fil du revers de ma veste de tweed. Je ne peux me faire à l'idée que chacun de nous a très exactement réalisé les espoirs que Mom et Dad plaçaient en lui. Je veux dire, bon Dieu, qu'ils auraient dû travailler dans un cirque, entraîner des tigres à traverser un cerceau de flammes. Te rends-tu compte de la *domination* que cela implique ? C'est monstrueux.

— Crois-tu qu'ils souhaitaient que Danny devienne un homme d'affaires bien convenable ? Ils sont sans doute au courant pour la drogue, aussi. Crois-tu que c'est ce qu'ils désiraient ?

— Tu as raison dans le détail, mais pas sur le fond, dit Caroline. Typiquement une attitude d'avocat. Tu sais, lorsqu'on isole les détails en occultant le tableau, c'est de la pornographie. Ils voulaient que Danny réussisse. Ils ont toujours pensé qu'il avait un don pour les affaires et ils le lui ont dit très tôt. Tu te rappelles ? Dès l'âge de dix ans, il vendait des cartes de

Noël, des abonnements à des magazines. Ce n'était pas seulement des affaires, c'était comme être déjà dans l'*édition*. Mom a toujours admiré Danny pour ses goûts de luxe. Te rappelles-tu comment Papa buvait son café en levant le petit doigt ? Il disait : « C'est comme ça que font les gens qui descendent au Ritz », et c'était soi-disant une bonne blague, comme si nous devions rire de la bêtise, des faiblesses et des chichis des riches. N'empêche que l'idée était là : nous étions tous destinés à gagner les hauteurs. Ils aimaient croire qu'ils avaient *choisi* de vivre simplement, et quelle meilleure façon de le prouver que de guider leurs trois enfants vers la réussite ?

— Nous étions censés être les chemins qu'ils n'avaient pas empruntés ?

— Voilà. Tu y es. Ne peux-tu pas arrêter de mâchonner ces petits pains ? Commandons le déjeuner.

Elle s'appuya au dossier de sa chaise et fit un signe à l'intention de la serveuse. Nous prîmes du ragoût irlandais. Caroline but de la bière, je me contentai de ginger ale. Je regardai Victor, derrière nous. Le cuisinier était en train de l'invectiver, jetant les recettes l'une après l'autre sur la table comme le font les joueurs de ces incompréhensibles parties de cartes du tiers monde.

— Avec moi, le message était différent, reprit Caroline. En partie parce qu'ils se moquaient éperdument de ce que je faisais. Je veux dire, il n'est jamais venu à l'esprit de Dad que les femmes peuvent avoir des vies compliquées, hormis les complications sentimentales. Et Mom pensait simplement que j'étais aussi résistante qu'elle et que je m'en sortirais. Mais, bon Dieu, regarde la vie qu'elle a eue. Taper à la machine pour cet imbécile de Corvino, qui puait l'Amaretto et les Camel, et la traitait comme une belle-sœur idiote qui devrait être bien contente d'avoir trouvé un emploi. Mon Dieu, j'étais si furieuse chaque fois que j'allais au bureau, en voyant comment il lui parlait.

— Je sais ce que tu veux dire.

— Tu sentais la même chose ?

— Oui, terriblement.

— Alors, comment se fait-il que tu aies décidé de devenir

l'Earl Corvino de la génération des ordinateurs ? Tu devrais te dire qu'il faut se tenir le plus loin possible de la politique.

— Il n'y a aucun moyen d'échapper à la politique. Le mieux que l'on puisse faire est de fermer les yeux, de faire comme si rien ne se passait, ou n'avait d'importance, et de laisser agir pour soi les pires olibrius.

Caroline haussa les épaules.

— C'est avec ce genre de logique que les soi-disant braves gens deviennent flics ou gardiens de prison.

— Il me semble qu'un nouveau professeur d'anglais plein de sensibilité n'est pas exactement ce dont le monde a le plus besoin ; d'ailleurs ça n'a rien à voir. Si tu es flic, tout ce que tu peux faire, c'est arrêter ou ne pas arrêter les gens. En politique, les possibilités de choix sont tout de même plus nombreuses.

— D'accord. Je ne sais pas pourquoi je m'en prends à toi. Je veux que tu gagnes. Je suis venue jusqu'ici, n'est-ce pas ? Je te taquinais. Mais tu me mets en colère quand tu crois que tu as fait tout ça de ton propre chef. Ne comprends-tu pas que tu es en train de réaliser exactement ce que Mom et Dad avaient décidé pour toi ?

— C'est pour ça que les familles sont ce qu'elles sont.

— Quand on a de la chance, dit Caroline. On ne m'a pas laissé ce genre de choix. Le seul message que j'aie reçu était : ne sois pas une ménagère de la classe moyenne inférieure dans un appartement de Brooklyn. A part ça, j'ai dû tout découvrir toute seule au fur et à mesure que j'avançais, et regarde où j'en suis...

— Tu t'en es très bien tirée.

— Cette pensée me réjouit. J'ai trois emplois et je ne suis pas loin du minimum vital.

— Tu as visité toute l'Europe. Et tu as Rudy et Malik.

— Je remarque que tu n'inclus pas Eric dans la liste de mes réussites.

— Je pourrais. C'est un grand musicien. Le jazz est la forme d'art la plus représentative de l'Amérique. Et coin-coin-coin.

— Exactement. Coin-coin-coin. Il éloigne les garçons de moi, heure après heure.

— Ne le laisse pas faire.

— Je fais de mon mieux, mais Eric est persuasif, et il a tant d'atouts. Cette école qu'ils fréquentent...

— Enlève-les de cette école, alors.

— Je ne peux pas faire ça. Ils l'adorent. Et ils adorent leur père. Et ils adorent être noirs. C'est une cause perdue pour moi. Et je suis trop fatiguée pour me battre.

— Non, ce n'est pas vrai. Tu ne dois pas les laisser t'échapper.

La serveuse s'approcha avec notre déjeuner. Je me jetai sur mon assiette, Caroline ne regarda même pas la sienne. C'était une sorte de sport, une manière de repousser sans fléchir l'appétit qui lui tenait tête, essayait de l'étouffer dans son étreinte frénétique.

— Mmmm, ils ont mis là-dedans de délicieuses petites carottes, dis-je.

— Oh, chic ! s'exclama Caroline, mimant l'enthousiasme. Des petites carottes. Les choses commencent réellement à bouger maintenant. (Elle scruta le contenu de son assiette.) Mais oui, tu as absolument raison. J'en vois une. Une... petite carotte.

— Ça va, ça va ! fis-je. (J'avais senti la pointe de son sarcasme, mais la sensation n'était pas désagréable ; c'était quelque chose qui me rassurait presque.) Je trouve que c'est minable de ne pas pouvoir manifester un peu d'enthousiasme pour ce que l'on mange ; et corrompu également. La moitié de l'histoire humaine repose sur la quête d'une nourriture suffisante.

— Oui, et l'autre moitié sur l'indigestion, répliqua Caroline. (Elle tendit la main et tapota le dos de la mienne.) Allons, allons. Tu ne crois pas que tu t'adresses à la mauvaise personne ? N'est-ce pas ce que tu voudrais dire à Notre-Dame-du-Fromage-Blanc ?

— Il s'agit là d'une cause perdue. D'ailleurs, elle a des problèmes. Elle est délicate.

— Bien entendu.

— Bon, je ne vais pas continuer de défendre le système digestif de ma maîtresse.

Caroline prit une gorgée de bière.

— Tu vas gagner ces élections, n'est-ce pas ?

— Je devrais.

— Devrais ? Je n'aime pas ça. Les choses qui *devraient* arriver arrivent rarement.

— C'est un district démocrate. Le parti démocrate me soutient plus ou moins. Le type contre qui je me présente n'est pas important.

— J'ai entendu dire qu'il avait du style, dit Caroline.

— Du style ? Où as-tu été chercher ça ?

— Dans l'avion. La femme assise à côté de moi habite dans ton district. Une vieille beatnik. Boucles d'oreilles de style abstrait, col roulé turquoise, queue de cheval grise. Elle disait que ce type, le gars qui tient le café...

— Bertelli.

— Oui, elle disait qu'il avait une sorte de charmant style à l'européenne.

— Bon, qu'est-ce que ça veut dire, à ton avis ?

— A mon avis ? Cela veut dire qu'il porte des chaussettes sous ses sandales et qu'il vous pince les fesses.

— Exactement. Qu'a-t-elle dit encore ?

— Tu es prêt à l'entendre ?

— Bien entendu, c'est mon *boulot.*

— Bon, elle ne savait pas que j'étais ta sœur.

— Oh ! mais tu t'es montrée très perfide, Caroline ! Que disait-elle ?

— Je ne me souviens pas exactement des mots qu'elle a employés, mais elle semblait te mettre dans le même sac que la bande qui a jeté Carmichael dehors. Elle trouvait que tout le monde faisait un peu nazi.

— Oh, Seigneur ! Je ne peux pas le croire.

— Écoute, Fielding, c'était une marginale. Tu dois tenir compte des contingences.

— Ça me rend malade. Je pensais être le représentant le plus libéral du Congrès et voilà que les gens me considèrent comme le candidat de la majorité morale. Tout va de travers dans ce pays. Personne n'écoute.

— C'est cette folie des exercices physiques. Les gens aiment sauter par-dessus les raisonnements pour arriver aux conclusions.

Je me tus un moment et la regardai boire une gorgée de bière. Lorsque j'ai envie de boire, je sens un goût amer, désespérant, au fond de ma gorge. Je le ravalai.

— Je suis content que tu sois venue, dis-je.

— C'est que je ne veux pas te voir perdre ces élections, dit Caroline. Si tu échoues, c'est nous tous qui échouons, tandis que si tu gagnes, tu provoqueras peut-être une étincelle chez Danny et chez moi. Nous avons besoin d'un gagnant, Fielding.

— Je croyais que tu détestais ces discours sur les gagnants et les perdants, dis-je.

— J'essaie de m'adapter à l'esprit du temps.

— Attends d'avoir rencontré les gens qui s'occupent de ma campagne. Tu te demanderas si le totalitarisme n'est pas une meilleure idée.

— Crois-moi, je m'attends au pire ; après avoir regardé Corvino danser la tarentelle sur le dos de Mom pendant quinze ans...

— C'est à peu près pareil. Des gros culs qui cherchent un tour de manège gratuit.

— Alors, comment vais-je m'intégrer là-dedans ? demanda Caroline.

— Le plus important, c'est que tu le veuilles. Tu y arriveras. C'est indispensable. J'ai besoin de quelqu'un à qui je puisse me fier.

— Tu contrôles la situation ?

— Sur tous les points, hormis un seul.

— Oui ? Lequel ?

— Je perds la tête.

— Dans ton cas, ça semble porter ses fruits.

Je posai ma fourchette, croisai les mains sur mes genoux.

— Quelque chose ne va pas, dis-je.

Caroline baissa les yeux. Déception ? Gêne ? Ou me laissait-elle simplement la voie libre ?

— C'est Sarah, repris-je.

— Tu as beaucoup parlé d'elle à New York, pendant les fêtes de Noël.

— Je traverse une mauvaise passe en ce moment, Caroline.

— Elle te manque ?

— Non. C'est autre chose. Je la sens.

Je me tins coi. Une sensation de fatigue insurmontable m'envahit, comme si la peine, tels les sables de Jupiter, m'emplissait de la tête aux pieds.

— Que veux-tu dire, Fielding ? Comme si elle était en vie ?

— J'ai reçu des coups de téléphone. Des messages. Ils arrivent quand je suis absent. De Sarah. Et je ne sais pas comment ça s'est produit, comment j'ai pu me laisser prendre, mais je les ai crus. Je me suis mis à croire qu'elle était vivante. Quelle était, je ne sais pas, revenue d'entre les morts, ou qu'elle n'était jamais morte, ou qu'il existe un secret sur la mort, inconnu jusqu'ici, et qui surgit maintenant au grand jour. Ça ne sert à rien de chercher une explication. (Je remarquai la détresse sur le visage de Caroline, et baissai la voix :) Je la sens dans la neige.

— Oh mon Dieu, Fielding, dit-elle en cherchant ma main, qu'elle serra. (Ses doigts étaient glacés.) Mon pauvre Fielding.

Ses yeux brun clair s'emplirent de larmes.

— Elle me manque tellement, dis-je, et ma voix se brisa comme une coupelle de terre blanche.

— C'était une femme étonnante, dit Caroline. Je peux comprendre que tu aies pensé qu'elle ...enfin, tu sais.

— Le désir fait de nous des idiots, dis-je.

— Dieu merci.

Puis ce fut le silence. Dans mon dos, j'entendis les sons furieux émis par le cuisinier de Victor qui glapissait en cantonais, le flot ininterrompu de ses paroles, qu'il ponctuait de grands coups de recettes sur la table. Caroline coupa en deux un morceau d'agneau et soupira en le portant à sa bouche comme si sa fourchette était très lourde, ou comme si elle était sur le point de devenir végétarienne. J'eus une sensation de froid intense au creux de l'estomac. Je savais qu'elle était sur le point de dire quelque chose, et je n'étais pas certain de vouloir l'entendre.

— Une fois, j'ai cru la voir, Fielding, me dit-elle d'une voix douce.

Elle reposa soigneusement sa fourchette sur le bord de son assiette.

Je ne sais pas exactement ce que je dis alors. Quelque chose du genre : Vraiment ? ou : Qui ? ou peut-être : Tu veux dire Sarah ? Mais je connaissais déjà, j'étais déjà en train de contempler ce qui se produisait comme on regarde un objet, un œuf glisser à la surface de la table, sans pouvoir faire autre chose que des gestes muets en attendant le petit craquement fatal qui vous ramène dans le temps.

— Oui, disait Caroline, il y a environ deux ans ; c'était ce genre de chose trop insensée pour qu'on en parle. Mais cela lui ressemblait tellement. Je me trouvais à l'angle de la 44e Rue et de la Cinquième Avenue. Je tournais à gauche quand je l'ai vue sortir d'un restaurant japonais. Elle était avec un homme plus âgé qu'elle, très mince, la soixantaine. Je ne devrais pas dire *elle*. Cette femme. La femme qui ressemblait tellement à Sarah. J'étais terriblement secouée. Je n'ai pas perdu de temps en subtilités. J'ai simplement dit : « Sarah, Sarah ? », et elle m'a regardée bien en face. Ses yeux se sont rivés aux miens. Tu sais, cette expression qu'elle avait ? Tellement passionnée que c'était comme une agression qui vous faisait faire un pas en arrière. Ce regard dans son visage... Elle avait l'air *prise au piège*. Comme dans une rafle, tu sais ? Elle a posé deux doigts sur ses lèvres. Elle paraissait effrayée, mais il y avait autre chose dans ses yeux qui demeuraient fixés sur moi. J'étais trop étonnée pour avoir peur, ou être perplexe. C'était comme si la réalité de sa mort était sortie momentanément de mon esprit, comme si la surprise résidait seulement dans le fait que je la rencontrais dans la 44e Rue alors que je la croyais ailleurs. Puis, j'ai reçu le choc. Et j'ai eu vraiment peur. C'était le 8 décembre, je m'en souviens très bien. La veille du jour où Rudy et Malik sont revenus de l'école avec une théorie sur le bombardement de Pearl Harbor extrêmement compliquée...

— Je t'en prie.

— Désolée. J'étais seulement en train de me souvenir. De

toute façon, je ne vois pas ce que je pourrais ajouter. (Elle eut un geste d'impuissance.) Je l'ai appelée encore une fois, mais alors elle — oh, je ne devrais pas dire *elle* — , la femme, la femme qui ressemblait à Sarah, a pris l'homme âgé par le bras. Il portait un pardessus de lainage noir. Et ils se sont éloignés rapidement en direction de l'ouest. J'étais trop abasourdie pour les suivre aussitôt. Puis je me suis décidée. Il y avait beaucoup de monde. Le vent montait de la rivière. La neige ne tombait pas très dru, mais elle me mordait le visage. Puis la femme s'est retournée. Je crois que je l'avais effrayée, et qu'elle voulait vérifier si je la suivais toujours. Mais quand j'ai revu son visage, ce n'était plus le même. Elle ne ressemblait plus à Sarah, plus vraiment. Alors, je me suis arrêtée, j'ai fait demi-tour. Tu sais, Fielding, il vaut mieux oublier ça.

— Tu l'as vue, dis-je. Tu l'as vue ?

— Fielding, pria-t-elle, puis elle dit quelque chose d'autre. Je pouvais voir ses lèvres former les mots, le bout de sa langue aller et venir, je pouvais voir les plis de son front, ses gestes mesurés, mais le sens et le son de ses paroles étaient, par-delà moi-même, une fenêtre située auprès du faîte crénelé de l'instant qu'il était vain de chercher à atteindre. Je repris mon souffle et entendis l'effort qui le sous-tendait, un son crissant, lamentable, évoquant la panique qui vous gagne en eaux profondes. Et puis il y eut un cœur qui martelait un pas de charge hideux, sans frein, d'ivrogne. Caroline n'acheva pas ce qu'elle était en train de dire, me regarda avec une expression de panique, tendit la main, mais je ne sentis pas son contact. J'essayai de déglutir, mais il y avait une barre dans le fond de ma gorge. Je dénouai ma cravate, fit sauter deux boutons de ma chemise, posai la main sur ma poitrine. J'avais peur de respirer, redoutais d'entendre encore le raclement étranglé, au lieu de quoi j'entendis un grognement menaçant de bête à l'agonie perchée sur mon épaule. C'était le râle d'un mort. Le restaurant trembla, je perdis connaissance.

Caroline m'appelait, et la première chose dont j'eus conscience fut sa présence à mon côté ; de l'autre, Victor me tenait. Ils me relevèrent. J'entendais le son de ma voix sans savoir qui parlait. J'eus le réflexe de me jeter de côté comme si la mort avait fondu sur moi puis, ayant manqué de peu sa proie, s'apprêtait à frapper de nouveau. Je sentis une douleur cuisante au front, là où il avait heurté la table. Des restes du déjeuner étaient mêlés à des débris de porcelaine bleue sur le parquet. Tout me paraissait couleur d'étain, et sur le point d'entrer en fusion. Je me concentrai sur le cuisinier. Il était debout derrière sa table, une poignée de recettes à la main, grattant sa maigre barbe du pouce et de l'index. Il me considérait d'un regard totalement dépourvu d'émotion.

10

Notre appartement était petit et dénué de charme : nous étions toujours complètement fauchés. Sarah n'avait pas le don de ces femmes capables de faire de l'or avec de la paille, de composer des bouquets de fleurs sauvages, d'acheter pour quelques dollars des mètres de tissus indiens somptueux et de transformer cette ambiance sinistre en un endroit gai et charmant. Comme des espions dans une planque, nous vivions dans quatre pièces du style étudiant à perpétuité ; nos assiettes n'étaient pas assorties, nous n'avions même pas de saucière, nos couverts en argent avaient appartenu aux locataires précédents, qui avaient probablement conclu qu'ils ne valaient même pas le prix du carton d'emballage. Il y avait une porte vitrée entre le salon et la salle à manger, mais l'appartement avait été si longtemps occupé par des étudiants que la salle à manger était depuis dix ans une chambre, et les carreaux de la porte avaient été peints en rouge et noir. Notre chambre à coucher était grise, avec une moulure verte. Nous l'avions peinte nous-mêmes. Notre matelas à deux places reposait à même le sol. Il était si dur, si peu élastique et Sarah était si maigre que souvent la peau de son dos, le long de la colonne vertébrale, était rose et mauve. Elle refusait de faire l'amour dans le confort, l'idée de baiser dans du coton, dans le bien-être, lui faisait horreur. Je me demandais parfois si l'importance excessive qu'elle attribuait à quasiment tout contact sexuel n'était pas une forme de pudibonderie. Parfois, cela me rendait fou ; il n'était tout simplement pas possible de la culbuter vite-fait-bien-fait. Une nuit, réveillé par un épouvantable cauchemar (une fosse, une corde qui s'effilochait, etc.), je me pressai contre elle. La chair tiède et ferme de ses fesses, le Chanel n° 19 au creux de sa nuque me tirèrent des horreurs nocturnes pour me plonger dans un érotisme impatient. Je glissai la main entre ses jambes, la fouillai. « Non ! » siffla-t-elle, furieuse. Faire l'amour sans cérémonie, c'était comme aller à la messe avec des vêtements sales : il fallait le mériter, donner à l'événement une valeur transcendante ; de son point de vue, cela ne pouvait se passer en toute simplicité, dans la détente ; il lui fallait du suspense, poussé jusqu'à l'exacerbation du désir. Telle était la quintessence de l'amour à Chicago, dans cette pièce grise et verte : au-dessus d'elle, appuyé sur les mains, nos corps unis par le bassin, le sexe, le haut des cuisses, je plongeais en elle et m'en retirais très lentement, la sueur ruisselant le long de mon épine dorsale, muée en glace salée, nos souffles conjugués, haletants, le haut de nos corps ardant d'entrer en contact, alors même qu'à la plus légère tentative de me rapprocher d'elle, d'un geste, d'un signe, d'un regard, elle me l'interdisait. La tension mettait mes épaules, mes biceps, mes avant-bras, mes poignets, mes doigts, à rude épreuve. J'avais à la fois l'impression d'être sur le point d'exploser, à tout instant, et celle d'être à jamais privé de répit. Elle se mouvait sous moi avec une régularité et une énergie inépuisables, aveugles. Et puis, peu à peu, le mouvement s'acheminait vers le chaos, et son souffle — ou était-ce le mien ? — se brisait, et de la fêlure surgissaient des sons aigus, avides, sans recours, qui n'étaient ni prière ni encouragement, et mon désir de la toucher tournait à la manie, comme si le contact de nos poitrines et de nos ventres allait m'affranchir de l'exil, quand enfin nous jouissions (ce qui, grâce à Dieu, ne venait pas trop vite), et que je me vidais en elle, et qu'elle s'épanchait sur moi, je tendais d'abord ma bouche, puis mon torse, et enfin mon estomac vers elle, et elle m'enlaçait, suspendant le cours du temps. Et c'est ainsi qu'il demeurera pour moi, suspendu pour toujours, toujours.

La Maison de la Résurrection n'était qu'une dépendance de l'église Saint-Christophe, au nord-est de Chicago. De brique sombre, avec des vitraux d'un rouge soutenu tirant sur le brun, l'église avait un aspect austère ; l'ami de Sarah, Steven Mileski, était l'un des deux prêtres en exercice. L'autre, un Mexicain suave, court sur pattes, gras, avec des cheveux bruns, un regard sombre, des lèvres minces et une voix haut perchée, s'appelait père Emmanuel Lopez. Le grand avantage du père Lopez était de parler l'espagnol — la moitié des fidèles étaient mexicains — , mais ceux qui vivaient dans la misère lui faisaient horreur. Il leur attribuait des rancœurs, de sordides petits projets de vengeance imaginaires ; il ne les tolérait même pas dans son église, où il les voyait en train de chaparder pour le plaisir, voler des bibles, les emporter chez eux pour arracher les pages qu'ils utilisaient comme papier hygiénique, dérober les lampes à huile votives pour boire la tequila dans les verres pansus rouges. Lorsqu'il prêchait, du haut de la chaire, les yeux du père Lopez roulaient : il était fermement décidé à prendre en flagrant délit de vandalisme les vieilles femmes brunes en larmes, vêtues de rigides robes noires et de molles sandales brunes, même lorsqu'elles s'agenouillaient devant lui les yeux fermés, le visage incliné comme des tournesols desséchés sur pied.

Il y avait l'église, et il y avait le sous-sol de l'église. C'est là que régnait Mileski. Cet homme n'avait pas son pareil pour les bonnes œuvres. Il dirigeait ce qu'il appelait des programmes hors de portée de la communauté : pour alcooliques, pour sujets tentés par le divorce, pour épouses et enfants battus, pour solitaires, pour infirmes, et même pour artistes en herbe. Il croyait en quelque chose qu'il appelait le partage communautaire et qui était, si je comprenais bien, une sorte de confession massive qu'il recueillait habillé en civil : Mileski s'asseyait à califourchon sur une chaise pliante d'un gris métallique, ses gros bras velus appuyés au dossier, ses yeux d'ange de l'apocalypse couleur de lave s'arrêtant sur tous les visages. Alors amis et voisins, tout d'abord hésitants, puis éloquents et, pour finir, fervents, décrivaient leurs fantasmes et leurs péchés, cherchant le pardon dans le son même de leur voix. La barbe de Mileski descendait jusqu'à son cœur ; ses cheveux, noirs comme du goudron, retombaient sur ses yeux ; son cou était tellement épais, tellement à l'étroit dans le col blanc, qu'il portait sa chemise ouverte : les poils en débordaient comme la mousse d'un verre de bière. Il veillait à émettre un flot régulier de suggestions : il était crucial pour lui qu'on ne le prît pas pour un prêtre ordinaire ; il était jeune et dans le coup. Il faisait des plaisanteries du genre : la chanson préférée du pape, c'est : *Papa's Got a Brand New Bag*[1]. Quand on lui demandait un conseil, il disait : « Eh bien, en tant que prêtre et représentant officiel de l'Église et de ses doctrines, je devrais dire ceci... » et il récitait un bref passage insipide de la doctrine en vigueur, en le prononçant de manière telle que ses critiques vis-à-vis du texte devenaient évidentes.

A côté de l'église, il y avait le terrain de sport où Mileski entraînait les équipes de basket-ball, de football américain et de football européen, qu'il avait appris lorsqu'il avait passé une année à Cracovie. Il avait une voix tonitruante et une confiance en lui à vous couper le souffle. Il était comme le personnage de la pantomime qui se frappe la poitrine en proclamant qu'à *lui,* rien de mal ne peut arriver. Lorsqu'il fallut recruter un centre pour l'équipe de basket de Saint-Christophe, le père Mileski joua face à un costaud des Appalaches, Reuben Martin, et après une partie féroce de quarante points, à l'issue de laquelle Mileski se retrouva trempé de sueur, le souffle court au point de ne pouvoir dire un mot, non seulement le vaincu, Reuben, voulut entrer dans l'équipe, mais lui-même ne se fit pas prier, cela faisait partie de l'enjeu, selon les meilleurs principes du catéchisme.

A côté de ce terrain de sport, il y avait la Maison de la Résurrection. C'était une petite maison de bois bleu et blanc qui avait autrefois servi de presbytère au curé de Saint-Christophe, et qui conservait une atmosphère monastique en dépit des nombreux fauteuils avachis et des affiches profanes qui l'avaient envahie. La Maison de la Résurrection était une

1. Papa a eu un sac tout neuf.

idée du père Mileski : il voulait qu'existe un endroit où les sans-abri, les timorés, toutes les âmes en détresse, pourraient se retrouver. On y trouvait toujours un lit, quelque chose à manger, quelqu'un à qui parler. Mileski tenait la maison avec l'aide d'Hector Guzman, un garçon qui fut appelé sous les drapeaux et trouva finalement la mort à Da Nang. Maintenant, Sarah s'y tenait, travaillant avec Mileski lorsqu'il était disponible, seule lorsqu'il ne l'était pas. C'était du service social dans la vieille tradition de l'Église catholique. Pendant des années, le voisinage avait fonctionné comme une sorte de petite gare de triage pour les nouveaux venus à Chicago. On les accueillait, on les aidait à démarrer, et on les laissait voler de leurs propres ailes dans des conditions parfois meilleures lorsque la rame suivante arrivait. Mais tout cela avait changé. Le monde meilleur — emplois, programmes d'hébergement — n'existait plus. Le voisinage était devenu plus agressif, plus dense, désespéré. « Nous avons là un travail taillé à notre mesure. » C'était ainsi que le père Mileski envisageait la situation, et Sarah, me semblait-il, partageait entièrement son point de vue. Il fallait être cintré pour croire qu'une Église pouvait soulager les misères du quartier. Mais, tels deux cœurs téméraires essayant de sauver du naufrage un navire en écopant avec des tasses à thé, Sarah et Mileski ouvraient les portes de la Maison de la Résurrection à tous les sans-logis pour la nuit, la semaine, ou l'éternité.

C'est là que Sarah se fit à des tâches ménagères auxquelles je n'aurais jamais cru qu'elle eût pu s'intéresser, ou dont je ne l'aurais jamais crue capable. J'estimais, peut-être par jalousie, qu'elles étaient totalement incompatibles avec ce que je considérais comme ses qualités éminentes. Elle passait un temps fou à pousser un vieil Electrolux, à retaper des lits, à laver des draps, et la sacrée bouteille de soda remplie de fleurs des champs qui aurait pu égayer notre logement sinistre demeurait posée sur la table en formica de la Maison de la Résurrection, constamment pleine de monde et d'odeurs tenaces.

Je demandais à Sarah pourquoi elle faisait un travail de bonne sœur, mais elle le considérait comme la crème de ce monde et de l'autre — ou peut-être était-elle seulement en train de me ménager : « Je peux me consacrer aux bonnes œuvres le jour et boire du calvados et m'éclater la nuit. » Mais il y a des vérités si fragmentaires qu'elles en deviennent des mensonges, et c'était, je le crains, le cas de celle-là. Le fait est qu'elle rentrait de plus en plus souvent à la maison sans pouvoir parler d'autre chose que de la galaxie des misères humaines dans laquelle elle tournait à longueur de journée. « C'est tellement affreux, me disait-elle, si incroyablement perverti. L'Église pense que le maire, Daley, est plus proche de Dieu que les gens dont nous nous occupons, Steven et moi. Si le Christ descendait parmi nous aujourd'hui, il le ferait sans doute, aux yeux de l'Église, avec un valet de chambre et une Mercedes. » « Pourrions-nous parler d'autre chose ? » demandais-je. Elle marquait une pause. « D'accord. » Puis, après une autre pause, s'enquérait : « Comment ça va à la fac ? »

Thanksgiving, 1974. Tammy, la sœur de Sarah, était venue habiter chez nous. Elle ne s'était pas encore séparée de Derek — l'homme aux pyjamas de soie, dont le caniche s'appelait Cynthia, et qui se rasait le buste —, mais elle avait beaucoup maigri. « Je vous jure que ce petit salopard ne va pas *me* plaquer. Je vais devenir belle, et maligne, et puis c'est moi qui *le* plaquerai. » Elle était venue à Chicago, disait-elle, pour fêter un véritable Thanksgiving américain et, d'ailleurs, la première neige de l'hiver tomba le jour de son arrivée. La seule fenêtre de l'appartement qui donnait sur la rue se trouvait dans la salle de bains, et Tammy resta assise pendant des heures sur le rebord de la baignoire à regarder tomber la neige.

— Elle craque, me murmurait Sarah. Ça me fait peur.

— Je dois sans cesse me répéter qu'elle est ta sœur pour le croire, dis-je en hochant la tête, et je n'y arrive pas.

— Elle n'a pas l'air aussi méridionale à la maison, dit Sarah.

— Tout de même, regarder la neige...

— Je sais, je sais, ce n'est pas comme si elle ne l'avait jamais vue. Daddy leur a offert un voyage de noces à Aspen, à elle et à Derek ; cadeau de mariage. Peut-être, là-dedans, ne fait-elle pas autre chose que se souvenir de ça...

— Derek, dis-je.

— Je sais. Je sais. Nous tenons de notre mère ce mauvais goût en matière d'hommes.

Sarah m'enlaça, s'appuya contre moi. Nous nous trouvions dans la cuisine, en train de préparer le repas de Thanksgiving, une dinde à la jambalaya[2]. Un millier de fois déjà, nous avions commencé à chanter « Oh, jambalaya, tarte aux écrevisses filé gumbo », mais sans jamais aller plus loin. Il y avait une carafe d'Inglenook sur la table et, près de l'évier, une tarte au potiron que nous avions achetée toute prête. L'apparence de notre vie domestique me frappa ; à cause de la lumière de l'appartement, peut-être, lueur sale, ombreuse, sinistre, il m'apparut que le rituel que nous observions pour cuisiner, balayer, retaper les coussins du vieux canapé à fleurs et des chaises était à un ménage digne de ce nom ce qu'un petit jardin clos perdu au milieu d'une étendue sauvage est aux cultures.

Nos invités, pour le dîner, étaient le père Mileski, le père Stanton, l'une de ses amies, la poétesse Madeline Conners, et Bernardo Gutierrez, un professeur que l'on venait de faire sortir clandestinement du Chili et qui se terrait à présent à Chicago. Invité imprévu, il arriva avec Madeline Conners.

Madeline était boulotte ; elle avait des cheveux châtain clair ; de légères taches de rousseur faisaient un étonnant masque d'innocence à son visage attentif, ridé, au regard bleu, perçant. A près de quarante ans, elle avait parcouru le monde entier et polissait de temps à autre quelques lentilles lorsqu'elle avait besoin d'argent pour publier ses poèmes à compte d'auteur. Elle fumait ses Camel comme un prisonnier : l'extrémité incandescente de la cigarette approchait ses lèvres pleines et gercées de si près qu'on ne pouvait s'empêcher de la regarder. Madeline occupait un appartement proche du nôtre, qu'elle gardait en l'absence des propriétaires, partis à Taiwan acheter des modèles de jouets. Ils allaient bientôt revenir, et elle se préparait à partir une nouvelle fois, pour Silver Spring, dans le Maryland, où vivait son frère, et où elle pourrait travailler pendant deux mois dans une fabrique d'instruments d'optique, tout en parachevant son nouveau recueil de poèmes. Bernardo avait

2. Plat de riz avec du jambon, des saucisses, des crevettes, etc.

jusqu'alors vécu avec elle dans un climat qui, j'en avais l'impression, était celui de la franche camaraderie, mais il n'avait pas envie de la suivre dans le Maryland.

Âgé d'une quarantaine d'années, Gutierrez était grand et avait cette allure mélancolique qui caractérise certains exilés. Alors que le président Allende était encore au pouvoir, Bernardo avait quitté son poste à l'université pour collaborer, avec le nouveau gouvernement, à la rédaction de communiqués de presse, de discours. En bon économiste, il se gardait de la rhétorique, et plus encore, mais cette fois par inclination naturelle, de l'exaltation. Sa clarté d'esprit lui permettait de présenter avec simplicité des questions économiques compliquées. On lui donnait beaucoup à faire. Lorsque les généraux chiliens liquidèrent Allende et son régime, Gutierrez entra dans la clandestinité. Un par un, puis douzaine par douzaine, tous les gens qu'ils connaissaient furent arrêtés, portés disparus, assassinés, parfois retrouvés au fond d'une rivière, les yeux brûlés et les testicules cousus dans la bouche. Bernardo trouva refuge dans un couvent proche de Valparaiso, où sa sœur était religieuse. Finalement, on put le faire sortir du pays.

— Pourquoi êtes-vous venu ici ? lui demandai-je. Vous devez bien avoir quelques reproches à adresser aux États-Unis.

Gutierrez m'écouta, bouche pincée, et hocha la tête. Il croisa ses mains, étonnamment fines, sur son gros ventre rond.

— Peut-être irai-je à Cuba, finit-il par répondre dans un soupir.

Je jetai un coup d'œil à Sarah. Sa réponse pouvait donner l'impression que je lui avais demandé de quitter mon pays.

— Peut-être, lorsque ce cauchemar sera terminé, retournerez-vous un jour au Chili, lui dit-elle en levant son verre.

— Je ne voulais pas dire que vous *devriez* partir, précisai-je, me sentant maladroit, agacé. Je pensais seulement que vous ne voudriez pas rester, étant donné que nous n'avons pas rendu les choses faciles pour votre président.

Gutierrez me regarda fixement. Je m'étais toujours flatté de croire qu'il n'existait à peu près personne avec qui je ne pourrais communiquer aisément, mais en dépit de la sympathie et du réconfort que j'essayais de lui transmettre, le Chilien n'en glissait pas moins dans le fossé entre Anglais et Espagnol, comme un chien tombe dans un torrent et se débat pour en ressortir semblable à une belette. Je lus dans ses yeux que le fait de dire « nous n'avons pas rendu les choses faciles » signifiait que je me considérais comme partie intégrante des forces qui avaient fomenté le coup d'État : comme tant de gens engagés sans réserve, il prenait les opinions pour des désirs.

Nous servîmes le jambalaya. Madeline retira soigneusement tous les morceaux de dinde qu'elle laissa de côté, en un tas, sur le bord de son assiette de porcelaine bleue. Tammy, qui tout d'abord s'était sentie mal à l'aise en voyant arriver les ecclésiastiques et en comprenant qu'il allait falloir se tenir convenablement, et qui ensuite avait éprouvé une autre sorte de gêne, celle du bon citoyen offusqué par la déloyauté séditieuse de ses compagnons de table, saisit l'occasion que lui offrait l'apparition du jambalaya pour se montrer plus méridionale encore. Elle se répandit en oh et en oh là là, agita sa fourchette en direction de Sarah, en disant : « Il y a là de quoi être fière, ma chérie. » Mileski mangeait de bon cœur. Je fus étonné par la formidable quantité de nourriture qu'il avait entassée sur son assiette. Il nous avait demandé de joindre nos mains avant le repas, ce que nous fîmes. Je tenais la main dure et sèche de Madeline, et celle, douce et nerveuse, de Tammy. Nous fermâmes les yeux, pour méditer en silence sur notre bonne fortune. Il me sembla que la pression de la main de Tammy était légèrement excessive, et la pensée pénible qu'elle voulait flirter avec moi me traversa l'esprit, puis je compris qu'elle essayait simplement de se faire un allié. Elle était consternée par l'assemblée, et pensait que je partageais son sentiment.

— Quelle étrange fête, dit Stanton, avec son accent rhodésien. Voici que nous nous conformons au rituel d'une bande de protestants rapaces qui ont fondu sur cette terre et s'en sont emparés.

— Ce que j'aurais vraiment aimé être, dit Mileski, la bouche pleine de jambalaya, des gouttes de vin accrochées à sa moustache, c'est un de ces prêtres qui débarquèrent ici vers le milieu du dix-neuvième siècle.

— Était-ce une époque vertueuse ? demanda Sarah, le visage illuminé de joie anticipée.

— Eh bien, dit Mileski en souriant, on pourrait le dire. (Il avait laissé sa serviette à côté de son assiette, et s'essuyait la main dessus.) Voyez-vous, l'Église est venue avec le troupeau, et le troupeau se trouvait dans les villes. (Il me regarda et cligna de l'œil.) Se tuant à la tâche. (Puis il s'adressa de nouveau à Sarah et, des pointes de sa fourchette, au reste de la tablée.) Les choses se tenaient à peu près. L'Église administrait les catholiques qui se trouvaient à portée de sa main et essayait à toute force de maintenir les usages du vieux continent. Elle aidait aussi les immigrants à s'adapter à toute cette nouveauté américaine. Mais quand l'*Ouest* commença à s'ouvrir... (Mileski sourit et secoua la tête.) ...ce fut une tout autre histoire. Soudain, il y eut des catholiques dans le Nevada, l'Oregon, et des catholiques qui cueillirent les raisins de la Californie. Et personne pour les surveiller.

— Personne pour les maintenir dans le sillon, vous voulez dire, lança Sarah, d'un ton enjoué.

Mileski s'inclina, heureux de lui concéder ce point. Je me dressai à demi, pour remplir les verres, et me rendis compte que je n'avais cessé de le faire, depuis le commencement du repas. Stanton avait une petite allure bancale et les yeux de Madeline Conners étaient rosâtres, comme l'intérieur des tomates de serre.

— Les prêtres étaient trop peu nombreux en Amérique pour être envoyés hors des villes. Aussi les évêques durent-ils prendre des mesures d'urgence.

Mileski posa un regard sur son assiette, mais décida de terminer son histoire avant d'avaler une nouvelle bouchée. Il prit de la nourriture sur sa fourchette, la maintint sur le rebord de son assiette.

— Ils durent *importer* des prêtres d'Europe et les lancer aux trousses des catholiques américains. Ce n'était pas une mauvaise solution, me direz-vous. Mais, voilà le hic, les seuls prêtres qui consentirent à traverser l'océan furent ceux qui avaient connu des temps difficiles. Je veux parler de prêtres qui avaient sombré dans l'alcoolisme, de prêtres... (Mileski se mit à rire.) ...de prêtres qui avaient l'esprit un peu dérangé et encore de ceux qui avaient été surpris dans des situations assez embarrassantes. Et quand ils arrivèrent ici et furent lâchés dans la nature... eh bien, il se produisit nombre de choses plutôt curieuses. Pour les évêques, ce fut une ère de terreur.

— Et c'est cette époque que vous regrettez ? demanda Sarah en me faisant signe de verser du vin au père Stanton.

— Là sont mes *racines*, dit Mileski. Là, ma tradition pastorale. Vous voyez bien qu'il faut que cette Église soit sublimement folle pour laisser un polack comme moi porter la soutane.

Nous étions tous en train de nous enivrer, et je me demandais si l'oubli vers lequel je m'acheminais avait quelque chose à voir avec l'aisance et la facilité de communication que les autres recherchaient dans l'alcool. Je buvais comme si je voulais arriver à temps à Samara pour un rendez-vous, d'abord très vite, puis lentement, puis de nouveau vite. Mileski semblait boire pour pouvoir se confier, tandis que Sarah buvait pour accélérer ses ripostes, pour paraître spontanée. Stanton, lui, buvait pour oublier et Madeline Conners, simplement pour se détendre. Tammy, autant que je pouvais en juger, buvait pour faire passer la nourriture, et le Chilien Bernardo Gutierrez, je m'en rendais compte, pour rendre sa peur supportable.

— Quand pensez-vous pouvoir sortir ces généraux du palais présidentiel et restaurer la démocratie ? lui demandai-je.

Les yeux de Bernardo s'orientèrent dans ma direction. Ses gestes étaient lents, mesurés. Il manœuvrait sa mécanique comme si elle était sur le point de tomber en morceaux. Il se tapota les lèvres avec le bord de sa serviette, puis but une gorgée d'eau glacée.

— J'espère rentrer bientôt dans mon pays, dit-il.

— Le reste de l'Amérique latine doit se soulever, dit Sarah. L'Argentine, le Pérou.

— Attendez une minute, dit Tammy de manière tout à fait inattendue. Ces endroits, là-bas, sont *toujours* en pleine révolution. Ils ont un nouveau président chaque *semaine*, n'est-ce pas ?

Un silence réprobateur tomba. Ce fut Madeline Conners qui le rompit pour déclarer :

— C'est ce que les journaux essaient de nous faire croire. Mais ce n'est guère que de la propagande. Aucune raison de tomber dans le panneau, T... euh...

— Tammy.

— Tammy, reprit Madeline, hochant la tête.

— Ce type pour lequel vous travailliez, dit Tammy, pointant son index vers Gutierrez, combien de temps l'a-t-il gardé ?

— Gardé quoi ? demanda Bernardo.

— Eh bien, le pouvoir. Pendant combien de temps a-t-il gouverné ?

— Un peu moins de deux ans, malheureusement, répondit-il.

— Jusqu'au moment où nos fusils et notre argent l'ont fait tomber, dit Sarah.

Tammy, d'un geste, lui intima de se taire.

— Là n'est pas la question, dit-elle.

— Mais la question *est* justement là.

Même si je ne le voyais pas, je savais qu'il y avait maintenant un espace entre le corps de Sarah et sa chaise. Sa façon de discuter était très différente de la mienne. Par instinct, je laissais toujours croire à mon interlocuteur que peu de choses nous séparaient vraiment, tandis que l'esprit et le cœur outragés de Sarah creusaient toujours le fossé. Si elle parlait avec vous des toilettes féminines, elle finissait sans coup férir par laisser entendre que vous étiez du côté des violeurs. Si vous ne faisiez pas grand cas des Rolling Stones, elle vous démontrait que vous n'aviez jamais vraiment aimé le rock. Elle avança son buste au-dessus de la table pour dire à Tammy :

— Ne me dis pas que tu n'as jamais entendu parler de la CIA. Tu sais, l'âge de l'innocence est passé depuis pas mal de temps déjà. Notre gouvernement dépend de gens qui s'en moquent et suivent leur propre voie.

— A t'entendre, dit Tammy d'une voix délibérément suave, étrange, tout le monde s'en moque, sauf toi.

Elle laissa tomber ses mains sur ses genoux et les pressa l'une contre l'autre.

— Dis-moi simplement ce qu'à ton avis notre gouvernement fait dans ces pays-là, dit Sarah.

— Je ne sais pas, répondit Tammy comme si on lui demandait de décrire les fonctions des parties honteuses de notre anatomie.

— Exact, dit Sarah en baissant le menton, tu ne sais pas.

— Qu'est-ce que ça veut dire ? Que nous sommes les méchants et que le reste du monde est peuplé d'anges ? demanda Tammy.

Je dus lui reconnaître, non sans admiration, un empressement à soutenir le combat et à en vouloir, même si je souhaitais qu'elle abandonnât la discussion, qui l'intéressait à peine, et dans laquelle elle ne pouvait que récolter des coups, sans espoir de victoire.

— Demande au père Stanton ce que notre pays a été capable de faire en Afrique du Sud, reprit Sarah. Ou demande à Bernardo. Bernardo n'a même pas le droit d'être ici. Il doit vivre dans la clandestinité, comme un criminel.

Soumise, Tammy regarda Stanton. Le beau prêtre aux cheveux d'argent était effondré dans son siège. Ses yeux bleus superbes semblaient noyés dans un brouillard.

— Je dois admettre, dit-il, que les Américains n'ont pas été très utiles.

— Lorsque je voyage, dit Madeline Conners, il m'arrive de dire aux gens que je suis canadienne. Je ne peux pas supporter la honte, vous savez.

— Parfois, nous ne savons pas quand l'Histoire nous choisira, dit Bernardo d'une voix douce. (Ses yeux se posèrent sur Tammy avec une gentillesse extrême ; il était clair qu'offusqué par l'agressivité nordique des autres, il voulait la mettre à l'aise.) Avant le président Allende, je me préoccupais fort peu de politique. Je cultivais mon jardin. (Il effleura la monture de ses lunettes du bout des doigts.) Cette époque me manque. C'était bien, alors. Et puis... (Il haussa les épaules.) ... la vie change. Nous changeons. C'est ainsi.

— Bon Dieu, s'exclama Madeline Conners en passant la main dans ses courts cheveux frisés, cela me *contrarie* tellement, Bernardo. Je ne comprends pas pourquoi vous refusez de m'accompagner dans le Maryland.

Il haussa les épaules, eut un geste désabusé.

— Je ne peux pas, dit-il. Toute cette partie du pays est très dangereuse en ce moment. Washington est rempli... d'hommes très dangereux.

— Première nouvelle, s'exclama Mileski d'une voix fort gaie. C'est nous qui les avons élus.

— Il veut parler des tueurs, dit Madeline, des Chiliens envoyés par la junte qui traquent tous ceux qui, fidèles à l'ancien régime, pourraient faire des révélations, dire la vérité.

— Alors, si vous le savez, dit Sarah, pourquoi lui demandez-vous de vous accompagner ? Et s'il lui arrivait quelque chose ? Il est sous *notre* responsabilité.

— On pourrait prendre des précautions, répondit Madeline.

Tammy repoussa sa chaise et se leva. Elle vida son verre debout, et me demanda :

— Il y a un téléphone dans la cuisine, Fielding ?

Après lui avoir répondu affirmativement, je me sentis soulagé de la voir s'éloigner pour un moment. Lorsqu'elle reviendrait, nous aurions déjà changé plusieurs fois de sujet de conversation, et elle se sentirait alors en sécurité, libre de poursuivre son dîner et ses vacances loin de Derek. J'écoutais ce que Stanton essayait de dire, mais il était sérieusement ivre maintenant, et son accent devenait opaque.

Soudain, il me sembla bizarre que Tammy m'ait demandé s'il y avait un téléphone dans la cuisine ; elle l'avait déjà utilisé deux fois ; avec Sarah, elle avait appelé chez elle, elles avaient parlé à leurs parents, à leur sœur. Tammy savait parfaitement qu'il y avait un téléphone dans la cuisine. Il devint clair qu'elle n'avait pas du tout posé une question, mais lancé un signal.

— Je vais chercher une autre bouteille de vin, annonçai-je en me levant.

— Prenez celle que nous avons apportée, dit Mileski. Nous sommes suffisamment ramollis maintenant pour la siffler sans trop sentir la brûlure.

— Steven, dit Sarah, pourquoi achetez-vous cette saloperie ?

— Je pense qu'un plaisir trop pur devient un péché véniel, dit Mileski au moment où je quittais la pièce et filais vers la cuisine.

Tammy était assise sur un tabouret à trois pieds, l'annuaire sur les genoux. Malgré l'épouvantable désordre qui régnait dans la cuisine, elle s'était préparé une tasse de café instantané. Elle semblait m'avoir attendu.

— Que se passe-t-il ? demandai-je.

— Comment peux-tu supporter ça ? me dit-elle d'une voix où, en dépit de la nourriture et du vin, transperçait l'émotion.

— Chacun de nous a ses opinions, répondis-je, son point de vue. Le mien n'est pas très éloigné du leur.

— Tu dis cela seulement parce que tu aimes Sarah. Tu as fait ton service. Tu es... normal. Ces gens-là ne sont qu'une bande de cinglés.

— Je n'en suis pas sûr, Tammy. Ils font ce qu'ils croient être bien. Il faut respecter ça.

— J'appelle le FBI, dit-elle.

— Voilà une idée formidable, dis-je. Nous aurions dû leur téléphoner depuis longtemps.

— Je suis sérieuse, Fielding. Et *eux* aussi. Ce type du Chili est entré illégalement dans le pays, si tu veux. Pourquoi crois-tu que notre gouvernement ne voulait pas de lui, ici ? Parce qu'il avait gardé les prêts de la bibliothèque ? Si tu veux, Sarah s'imagine que je ne suis qu'une écervelée obèse, OK ! Je ne veux même pas penser à ses foutues idées. Je ne lis sans doute pas les magazines qu'il faut, et je ne partage pas si tu veux les conversations qu'il faut avec des gens bien. Mais je sais pourquoi notre gouvernement ne voulait pas de cet avorton dans notre pays ; c'est parce qu'il est communiste.

Elle décrocha le combiné et se pencha en avant, louchant pour essayer de déchiffrer le numéro dans l'annuaire.

Je n'avais pas la tête très claire, et pas assez d'énergie mentale pour me lancer avec elle dans une discussion. Aussi traversai-je simplement la cuisine pour arracher le fil du mur. Comme un gangster. Le caractère irrévocable du geste souleva en moi un agréable nuage de sensations. Je demeurais là, le fil beige du téléphone à la main, souriant à Tammy. Elle tenait le récepteur muet contre son oreille. Il lui fallut un moment pour comprendre ce qui venait de se produire et, alors, elle posa les mains sur ses yeux. Les veines de son cou saillaient. Je m'approchai d'elle, la pris dans mes bras. Elle dégageait une merveilleuse odeur de four chaud. Elle ne recula pas à mon contact. Je la serrai contre moi, lui caressai les cheveux. Je pensais que son esprit battait la campagne et, en même temps, je comprenais ce qui la poussait à se conduire ainsi. Sarah la traitait avec rudesse, et ces prêtres lui faisaient peur. Elle avait l'impression d'être tombée sur quelque chose de dangereux, de mauvais, qui choquait par ailleurs sa sensibilité politique : elle avait voté deux fois pour Nixon et, au collège, avait porté un badge Goldwater.

— Ne t'inquiète pas, lui murmurai-je. Je sais que tu ne veux pas être comme ça.

— Ils n'ont pas le *droit,* dit-elle.

— Bien sûr qu'ils l'ont. Mais tout va bien. Allons, Tammy. Désolé pour le téléphone, mais... tu sais, nous avons tous beaucoup trop bu.

— Je veux rentrer chez moi, dit-elle d'une petite voix.

Parfait, pensai-je, sans piper mot. Je resserrai mon étreinte. Au même moment, la porte de la cuisine s'ouvrit et Sarah entra, les mains vides. Elle nous vit — Tammy, le visage enfoui dans ma poitrine, moi l'enlaçant — et resta un instant immobiie. Puis elle dit « Oups », tourna les talons et poussa la porte pour ressortir.

Nous avions passé Noël en compagnie d'un groupe hétéroclite de catholiques radicaux, mais j'eus Sarah pour moi tout seul la nuit du Nouvel An. Nous achetâmes une demi-livre de saumon écossais, deux bouteilles de Mumm, et louâmes une télévision pour regarder *Casablanca* et la fête dans Times Square. Les secondes défilaient sur le coin de l'écran, comme si nous allions être propulsés dans l'éther de l'éternité. Quand nous eûmes bu tout le champagne, j'allai dans la cuisine, en rapportai une demi-bouteille de vodka, et encore un quart de bouteille de vodka, plus ordinaire.

— Nous sommes vraiment arrivés au bout de nos réserves, dis-je.

— Pas étonnant, répondit-elle, tu passes toutes tes soirées à travailler, et après, tu vides une demi-bouteille de quelque chose.

— Ça marche très bien à la fac, me défendis-je.

— J'en suis persuadée, dit Sarah, mais au lit ?

Un lent frisson me traversa, et je parvins tout juste à répondre :

— Que veux-tu dire ?

— Je déteste être grossière, dit-elle. Et je déteste entendre les gens parler techniquement du sexe.

— Mais ce soir, c'est une occasion particulière, fis-je, porté par l'effet de l'alcool.

Ce qui allait être dit pesait déjà comme un rocher sur ma poitrine, première pierre du temple de la douleur qui allait commencer de s'élever.

— Allons, tout le monde sait que boire ne te réussit pas.

— Ça n'a pas l'air de te gêner chez Stanton, Mileski et les autres, dis-je en me raccrochant aux branches les plus basses.

— Ce n'est pas pareil pour les célibataires.

Elle allongea le bras, m'enleva les deux bouteilles des mains et m'attira près d'elle sur le canapé.

— Dis-moi le pire, murmurai-je.

— Il t'arrive de ne plus bander comme autrefois, et ce n'est ni ma faute ni la tienne, c'est cette saloperie d'alcool.

Cette nuit-là, dans un élan compétitif de fureur sexuelle, je lui fis l'amour comme si ma vie érotique en dépendait. Je fis tout un cirque en vidant dans l'évier la vodka, le vermouth, le retziné, la petite bouteille de Pernod, et encore la bouteille de Smirnoff que je gardais dans mon bureau. Le propriétaire s'était montré généreux, la vapeur sifflotait dans le radiateur de notre chambre bien qu'il fût deux heures du matin. Je lui fis l'amour, et je lui fis encore l'amour, et je lui fis encore une fois l'amour, tant elle était soumise à mon empire. Elle se donnait avec un oubli de soi proche de l'humilité, tout en conservant au fond d'elle-même une terrible puissance sexuelle, celle, farouche et rayonnante, de son sexe. Enfin, nous nous étendîmes l'un contre l'autre. Le radiateur était maintenant silencieux. Le vent et la neige glissaient sur notre fenêtre, et le froid gagnait peu à peu la chambre. Sarah prit ma main, la posa tout doucement sur sa vulve humide et ouverte, comme pour m'inviter à toucher quelque chose qui venait de naître, « Yuh », fit-elle. Elle laissa ma main là. Je pouvais sentir sa chaleur monter. Puis elle murmura :

— Je ne vais pas pouvoir supporter ça, Fielding. Je crois qu'il vaudrait mieux que tu te remettes à boire.

Le lendemain était le jour de réception d'Isaac et d'Adèle. Sarah et moi arrivâmes à trois heures de l'après-midi. Mrs. Davis était de service ce jour-là, secondée par sa fille Lucille, maigre créature aux yeux fous. Il n'y avait pas énormément de monde. Les Green tenaient à leur réputation d'élite. Les associés du cabinet étaient là, mais pas les jeunes avocats. On s'attendait à ce que je considère cette invitation comme un encouragement important, et je me gardai bien de trahir cette attente. J'étais le seul étudiant en droit, mais ces Wasp imposants et discutailleurs qui étaient mes maîtres pullulaient. Le sénateur Percy fit une brève apparition ; il avala deux bouchées au fromage, une coupe de punch, lança quelques plaisanteries nixoniennes, et s'en fut. Il devait certainement honorer de sa présence une vingtaine de fêtes, ce jour-là. Le sénateur Stevenson se trouvait aux Caraïbes ; Isaac et quelques autres ne l'appelaient pas autrement que « le fils d'Adlai », ainsi : « J'imagine que le fils d'Adlai attrape des coups de soleil sur son bateau. » Apparemment, faire de lui une miniature les rassurait.

Sarah avait déjà rencontré les Green. Isaac nous avait un soir invités à dîner à New York, et lorsque nous étions venus pour la première fois à Chicago, Isaac et Adèle nous avaient conviés deux fois à leur table. Ils ne faisaient pas, comme on dit, bon ménage. Bien qu'ils eussent vécu à Chicago pendant quarante ans et manœuvré dans la politique locale pendant à peu près aussi longtemps, Isaac et Adèle considéraient encore les filles catholiques comme des petites garces en chaussettes hautes et blazer vert, et le fait que Sarah vînt du Sud rendait leur façon de l'aborder des plus anthropologiques. « Il me semble que Robert Penn Warren a dit quelque chose là-dessus », avait dit Adèle, et à partir de ce jour, les choses étaient restées passablement coincées. Ils ne se seraient jamais montrés grossiers au point de suggérer que Sarah n'était pas la compagne idéale pour un garçon aussi prometteur, mais il était clair qu'ils le pensaient, et Sarah le savait, sans leur en vouloir pour autant. Elle admettait leur jugement, mais n'avait vraiment pas le moindre désir d'être le type de femme qui ferait une bonne épouse pour un futur homme politique. L'image de la petite dame avec son sac et ses chaussures assortis assise près de l'estrade était aussi adaptée à sa sensibilité que celle de la fermière roulant la pâte à tarte et mettant les courgettes en bocaux, ou encore de l'épouse du professeur offrant le thé et les biscuits à l'arrowroot à la dernière disciple nubile du grand homme. Le point de vue de Sarah sur le mariage était le suivant : je préfère encore *avoir* une épouse qu'en être une.

Je buvais de l'eau gazeuse et du jus de citron vert, me sentais excessivement tendu et vertueux. Sarah, dans un accès de solidarité temporaire, avait également décidé de ne pas boire. Elle portait un pantalon de soie noire et un chemisier bleu ciel. Ses cheveux brun foncé, brillants, étaient coiffés en une tresse à la française très élaborée. La réception n'était pas placée sous le signe de la grâce, et Sarah semblait étrange et vulnérable parmi ses semblables engoncées dans des robes brodées, souples comme des boîtes en carton, parées de coiffures figées et luisantes au-dessus de leurs visages roses, durs. C'étaient des femmes de coulisse, brillantes, rusées et énergiques, des femmes qui paraissaient avoir sublimé toutes leurs ambitions personnelles et une bonne part de leur sexualité au profit de la carrière de leur époux. Sarah se sentait intimidée. Elle restait près de moi, me disait : « Ne va pas faire le tour de la pièce, Fielding, ne me quitte pas. » L'occasion se présentait de lui faire payer tous ses abandons dans les sous-sols d'églises ou autour d'une table, quand aucun regard de saint homme ne condescendait à se poser sur moi, mais je décidai de me montrer magnanime.

Il se trouvait là un petit individu qui enseignait l'économie à l'université de Chicago, Oswald Ellis. Sarah s'engagea avec lui dans une discussion sur le nouveau gouvernement chilien. Les généraux qui avaient destitué Allende étaient, pour certaines raisons inexplicables, fortement influencés par le département d'économie de l'université de Chicago qui, sous la houlette de Milton Friedman, adepte de la libre entreprise, était en quelque sorte devenu le fer de lance de la réaction chilienne. Ainsi, avec des épaules aussi larges que des petits-beurre et un nœud papillon qui palpitait à son col comme un paon de jour, Oswald Ellis était non seulement très bien informé sur les problèmes chiliens, mais passionnément impliqué dans leur résolution. Il abreuva Sarah de torrents de statistiques. A ses yeux, Allende et ses acolytes socialistes étaient aux chambres de commerce ce qu'une bande d'adolescents psychotiques seraient à un conservatoire.

— Ne me parlez pas des droits de l'homme, lui jeta-t-il sèchement, ne vous risquez pas à me parler de ça. Ce n'est *pas* un droit de l'homme que de livrer aux forces du chaos une nation parfaitement stable et démocratique, et ce n'en est pas un non plus que de transformer une économie viable en un laboratoire d'expérimentation au nom de quelques idées marxistes dépassées et réfutées.

Sarah, de son côté, ne connaissait pas la moitié de ce qu'Ellis faisait pour le Chili, mais la force de ses convictions la poussait à résister de pied ferme, pour tirer les choses au clair. Elle connaissait par cœur les noms de douzaines et de douzaines de Chiliens qui avaient été torturés ou assassinés par la junte, aussi pouvait-elle contre-attaquer, chaque fois qu'Ellis alignait les chiffres des mines d'étain et de la pêche aux anchois, en lui lançant : « Et qu'est-il arrivé à Jorge Guzman ? Qu'est devenue Maria Sandro ? » Alors Ellis levait les mains en un geste d'exaspération qui voulait dire : « Ah ! cette femme est impossible ! » Pour éviter que la discussion n'adoptât un tour agressif, que le ton montât, je demeurais à côté de Sarah.

Isaac s'approcha de nous, accompagné d'une jeune femme mince, brune, très séduisante et pourtant effacée, vêtue d'une robe rouge assez habillée qui laissait voir ses épaules hâlées.

— Je veux vous présenter ma nièce, Juliet Beck, dit Isaac. Chérie, lui dit-il, voici — oh, tu as déjà rencontré Oswald —, et *voici* Fielding Pierce, et Sarah Wilson...

— Williams, précisa Sarah, tout juste aimable.

— Qu'êtes-vous donc en train de boire ? demandai-je à Juliet, qui devait un jour me rappeler ces premières paroles que je lui adressai, mais qui ne put jamais se souvenir d'avoir rencontré Sarah.

— Ceci ? dit-elle. (Elle regarda son verre.) Du vermouth doux et de l'eau gazeuse.

— Magnifique couleur, dis-je. Ça ressemble à ces cocktails que les gens buvaient dans les films, autrefois. Ils me donnaient toujours, je ne sais pas... envie de boire.

Je ris, et l'intérêt de Juliet m'effleura comme on touche parfois quelque chose en traînant dans un magasin, pour tuer le temps.

Sarah et moi profitâmes de la réception jusqu'au soir. L'endroit baignait dans ce que les gens appellent le morne ronronnement de l'ego, mais j'étais aussi désolé de m'en aller que Sarah avait hâte de partir. Cependant, je n'étais pas trop contrarié ; d'ici une demi-heure, nous serions chez nous et peut-être alors irions-nous directement au lit. La perspective de la pénétrer provoqua en moi une tension singulière et voluptueuse, comme un bâillement contenu. Un son montait du fond de sa gorge tandis que je la pénétrais, comme celui d'une serrure qu'on enclenche, d'un levier qui m'aurait donné accès à une couche plus profonde de l'être.

Il faisait huit degrés au-dessous de zéro, et pourtant il neigeait lorsque nous quittâmes l'immeuble des Green, sa marquise éclairée et son portier en livrée. Le vieux type nous souhaita une bonne nuit, partant de l'hypothèse que si nous étions les invités de l'un des locataires, nous appartenions obligatoirement à une couche sociale supérieure à la sienne. Nous avions laissé la voiture à la maison ; elle n'avait plus de chauffage, les pneus étaient lisses. Pour rentrer, nous devions prendre un autobus vers South Side, et voilà justement qu'il en arrivait un. Il ressemblait à une capsule de gélatine verte dotée de mouvement, planant dans la nuit grise et neigeuse. Il nous déposerait à une rue seulement de notre immeuble, mais c'était un long trajet, particulièrement angoissant en ce soir de Nouvel An.

Chacun des dix ou douze passagers qui voyageaient avec nous semblait avoir été poussé dans l'autobus par la violence de quelque drame personnel, ou par quelque faiblesse de caractère. Je tentai de les considérer avec les yeux de Sarah, de croire que chacune de ces vies était au moins aussi intéressante et dramatique que la nôtre, que chacune de ces âmes recelait les germes iridescents et impalpables de la sainteté, que ceux parmi lesquels nous étions tombés n'étaient pas seulement des enfants de Dieu, mais peut-être Dieu en personne. Nous courions tous le même risque que les soldats romains ignorant tout de celui dont ils déchiraient la chair, sur le chemin du Golgotha. Comment aurions-nous pu dire que cet homme avec son pied dans le plâtre et la frange de cheveux raides et sombres qui lui couvrait le visage n'était pas le Christ ?

S'enquérir de la nature des pensées d'autrui offensait le tact et la vanité de Sarah ; mes pensées laissaient toutefois une trace sur mon visage, et je pouvais voir à sa façon de me regarder qu'elle se posait des questions. Elle me prit la main, puis posa nos mains réunies sur ses genoux. Elle portait un vieux manteau de fourrure qu'elle avait trouvé quelques années auparavant chez les sœurs de Saint-Vincent-de-Paul. Il correspondait exactement à l'idée qu'une collégienne se fait de l'élégance rétro, mais c'était aussi son vêtement le plus chaud ; les traits de son visage semblaient soulignés au crayon dans la dure lumière profane de l'autobus. C'était très bien comme ça. Sarah n'était pas ce genre de femme dont la beauté tient à la fraîcheur ou à quelque suggestion fallacieuse d'innocence. Cinq ans plus tôt, peut-être aurait-elle tenu le coup en ne dormant que trente heures par semaine, mais elle n'en était plus capable à présent.

Ses yeux semblaient blessés, tremblants à la frontière entre ombre et lumière, sommeil et prophétie ; Sarah elle-même disait de ses cernes qu'ils avaient revêtu la pourpre cardinalice. Je comprenais maintenant que j'avais présenté à mon mentor et à sa clique une femme fatiguée, et je connaissais suffisamment leur tournure d'esprit, la sorte d'évaluation sensitive et de calcul des chances qu'ils pratiquaient comme ils respiraient pour savoir qu'ils en étaient tous arrivés dans leur esprit à la même conclusion : s'il fait carrière, ce sera sans elle.

— Tes amis sont tous un peu plus coriaces qu'ils n'en ont l'air, dit Sarah.

— Ce ne sont pas exactement mes amis, dis-je un peu vite. Je ne connais même pas la plupart d'entre eux.

— Et Adèle et Isaac ?

— Ils les connaissent presque tous. Pas moi.

Elle haussa les épaules. Dehors, les immeubles disparurent, et nous longeâmes la gare de triage. La neige filait sur les feux rouges de signalisation.

— C'est ton monde, dit-elle. C'est là que tu vas.

— Je n'aime pas t'entendre parler comme ça.

— C'est une simple constatation, dit-elle. Tu avais prévu tout cela bien avant de me rencontrer et rien ne pourra rien y changer.

— Voulons-nous changer quelque chose ?

— Regardons les choses en face. Nous sommes tous deux des tyrans, chacun de nous adorerait modeler l'autre à sa guise.

— Je ne veux pas te changer, dis-je, sentant bien que ma voix n'était pas convaincante.

— Bien sûr que si, idiot. (Elle me pinça sous le menton et ajouta, avec la voix que l'on prend avec un jeune saint-bernard :) Mon gros bêta.

— Allons, Sarah, ça suffit.

— Tu es l'incarnation des ambitions de ta famille, et je suis l'incarnation des peurs de la mienne, dit-elle alors, d'une voix claire et plus grave, comme pour conclure.

Je réfléchis un moment avant de demander :

— Alors, quoi ?

— Eh bien, c'est dur quand les dés de quelqu'un ont été jetés. Ton père s'appelle Ed, ta mère Mary, et ils t'ont prénommé Fielding. Ça ne te suggère rien ?

— Rien que je ne sache déjà. J'admets avoir été programmé pour réussir. J'accepte le flambeau que l'on me tend.

— Oui, mais peux-tu le garder et me garder, moi ?

— Voilà une question à laquelle je peux répondre. Oui, je le peux, je le ferai.

Le silence tomba. Il y avait dans ces échanges un curieux sens de la plaisanterie : nous faisions comme si notre liaison se trouvait dans l'impasse, et nous nous exprimions comme si c'était bien le cas. Mais nous marchions, ainsi que Sarah me l'avait un jour fait remarquer, en eaux peu profondes, et le sentiment d'indestructibilité que partagent les amants n'existait déjà plus en nous, depuis quelque temps. En fait, notre petit psychodrame tranchait un peu trop dans le vif. C'était une chose de faire comme si nous arrivions au carrefour et que Sarah s'apprêtait à dire au revoir, mais c'en était tout à fait une autre de comprendre brutalement que c'était presque vrai, que c'était de plus en plus vrai. Aucun de nous deux n'avait jamais admis que le chemin sur lequel l'autre s'aventurait était réel. Peut-être avions-nous secrètement et bêtement espéré que nous changerions soudain, comme lorsque, tout jeune, on est Elvis une semaine et Gandhi la suivante, sans savoir qu'avec l'âge le cheval ralentit et le soc s'enfonce plus profondément.

Je réussis à l'examen sur le droit des contrats, puis allai me soûler en compagnie de Victor Tomczak et d'une jeune fille en pleine ascension sociale, elle aussi, Gloria Busterman, dont le père était pêcheur à Long Island. Nous nous sentions comme des petits soldats recroquevillés dans le cheval de Troie de notre personnalité publique, terriblement excités à la perspective de sauter le pas. Je rompis mon serment d'ivrogne, mais m'en tins aux boissons que je n'aimais pas, la bière en l'occurrence. Nous étions tous extrêmement satisfaits, mais discrets. Nous avions choisi un des bars fréquentés par les universitaires,

Jimmy's, et c'était l'après-midi. La plupart des autres consommateurs étaient des gens qui n'avaient pas grand-chose à fêter, et nous ne voulions pas le leur faire trop sentir. Nous portâmes des toasts en trinquant avec une discrétion de conspirateurs ; nos chopes étaient épaisses, leur résonance des plus nulles.

Ensuite, je rentrai à pied à la maison, six rues dans la neige, et montai l'escalier comme si je marchais sur des œufs ; il y avait trois centimètres de neige sur mes cheveux, je ressemblais à un bonhomme en pain d'épice dont la tête aurait été trempée dans un bol de crème fouettée, et je ne voulais pas que Sarah perdît une image de moi-même que je jugeais appétissante. La main sur la rampe, je montai à petits pas, avec précaution. Un petit tas de neige tomba par terre quand je fouillai mes poches pour prendre mes clés, mais je m'accroupis, le ramassai et le remis en place. Puis je me dirigeai à tâtons dans l'appartement, vers la lumière de la chambre.

Les cheveux couverts de neige, je regardai Sarah, qui venait de sortir de la douche ; le visage rouge et marbré par la friction sous l'eau chaude, vêtue d'un peignoir en tissu éponge jaune, les cheveux enroulés dans une serviette, penchée au-dessus du lit, elle rangeait des affaires dans une valise marron et bleu.

— Où es-tu allé ? demanda-t-elle, levant vers moi des yeux chargés d'inquiétude, de réprobation et de dissimulation.

— Avec Victor et Gloria. Et où vas-tu ?

Elle prit trois chemises à col montant, soigneusement pliées, les posa dans la valise à côté d'une robe noire ourlée de rouge.

— Je dois garder le secret, mais je te le livre, à toi : nous partons pour le Chili.

Je hochai la tête, comme si cela avait un sens. La chaleur de l'appartement faisait fondre ma couronne de neige, qui glissa au moment où je bougeai la tête, et tomba par terre d'une seule masse. Je déboutonnai mon manteau et éprouvai alors un sentiment de gêne aiguë, qui me surprit.

— Nous partons pour deux semaines environ, dit-elle.

— Pour quoi faire ?

— Nous allons aider quelques amis à sortir de là.

— Comment allez-vous faire ?

Je me sentis tendu, et la colère vibra en moi comme une flèche.

— Tout est organisé. Ce n'est pas difficile, et pas du tout dangereux.

Elle plia un pantalon blanc, glissa ses sandales bleu et jaune sur le côté de la valise. Elle me sourit, mais je ne vis qu'une ombre à travers un verre fumé ; j'étais presque aveugle. Mon cerveau et mon cœur étaient ceux d'un enfant et, comme un enfant, je voulais gueuler des chapelets d'injures. « Contrôle-toi », me dis-je. J'avais au fond de la gorge le goût du verre d'alcool que je désirais tant. J'entendais presque le choc heureux des glaçons.

— Quand les réjouissances vont-elles commencer ?

— Ce soir. Nous prenons un avion jusqu'à Miami et, de là, un vol direct de la Lan Chile pour Santiago.

Elle vint vers moi. Je la pris dans mes bras, elle se serra contre moi. Je savais qu'elle le faisait par complaisance, pour me calmer. M'embrasser l'intéressait à peu près autant que lire un magazine. Je sentais son cœur battre, mais ce n'était pas la passion que je lui inspirais qui actionnait ce muscle innocent. Elle était en mission, elle incarnait enfin l'image d'elle-même qu'elle aimait le mieux.

— Si je croyais que tu puisses changer d'avis parce que je te le demande, je te le demanderais, dis-je.

— Pourquoi ?

— Parce que je ne veux pas que tu y ailles. Parce que *c'est* dangereux. Il y a suffisamment de danger et d'horreur dans le monde. Tu n'as pas besoin d'acheter un billet d'avion pour aller à leur rencontre.

— Tout se passera bien.

— Avec qui pars-tu ?

— Steven. Et une religieuse de Californie, sœur Angela.

— Quelle est ta couverture ? Qu'est-ce que les généraux penseront que tu viens faire, au juste ?

— Je ne peux pas en parler.

— Même à moi ?

— Je ne peux pas, c'est tout.

— Eh bien, voilà qui est clair, au moins. Tu crois que je me trouve du mauvais côté ou quoi ? Seigneur ! Sarah !

— J'ai promis, c'est tout. Tout est très compliqué. Ce sont les affaires de l'Église. Il y a là-bas des gens qui savent ce que nous voulons faire et qui nous protégeront.

Steven Mileski arriva quelques minutes plus tard, accompagné du père Stanton. Mileski, coiffé d'un de ses bonnets russes, la barbe étalée sur son manteau noir, ressemblait à un Raspoutine gros et jovial. Stanton, lui, semblait nerveux, mal à l'aise. « L'horreur ne cesse jamais », dit-il à plusieurs reprises. Il marmonnait et, voyant sa peur, je me mis à lutter contre la mienne. Mileski était d'une humeur expansive, excité à la perspective du voyage, impatient de voir le soleil.

— Si quelqu'un vient fouiner par ici, il faudra éluder toutes les questions, me dit-il en me prenant par les épaules, comme si j'étais le freluquet de l'équipe que l'on envoie vers le lanceur et qui espère s'en tirer grâce à une faute du batteur. J'espère que vous êtes doué pour ça, je veux dire, les claquettes verbales.

— Merci du conseil, Steven, dis-je, je m'en souviendrai.

Il me sourit en clignant de l'œil. Apparemment, il voulait me faire entendre qu'il savait ce que je ressentais et que si nous avions eu plus de temps, il aurait bien aimé en parler avec moi. Nous nous trouvions dans le salon. La valise, bouclée, était posée près de la porte ; Sarah, dans son manteau, paraissait enveloppée par un gros animal affectueux. Le téléphone sonna. C'était Danny qui appelait de New York : il était attaqué en justice par un imprimeur de Pennsylvanie, et l'avocat de Willow refusait de lui donner le moindre conseil tant qu'il n'aurait pas payé ses arriérés. Je lui répondis que je le rappellerais plus tard. En me retournant, je vis Sarah embrasser le père Stanton, qui lui tapotait le dos ; sa main ressemblait à un petit animal doux et craintif dans la fourrure qui couvrait Sarah.

— Il faut partir, dit Mileski, et pour la première fois je sentis l'embarras poindre sous sa bonhomie.

— L'avion ne décolle pas avant sept heures, dis-je.

Mileski et Stanton jetèrent un coup d'œil à Sarah, comme si le fait que je connusse l'heure du départ constituait une violation des consignes de sécurité.

— Il va y avoir beaucoup de circulation sur le Dan Ryan, dit Stanton.

Je ne sais pourquoi cela me fit sourire. C'était si typiquement américain, cette façon de parler de voies express et d'embouteillages. Stanton remarqua mon sourire, sourit à son tour.

— Sans parler de l'orage, rajouta Mileski. Dieu est venu à nous et nous a accordé la grâce d'ajouter un poids à notre fardeau.

— Oui, dis-je. Il est d'un *tel* secours.

Mileski s'approcha de moi, me regarda droit dans les yeux. Ce fut une mauvaise pensée, mais je craignis un instant qu'il ne réduisît ma tête en bouillie de ses deux mains au moindre mouvement. Il se contenta de me donner une claque retentissante sur l'épaule.

— Nous vous la ramènerons saine et sauve, Fielding, je vous en donne ma parole.

Une onde de soulagement et de reconnaissance parcourut mon corps malgré moi.

— Je sais que vous le ferez, Steven, répondis-je d'une voix soudain rauque.

— Vous prierez pour nous, alors ? demanda-t-il.

— Oui, bien entendu.

Il consulta sa montre, enfouie dans l'épaisse toison noire de son bras.

— Très bien, dit-il, nous partons.

Mais il ne fit aucun mouvement en direction de la porte. Son torse massif se dilata tandis qu'il respirait profondément, voluptueusement.

— Vous savez, dit-il, les gens que nous voulons aider ont tous une âme sans doute destinée à rejoindre Dieu, mais nous allons essayer de le priver pour cette fois de leurs présences.

Mes sentiments étaient à la traîne des événements. Je ne compris qu'à ce moment-là combien ce qui se produisait était plus important que de rester seul dans mon lit. Abstraction faite de mon opinion sur leur mission, leur courage était en définitive indéniable. Mon cœur chavira lorsque je compris que le moment attendu depuis toujours était enfin arrivé, le moment où le temps prend toute sa couleur et sa densité, le moment où l'Histoire déroule les anneaux cuirassés de sa queue et commence à glisser sur un nouveau chemin.

— Que puis-je faire pour vous aider ? demandai-je.

— Couvre-moi, dit Sarah ; si on te demande où je suis, surtout ma famille...

— Je sais, je sais. Est-ce tout ? J'aimerais faire quelque chose.

— Avez-vous de l'argent ? demanda Mileski.

— Pas vraiment. Dans les vingt dollars.

— Alors, donnez-nous vingt dollars. Nous sommes vraiment à court.

Je haussai les épaules, regagnai la chambre. Mon portefeuille était posé sur la commode bleu marine, dans le cercle de lumière jaune et chaude de la lampe. Je l'ouvris, y trouvai deux billets de cinq dollars et huit de un, les apportai dans le salon. Sarah, Mileski et Stanton, mains jointes, étaient agenouillés à même le sol, la tête baissée, les yeux clos.

— Mon Dieu, dis-je, on ne peut pas vous laisser seuls un instant.

Je ne sais d'où sortit cette blague idiote. Peut-être d'un obscur petit coin de rancune ; à peine l'avais-je prononcée que je fus submergé par une terrible impression de vide et d'impuissance. Je levai les mains vers mon visage, mais trop tard, je pleurais déjà.

Désirais-je m'agenouiller avec eux ? Ou étais-je en train de comprendre autrement que la femme dont j'étais follement amoureux allait bientôt se trouver par-delà les lignes ennemies, et que nous n'étions plus confrontés ni à une discussion ni à des principes moraux, mais à un risque mortel ? Pourtant, l'origine de ces larmes brûlantes ne se situait peut-être pas ailleurs que dans le désir d'être un individu meilleur, nanti de la force insensée qui lui permettrait de faire fi des préjugés, de la sagesse conventionnelle, et de se précipiter vers la lumière, même s'il ne la percevait qu'à peine. J'attendis, silencieux, la fin de leur prière, et lorsqu'ils se relevèrent, je leur dis :

— Emmenez-moi avec vous.

Sarah regarda Mileski, et ce fut lui qui répondit.

— Vous serez avec nous, Fielding. Nous sentons votre amour dès à présent.

— Non, je veux dire pour de bon. Je parle mieux l'espagnol que vous.

— Sœur Angela le parle à la perfection, dit Mileski. Et je ne me débrouille pas si mal.

— Emmenez-moi avec vous, d'accord ? (Je m'adressai à Sarah :) Qu'en dis-tu ?

Elle garda le silence, mais traversa la pièce, m'embrassa, posa sa tête sur ma poitrine.

— Je suis si heureuse en ce moment, Fielding. Tout ce que je veux, c'est que tu me fasses confiance.

— J'ai confiance en toi, répondis-je.

Ma voix semblait faible, désespérée ; elle devait se frayer un passage au travers de la boule qui palpitait dans ma gorge.

— Tout est organisé pour cette fois-ci, dit-elle.

— Nous devons y aller, tout de suite, dit le père Stanton. Sœur Angela vous attend à Miami, et il n'est pas question que vous ratiez votre avion.

— Accompagne-nous à l'aéroport, me proposa-t-elle.

Ce fut ainsi que nous prîmes la direction du nord à bord de la Plymouth Fury de Stanton, qui sentait le pin de laboratoire ; les sièges étaient recouverts de tissu éponge, le chauffage réglé au maximum et la radio diffusait du Mahler. Nous nous trouvions dans un monde clos ; dehors, tout n'était qu'obscurité et glace, prodigieux éclats de phares, va-et-vient sibyllin de feux arrière. Les prêtres étaient assis devant, Sarah et moi derrière. Je la serrai contre moi. Elle tremblait. Je ne savais pas si c'était de froid ou de peur, et étais incapable, Dieu sait pourquoi, de lui poser la question. Je la serrai simplement un peu plus fort contre moi. Elle prit ma main, la serra jusqu'à la douleur.

Mileski parlait du voyage. Il espérait qu'ils disposeraient d'un jour ou deux pour aller à la plage. Je ne savais pas s'il nous dorait la pilule ou si un bronzage rapide était réellement au programme. Stanton, réduit, du fait de rester, au rôle de mère poule, se contenta de lui conseiller la prudence, et un retour aussi prompt que possible.

— Fielding... Ai-je eu tort d'agir ainsi ? me souffla Sarah.

— Tort ? Non.

Je m'interrompis, incapable d'en dire davantage. Nous aurions pu discuter jusqu'au décollage de l'avion, continuer de discuter en nous-mêmes bien après son départ.

— C'est stupide, alors ?

— Non, bien sûr que non. Tu n'as pas tort, ce n'est pas stupide. J'aimerais simplement que tu n'y ailles pas, murmurai-je alors qu'une partie de moi criait : « On ne doit pas agir ainsi. Ce n'est rien d'autre qu'une aventure ridicule. »

Et je crois bien que Sarah le perçut.

— Je veux seulement oublier toutes les choses qui nous séparent, dit-elle. Tu es mon amant, le seul homme au monde que je désire.

— Et tu es mon amour, dis-je, la serrant plus fort encore contre moi, parlant dans ses cheveux, respirant le doux, le rassurant parfum de son crâne.

— Je commence à avoir très peur, murmura-t-elle.

Je fermai les yeux. J'avais terriblement envie de lui dire : « Eh bien, n'y va pas », mais je me tins coi. Je posai ma main sur son visage, elle porta mes doigts à ses lèvres, les embrassa l'un après l'autre.

Le bruit d'un avion volant à basse altitude retentit. On pouvait sentir deux cents personnes passer, les yeux grands ouverts, juste au-dessus de nos têtes. Les panneaux verts de l'accès à l'aéroport apparurent. La neige voletait autour des lampadaires en forme de tulipe. Mahler avait cédé les ondes à une réclame de soda. Une voix à l'accent britannique, des plus chichiteuses, parlait de l'effervescence Schweppes. Sarah s'appuya à l'accoudoir et croisa les jambes. Elle avait un air banal, dispos. Son excitation avait trouvé refuge dans les profondeurs. Les lumières d'une voiture s'enroulèrent autour de son visage et se défirent, comme un bandage.

Ils n'avaient que quelques minutes pour attraper l'avion de Miami. Stanton s'arrêta devant la porte Départs d'United Airlines. La file des voitures, derrière nous, devait s'étendre sur trois ou quatre kilomètres, il était hors de question de sortir de la Plymouth pour les accompagner à l'intérieur. Stanton prit le père Mileski dans ses bras, l'embrassa sur la joue et le front. Les deux hommes s'étreignirent.

— Que Dieu soit avec vous, Steven, dit Stanton.

Il saisit la barbe de Mileski et la serra dans son poing en grognant comme un animal sauvage. J'embrassai Sarah, tentai de me presser contre elle, mais ce n'était pas facile, en position assise, avec nos gros manteaux d'hiver. Puis Stanton se tourna dans notre direction, se pencha vers elle ; elle l'étreignit, et l'embrassa sur la joue.

— Que Dieu soit avec vous, Sarah, dit-il.

— Attendez, dis-je. Je sors.

Je voulais la toucher encore une fois. Je voulais que nous nous embrassions debout, afin que toutes les parties de nos corps fussent réunies. Je saisis la valise et l'entraînai à ma suite. Les roues des taxis écrasaient le sel durci ; on aurait dit qu'elles passaient sur du verre pilé.

Dans cette nuit enneigée, le bleu et le rouge de l'enseigne d'United Arlines paraissaient plus soutenus. L'éclairage intérieur illuminait la neige, les porteurs poussaient les chariots où s'empilaient des valises, l'air était comme chargé de gaz, prêt à exploser ; il me semblait que la Fortune, déjà aveugle, était devenue folle, et les autres voyageurs ne paraissaient pas moins hagards, inquiets. J'imagine que personne n'aime se trouver à bord d'un avion pendant un orage. Pour Chicago, après tout, cette nuit n'était pas la pire de toutes. Mileski portait un petit sac de toile brun-rouge avec une lanière marron, et une vieille mallette de cuir bourrée à craquer. Il resta en arrière, l'air intimidé, un peu gêné, pendant que j'embrassais Sarah. Jamais baiser ne m'avait semblé aussi maladroit ; il nous fit sourire. Je lui tendis la main, elle la serra.

— Je penserai à toi.

— Je penserai à toi, moi aussi, répondit-elle.

— Bonne chance.

— Merci. Nous serons bientôt réunis.

— Oui. (Je m'interrompis, haussai les épaules, lui adressai un sourire.) Bien... Que Dieu soit avec toi, alors...

— Merci.

Elle regarda Mileski. Il m'adressa un salut. Ils s'éloignèrent. Si l'avion décollait à l'heure prévue, ils allaient devoir se dépêcher. Ils se mirent pratiquement à courir. Les portes s'ouvrirent automatiquement, et je restai là, à les regarder pénétrer puis disparaître dans la foule. Je me dirigeai vers la voiture. Le père Stanton, au volant, se tenait bien droit, imperturbable, dans un assourdissant concert de klaxons.

Je me glissai à côté de lui, à l'avant, il démarra et nous nous mêlâmes à l'écoulement rageur du trafic. Il avait éteint la radio. Nous demeurions silencieux. Son attention, je le sentais, était centrée sur moi, mais chaque fois que je levais les yeux vers lui, il regardait droit devant lui. Quand nous fûmes enfin sortis de l'aéroport, pour prendre la direction du sud, je lui dis :

— Je suis confus de vous voir faire ce grand détour pour me raccompagner.

— Je n'aurais décidément pas pu vous priver de vos adieux, fit-il si promptement que sa phrase me parut préparée de longue date.

— Je ne m'attendais pas à une chose pareille, dis-je.

Je pensais en même temps qu'il serait bien agréable d'appartenir à son groupe de fidèles, ou à n'importe quel autre, d'ailleurs, pour pouvoir déverser les ordures de mon cœur dans une boîte au parfum d'encens, et en être débarrassé ensuite. Je sentais pourtant que je ne désirais pas vraiment me confesser, mais seulement me plaindre.

— Elle est courageuse, dit Stanton ; terriblement courageuse.

— J'aimerais mieux que vous ne parliez pas d'elle en ces termes, dis-je. (Stanton se tourna vers moi. Je distinguais à peine ses yeux dans l'obscurité de la voiture.) Pardonnez-moi, poursuivis-je, mais vous donnez l'impression qu'elle court un grave danger, quand vous dites qu'elle est terriblement courageuse. Ça me fait peur.

— Oui, c'est toujours le plus difficile, rester en retrait... Je dirigeais une petite mission dans la brousse, très loin de l'univers familier de Salisbury. Un soir, il devint, je dirais impératif, de faire passer deux jeunes Noirs de l'autre côté de la frontière, hors de portée. Il y avait là trois des nôtres, trois Blancs s'entend, et je fus désigné pour rester en arrière et ouvrir l'œil pendant que les autres partaient pour la frontière. Eh bien, je pense n'avoir jamais autant souffert de ma vie. J'étais allongé sur mon lit, j'entendais les insectes manger les feuilles des bananiers, et je croyais véritablement perdre la tête. Bon, vers les onze heures, le lendemain matin, mes amis rentrèrent. La mission s'était déroulée sans le moindre incident. Ils s'étaient arrêtés dans un village des environs pour prendre un copieux petit déjeuner, avaient acheté un ouistiti pour leurs enfants, qui fréquentaient notre école maternelle. Je me suis juré de ne jamais plus rester à l'arrière. Trop pénible, tout simplement.

— N'est-ce pas ce que vous êtes en train de faire ?

— Oui.

— Seront-ils vraiment en sécurité, père Stanton ?

— Désirez-vous une réponse sincère ?

Je n'aimais pas beaucoup sa question ; nul n'aurait pu y répondre par la négative, et elle m'apparaissait de plus en plus sadique.

— Oui.

— Ils vont tout droit dans la gueule du lion et *c'est* dangereux. Mais le lion est très gras, complètement idiot et craintif aussi. Je pense qu'ils auront moins de problèmes là-bas que vous et moi en aurons ici à les attendre.

La neige avait presque cessé de tomber. Je vis les lumières rouges des ailes d'un avion de ligne en train de s'élever. Je me demandai s'il s'agissait de celui de Sarah. Elle était quelque part là-haut, traversant les nuages, se hissant sur quelque souffle glacé, s'éloignant de moi de plus en plus vite.

— Notre Sarah me rappelle une femme qui est, à mon avis, une authentique sainte américaine. Dorothy Day. En avez-vous entendu parler ?

— Un peu. *L'ouvrière catholique.*

— Oui. Son tempérament passionné aurait pu l'empêcher d'adhérer pleinement à la vie de l'Église ; il lui a permis, au contraire, de stimuler en son sein une audace et un sens des responsabilités que les tièdes n'auraient pu concevoir sans elle.

Sarah est comme elle, une jeune femme passionnée, qui a ses principes, et ignore la peur. Vous devez vous sentir chanceux d'avoir été élu par une telle âme.

— Je suppose que ça dépend de la façon de voir les choses.

— Je me suis demandé pourquoi vous ne vous mariiez pas, dit le père Stanton. Entendons-nous bien, je reconnais tout à fait la sainteté de l'amour en dehors des liens du mariage. Et je comprends que beaucoup de jeunes, à cause de la guerre, du Watergate, et de toute cette hypocrisie des institutions estiment préférable de ne pas s'engager...

— Je suppose que nous nous marierons un jour. (Un courant d'espoir me traversa tandis que je prononçais ces mots. Peut-être était-ce ce que Stanton avait voulu.) Vous savez, lorsque nous nous sommes rencontrés, je faisais mon service. Et maintenant, il y a les cours de droit, à la fac. Nous avons toujours été complètement fauchés.

— Vous aimeriez avoir un peu d'argent avant de vous marier ? demanda Stanton.

Lorsqu'il souriait, ses yeux disparaissaient derrière des écrans de peau.

Nous roulâmes en silence pendant quelques minutes. Je regardais défiler les banlieues, leurs maisons de brique à deux et trois étages, les monogrammes sur les doubles portes, la faible lueur des ampoules au-dessus des porches, et je me dis que j'entrerais un jour dans ces maisons pour demander aux gens de me donner le pouvoir de trancher des questions concernant leur vie, et l'idée me parut non seulement absurde, mauvaise, sale, elle me parut vénale.

— Le plus surprenant, chez Sarah, reprit soudain Stanton, c'est qu'elle ne se considère pas comme quelqu'un de bon, ni même de particulièrement *moral*. Elle demeure à la surface de sa révolte, de sa blessure, et je crois qu'elle n'est pas du tout consciente de l'énorme pouvoir spirituel et de la rigueur qui existent sous sa coquille d'offensée. Elle est l'un de ces êtres d'exception qui peuvent obéir à leur cœur et agir selon leurs impulsions en restant toujours du côté de Dieu.

— Ah ! Et vous savez où il se trouve, vous ?

— Oui, je le sais, et Sarah aussi.

« Et en plus, dis-je en moi-même, elle sait me branler. » Je détournai la tête et regardai la ville défiler : une route, qu'enjambait un pont ; aux poutrelles métalliques pendaient des stalactites de glace pareilles à des dents de morse ; une épicerie avec une enseigne en polonais recouverte d'une affiche de Coca-Cola ; un terrain vague jonché de vieilles carcasses de voitures et, sur le capot de l'une d'entre elles, un chien errant dont les yeux étincelaient, rouges, dans la lumière des phares, la gueule levée vers le ciel sans lune.

Dad prit sa retraite, et une fête fut organisée en son honneur.

— Il y aura même mon sacré patron, me dit-il, au téléphone.

Il avait l'air surpris, enchanté, et même un peu intimidé. Il ne pouvait même pas se retrancher derrière un semblant de dédain, comme il le faisait lorsque Mom voulait fêter son anniversaire. Néanmoins, il essayait de prendre quelque distance par rapport à l'événement. Ce n'était pas lui que l'on célébrait, ni Edward Pierce, ni Eddie, ni Dad, mais une page d'histoire.

Il avait obtenu son premier emploi de typo en 1936. Il avait mis en page le *Daily News*, le *Daily Worker*, *Collier's*, le Club du livre, composé des invitations pour les mariages des Rockefeller et des Astor, ainsi que la première réclame de Polaroïd, imprimé les livrets des directives de la défense civile et le manuel du propriétaire pour l'Edsel. Il avait bien fait attention à ses *p* et à ses *q*, et voici que tout allait s'achever par une fête organisée pour lui à l'hôtel Saint-George, financée par Danny avec Dieu sait quel argent mal acquis. Étaient invités ses collègues, sa famille, ses amis, ses copains du syndicat, et même quelques types de la direction, avec qui il pouvait enterrer la hache de la lutte des classes pour un soir de plats épicés et de whisky au goulot, des types qui finalement n'étaient guère différents de lui.

Nous avions reçu l'invitation des semaines à l'avance. Cet énorme intervalle était une idée de mon père. Il s'imaginait que le programme de rendez-vous mondains des gens était extrêmement chargé et compliqué, et qu'on ne pouvait inviter quelqu'un sans le prévenir au moins deux mois à l'avance. Sarah et moi avions prévu de nous y rendre, mais maintenant qu'elle se trouvait au Chili, j'hésitais à quitter Chicago ; l'idée d'être absent à son retour, si elle revenait plus tôt que prévu, me retenait. Je finis pourtant par me décider ; la fête aurait lieu un vendredi, onze jours après son départ, et comme elle m'avait dit qu'elle partait pour au moins deux semaines, je pris le risque et m'envolai pour la côte Est.

L'hôtel Saint-George se trouvait dans Brooklyn Heights, un endroit qui ne nous correspondait guère, peuplé apparemment de veuves cossues et de jeunes pédés ; mais c'était un coin absolument ravissant, même sous une vieille neige. L'hôtel était caverneux, et bien que destiné à être transformé par la suite en appartements pour gens aisés, il était alors un nid de vieillards, pour la plupart dépendants de l'Assistance publique et pour la plupart en mauvaise santé.

La soirée en l'honneur de Dad se déroulait dans un salon du rez-de-chaussée, une grande salle de bal saumon et bleu avec un lustre art déco et un vieux tapis mauve sur lequel les millions de pieds qui l'avaient foulé au cours des années avaient dessiné un motif délicat. De nombreuses tables avaient été dressées, sur lesquelles trônait une bouteille de Canadian Club. Le *New York Times* avait délégué un trio de musiciens, qui étaient installés au fond de la pièce : un pianiste, un bassiste, un percussionniste, des hommes élégants, en smoking, avec des cheveux blancs et un air de célibataire qui sait y faire. (Plus tard dans la soirée, Eric McDonald joua avec eux ; semblable à un prince africain, debout devant le trio, il adopta un style doux, plein de vibratos, par respect pour mon père et ses invités, car son style au saxo était généralement mordant et atonal. Il allait d'avant en arrière, sa petite barbe raide comme gonflée par le vent et un rien satanique, tandis qu'il interprétait *Strangers in the Night,* puis *Solidarity Forever*. Dad était enchanté. Il avait l'impression, en écoutant la sérénade d'un parent noir, d'appartenir au vingt et unième siècle. Malik marchait depuis peu, et ne s'en privait pas, Rudy dansait avec Mom.)

La fête avait commencé à six heures. Dès neuf heures, les gens se succédèrent au micro. M. Glass, propriétaire de

Pinetop Printers, où Dad avait travaillé avant d'aller au *Times*, parla du professionnalisme de Dad, l'appela le Lou Gehrig du bas de Manhattan parce qu'il n'était jamais malade, mais il fut bien incapable de dire quoi que ce soit sur son travail, parce qu'il venait d'hériter de Pinetop Printers et ne connaissait rien à l'affaire. Danny prit la parole ; il dit que Dad lui avait enseigné l'effort, et encore que si on ne s'occupe pas de soi-même, nul ne le fera pour vous.

— Il m'a donné le cran nécessaire pour prendre des risques, et le cran de dire ce que je vais dire tout de suite : Dad, je t'aime.

Nous lui fîmes une ovation, même si c'était un peu bizarre de crier comme ça après quelque chose d'aussi personnel. Caroline ne voulait pas parler.

— Oh, il sait ce que je pense, dit-elle. De toute manière, je le mets toujours dans l'embarras.

En revanche, un certain Dave Southworth, vice-président du syndicat des typographes, se lança dans une description détaillée des longues années de syndicalisme de Dad.

— Ce sont les hommes de la base tels que Ed Pierce qui font la force du mouvement ouvrier, dit Southworth.

C'était un grand type bien habillé, avec des cheveux noirs coiffés en arrière, et je ne pus m'empêcher de remarquer comment il prenait soin de souligner que mon père était un homme de la base, sachant, j'imagine, que bon nombre d'entre nous ce soir-là estimaient que Dad aurait su diriger ce syndicat nettement mieux que ne le faisaient ses chefs. Je me levai pour dire quelque chose à mon tour. Le vieux patron de Mom, Earl Corvino, s'était lui-même ordonné maître des cérémonies, et quand il m'annonça, il posa une main sur ma nuque, et lança :

— Ah, et voici l'avocat. Hé ? Vous vous rappelez celui-ci avec son short qui pendait, et qui n'avait pas sa langue dans sa poche ?

Je pouvais sentir à la naissance de mon crâne l'anneau de Cornell que portait Corvino. Je baissai les yeux, remarquai que ses petits pieds fourchus étaient chaussés de vernis noir, des chaussures que Gene Kelly aurait pu porter.

— Je raconte à tout le monde, commençai-je, que je suis né riche, et quand plus tard certains découvrent que j'ai été élevé dans cinq pièces à Brooklyn, ils se demandent de quoi je parle. Mais les gens réunis ici ce soir savent de quoi je parle ; ils savent ce que nous avons reçu, mon frère, ma sœur et moi. Quelque chose d'indéfinissable, qu'on ne peut enfermer dans un coffre. (Je m'arrêtai un instant ; je n'avais rien prévu d'aussi rhapsodique... que cette voltige par-dessus les haies.) Pour ma part, je sais qu'une fois devenu avocat, j'accrocherai au mur mes divers diplômes et certificats, mais ces recommandations seront... incomplètes si je ne place pas au-dessus un portrait de mon père. Car la plupart de mes connaissances en matière de justice, je les tiens de lui, et cet élan qui m'a poussé vers la faculté de droit — et a poussé Caroline vers la peinture et Danny dans l'édition — vient également de lui. Vous savez, même dans la meilleure des démocraties, il ne peut exister de démocratie de l'esprit, et ce soir nous saluons l'un des grands *aristocrates* de l'esprit.

Oh, oui ! J'aurais pu briguer le poste de maire ce soir-là. J'en fis un maximum. Et à un certain moment, je me rendis compte que je parlais depuis cinq minutes et que je risquais de perdre leur attention. Aussi terminai-je par une plaisanterie rapide à mes dépens :

— Ça va, Pa ? C'est bien ce que tu voulais que je leur dise ?

Et les rires fusèrent, spontanés, généreux...

— Quel magnifique discours, Fielding, me dit Mom en glissant son bras sous le mien. (Elle tenait un verre de whisky et une cigarette allumée ; ses yeux paraissaient hagards, sa coiffure compliquée se défaisait.) Tu les tenais vraiment dans le creux de ta main. Tu aurais pu leur faire faire n'importe quoi. Mon Dieu, c'était beau. (Elle se mit à marcher de long en large ; ses jambes paraissaient sombres et maigres sous ses bas colorés.) Et tu as vu comment Corvino t'écoutait ? (Elle jeta un coup d'œil par-dessus son épaule avant de tourner brusquement à droite, m'entraînant à sa suite.) Le pauvre homme était *vert*. On aurait dit que quelqu'un venait d'écraser son petit chat.

Nous avions fait le tour complet de la salle et elle me

conduisit au bar. Par superstition, je n'avais dit à personne que j'avais arrêté de boire. Le barman ne servait que de la bière fraîche, et de la glace. Les bouteilles de whisky se trouvaient sur les tables. Dad se tenait là, au bar, avec Southworth, du syndicat des typographes. Ils étaient venus chercher de la glace dans un gobelet. Southworth essayait de le convaincre de passer quelques jours avec son fils, qui enseignait la sociologie à Queens College et travaillait sur l'histoire orale du mouvement syndicaliste de la ville de New York. Je pouvais voir que l'idée ne plaisait guère à Dad, qui redoutait de passer pour un de ces anciens qui grommellent en évoquant le bon vieux temps.

— Je me moque pas mal de ce qui est derrière nous, dit-il. Le meilleur est encore à venir, non ?

Mom prit de la glace pour sa table, et prit Dad par la taille.

— C'est une honte que Sarah ne soit pas là, nous dit-elle.

— Doucement, doucement, doucement, fit Dad. Pense aux frais.

Il était vif comme l'éclair pour justifier d'éventuels faux pas : il ne supportait pas d'être au centre de l'attention générale.

— Elle est en voyage, dis-je. Sinon, elle serait venue.

— En voyage ? demanda Mom, dont les yeux se plissèrent légèrement.

Elle croyait volontiers que tout ce qui sortait de la norme allait de travers, et même si cette façon de voir n'avait rien de bien attirant, le fait est que la vie lui donnait souvent raison.

— Elle a dû se rendre chez ses parents. Son père n'allait pas très bien.

Je déteste les fausses excuses de santé, parce que je crois qu'elles attirent le mauvais sort ; mais M. Williams était un con, et je n'avais aucun scrupule à prendre le risque.

— Tiens, tiens, dit Dad. A l'entendre, elle ne cracherait pas sur son père s'il prenait feu, et tu vois ? Les bourgeois acceptent les compromis en vieillissant.

— Tu crois que c'est ça ?

— Bien sûr. C'est un patron, n'est-ce pas ? Tu penses qu'elle a envie d'être rayée de son testament ? Crois-moi, ta mère et moi avons vu cela des milliers de fois.

— Je pense que son testament ne vaudra pas, et de loin, ta pension du syndicat, dis-je.

Dad rit comme s'il venait de remporter une victoire inattendue.

— Regarde ces saloperies de glaçons qu'ils nous donnent, dit Mom en inspectant l'intérieur du seau. Ils ont déjà presque fondu. Je ferais mieux de les apporter à ma table.

— J'arrive tout de suite, Mary, dit Dad. Je veux juste dire un mot à Fielding.

Nous gardâmes le silence un instant, regardant Mom se frayer un chemin jusqu'à sa table, puis Dad posa son bras sur mes épaules, et nous gagnâmes un coin de la salle. Le trio jouait une version salle d'attente d'*Age of Aquarius,* et les gens avaient maintenant assez bu pour faire les idiots sur la piste de danse.

— C'était un bon discours, me dit-il de sa voix froide, analytique, à laquelle seules les hypothèses conféraient un caractère plus intime. Ta manière de le sortir, les silences, le contact des yeux. Mais, je peux te dire quelque chose ? Et je ne vais te le dire que parce que tu es déjà bon, et que si déjà tu es si bon, pourquoi ne pas être meilleur, n'est-ce pas ? D'abord, tu as donné l'impression que je t'ai élevé moi-même — tout ce que je t'ai donné, etc. —, comme si ta mère n'avait rien fait pour toi. Si tu t'étais présenté ce soir à une élection, aucune femme dans la salle n'aurait voté pour toi. Ensuite, tu t'es peut-être montré un peu trop personnel. La famille et tout ça, c'est très bien, mais si tu dois devenir un dirigeant, autant te faire à l'idée que personne ne te connaîtra jamais, ne te connaîtra jamais vraiment. Tu crois que si les gens avaient réellement connu Kennedy ils l'auraient trouvé sympathique et auraient voté pour lui ? Un fils de gangster qui faisait de la Maison-Blanche un... bordel, et qui se croyait mille fois au-dessus du commun des mortels ? Tu dois simplement être comme un drap blanc et propre que les gens peuvent peindre aux couleurs de leurs convictions. Voilà pourquoi les Eisenhower gagnent et les Stevenson perdent. Il faut simplement que tu... (Et il me serra alors contre lui : nous étions exactement de la même taille, mais son corps avait une dureté que n'avait pas le mien, une tension de ressort d'acier) ...il faut simplement que tu sois réellement fort, dit-il, si fort que tu voudras te faire sauter la cervelle, mais tu ne le feras pas. Si fort que même lorsque les gens te traiteront en face de sale fils de pute menteur et lâche, tu n'y attacheras aucune espèce d'importance.

— Et que se passera-t-il si je ne veux pas être comme ça, Dad ?

— Alors tu commettras une grande erreur. Tu finiras comme moi.

— Est-ce si mal ?

— Ce n'est pas suffisant. Tu t'arracheras les cheveux en lisant le journal ou en regardant les informations à la télé parce que le monde sera dirigé par des gens qui ne t'arriveront pas à la cheville et que tu leur auras laissé la place. Et ces gens, Fielding, ce ne sont pas seulement des imbéciles, une bande de petits lords Fauntleroy, des types que ton frère et toi auriez dévorés au petit déjeuner, quand vous étiez adolescents, mais ce sont aussi de *sales* types. Ils pensent que les travailleurs sont de la crotte de chien. Ils enlèvent toute décence à tout. Ils vendraient la lune et les étoiles et toutes les petites planètes par-dessus le marché. (Il tapota les revers de ma veste, recula pour mieux me regarder.) Aie l'air bon, mon garçon, fort. Tu le fais pour nous tous.

— Je fais de mon mieux, Dad.

— C'est bien, dit-il, hochant la tête avec un enthousiasme soudain. Et c'est la moindre des choses.

A ce moment-là, je frissonnai, pris d'un malaise, un de ces changements brusques de climat intérieur qui, loin d'apporter quelque lumière, obscurcissent tout. Je sentis Sarah auprès de moi, pas dans cette pièce, mais dans ma vie. Elle était de nouveau à portée de ma main et, tout ce que je voulais, c'était lui parler, entendre sa voix.

Je balbutiai quelque excuse et sortis dans le hall de l'hôtel, où je trouvai une cabine téléphonique. Un relent d'urine monta aussitôt que je refermai la porte. J'appelai notre numéro de Chicago en PCV. Mon espérance, à cet instant, était frénétique.

Je savais que si elle ne répondait pas, j'irais trouver le père Stanton, et de là, je partirais pour le Chili. Comme un homme à l'issue d'une longue maladie débilitante, je me demandai soudain comment j'avais pu être aussi bête, et mou, et égaré, pour la laisser partir ainsi. Le téléphone sonna une fois, deux fois, trois fois. Et puis, au moment où je pensais que mes nerfs n'en supporteraient pas davantage, elle décrocha. Au son de sa voix, dès qu'elle répondit « Allo ? », je sus qu'elle était en train de pleurer.

— J'ai un appel en PCV pour la personne qui répond, de la part de Fielding Pierce, dit l'opérateur qui avait probablement entendu bien pis que des larmes, de son poste. Acceptez-vous de payer ?

— Oui.

— Sarah ! m'écriai-je. Tu es rentrée.

— Oh, mon Dieu, Fielding. Où es-tu ?

— Je suis à Brooklyn. Nous célébrons le départ à la retraite de mon père.

Il y eut un silence, puis elle se mit à sangloter. Je restai coi, ne sachant que dire.

— Sarah ? m'enquis-je tout doucement.

— J'ai cru que tu étais parti pour toujours.

— Je vais rentrer tout de suite, Sarah. Je pars immédiatement pour attraper le dernier avion.

— Oh, Fielding, j'ai tellement peur.

— Tu vas bien ? Il s'est passé quelque chose ?

— Je vais bien. Tu rentres vraiment ?

— Oui. Tu vas bien ?

— Je vais bien. Tout s'est bien passé.

— C'est sûr ?

— Je suis là.

— Tu peux m'attendre ?

Il y eut un silence inquiétant. J'entendis le *shhh* électronique, liquide, des câbles de longue distance. Puis Sarah dit :

— Si je ne peux pas attendre, j'épinglerai un message avec tes instructions à la couverture.

11

C'était précisément l'époque où il ne faisait pas bon se présenter sous l'étiquette démocrate. Il y avait deux cents Américains mal rasés retenus en otage en Iran, les Russes poursuivaient leurs jeux guerriers en Afghanistan et le président apparaissait à la télévision, en direct, vêtu d'un cardigan parce que le pétrole coûtait si cher qu'on ne chauffait plus le bureau ovale.

Bertelli essayait de tirer avantage de la situation, parlait de remettre l'Amérique sur ses rails et se comportait comme si je n'étais titulaire que parce que mon parti se trouvait au pouvoir. La population de Chicago était, grâce au ciel, moins déçue par le parti démocrate que celle de la plupart des autres villes ; nous mangions toujours de la *kielbasa*[1], continuions de soutenir les Sox, et suivions strictement les consignes du parti. Il y avait, selon Isaac, deux cent mille démocrates enregistrés à Chicago qui étaient soit morts, soit privés jusqu'ici du privilège d'être nés. On pouvait compter sur leur loyauté d'ectoplasmes. Dans mon district, cependant, le grand nombre d'universitaires rendait les résultats moins prévisibles. On ne pouvait jamais savoir comment ces sacrées coupoles chromées allaient réagir. Ces gens-là lisaient les éditorialistes, s'abonnaient à des magazines recherchés, et possédaient ces vieux livres reliés à partir desquels ils s'amusaient à tirer d'abominables parallèles historiques ; le reste de la population du district était constitué de pauvres et de Noirs, et bien que le vieil appareil démocratique continuât de fonctionner à Woodlawn, sous le métro aérien de

1. Saucisse fumée d'origine polonaise.

la 63e Rue, sur toute la longueur de Stony Island, et jusqu'à Cottage Grove, il était désormais de plus en plus difficile d'obtenir des voix. Les emplois étaient rares, les crimes de cinglés nombreux, et le désespoir filtrait des fenêtres barrées ; c'était une entreprise ardue de découvrir dans le ghetto quelqu'un sur qui épingler un badge.

Mon district était en train de tomber sous la coupe d'un frêle baptiste aussi bossu que démagogue, Ebenezer B. Andrews. L'église du révérend Andrews était toujours bourrée de monde, et il se répandait du haut de sa chaire en invectives contre l'avortement, qu'il présentait non seulement comme une offense à Dieu, mais aussi comme une nouvelle tentative gouvernementale d'oppression des Noirs, visant à les empêcher de se reproduire.

Les républicains et Bertelli étaient suffisamment bien informés pour connaître l'existence d'Andrews, assez malins pour conclure une alliance avec lui, et comme il n'existait aucun précédent de cet ordre dans la communauté, ils avaient les mains libres. Voilà donc Bertelli, vieux bouc lubrique, dans le bistrot prétentieux duquel mille et un avortements ont été décidés (ou « adoptés », comme on dit au pays des cafetiers), qui se présente comme le défenseur de tous les fœtus de Chicago, puis, une fois effectué ce sournois petit saut, se catapulte dans une alliance avec le sous-groupe qui se fait le plus entendre et le mieux organisé du ghetto. C'était absolument sidérant. J'avais déjà perdu les pédés et je risquais maintenant de perdre les Noirs.

Il me fallait, et vite, un support ; sans un candidat sortant à qui m'attaquer, je recherchais la controverse et me retrouvais toujours les mains vides. J'avais bien un laïus, rodé depuis l'époque de mes études supérieures, mais il n'était pas adapté à mes objectifs actuels, je m'en rendais compte à présent. Il faudrait attendre une fissure dans la Maison-Blanche pour pouvoir y aller de ma rhétorique rhapsodique sur un monde meilleur, un peuple plus courageux, la renaissance de la décence humaine. Il me fallait remettre les pendules à l'heure. On n'obtient pas un emploi de laborantin en prétendant vaincre la leucémie. La tâche n'était pas plus facile pour mes conseillers. Mon prédécesseur exilé avait remporté ses victoires en se contentant d'être un démocrate et en entretenant des relations amicales avec les promoteurs immobiliers. Le parti était disposé à lâcher un peu de lest en ma faveur, mais ceux avec qui Carmichael avait conclu des alliances n'étaient pas encore venus me trouver. Pour le moment, semblait-il, le processus démocratique l'emportait sur la corruption, et j'étais tout seul.

Je ne savais pas ce que les gens désiraient entendre, et cela aurait été parfait si j'avais au moins su ce que j'avais envie de dire. Toutes mes ressources se résumaient ainsi : je suis plutôt malin ; plutôt honnête que malhonnête ; je ne suis pas entré dans la politique pour me remplir les poches ; je promets de travailler trois cent soixante-cinq jours par an dans l'intérêt du district et du pays, du monde et de l'univers. Mais je n'étais pas suffisamment enivré par ma soudaine bonne fortune pour oser proposer semblable ligne d'attaque aux rebuts moraux qui menaient ma campagne. Ils n'y auraient vu que vanité folle de jeunot, dont ils n'auraient su — comme moi — que faire. Les élections allaient avoir lieu dans quelques jours, je ne disposais pas d'autre soutien personnel, j'étais à leur merci.

Je passai une journée avec Lucille Jackson, en tournée, dans la voiture que son mari utilisait pour trimbaler les cadavres, où régnait une odeur de cauchemar prononcée mêlant roses et substances d'embaumement. Je pris la parole dans un salon surchargé d'ornements devant les membres d'un club municipal féminin, et au Joe Louis Social Club devant un groupe de retraités. Je foulai le sol glacé des rues qui s'étendent par-delà le réseau pourri de la 63e Rue, et pris un bain de foule dans plusieurs tavernes (où l'envie impulsive de boire un coup avec mes électeurs me traversa comme une décharge électrique). La rencontre avec Albert Monroe, que je décidai de cultiver en nourrissant l'espoir qu'il pourrait bien finalement m'être plus utile que Lucille Jackson au cœur du ghetto, fut la meilleure chose qui m'arriva ce jour-là.

Âgé de trente-deux ans, ancien des Blackstone Rangers, Monroe était pauvre, vif, incisif et pourvu d'un instinct politique sûr. Il m'aimait bien et voulait participer à ma campagne. Il resta à mes côtés toute la journée, me donnant des indications quand j'en avais besoin, soutenant le regard étincelant et hystérique de Lucille ; elle savait qu'il était en train de lui couper l'herbe sous le pied. Son manteau était bien mince, ses pieds nus dans des baskets rouge et blanc, et il supportait stoïquement le froid mordant de janvier. « Si je l'emporte, me dis-je, Albert fera partie de mon équipe. »

Je ne rentrai à la maison qu'à neuf heures ce soir-là. Juliet et Caroline avaient dîné ensemble dans la cuisine, et comme elles n'avaient pas grand-chose à se dire, elles parurent, à me voir, lorsque j'arrivai enfin, les deux femmes les plus heureuses du monde. Je mangeai rapidement avant de prendre un bain. J'espérais me relaxer, calmer mon mal aux jambes, pour pouvoir ensuite travailler toute la nuit.

Dans la baignoire, je fermai les yeux, rêvai de Sarah. Depuis que Caroline était chez nous, je pouvais parler d'elle de temps en temps. Il semblait qu'en prononçant son nom j'avais rompu le sortilège qui l'avait conduite jusqu'à moi sans que je l'eusse évoquée. C'était moi, maintenant, qui allais vers elle. Je me la rappelais dans la baignoire de sa maison de Staten Island, assise dans huit centimètres d'eau tiède parce qu'il y avait eu une alerte à la sécheresse, et qu'elle était follement scrupuleuse quand il s'agissait d'obéir à ce genre de consigne civique. Elle faisait tremper une grosse éponge brune dans l'eau et la pressait ensuite sur son dos, mais des traces de savon demeuraient sur sa peau.

On frappa à la porte. Je me redressai.

— Oui ?

C'était Juliet.

— Tony Dayton et Mulligan sont là.

Je baissai les yeux, constatai que la tête de mon pénis érigé pointait hors de l'eau comme un périscope. Je me laissai glisser jusqu'à être suffisamment immergé.

— Fais-les entrer, dis-je.

L'idée m'était venue que mon autorité se trouverait renforcée si je les recevais dans la salle de bains.

Tony et Mulligan entrèrent. Tony portait une affiche roulée sous le bras, Rich, une enveloppe de papier brun sur laquelle était inscrite une colonne de chiffres.

— Votre affiche est sortie de l'imprimerie il y a une heure, dit Dayton. Vous voulez la voir ?

— Déroulez-la, Tony.

Je me touchai sous l'eau, ne trouvai que flaccidité ; je me redressai un peu.

Tony déroula l'affiche et la tint devant moi ; elle était bordée d'un filet bleu éclatant, optimiste ; les lignes du haut disaient : FIELDING PIERCE DÉMOCRATE TRAVAILLE POUR VOUS. Au-dessous, une photo de moi prise quelques jours plus tôt lors d'une réunion des électeurs indépendants de l'Illinois. J'avais enlevé ma veste, remonté mes manches jusqu'au coude, et je pointais le doigt en direction de quelqu'un dans le public, comme pour répondre à une question. (En fait, je demandais à un type de cesser de m'interrompre ; c'était un perturbateur de l'Association des homosexuels de Hyde Park qui voulait savoir quel avait été mon rôle dans l'affaire Carmichael.) Sur la photo, j'avais l'air de quelqu'un à l'écoute des questions difficiles, plein de confiance, disponible, vigoureux, etc. Il y avait même comme une brume dans le cliché qui évoquait quelque apparition salvatrice au milieu d'un champ de bataille. Ce fut un choc pour ma vanité physique sous-alimentée de constater que les démocrates essayaient de tirer parti de mon apparence.

— Ça vous plaît ? demanda gaiement Tony, sûr de ma réponse.

— Et à vous ? dis-je à Rich Mulligan.

— Certainement. C'est bien sorti, répondit-il avec un haussement d'épaules qui semblait indiquer qu'il s'en moquait éperdument.

— Combien en avons-nous tiré ?

— Trois mille.

J'attendis qu'ils essaient de deviner mes pensées avant de glisser à nouveau dans l'eau en disant : « Eh bien, ça fera l'affaire. » En vérité, j'étais honteusement excité à la vue de cette affiche ; elle dépassait tout ce que j'avais espéré.

— Une dernière chose, dit Mulligan. Il semble que vous avez eu une bonne idée en proposant un déjeuner avec tous les chefs de circonscription...

— Oui, dis-je en l'interrompant. Dépensons un peu d'argent pour ça. Où va-t-on l'organiser ?

— Hyde Park Hilton, dit Mulligan.

Il distillait ses mots, pour manifester sa résistance.

Je fermai les yeux un instant, en un semblant de réflexion.

— D'accord. Que va-t-on servir ?

Mulligan et Dayton échangèrent un regard, petit clignement d'œil plein de commisération.

— *Je* ne sais pas, répondit Mulligan. Une des filles pourra s'occuper de ça.

— Écoutez, dis-je. Je dispose d'une heure pour amener cinquante chefs de circonscription à se démener en ma faveur ; alors si nous les invitons à déjeuner et que c'est immangeable, à quoi bon ? Faites-leur préparer des coquelets. Un par personne ; ça ne coûte pas plus cher que du poulet, mais cela fait vraiment de l'effet. Et qu'ils soient farcis. Une farce aux marrons, par exemple, et du riz pilaf. Et de la salade. Ils ont une sauce là-bas, leur sauce exotique. Délicieuse. Assurez-vous qu'ils la servent avec la salade.

Je les dévisageai pour être bien sûr que ma manie du détail les avait suffisamment écœurés, et plongeai soudain sous l'eau ; je sentis une agréable et ferme pression contre mes tympans ; lorsque j'en sortis, mes cheveux collaient à mon front.

— Passez-moi une serviette, voulez-vous ? demandai-je.

Puis je conclus la réunion en sortant de la baignoire et en allant vers eux complètement nu. J'attrapai la serviette.

Le lendemain matin, Tony Dayton vint pour le petit déjeuner. Juliet était partie tôt pour se rendre à Evanston où elle devait examiner un dessin d'Ingres endommagé et proposer un prix pour la restauration. Caroline se trouvait déjà au quartier général, à Woodlawn. Tony venait me présenter un autre produit de son usine de propagande, un prospectus, cette fois, avec le slogan soudain familier : *Fielding Pierce démocrate travaille pour vous.* Nous étions assis à la table de la cuisine devant nos tasses de café et des croissants que Tony avait apportés dans un sac en papier. La nervosité de Tony était tangible lorsqu'il me tendit le prospectus.

— Vous savez ce que vous avez pour vous ? me dit-il. Un nom formidable. A la fois un peu noir, mais aussi blanc, bien sûr. Branché sans faire snob, avec quelque chose d'honnêtement dynamique.

Au-dessous du slogan, il y avait une rangée d'étoiles, destinée à évoquer le patriotisme. Suivaient les données personnelles : scolarité, service militaire, période passée dans le cabinet d'Isaac, années chez le procureur de Cook County. Ça avait l'air épatant ; en fait, ça me paraissait familier, presque du *déjà vu,* puisque c'était exactement comme ça que je l'avais imaginé un millier de fois.

Au-dessous de mon curriculum vitae, il y avait une autre rangée d'étoiles ; encore au-dessous, en caractères gras, les mots : Mon credo. Puis, entre guillemets, un paragraphe dû à quelque machine prétendant être le candidat en personne.

« Tout ce que je voudrais dire sur mes convictions peut être synthétisé en quatre mots très simples : Je suis un démocrate. Je me vois dans la tradition de F.D.R., Truman et John Fitzgerald Kennedy. Je crois en la grandeur de l'Amérique et en la grandeur de ce vingt-huitième district de l'Illinois. Les habitants de ce district méritent une voix forte et vigilante à Washington. Ils ont besoin de quelqu'un pour parler de leurs problèmes. 1. Une part plus juste du gâteau fédéral. Pour le moment, nous ne récupérons que neuf cents sur chaque dollar que nous payons à la fédération. Il y a fort à faire dans nos quartiers, et nous avons besoin de fonds pour que le travail soit accompli. 2. Une Amérique forte et davantage de sécurité dans le monde. Nous devons diffuser l'esprit de Camp David de par le monde. 3. Mon expérience de procureur m'a enseigné que la violence criminelle était le véritable fléau de notre époque. Nous avons besoin d'un programme élargi de lutte contre la criminalité pour débarrasser les rues de la violence criminelle.

4. Faire baisser les taux d'intérêt. Je travaillerai au Congrès avec ceux qui luttent pour maîtriser l'inflation. L'inflation est le plus dur des impôts. 5. Un esprit ouvert est une porte ouverte. Avant tout, je veux me tenir à la disposition des habitants de ce district et me laisser guider par leur sagesse. Un leader qui *n'écoute* pas n'est pas un leader. »

Je reposai la feuille sous le regard attentif de Tony.

— Eh bien ? Qu'en pensez-vous ? demanda-t-il.

Il se tortilla sur sa chaise.

— Il y a quelques problèmes, Tony, dis-je. (Voyant la déception s'inscrire sur son visage, j'essayai d'adoucir ma remarque.) Je veux dire, une bonne partie est bien. Il y a même des choses très bien. Mais il y a aussi des problèmes.

— Mais vous avez aimé, fondamentalement ? demanda-t-il. Je veux dire, dans l'ensemble ?

— Eh bien, je ne sais pas. J'ai quelque difficulté avec... (Je jetai un coup d'œil à la page.) Vous savez, quand on dit que je crois en la grandeur du vingt-huitième district de l'Illinois...

— Mais vous *devez* le dire, Fielding, affirma-t-il très vite. Ce n'est qu'un point de départ. Croyez-vous, par exemple, que Charlie Parker avait envie de jouer *How high is the moon* ? Certainement pas. Mais il y avait là quelques accords intéressants en solo et c'était bien d'interpréter quelque chose que le public reconnaissait, pour qu'il puisse voir comment il le modifiait.

— Vous connaissez Eric McDonald ?

— Pas personnellement. Mais je trouve qu'il a du talent. Très après-bop, mais pas un fou de l'atonal. Pourquoi ?

— Ma sœur Caroline est mariée avec lui.

— Vous voulez rire.

Les petits doigts ronds de Dayton plongèrent dans sa barbiche noire, une pointe de flèche couleur de lave.

— Non. D'ailleurs, ils ont divorcé.

— C'est le meilleur moyen d'obtenir le pire des deux côtés, n'est-ce pas, les racistes vont la haïr parce qu'elle a épousé un Noir, et les Noirs la haïront parce que le mariage n'a pas marché. En d'autres termes, le moins on en dira, le mieux ça vaudra ; alors, dites-moi, mon petit. Qu'avez-vous d'autre à faire remarquer, pour ce prospectus ? Je voudrais en faire tirer cinquante mille exemplaires demain. Rich Mulligan m'assure qu'il peut obtenir l'aide de deux douzaines d'ouvriers de la circonscription, que nous mettrons sur toutes les boîtes à lettres du district.

— Eh bien, j'ai vraiment du mal avec ce credo. Je veux dire, l'ensemble. Ou peut-être est-ce seulement le procédé, Tony ; d'habitude, vous savez, on écrit soi-même son credo.

— Pas si le temps vous manque, vieux frère. Je ne crois pas avoir mis là-dedans quoi que ce soit qui puisse vous empêcher de respirer.

— Bon, mais cette histoire de croire aux habitants du vingt-huitième district ? C'est vraiment gênant.

— Ce sont des conneries. Personne n'y fait attention. Je veux dire, si quelqu'un éternue, vous lui dites « Dieu vous bénisse ». Personne n'arrête le spectacle pour vérifier si vous le pensiez vraiment.

— Quelqu'un d'autre l'a vu ?

— Oui, bien entendu.

— Qui ?

— Toute l'équipe.

Et, brutalement, l'affabilité de Dayton se volatilisa. Il sortit une Salem de sa poche, la tint à quatre doigts, sans faire un geste pour l'allumer. Il se pencha en avant.

— Tout le monde l'a vu et tout le monde l'a aimé, Fielding. Vous voulez suspendre l'affaire juste pour quelques mots ? Eh bien, je ne peux pas vous laisser faire. Je vous en prie, soyez raisonnable. Si quelque chose foire, je prendrai les coups.

— Quel est mon programme, aujourd'hui, Tony ?

— Vous devez être à la synagogue de Hyde Park à onze heures pour parler aux chers vieillards, puis Lucille Jackson vous présentera à quelques chefs de circonscription noirs. Ensuite, nous devons prendre contact avec Kathy Courtney. Elle a prévu un dîner pour vous avec quelques journalistes. Peut-être même y aura-t-il Royko.

— Bon, dis-je, mon programme n'est pas si méchant

aujourd'hui. J'ai un peu de temps pour m'attaquer personnellement à ce credo. Qu'en pensez-vous ? J'y travaille pendant une heure, et on voit si je peux en sortir quelque chose.

— Vous voulez dire rédiger vous-même le papier en entier ? demanda Dayton comme s'il était Michel-Ange et que je venais de commander l'installation d'un rail de spots au plafond de la chapelle Sixtine.

— Non, non, bien sûr que non. Pas le papier en entier.

— Vous voulez dire juste un mot par-ci par-là.

— Écoutez, dis-je, soudain en colère, c'est mon credo. J'estime que je devrais l'écrire moi-même.

Bien sûr, c'était ridicule, c'était une perte de temps, c'était à mille lieues du vrai problème, mais Dayton ne pouvait que céder. Il partit à neuf heures du matin, annonçant qu'il me retrouverait à la synagogue à neuf heures quarante-cinq.

— Ne soyez pas en retard, dit-il. Vous savez comme les juifs sont ponctuels.

— Encore une chose que je ne savais pas, répondis-je en l'accompagnant jusqu'à la porte.

La fermeture de son anorak était remontée jusqu'au cou. Il avait passé des bottes en caoutchouc par-dessus ses mocassins à pompons. Il avait l'air d'un homme très seul.

Après son départ, je m'assis à ma table avec le prospectus. Je sortis un bloc de papier et le joli stylo Mont-Blanc que Danny m'avait offert pour Noël, deux ou trois ans auparavant. J'écrivis « Mon credo » tout en haut de la page et dessinai aussitôt des petits visages complètement déments, pour la plupart hideux, avec un long nez et un profil de scarabée, semblables à ceux que je gribouillais déjà à l'école primaire et qui m'avaient semblé être pendant quelques semaines l'avant-garde même de l'expression artistique avant de sombrer assez rapidement dans le griffonnage obsessionnel et lassant.

Je jetai une douzaine de ces profils sur le papier ; ils parurent un instant former un arceau de diablotins flottant au-dessus du titre sentimental. Je me mis à écrire. *La démocratie est une bataille que l'on ne gagne jamais complètement. Les ennemis de la démocratie se nourrissent d'autosatisfaction.* La belle affaire !

Bon. *L'Amérique est-elle destinée à devenir un misérable géant sans défense?* Non, non et non. C'est ce que l'on dit quand on est au SDS[2] et que l'on aboie dans un haut-parleur devant une bande de copains bourgeois assis sur les marches du bâtiment des Lettres et Sciences humaines. *L'Amérique est un rêve que chaque rêveur doit rêver à nouveau.* Oui, cela devrait attirer des garçons en veste blanche avec des filets à papillons. Et si on entrait un peu dans le détail, vieux frère. D'accord, laissons tomber les misérables géants et les rêveurs de la démocratie. Je ne prépare pas une soirée avec Walt Whitman, pour sûr. Je suis censé faire campagne pour obtenir ce qu'on appelle le *pouvoir* politique. Mettons un peu de dignité dans tout ça, d'accord? *Les habitants du vingt-huitième district sont confrontés à un choix critique.* Bon. Nouvelle feuille de papier. Oublions le titre : trop intimidant. Plus de petits vampires de profil. Contentons-nous d'écrire ça en bleu sur jaune. Un. *Je crois...* mais quoi? Qu'une fleur pousse à chaque goutte de pluie qui tombe? Oui. Exactement. Autre feuille de papier. *Après les années de corruption avec les gens en place, pendant lesquelles le gouvernement a semblé être à vendre au plus offrant, le peuple américain s'est maintenant détaché non seulement de ses prétendus dirigeants mais aussi de l'idée même de politique.* Hé, attends une minute. A ça, j'y crois vraiment. Bon, poursuivons. *Robert F. Kennedy, lors de sa dernière campagne, a dit qu'il voulait refaire de la politique une profession honorable. Pour ma génération tout particulièrement, les notions de politique et d'élu politique sont tombées en disgrâce. Elles sont considérées comme malhonnêtes, futiles et même démodées. L'idée n'en est pas moins apparue et elle fait son chemin, que si nous ne servons pas, si nous ne luttons pas pour le progrès et la justice sur la scène politique, les décisions les plus graves de notre temps seront prises par d'autres, ces hommes et ces femmes cyniques qui ne pensent qu'à leur profit personnel et comblent ainsi le vide que laissent les gens décents en abandonnant la scène politique.* Je relus et relus le tout. La rhétorique me parut franchement irrésistible. Le téléphone sonna alors comme la

2. Students for a Democratic Society.

voix de la raison, et je répondis aussitôt. C'était Caroline qui appelait du quartier général.

— Devine quoi, dit-elle ; nous venons juste de recevoir dix mille badges. Ils sont bleu et blanc avec ton nom dessus. N'est-ce pas formidable ?

— Essayons au moins de conserver une attitude professionnelle par rapport à ça, Caroline, dis-je. Au fait, écoute ceci. Je viens de l'écrire et je veux le faire passer à Tony Dayton. Tu as une minute ?

— Je travaille pour toi, mon chou.

Je lui lus mon credo et, quand j'eus terminé, elle resta silencieuse assez longtemps pour que je puisse entendre quelqu'un ouvrir la porte, de son côté.

— Il faut que je te dise quelque chose, Fielding, dit enfin Caroline. Je commence à connaître Tony, au bout de quelques jours, et ça ne va pas lui plaire.

— Caroline, dis-je en me levant si brusquement que je faillis entraîner le téléphone avec moi, quand tu me dis que tu commences à connaître Dayton assez bien, tu laisses délibérément entendre que tu as couché avec lui.

— J'attribuerai cette remarque à une anxiété excessive, Fielding. J'aime ton credo, mais je ne crois pas qu'il te soit à présent très utile.

— Que veux-tu dire ? demandai-je d'une petite voix, une voix que j'aurais pu glisser comme un message sous la grande porte claquée de ma rage.

— Je pense que c'est très bon. Et que ça te ressemble vraiment. Je veux dire : je t'entends tout à fait dire ça. Et je crois que c'est important.

— Mais ?

— Mais qu'est-ce que ça a à voir avec le prix des pommes de terre ? Tu as été le premier à me parler de ce district. Tu as des électeurs âgés qui mangent de la conserve pour chien, des élèves de huitième qui volent de l'héroïne, des petites veuves aux cheveux bleuis qui n'osent plus sortir de chez elles et je ne pense pas qu'un discours sur l'honneur de la fonction politique soit ce qu'ils veulent entendre.

— Je sais ce qu'ils veulent, dis-je. Ils veulent quelqu'un qui leur promette de tout arranger... mais je ne peux pas. Je ne peux pas le faire et je ne peux pas promettre de le faire.

— Tu peux toujours promettre d'essayer de le faire. Ton credo ressemble plutôt à une discussion que tu aurais avec Danny, ou avec...

Elle laissa sa voix s'éteindre... sans plus de calcul, d'ailleurs. Elle venait seulement, ayant pris conscience de ce qu'elle allait dire, d'arracher la prise du mur.

— Avec qui ? demandai-je, et je connaissais par avance la réponse.

— Avec Sarah.

— D'accord, fis-je rapidement. Je laisse tomber. Mais attends d'avoir lu ce que ton petit ami a bricolé pour moi. Mon texte, à côté, c'est Kennedy à Berlin.

— Si tu parles encore une fois de Tony Dayton en ces termes, je te laboure le visage avec mes ongles.

— Caroline, je peux te dire quelque chose ?

— Quoi ?

— Je suis vraiment content que tu sois là. Je savais que j'avais besoin de toi, mais je ne savais pas à quel point.

— C'est gentil de ta part, mon chou.

— Je le pense vraiment. Je t'aime réellement. Et je suis... je suis simplement content que tu sois là.

« Oh, mon Dieu, me dis-je, que suis-je en train de faire ? » L'émotion commençait à me prendre à la gorge.

Je m'habillai et partis pour la synagogue de Hyde Park, où je fus accueilli par le rabbi Einhorn, un grand homme massif dans un somptueux costume italien. Einhorn avait une épaisse chevelure argentée, des yeux bleus, une voix suave d'homme adultère.

— Nos personnes âgées sont impatientes d'entendre votre point de vue, monsieur Pierce, dit-il devant eux.

Nous nous trouvions dans une pièce assez petite. Il y avait là peut-être une vingtaine de retraités de la congrégation, qui participaient au projet « Citoyens âgés » de la synagogue. Je n'avais pas encore élaboré de discours standard. Je m'imaginais que les retraités avaient peur de l'inflation, aussi parlai-je de l'inflation ; je m'imaginais que l'insécurité les inquiétait, aussi me montrai-je impitoyable quant à l'agression sur la voie publique. Je ne me rendais absolument pas compte que je suscitais en moi certains sentiments à seule fin de me rendre plus sympathique aux yeux des autres. Il s'agissait simplement de choisir ce que j'allais mettre en évidence ; du moins était-ce ce que je me disais.

Dayton était d'assez joyeuse humeur. Ma performance lui avait plu. Nous nous arrêtâmes pour déjeuner chez Flickers, un bistrot d'hommes d'affaires de Stony Island, où Tony mit plusieurs fois sur le juke-box la chanson de King Pleasure, *Moody's mood for love.*

Nous fîmes ensuite une halte imprévue sur le terrain de sport de l'Organisation des jeunesses catholiques, où je rejouai le vieux tour libéral, qui consiste en quelques passes de basket avec des enfants noirs. Le terrain avait été pelleté et balayé, mais il avait légèrement neigé depuis, et quand je dribblais, le gros ballon brun clair faisait des échancrures granuleuses dans la neige fraîche. (Cela me fit penser au père Mileski jouant seul à seul contre un gamin pour le salut de son âme et je me souvins des doigts de Sarah accrochés au grillage de la clôture pendant qu'elle regardait la partie.) Je distribuai des badges puis filai avec Dayton, dans sa Cutlass blanche, jusqu'à la librairie de l'université de Chicago, où nous demandâmes personnellement au directeur de placer mon affiche sur la vitrine. Il refusa, puis changea d'avis lorsque je lui confiai que mon frère était l'éditeur de Willow Books. (Il y avait quelques exemplaires de *Le Chamanisme et la Science* près de la caisse enregistreuse.) Le directeur déclara qu'il le faisait par courtoisie professionnelle. En sortant du magasin, Dayton me tendit la main pour toper, comme si nous venions de réussir un coup sensationnel.

De la librairie, Tony me conduisit dans un petit centre commercial, appelé Harper Court, où nous nous contentâmes de faire un tour dans la neige tourbillonnante, mordante ; Dayton arrêtait sans grande considération les passants pour que je les salue. C'était non seulement stupide, mais encore épuisant ; une poignée de main moyenne exerçant une pression de quarante livres, je dus presser environ huit mille livres de chair.

En fin de journée, Tony devait me livrer à Kathy Courtney, mon attachée de presse. Elle travaillait dans le sud de la ville, mais habitait au nord et nous prîmes l'Outer Drive pour rejoindre son appartement. Nous dépassâmes un terrain de jeux, près du lac. Des lampes jaunes éclairaient l'espace désert. Le vent poussait les balançoires d'avant en arrière. Je fermai les yeux et me laissai flotter et je ne vous dirais même pas que je rêvai de Sarah si, en me réveillant en sursaut, je ne m'étais soudain rendu compte qu'il n'y avait pas eu de nuit, depuis deux semaines, où elle ne m'était pas apparue en rêve. Et ce fut alors, avec Tony à mes côtés et la perspective d'une nouvelle nuit de travail, que je finis, étrangement, par acquérir la certitude qu'elle était en vie. La conviction que c'était vrai s'empara de moi avec la force d'une étreinte. Et c'était réel, au moins aussi réel que cette lumière rouge qui vacillait là-bas quelque part au-dessus du lac, vers Indiana, aussi réel que l'ombre de la voiture de Dayton projetée sur la route, cette ombre qui sans jamais nous rattraper vraiment ne nous lâchait pas.

Nous quittâmes l'Outer Drive, prîmes la direction de Michigan Avenue, où Kathy habitait, dans l'un de ces nouveaux gratte-ciel chics. Une pluie glaciale martelait le toit de la voiture, et l'on pouvait entendre les pneus tracer leur sillon, tournant et tournant sur eux-mêmes comme le tambour de la polycopieuse. Tony alluma une Salem, savoura la première bouffée comme s'il s'agissait d'un grand vin.

— Vous vous en êtes bien sorti aujourd'hui, Fielding, dit-il.

— Il va falloir que nous parlions de l'emploi du temps, dis-je. Il y a eu trop de temps morts entre les interventions, et nombre d'entre elles semblaient sans portée.

— Nous avons eu des annulations. On n'y peut rien.

Je ne pris pas la peine de répondre.

— Je pense que nous atteindrons soixante pour cent, dit-il.

— Ah ! très bien.

Il savoura un nouveau nuage de tabac et s'enquit :

— Ça vous plaît de travailler avec moi ?

— Beaucoup, Tony. J'aurai au moins appris que l'on peut compter sur vous.

— Merci, dit-il. Pouvez-vous faire quelque chose pour moi, dans ce cas ? N'en faites pas un secret.

— Qu'est-ce que je viens de faire, à votre avis ?

— Allons, vous savez bien ce que je veux dire. J'aimerais que vous le disiez à votre patron.

— Vous voulez dire le peuple d'Amérique ?

— Ouais, bon.

— De qui voulez-vous parler, Tony ? D'Isaac Green ? Il n'est pas ce que j'appellerais mon *patron*.

— Alors, pourquoi avez-vous prononcé son nom ?

Dayton pointa son index dans ma direction comme s'il me tirait dessus.

— Je suis médium. Admettons, proposai-je. Isaac n'est qu'un avocat plein de bonnes intentions. Que vous importe ce qu'il pense de vous ?

— Je ne suis pas aveugle ; rien qu'à sa façon de me regarder, je sais qu'il me prend pour un type sans envergure. Nous nous sommes battus pour un poste d'alderman, il y a trois ans, et j'ai dû commettre une ou deux erreurs. Notre candidat s'est fait étendre. Des types comme Isaac ne pardonnent pas ça.

— Bon, si je l'emporte, il vous aimera comme avant, dis-je.

— Faites ça pour moi, d'accord ? Ce type a plus de jus qu'une orangeraie.

— Vous croyez ?

— Vous vous moquez de moi ? Pourquoi donc pensez-vous que le gouverneur le chouchoute ? Parce qu'un jour Isaac lui a obtenu des places pour *Porgy and Bess* ?

— Je pense qu'il aime Isaac parce qu'Isaac a de la classe.

— Kinosis se préoccupe autant de ces histoires de classe que de savoir qui est le bassiste d'Oscar Peterson. Le gouverneur est une mule, que Dieu le bénisse, et il n'avance qu'à coups de bâton.

— Très bien, je marche. Quel bâton ?

Nous étions arrêtés à un feu rouge. De l'autre côté du trottoir, dans la vitrine d'un magasin de vêtements, deux femmes déshabillaient des mannequins.

— Je ne sais pas. En tout cas, quelque chose de gros. Combien y a-t-il de gens, dans cet État, qui estiment que le gouverneur leur doit quelque chose ? Et voilà que c'est vous qu'il choisit pour remplacer Carmichael, un type qui n'a aucune expérience et deux ou trois handicaps sérieux.

Il me jeta un coup d'œil pour voir comment je réagissais. Le klaxon de la voiture qui nous suivait retentit dès que le feu passa au vert. Tony passa en première et dit :

— Je fais allusion à ces histoires de famille complètement dingues et à l'ex-petite amie embarquée dans toutes ces manifestations.

— Personne n'en a parlé.

— Personne n'a eu à le faire. Ce qui ne veut pas dire que ça ne resurgira pas. L'important, c'est que Kinosis doit savoir tout ça, et qu'il vous désigne quand même.

— Parce que je suis le meilleur. Et que je vais gagner.

— Peu lui *importe* qui est le meilleur, si ce mot a une quelconque signification.

Il m'adressa le regard de qui se trouve dans la confidence et ajouta :

— Les principes moraux du gouverneur sont des plus élastiques.

Je fermai les yeux. Une sensation d'épuisement m'envahissait, irrésistible, comme l'amorce d'une transe.

— Tout ce que je voulais dire, poursuivit Dayton, c'est que j'aimerais bien qu'un type comme Isaac, à qui l'on doit tant, ait de moi une idée sensas.

Nous nous arrêtâmes devant l'immeuble où logeait Kathy Courtney. Il était sept heures trente, l'heure exacte du rendez-vous. Je devais la retrouver dans le hall. Nous irions ensuite au restaurant, dans sa voiture. Je réglai le chauffage de la voiture de Tony au maximum et mis les mains devant la sortie d'air chaud. Je m'étais jadis imaginé que tendre une main glacée fait de vous un perdant.

— Je vais vous dire quelque chose, Tony. Gagnons ces élections. Ensuite, je parlerai de vous à Isaac. Dans l'immédiat, je ne saurais que dire.

— Je veux que vous lui disiez quelque chose de *bien*, dit Tony avec un sourire qui suggérait une certaine complicité entre nous et qui me déplut au point que j'eus pendant quelques secondes envie de le frapper.

— Oui, dis-je. C'est que, dans l'immédiat, ce serait un peu n'importe quoi.

— Mais...

— Oui, autre chose encore. Ça n'arrangerait rien si vous demandiez à Caroline d'intervenir dans ce sens. Je trouverais ça extrêmement irritant.

J'avais la main sur la poignée, prêt à sortir. Je pouvais apercevoir Kathy dans le hall illuminé de l'immeuble, vêtue d'un anorak de couleur bronze, chaussée de bottes noires lacées. En regardant de nouveau Tony, je compris que j'étais allé trop loin. Ne voulant pas le perdre, je tendis la main et lui tapotai le bras.

— Je n'y attacherais pas une telle importance si je ne pensais pas que je peux gagner, dis-je. C'est seulement qu'il reste peu de temps et qu'il y a encore un long chemin à parcourir. Il se peut que j'agisse parfois comme un idiot.

Je souris, il sourit à son tour, et je me dis, tout en me glissant hors du véhicule : « Ça devrait le calmer pour un bout de temps. »

— Il y a quelque chose que je voulais vous dire, m'annonça Kathy Courtney ; c'est seulement curieux, mais je pense que vous devriez le savoir.

Nous roulions, dans sa voiture, en direction de Rush Street où nous allions dîner avec les journalistes. Elle conduisait une Peugeot marron équipée d'un appareil stéréo allemand, et je tenais sur mes genoux sa collection de cassettes, parmi lesquelles je cherchais un enregistrement convenant à mon humeur ; elle avait en matière de musique des goûts étranges : Anne Murray, Captain et Tennille, Helen Reddy. De la musique bonne pour vous ramollir, alors que je préférais celle qui laisse tomber quelques gouttes d'acide sur vos plaies.

— Allez-y, dis-je.

Je remarquai une légère nuance de séduction dans ma voix, qui m'intrigua, mais je m'accordai le pardon.

— Je connaissais Sarah Williams. J'étais en fac avec elle.

— En fac ? répondis-je aussitôt mécaniquement, comme on se couvre le visage des deux mains quand on sent que l'accident va se produire.

— Oui, à Baltimore. Groucher College. Je suivais des cours de sciences politiques. Je ne connaissais pas vraiment beaucoup de monde. Les autres étudiaient l'histoire médiévale ou la poésie. Mais tout le monde connaissait Sarah.

« Tu n'es pas obligé d'écouter vraiment », me dis-je. Un feu passa au rouge. Nous nous arrêtâmes. La voiture voisine était remplie d'adolescents noirs. Ils se passaient un joint. Je pouvais voir l'écran lumineux de la radio.

— Je ne sais même pas si je devrais vous en parler, fit Kathy d'une toute petite voix terne.

— Ne vous inquiétez pas, répondis-je. (J'attendis un moment, pour qu'elle se détende, puis :) Est-ce que Jerry Carmichael est au courant ?

— Jerry ? Non. Pourquoi ?

— Parce que vous travailliez pour lui, c'est tout. Qui d'autre est au courant ?

— Je ne sais pas.

Je sentais que mes questions l'embarrassaient. Lorsque j'étais procureur du comté, c'était mon point fort. Une fois, j'avais interrogé un entrepreneur de construction que nous essayions de coincer ; pendant six jours, le type avait clamé son innocence ; finalement, je m'étais mis à le harceler, et cela l'avait tellement perturbé qu'en voulant se frotter les yeux, il avait passé un doigt à travers le verre de ses lunettes. Les genoux parsemés de morceaux de verre, il avait tout avoué, et nous l'avions ensuite employé comme témoin à charge en échange de l'immunité pour trois des huits chefs d'accusation retenus contre lui.

— Allons, vous l'avez forcément dit à quelqu'un. L'information est votre métier. Essayez de vous souvenir, Kathy.

— Je suis sûre de l'avoir dit à plusieurs personnes, après.

— Après quoi, Kathy ?

— Après qu'on l'a tuée.

Elle me lança un regard effrayé, blessé, et l'envie de la cuisiner m'abandonna. J'abritai mon regard derrière ma main, mais cela ne servit à rien : quelque chose m'attendait dans l'obscurité.

— Parlez-moi d'elle.

— Je ne sais pas ce que vous souhaitez entendre, dit-elle.

Un lambeau de lumière venue des phares d'une voiture qui tournait couvrit son œil, puis sa joue.

— Parlez-moi simplement d'elle, repris-je.

Ma voix sourdait comme une eau.

— Elle était très drôle. Je veux dire à la fac. (Kathy retomba dans le silence.) Je ne sais pas ce que vous voulez entendre.

— N'importe quoi.

— C'était une rigolote. N'importe où. Elle semait le trouble. Elle portait toujours un imperméable et des lunettes de soleil, et quand quelqu'un la traitait d'espionne, elle répondait qu'elle *était* réellement une espionne. Vous savez ce que c'est. Les étudiants...

— Les étudiants.

— Puis elle a commencé à s'occuper de ces pauvres... Je ne sais pas, ces espèces de femmes apeurées, sur les quais. Cet asile à la fondation duquel elle a contribué. Et après ça, plus personne ne l'a remarquée. Je ne sais pas comment elle a passé ses examens.

— Elle apprenait vite, dis-je. Elle faisait tout vite. Et elle allait jusqu'au bout. Dans tout ce qu'elle entreprenait, elle s'engageait à fond, comme si rien ne comptait, hormis aller jusqu'au bout.

— Je pense que vous avez raison sur ce point, dit Kathy prudemment, comme si elle redoutait que je l'entraînasse sur un terrain dangereux.

— Et alors, elle s'est trouvée coincée du mauvais côté de l'Histoire, dis-je.

Je crois qu'à ce moment-là je ne savais pas exactement à qui je m'adressais. Tout se passait entre moi et l'obscurité ambiante.

— Lorsque je l'ai appris, je n'ai pas pu le croire, dit Kathy. Pour moi, elle avait toujours été quelqu'un de chanceux.

— Vous étiez très liées ?

— Non.

— Pourquoi ?

— Je pense qu'elle ne me connaissait pas. J'étais une fille réservée, la collégienne catholique modèle avec des chaussettes de laine et un teint abominable. Nous n'étions pas dans le même univers.

Brusquement, je fus incapable de prononcer un mot de plus. Je me rappelais les nouvelles, le vol interminable jusqu'à Minneapolis, les hôtesses de l'air assises sur les sièges du fond, ceinture de sécurité bouclée, qui racontaient des ragots, riaient, échangeaient quelque plaisanterie, décrivaient des gens qu'elles connaissaient, et moi-même, en train de penser que Sarah ne rirait jamais plus, n'entendrait plus le rire des autres, que tout se déroulerait désormais sans elle. Je me souvenais aussi du printemps suivant, sans elle, des petits narcisses blancs dans le pot d'argile rouge qui s'ouvraient sur le rebord de la fenêtre de notre chambre, et du filet ténu de parfum qu'ils sécrétaient, comme une note d'orgue qui ne s'éteint pas. Et je me rappelais les appels téléphoniques, et les lettres, et les brefs entretiens désespérés que j'avais accordés aux quelques magazines de gauche qui s'intéressaient encore à ce qui lui était arrivé, et encore les appels du père Mileski, que j'évitais, et le voyage à Washington, où j'avais parlé à l'agent Donahue, un flic d'une quarantaine d'années, un peu ramolli, vert jaunâtre, et les deux cadres de son petit bureau, une photo de J. Edgar Hoover, et un dessin d'enfant : un visage bleu et souriant avec l'inscription : « Mon papa est le plus Smurfy de tous. Tendresses, Sean. » (Je consultai les fichiers du FBI ; les photos en noir et blanc, 20 × 25, étaient brillantes et singulièrement vieillottes, comme s'il s'agissait d'un événement très ancien. La Volvo blanche était cassée en deux, nichée dans une meringue de mousse carbonique. On avait dessiné au crayon gras des flèches indiquant l'emplacement de la bombe et le point d'impact. Il y avait aussi des photos des corps, mais je n'avais pas vraiment pu les regarder.)

Je me souvenais de tout. Ma mémoire était bien trop fidèle. J'étais un homme inconscient dans une coquille de noix filant vers les Angel Falls. Je me rappelais maintenant comment j'avais quitté l'appartement de Carmichael, et combien, en rentrant chez moi à pied, elle avait été proche de moi dans la tempête, et son coup de téléphone peu après mon retour. J'étais au faîte de quelque chose qui pouvait être folie ou illumination, effondrement ou transcendance ; c'était apparemment sans gravité. Cette sorte de fièvre avait dû se manifester quand les gens avaient commencé à croire que la terre n'était pas plate, qu'elle n'avait pas de fin, mais s'incurvait et s'incurvait sans fin sur elle-même. Vous aviez contemplé l'océan pendant toute une vie, et pu voir l'arête tranchante qui le bornait, et soudain ce bord disparaissait, remplacé par une courbe, preuve inattendue et inexplicable de l'infini. Peut-être un jour en viendrions-nous à percevoir aussi la mort de cette manière. Peut-être la percevais-je déjà ainsi. Peut-être les morts attendent-ils que nous ayons besoin d'eux pour s'éveiller, à moins que ce ne soit pas eux mais nous qui réalisions cet éveil, en enlevant les écailles qui recouvrent notre perception tragique de la vie et de la mort pour participer d'une vision à la fois extasiée et terrible. Hors l'absolu de la mort, nul acte n'aurait de fin. Et si une parole cruelle, une malhonnêteté, une violence exercée sur un enfant ne duraient pas seulement l'espace d'un instant, d'une vie, mais se prolongeaient tout au long de la courbe du temps ?

Nous étions garés en face du restaurant. Je ne sais pas combien de temps j'étais resté assis, muré dans mon silence, mais Kathy était près de moi, respirait avec moi.

Finalement, elle annonça :

— Nous sommes arrivés.

J'acquiesçai d'un signe de tête.

— Allez-y, lui-dis-je. Je vais rester là et reprendre mes esprits.

Ma formule la mit à l'aise. Elle vérifia son aspect dans le rétroviseur, tapota ses cheveux, releva le col froncé de son chemisier. « D'accord », dit-elle en ouvrant la porte. Le moteur coupé, une mince couche de glace se formait déjà sur le pare-brise. Elle sortit avec précaution. Le sol était gelé. Elle me dévisagea longuement, referma la porte aussi doucement que possible, comme une mère sort de la chambre d'un enfant capricieux en priant le ciel qu'il ne se réveille pas.

Le restaurant s'appelait Alan's Rib[3]. Ces exquises inventions, en matière de noms de restaurants, semblaient avoir atteint les dimensions d'une épidémie. L'endroit était un étalage de chromes, de miroirs et de tapis gris. Je cherchai Kathy des yeux sans la trouver. L'air sentait la graisse brûlée, des haut-parleurs diffusaient une musique de jazz suave. Je l'aperçus, enfin, debout à notre table, qui me faisait signe. Terre, Fielding ! Je me dirigeai vers elle d'un pas lourd, en arborant un sourire qui se voulait rassurant.

Kathy se trouvait à côté d'une grosse femme affligée d'une tache de naissance au visage. Elle s'appelait Sandra McDuffy et dirigeait sur WGN l'émission politique du dimanche matin intitulée Chicagoland Now. Mon autre copain de la soirée était un dénommé George Broderick, du *Sun Times*. George approchait de la trentaine, sa coiffure offrait un bel exemple de brushing et son air un non moins bel exemple de suffisance.

Kathy, nerveuse, paraissait extrêmement soucieuse de plaire.

— J'espère que tout le monde a faim ! s'exclama-t-elle comme si elle avait passé des heures à la cuisine pour nous préparer le repas.

Tout en m'installant, je fus frappé par le caractère artificiel de son ton. Elle jouait son rôle comme si elle avait besoin de réaliser une vente, alors que mon instinct me disait qu'elle aurait dû les traiter comme si nous leur faisions une faveur.

Nous commandâmes les apéritifs. Broderick haussa le sourcil

3. Évoque la côte d'Adam, et aussi, bien entendu, les grillades.

quand je demandai une eau minérale. Nous bavardâmes à bâtons rompus pendant un moment, et je me débrouillai fort bien en pilotage automatique. Il n'y avait pas très longtemps que je pratiquais ce genre de sport, mais il semblait soudain, sans plus d'échappatoire, que j'avais frayé avec ces conneries ma vie durant.

Je sentis presque arriver, comme si la terre avait frémi, l'instant où la soirée bascula.

— Est-ce que le député Carmichael participe à votre campagne ? me demanda George Broderick.

Il avait bu une gorgée de son *stinger*[4] sans retirer l'agitateur, dont la petite extrémité rouge avait laissé une marque sur sa joue.

— Mettons les choses au point, dit Kathy, prenant les devants. Jerry est encore très fatigué. Bien entendu, il ne veut pas que le siège tombe aux mains des républicains, mais les considérations familiales doivent passer avant tout.

— Jerry est formidable dans les campagnes électorales, dit Broderick.

— Oh, il adore ça, dit Kathy. Ça stimule son énergie.

Sandra McDuffy alla pêcher sa cerise au marasquin dans son Rob Roy[5]. Elle la posa sur sa serviette, sourit lorsqu'elle s'aperçut que je la regardais faire.

— Vous vous souvenez de moi, Fielding ? demanda-t-elle.

Je ne me souvenais de rien, pas encore. Mais la question et le ton de sa voix déclenchèrent en moi une alarme.

— Je n'arrive pas... à, pas tout à fait à vous situer.

— Vous la voyez tout le temps à la télévision, dit Kathy, essayant de m'aider.

— Oh, non, je ne parle pas de ça, dit Sandra McDuffy. Fielding et moi nous sommes rencontrés il y a quelques années, quand je débutais dans les informations télévisées. Mais vous ne vous rappelez pas ?

Elle s'interrompit, leva le visage, comme si elle posait pour un photographe.

4. Cocktail composé de crème de menthe et de cognac.
5. Cocktail composé de vermouth doux, whisky et angustura.

— Pas vraiment, répondis-je.

Un gros éclat de rire monta d'une autre table. Je refrénai mon envie de me retourner pour voir qui pouvait être si insolemment joyeux.

— Minneapolis, dit Sandra. (Voyant mon visage se défaire, elle fut terriblement gênée.) Oh, je suis désolée. C'était un moment terrible. J'imagine que vous ne vous souvenez pas. C'est idiot de ma part.

— Minneapolis, répétai-je.

Elle expliqua, à l'adresse des autres :

— C'était mon premier travail. J'étais comme Mary Tyler Moore dans le petit département d'information de WJM, seulement je n'avais pas Lou Grant comme patron. Le type pour qui je travaillais était un absolu cauchemar. Je veux dire, il n'y avait pas pire. Et parce que j'étais une *femme*, il m'avait mise sur la fausse-couche-au-zoo. Beurk. Rien de pire ! Et puis une chose incroyable s'est produite. L'une des meilleures affaires de l'année a éclaté et ce journaliste... Doug Swenson, que mon patron *adorait* littéralement — je veux dire à tel point que c'en était ridicule —, a eu une crise de phlébite et, avant même de l'apprendre, j'étais sur l'affaire. Un coup de veine formidable.

— De quelle affaire s'agissait-il ? demanda Broderick, par courtoisie professionnelle.

— Eh bien, peut-être Fielding devrait-il vous la raconter. Il était un des *acteurs*.

Comme des spectateurs d'un match de tennis extrêmement ralenti, mes compagnons de table posèrent leurs regards sur moi. Je bus une gorgée d'eau gazeuse et, avec un peu d'imagination, lui concédai un goût de gin.

— La femme avec qui je vivais se trouvait dans une voiture, et cette voiture était piégée.

— Oh, allons, dit McDuffy. Comme si c'était tout.

Elle était assise à ma gauche. Je pouvais sentir son parfum. Ses yeux lançaient ces singuliers éclairs de vivacité qui caractérisent les gens dont la pensée a toujours dix minutes d'avance sur la vôtre. Elle m'arracha l'histoire comme on enlève un drapeau, et puis, ce fut *elle* qui mena la parade.

— C'était une bande de Chiliens, dit-elle, et ils étaient tous de mèche avec ces prêtres du genre libérateur. Ils étaient sortis clandestinement du Chili pour venir ici. Rien que l'histoire de ces pauvres gens venus des montagnes d'Amérique latine et se réveillant un beau matin à Saint Paul en plein hiver mérite déjà l'antenne sur n'importe quel réseau télévisé. Mais ce n'est pas tout, loin de là. C'était comme dans un roman d'espionnage. Vous avez ces Chiliens de gauche réfugiés ici, et ces prêtres américains qui leur donnent asile. Et puis vous avez les Chiliens de droite qui les poursuivent. Et vous avez encore une fille comme l'amie de Fielding qui se trouve prise entre deux feux. Je dois avouer que mon cœur penche pour les premiers. Ils avaient du cran, vraiment du cran.

— Épargnez-nous le *passé,* dit Kathy en roulant des yeux pour atténuer le possible impact du discours.

— Savez-vous pourquoi vous ne m'avez pas reconnue ? me demanda Sandra, repartant à l'attaque, c'est parce que j'ai perdu énormément de poids depuis.

— Vous êtes superbe, en tout cas, dit Kathy. C'est quel régime, Scarsdale ?

— Non, rien de ce genre. Je mange simplement beaucoup moins, et je bois de l'eau minérale.

— Mais je me souviens de vous, dis-je d'une voix à peine audible. Je me rappelle vos yeux, et le son de votre voix, et comment vous me colliez le micro sous le nez.

— Les femmes ne sont pas censées se montrer agressives, dit Sandra à Kathy.

— Vous étiez lié avec ces Chiliens, vous aussi ? me demanda Broderick.

— Mais c'est si vieux, intervint Kathy. Fielding n'avait vraiment rien à voir avec cette histoire.

— Mais vous devez les avoir connus, insista Broderick. Qui étaient-ils ? Des gens du temps d'Allende ?

— Oui, c'est exact. Je les connaissais.

Sandra McDuffy lança un regard interrogateur à Kathy, qui haussa les épaules comme pour indiquer qu'elle entendait ça pour la première fois.

— Voilà qui donne une nouvelle dimension à toute l'histoire, n'est-ce pas ? dit Broderick à McDuffy.

— Oui et non, dit-elle sans vouloir s'engager.

— J'imagine que je dois vous dire maintenant si je m'étais ou ne m'étais pas engagé d'une manière quelconque avec les Chiliens. Eh bien, non en vérité. C'était Sarah qui s'en occupait.

— Sarah Williams, dit McDuffy à Broderick. Son amie.

Broderick hocha la tête. Sa main glissa sous sa veste. Il agrippa quelques centimètres de chair molle et les serra de toutes ses forces.

— J'ai entendu quelque chose d'intéressant au sujet du vieux Bertelli aujourd'hui, dit Kathy.

— Cette histoire de Chiliens, dit Broderick. Je crois que je m'en souviens maintenant.

— Bien sûr que oui, dit McDuffy. C'était énorme. Francisco Higgins. Gisela Higgins. Ils étaient en quelque sorte des membres du jet set latino-américain. Très brillants, très à gauche. Pas nécessairement communistes ou un truc comme ça. Mais vous savez, cet esprit des années soixante, la révolution sud-américaine. Et on a *supposé* que les généraux et je ne sais qui là-bas au Chili avaient envoyé ici une équipe de tueurs pour abattre les Higgins. Cependant, rien n'a jamais été prouvé. Et celui qui a posé la bombe dans la voiture, quel...

— On les a fait *sauter* ? l'interrompit Broderick.

— Seigneur, George ! dit McDuffy, mais où étiez-vous donc en 1975 ?

— A Londres, j'étudiais là-bas...

— Alors, vous étiez effectivement très loin de tout ça. Oui. On a déposé une bombe dans la voiture, et celui qui l'a fait est tout simplement parti, comme ça, sans problème. La plupart des gens pensent que le responsable, quel qu'il soit, est sorti du pays. Il y a eu les ragots habituels sur les conspirations, vous savez, comme quoi la CIA aurait permis aux criminels de sortir en toute sécurité. Et puis on a avancé que c'était la gauche qui avait mis la bombe, après avoir imaginé que Francisco et Gisela seraient plus utiles morts, comme martyrs, et que tout ça n'était qu'une façon de discréditer le nouveau gouvernement chilien.

— C'est peut-être un peu outré, non ? dit Broderick.

— C'est ce qu'on appelle des sornettes, déclarai-je.

— Considérez-vous votre candidature comme un moyen de relancer ce combat ? me demanda Broderick.

— Doucement, George, dit Kathy. Il n'a jamais rien eu à faire avec tout ça.

— D'accord, répondit Broderick, laissez-moi poser la question autrement. Si vous êtes élu, avez-vous l'intention de...

— Provocation, fit Kathy d'un air taquin, agitant l'index en direction de Broderick, avec le sourire.

— Il me faut bien quelque chose pour mon article, dit Broderick, répondant à son sourire par un imperceptible rictus.

Qu'attendais-je, pour balayer la surface de la table d'un grand geste du bras ? Étais-je venu jusqu'ici pour entendre pareilles choses ? Il semblait que le chemin ne pouvait devenir que plus étroit, et mes pas, plus prudents. Qu'avaient donc perçu en moi mes compagnons de table pour parler comme ils le faisaient de la journée dans le Minnesota ? Semblais-je si indifférent à l'horreur qu'elle recelait ?

Au même moment, j'entendis le *pock* mat d'un bouchon de champagne que l'on fait sauter. Je me tournai en direction du bruit. Une serveuse en pantalon noir versait du champagne à un petit type chauve richement vêtu, accompagné d'une femme jeune à l'air traqué. Il regardait le champagne monter dans son verre ; la lumière des bougies s'emparait des bulles du vin, dont les mouvements évoquaient l'excitation, la colère.

Et alors que le filet de mon attention traînait encore à la dérive dans le restaurant, que les gardiens de l'intelligence allumaient leurs cigarettes, rêvassaient aux étoiles, sans se soucier le moins du monde de leur devoir, qui est d'empêcher quoi que ce soit de passer la frontière entre le cœur et l'esprit, alors je la vis, qui se levait de sa table au fond du restaurant, près du bar noir et chromé, Sarah. Il y avait trois autres personnes à la table, mais elle était la seule à partir. Elle portait un chandail noir et un pantalon gris à pinces. Ses traits exprimaient une colère qui me paraissait à la fois monstrueuse et familière. Ses mâchoires étaient serrées, ses gestes vifs, presque cinglants. Elle arracha un manteau de laine pourpre du dossier de sa chaise, jeta un dernier regard à ses compagnons de table, secoua la tête avec dégoût avant de s'éloigner, son manteau jeté sur ses épaules carrées.

— Hola, *ho !* s'écria Sandra McDuffy en reculant sa chaise.

J'avais renversé par mégarde mon verre d'eau gazeuse, dont le contenu dégoulinait du rebord de la table, droit sur ses genoux.

— Désolé, dis-je en me levant.

Je regardai le dos au manteau pourpre contourner le bar et se diriger vers la porte d'entrée. Un nouvel air de musique enregistrée retentit : *Do you know the way to San Jose ?*

Il y eut une légère agitation à ma table. Des serviettes furent étalées sur l'eau répandue. Kathy Courtney se mit à parler à un mille-minute et George Broderick glissa subrepticement deux pastilles contre les brûlures d'estomac dans sa grande bouche molle, puis regarda autour de lui avec un drôle d'air de culpabilité, comme s'il était illégal de prendre des Tums. Je savais que j'étais en train de commettre une très grave erreur et que je n'avais qu'un instant pour la rattraper.

— Comme c'est étrange, dis-je. Mais ce...

Je désignai la porte à l'instant même où Sarah sortit. Je me retournai vers Kathy et les journalistes. Ils avaient l'air mal à l'aise et, l'ayant constaté, je sus que tout ce que je leur dirais serait accueilli avec soulagement. Les gens sont prêts à admettre n'importe quoi plutôt que le chaos d'un esprit qui s'effiloche.

— Je reviendrai le plus vite possible, mais cette femme qui vient juste de sortir dispose de quelques statistiques que j'aimerais bien obtenir et elle est... elle est très difficile à joindre.

J'allongeai la main pour prendre mon manteau, mais ne sentis que le dossier de la chaise. Peut-être serait-il préférable de ne pas le prendre, pour donner l'impression que j'allais revenir tout de suite. J'esquissai un geste que je voulais rassurant et traversai le restaurant en direction de la porte, me disant à chaque pas que je ne faisais rien là qui ne pourrait être réparé, par la suite.

Le vent soufflait si fort contre la porte qu'il me sembla qu'une épaule pesait sur elle tandis que j'essayais de la pousser. Le bas de mon pantalon se mit à danser curieusement autour de mes chevilles et ma cravate passa par-dessus mon épaule. Le vent froid était comme de l'acier sur mon ventre. La neige qui filait devant les réverbères formait des éclairs. Mon cœur semblait se déplacer tout doucement dans ma poitrine, comme un vieillard apeuré marche dans le noir. Je regardai d'un côté de la rue. Il n'y avait que du vide. Les lumières au néon d'une vitrine demeurèrent un instant suspendues dans la trame de l'obscurité, puis disparurent, puis reparurent. Je regardai dans l'autre direction, et je la vis, qui atteignait presque le coin de la rue, où le feu qui règle la circulation nord-sud était au rouge, et le flot de la circulation en direction de l'ouest s'écoulait en une masse précipitée et grinçante. *« Retourne-toi »*, pensai-je, lançant à son adresse, de toutes mes forces, ma voix intérieure. Bien entendu, elle ne se retourna pas. Sa silhouette paraissait incertaine, floue. La neige m'entrait dans les yeux et le vent gémissait, informe. Je me mis à courir.

Je me sentais agile et rapide. J'avais l'impression de glisser vers elle. Je dépassai un petit magasin de fruits secs avec de pleines caisses de cerneaux de noix baignant dans la lumière réconfortante des infrarouges, puis une boutique funèbre de vêtements hors de prix à l'enseigne de Yesterday, Today and Tomorrow, et enfin un petit bar sombre, Mister Sister. Le feu passa au vert, elle traversa rapidement la rue. Je pouvais voir, aux mouvements de ses coudes et de ses épaules, qu'elle boutonnait enfin son manteau. J'ouvris la main comme si son ventre tiède se trouvait sous ma paume.

Puis, brutalement, je m'arrêtai. Comment pouvait-elle être Sarah ? Quelle sorte de transfert suicidaire étais-je en train d'opérer ? Je restai sur le bord du trottoir et la regardai s'éloigner en me disant que je devais faire demi-tour. Mais ce n'était pas aussi simple que ça, bien sûr. Il y a des moments où ce dont la vie exige que vous vous défassiez est précisément tout ce en quoi vous aviez cru jusqu'alors. Et le problème est alors de savoir quand ces moments arrivent. Dès le commencement de cette campagne, j'avais partagé avec Sarah le coin le plus tendre, le plus vulnérable de mon cœur. Elle était venue à moi dans mon sommeil, j'avais entendu sa voix fredonner sur les ondes. Elle ne s'éloignerait pas ; elle ne faisait que se rapprocher. Et à présent, debout à ce coin de rue, sous la neige qui tombait de plus en plus fort, il ne me restait plus qu'un moment pour prendre ce qui était, j'en eus brusquement la révélation, la décision la plus importante de ma vie : étais-je en train de perdre la tête, ou une seconde chance, avec elle, m'était-elle offerte ? Ainsi posé, le choix paraissait curieusement simple et clair. Je l'appelai, et me mis à courir derrière elle. Ma vieille conscience de tous les jours était semblable à une lumière sur la rive, et tout le reste était un navire voguant vers la courbe invisible de la mer.

Elle savait que je la suivais. Elle accéléra le pas, jeta un regard par-dessus son épaule, et se détourna vivement. Un commerçant avait jeté du gros sel chimique sur le trottoir ; ses bottes, en le foulant, crissaient. Soudain, elle descendit sur la chaussée, traversa et gagna le trottoir d'en face. Un autobus arrivait à bonne allure, ses fenêtres éclairées, vertes ; le gaz sortait du pot d'échappement comme une queue de cheval noire. Je savais que si je laissais cet autobus passer, il l'effacerait. Je bondis au-devant du véhicule, mes chaussures aux semelles trop fines glissaient sur la pellicule glacée et lisse qui couvrait le macadam.

— Sarah, dis-je, maintenant que je me trouvais de nouveau derrière elle.

Nous n'étions plus séparés que par deux ou trois cents mètres. Sans se retourner, elle commença à courir. Je courus sur ses traces. Dans les films, la femme pourchassée trébuche infailliblement, mais elle avait le pied sûr, bien plus sûr que le mien. Le froid commençait à glacer mon souffle, mes pensées explosaient en grandes masses vaporeuses.

Elle se mit à courir pour de bon, à toute vitesse. Je lui criai de s'arrêter. La résonance de ma voix, mordue par le froid, était désespérée, repoussante. J'essayais de courir aussi vite qu'elle sans pouvoir la rattraper. J'arrivais tout juste à ne pas me laisser distancer. Elle touchait au but, je pouvais le voir à la détermination farouche de sa foulée. Puis les devantures des magasins cédèrent place aux flèches noires d'une grille de fer. Derrière la grille s'alignaient les fenêtres à claire-voie d'une école paroissiale, et un grand vitrail ovale se déployait comme l'aile d'un oiseau prodigieux s'élevant dans la nuit. La porte de la grille fut ouverte sans ménagement. Je la vis gravir en courant les marches de l'église. Un triangle de lumière apparut dans l'obscurité neigeuse quand elle ouvrit la porte et disparut lorsqu'elle la referma.

Je la suivis. Mais je perdis l'équilibre sur les hautes marches de ciment recouvertes de glace. J'amortis ma chute en lançant les mains en avant, mais mon tibia heurta l'arête d'une marche, la douleur s'éleva en moi comme une volée de moineaux effrayés au-dessus d'un bosquet. Je m'adressai quelques jurons en essayant de reprendre mon élan. J'étais sur les genoux, les yeux fermés, mais je me forçai à avancer. Je parvins, quasiment en rampant, au sommet de l'escalier. Ma jambe gauche saignait, et mes paumes, au-dessus du poignet, étaient légèrement blessées. Je me redressai, pour me retenir aussitôt à la porte. J'entendis un grognement sourd d'animal, puis compris que c'était moi.

Je traversai le vestibule, poussai les portes à deux battants, atteignis la nef. L'église était sombre et chaude, les ombres vacillaient si bien que tout paraissait mouvant. La chaire était vide, mais çà et là, sur les bancs, je pouvais distinguer une tête inclinée. Je restai à l'arrière de l'église, essoufflé, une main cramponnée au dossier lisse du banc du fond. Une femme coiffée d'un fichu noir allumait un cierge à l'aide d'une longue allumette de bois. Elle souffla sur la flamme et joignit les mains pour prier. Je cherchai Sarah du regard. L'encens et la chaleur me piquaient les yeux. Je les fermai très fort, quelques secondes, et, quand je les rouvris, je la vis, près de l'autel. Sarah leva rapidement la tête vers le crucifix avant de se précipiter dans la travée, en direction d'une petite chapelle latérale. Je pouvais entendre les talons de ses bottes claquer sur le sol. Je descendis l'allée centrale en courant. Au passage, du coin de l'œil, j'entrevis quelques vieilles femmes sur des prie-Dieu, murmurant leurs prières dans leurs mains jointes.

Dans l'obscurité de la chapelle latérale, seules brillaient deux lampes, comme de gros yeux rouges. Il n'y avait pas de bancs, seulement un bénitier et une statue de la Vierge dans sa châsse vitrée, derrière la table de communion. C'était une statue de bois, peinte en bleu, pêche et blanc. Le bois était craquelé autour des yeux et deux doigts manquaient. Il n'y avait, dans la chapelle, que cette statue et moi. « Sarah ? » dis-je d'une voix à peine plus haute qu'un murmure. J'étais calme, le seul son qui me parvenait était celui de mon souffle, court. « Sarah ? » répétai-je, plus fort cette fois, puis de nouveau, encore plus fort, encore et encore. Chaque appel éveillait des échos qui se répercutaient sous la voûte. Je cherchai des yeux la porte par laquelle elle aurait pu sortir, mais il n'y avait rien, aucune issue. Je m'emparai de l'une des lampes et, la tenant devant moi, fis le tour de la chapelle. Des paroles incontrôlées tombaient de mes lèvres ; je l'appelais, sans plus savoir ce que j'étais en train de faire, quand je découvris une étroite porte en bois. Je l'ouvris, et le vent s'empara de moi. La flamme de la veilleuse se coucha puis s'éteignit. Je sentis sur mes lèvres le goût de la neige. Je me trouvais sur un balcon entouré d'une balustrade ; un escalier métallique descendait vers la ruelle éclairée par un grand lampadaire bourdonnant. Elle était partie.

Je fis demi-tour, fermai la porte. La lampe m'échappa des mains et alla se briser sur les dalles de pierre. Je n'étais pas assez fort pour porter le fardeau qui m'était échu et, à l'instant où je me l'avouai, le peu de force qui me restait m'abandonna. Je ne savais plus que faire et, pis encore, je ne savais plus très bien ce que je ressentais. Je m'appuyai de tout mon poids à la table de communion, regardai fixement la statue de la Vierge et blasphémai le nom de Dieu, puis je rejetai la tête en arrière et blasphémai derechef, hurlant cette fois. L'écho se prolongea et j'entendis des pas approcher de la chapelle en toute hâte.

— Qui fait tout ce tapage ?

Il me sembla reconnaître la voix anxieuse, à son accent britannique.

Je me retournai. Le père Stanton se tenait devant moi, ses cheveux étaient complètement blancs, maintenant, et ses grands yeux bleus paraissaient outragés. Il portait un pyjama, des pantoufles, une robe de chambre en lainage sombre. Quelqu'un l'avait sans doute réveillé pour l'avertir qu'il y avait un fou dans l'église. Il parut tout d'abord ne pas me reconnaître, puis, en un éclair, il me remit. Il fit un pas en arrière, serra ses mains l'une contre l'autre.

— Fielding, mon Dieu, que se passe-t-il ? Qu'est-ce qui vous amène ici ?

— Je ne sais pas, répondis-je.

Titubant dans sa direction, je lui saisis la main avec ce qui me restait de force. « Que ses doigts sont froids », pensai-je avant de m'effondrer à ses pieds.

— Je ne sais pas, répétai-je.

Il me regarda. Je distinguais suffisamment son regard pour me rendre compte qu'il était alarmé, et je reculai pour ne pas l'effrayer.

— Vous vouliez me parler ? demanda-t-il.

— Je ne sais pas pourquoi je suis ici, dis-je. Où suis-je ?

— Vous êtes dans une église, dit-il. (Sa voix eut soudain une résonance dure, irritée.) Et vous avez provoqué un scandale. Vous avez effrayé une femme en prière. Cette église est un sanctuaire, Fielding. Vous devriez le savoir.

— Je veux parler de Sarah, dis-je.

Je fermai les yeux. Je sentis sa main s'emparer de la mienne, et mes forces m'abandonner, comme disparaît l'ultime rayon de lumière dans une pièce dont la porte se referme.

— Que voulez-vous me dire à son sujet, Fielding ? me demanda Stanton avec douceur.

— Est-elle vivante, mon père ? Je vous en prie, dites-le-moi.

J'attendais sa réponse ; j'entendais sa respiration, légère, calme. Finalement, j'ouvris les yeux. Il me tenait toujours par la main, et me contemplait avec une infinie pitié...

— Elle vit dans le cœur de ceux d'entre nous qui l'ont aimée. Et au-delà, il y a quelque chose d'encore plus grand. Elle est avec Dieu.

Je retirai ma main.

— Je l'ai suivie jusque dans cette église, père Stanton.

Je tentai de me composer un visage qui donnerait une impression de force. Je voulais avoir l'air fort, très fort, après avoir prononcé de telles paroles.

Le père Stanton se rapprocha de moi. Son image me parut incertaine, comme un reflet dans un miroir très ancien.

— Fielding, dit-il en secouant la tête.

Il me prit par les épaules et je restai là, acceptant sa compassion, les yeux grands ouverts dans l'obscurité.

12

Sarah était donc revenue du Chili, et je repartis en toute hâte de New York, où avait eu lieu la fête en l'honneur de mon père, pour la rejoindre. Je pris le dernier avion qui, exception faite de l'équipage, et de moi-même, était vide. Je me souviens que je me sentais seul comme un président dans son avion privé, et que cette illusion était certes plus agréable que la conscience de ce que j'étais réellement, un homme en train de se précipiter à la rencontre de celle qu'il aime, sachant bien qu'il la perd. J'étais obstiné, mais je n'étais pas idiot : je savais que maintenant qu'elle était revenue de sa mission dans le cœur bardé d'acier du Chili, Sarah voudrait de moi, cette nuit, et la nuit suivante ; mais je savais aussi qu'elle était en train de changer, et sur le point de donner à sa vie une orientation nouvelle, que je ne saurais emprunter à mon tour. Ce n'était qu'une question de temps. Que nous nous soyons trouvés, pour commencer, et que nous ayons pu vivre ensemble pendant tant et tant de mois semblait, dans l'obscurité vrombissante de ce vol de retour, n'être plus qu'un heureux hasard, maintenant que les lois de l'entropie sentimentale s'organisaient sans nous. Sarah et moi, pensais-je, étions comme des boulets qui avaient été tirés, des lointaines bases de nos enfances, dans des directions que des milliers de kilomètres séparaient. Nos trajectoires s'étaient croisées pour un temps, et nous avions suivi notre course en tandem, mais voici que soudain nos voies divergeaient. Je pouvais voir Sarah se frayer un chemin dans l'espace tandis qu'elle (ou peut-être était-ce moi) s'éloignait de plus en plus.

En fait, je me sentais humilié par son courage, à la fois horrifié et frappé de crainte révérentielle par les choix qu'elle était en train de faire. C'était un rude choc de la voir devenir — à ses propres yeux sans nul doute, et aux miens dans une certaine mesure — une grande âme. Et ce sentiment, je l'avais toujours connu, sous une forme ou sous une autre.

A l'université, je m'étais lié avec un garçon qui prenait de la mescaline cinq fois par semaine. Il ne tarda pas à ébaucher des théories sur l'électricité statique chez l'homme, les mauvaises vibrations moléculaires, les points chauds de Harvard Yard, mais, tout en le voyant se dégrader — les céréales du petit déjeuner demeuraient prises dans le fouillis de sa barbe, son regard fixe et vacant —, je pressentais malgré moi qu'il avait découvert quelque chose que j'aurais dû savoir et que je ne saurais jamais. Cela ressemblait à ce que j'avais toujours ressenti à l'égard de Danny, qui menait ses affaires en funambule travaillant sans filet, et à l'égard de Caroline, imperturbable en dépit des pressions, capable de jeter comme une rose rouge ses sentiments les plus délicats par-dessus bord. J'avais, pendant un moment, cru que Sarah et moi étions des âmes sœurs, des complices, en fait. En temps normal, nous riions des mêmes plaisanteries, remarquions les mêmes excentriques au milieu d'une foule et admettions sans grandes difficultés les imperfections et l'inévitable fange qui gisent sous chaque mot, sous chaque geste. Nous n'étions pas des anges. Nous étions capables de laisser le téléphone sonner sans nous soucier de l'âme en détresse qui nous appelait. Nous étions aussi, l'un pour l'autre, des amants parfaits. Nous nous aventurions dans l'amour avec le même sens du risque. Nous désirions tous deux nous défaire du moi que nous portions comme un uniforme dans le monde de tous les jours. Lorsque je m'enfonçais loin en elle, Sarah frémissait et m'étreignait comme si sa boîte crânienne allait s'entrouvrir légèrement ; je veux dire que son visage se modifiait, se transformait vraiment, et que j'apercevais alors une Sarah que nul autre que moi n'avait jamais connue, même pas elle-même, sinon à travers moi, et cette image simple nous liait : c'était la chose la plus authentique, la moins ornée que j'avais jamais connue, et elle en connaissait autant de moi, pour sa part. Nous étions l'un pour l'autre des sentes qui nous conduisaient tout au fond de nous-mêmes, et nous étions suffisamment jeunes et stupides pour attribuer à ces plongées la plus grande importance.

Mais cela n'avait duré qu'un temps, n'avait été qu'un moment de nos vies et, en rentrant à la maison cette nuit-là, je compris que ce moment était sur le point de s'achever. Tout avait certainement commencé à se corrompre bien avant, mais c'était la première fois que je l'admettais — dans ces hauteurs obscures, à l'intérieur de cette carlingue pressurisée, sous le faisceau de lumière qui tombait de la lampe, au-dessus de ma tête, pour éclairer le livre fermé, posé sur mes genoux . Je savais que nos étreintes ne seraient plus les mêmes, et cette certitude n'allait pas sans une autre, plus profonde et plus accablante : nos étreintes étaient déjà différentes. Nous tenions non seulement l'un à l'autre, mais nous nous tenions l'un à l'autre. Je posai mes paumes sur mes yeux, que je fermai très fort ; il y eut un bruit sourd, une légère secousse. Ce n'était que mon livre, qui avait glissé de mes genoux pour aller se fondre dans l'obscurité qui décrivait, comme une des plaies de l'Égypte, des cercles autour de mes chevilles.

Nous fûmes tellement heureux de nous retrouver... mais ce fut pourtant peu après son retour de Santiago que nous commençâmes à nous quereller. Il ne s'agissait plus de ces disputes ordinaires qui opposent les amants. Nous découvrions la croisée de nos chemins, et cette découverte nous rendait un peu plus désespérés et mesquins. Il y avait, derrière chacun de nous, un abîme de sainteté. Je m'abandonnais, une nouvelle fois, à toutes ces insupportables prétentions masculines à la suprématie, ce La Brea[1] d'honneur blessé, et au souci obsessionnel de mon avenir, tandis qu'un piège tout aussi fascinant s'ouvrait sous les pas de Sarah : la certitude qu'elle ne parlait plus seulement en son nom, mais au nom du Seigneur.

Une seule fois, à son retour du Chili, elle me serra dans ses bras aussi fort que je le désirais, et ce fut quelques semaines plus tard, quand elle se réveilla au milieu d'un cauchemar. Le

1. Fouilles archéologiques, à Los Angeles. Ossements préhistoriques.

jour venait à peine de se lever. Elle se tourna vers moi, posa les mains sur mes épaules, glissa une jambe entre mes cuisses, pressant ses seins durcis sur ma poitrine. Elle ne portait qu'une veste de pyjama. Autour de son sexe, les poils emmêlés étaient durs. Quand elle remua, l'odeur de notre nuit d'amour monta, comme un nuage qui aurait été maintenu captif sous les draps.

— Réveille-toi, Fielding, dit-elle. S'il te plaît.

Elle était glacée de peur. Ses yeux, immenses, semblaient dépourvus de toute intelligence humaine. Son haleine était fétide, mais il serait inexact de dire que cela m'était égal, alors qu'en fait toutes ces manifestations tangibles me plaisaient ; la toute-puissance de sa chair donnait en moi la parole à un chœur qui n'exprimait que la gratitude et le désir. J'éprouvais un regret cuisant chaque fois qu'elle prenait un bain.

— J'étais assise sur une chaise, me raconta-t-elle. Je devais me trouver dans une maison. Un trou s'ouvrait dans le sol, et la chaise allait y tomber. Tout se passait dans le plus grand calme. Je ne sais pas... Tout était si tranquille. Lorsque la chaise a glissé, j'ai pensé : « Oh, oh ! Ils m'ont eue. » Mais ça ne m'a pas semblé grave. J'étais persuadée que j'allais m'en sortir ; et tout d'un coup, j'ai compris que si je me levais de cette chaise, je me retrouverais dans le vide, dans le néant noir, et que je n'arrêterais pas de tomber. Alors, je suis restée assise, et il y a eu un bruit terrible, comme celui d'un train qui entre en gare, ou d'un métro ; le bruit devenait de plus en plus fort ; tout ce que je voulais, c'était me boucher les oreilles, mais j'en étais incapable. Je savais que si je lâchais cette chaise, je serais aspirée par le vide. A ce moment-là, j'ai compris ce qui se passait : j'étais en train de mourir.

— Oh, oh ! fis-je en caressant son visage.

Je sentais qu'elle avait besoin de moi, à ce moment-là, et mon cœur battait la chamade. Je voulus alors inscrire en quelque sorte ce moment dans ma mémoire et m'en servir comme d'une boussole pour ouvrir une nouvelle voie.

— Oh, oh ! Après toutes ces années d'étude avec les grands professeurs de Harvard, c'est tout ce que tu trouves à me dire ? Je veux savoir ce que tu en penses.

— De ton rêve ?

Je la serrai un peu plus fort contre moi, il y eut un bruit de succion quand elle détacha brusquement son ventre du mien et je me glissai de nouveau tout contre elle.

— Je pense que ton rêve signifie que tu trouves ta vie dangereuse, mais que tu ne sais pas comment t'en sortir.

— C'est vraiment ce que tu penses ?

— Parole d'honneur, sur la tête de ma mère !

— C'est une phrase infecte.

— Sarah, il est sept heures du matin. Je peux dire ce qui me passe par la tête.

Ce soir-là, nous nous rendîmes à la Maison de la Résurrection pour un dîner donné en l'honneur de Francisco et Gisela Higgins. Francisco Higgins avait fait partie de la délégation chilienne aux Nations unies et avait été ambassadeur du Chili au Mexique au temps d'Allende. Après le coup d'État, quand les généraux s'étaient emparés du pouvoir, Higgins avait été arrêté, avec des milliers d'autres, battu et torturé ; mais il prétendit par la suite qu'il avait fait partie des chanceux. La pression de l'opinion internationale en sa faveur avait obligé les généraux à le faire libérer de la prison où il était détenu sur Dawson's Island. Expulsé du Chili, ainsi que sa femme qui pendant ce temps avait été placée en garde à vue, ils s'étaient rendus tout d'abord à Cuba, puis en Roumanie, et enfin à Mexico. Maintenant, aux États-Unis, ils avaient engagé une partie de bras de fer avec les services d'immigration, et accepté de participer à la Conférence chrétienne œcuménique sur l'Amérique latine. Ils louaient un bureau dans un immeuble de Washington qui abritait nombre de petites fondations. Ils se trouvaient aujourd'hui à Chicago, en route pour le Minnesota où Francisco devait parler de l'expérience Allende à l'université ; tous deux donneraient ensuite une conférence dans une église de Saint Paul, Notre-Dame-du-Miracle. La seule chose que j'ignorais, c'était que Sarah devait les accompagner.

Sur le chemin de la Maison de la Résurrection, nous nous arrêtâmes dans une petite échoppe de bois décrépie surmontée d'un panneau où était peint un hot dog d'allure primitive, un hot dog pour enfant affamé du temps de la Dépression. Nous achetâmes vingt hot dogs, enveloppés avec un cornichon et une poignée de frites molles dans du papier sulfurisé. Vus à travers le papier opaque, la moutarde et les cornichons ressemblaient à une vieille ecchymose. Bien qu'il ne servît rien d'autre que des hot dogs et du Coca-Cola, le vieux type derrière le comptoir portait une toque de chef. Ses yeux étaient des petits trous noirs, son visage paraissait misérable et mal rasé. On aurait dit un fou en train de jouer au grand cuisinier.

— Ce type a l'air complètement dingue, dit Sarah tandis que nous nous dirigions vers la voiture, les bras chargés de sacs de saucisses.

Nous nous étions garés sous un lampadaire, et la neige se détachait sur la lumière en tombant.

— Et si c'était Jésus ? suggérai-je.

Elle m'écrasa le pied, de toutes ses forces.

Je n'étais jamais venu de nuit dans le quartier où Sarah travaillait, et en conduisant le long des rues étroites et obscures, avec leurs fenêtres que des planches barraient, des réclames de Salem en espagnol, et des terrains vagues surgissant à chaque tournant, l'impression de me trouver sur un territoire âprement disputé acheva de m'impatienter. Même si je n'avais pas été élevé dans les bas-fonds, j'en savais plus que Sarah sur les quartiers dangereux : son courage m'apparaissait soudain comme une sorte de semi-aveuglement délibéré et perpétuel. Elle était assurément mille fois plus courageuse que moi, mais ma prudence n'en était pas moins le fruit de l'expérience, alors que sa bravoure émanait d'une inexpérience totale. Ce qui avait marqué son enfance, c'était l'obsession de l'argent chez son père, les artifices et la frivolité de ses sœurs, et plus encore les convictions esclavagistes de ses grands-parents. Il y avait de quoi être écœuré, de quoi devenir un poète, mais certes pas de quoi passer sa vie dans le ruisseau.

— C'est sinistre par ici, Sarah. Je n'aime pas ça du tout, l'idée que tu cours ces rues toute seule en pleine nuit.

— Je suis prudente.

— Je suis sûr que tu ne l'es pas. Il y a au moins mille types dans ce coin qui pourraient te violer sans l'ombre d'un remords.

— Ce genre de pensée me rend malade. Et c'est tellement *ennuyeux*. On peut voir où ça mène. Avec le monde en flammes autour de nous, je ne vais tout de même pas rester bouclée à la maison.

— Je ne te le demande pas. Il s'agit simplement d'accepter la réalité.

— Pourquoi est-ce toujours le même genre d'individu qui vous demande d'accepter la réalité ?

— C'est ça l'idée que tu te fais de moi ?

— Non, pardon. Je ne sais pas pourquoi j'ai dit cela. C'était idiot. Je ne sais pas pourquoi tu dis des choses comme ça. Tu sais que c'est ici que je travaille. Ça ne me ferait aucun bien d'avoir tout le temps peur. Et je ne veux pas me sentir comme une étrangère.

— Tout ce que je veux, c'est que tu sois en sécurité.

— Ce n'est pas suffisant... quand moi je veux tellement plus.

— Je ne sais pas ce que je ferais si quelqu'un t'attaquait.

— Et revoilà le fantasme masculin. La vérité, c'est qu'ici tout le monde me connaît. Et quoi que tu puisses penser d'eux...

— Je ne pense rien d'eux. Pour qui me prends-tu ?

— Quoi qu'il en soit, ils sont très croyants. Ils me considèrent un peu comme une nonne.

— Eh bien justement, c'est arrivé ici, dans cette ville, deux types ont attaqué une nonne, elle avait cinquante-huit ans, ils l'ont séquestrée dans un bâtiment abandonné, l'ont violée un nombre incalculable de fois, et puis ils lui ont coupé les doigts, qu'ils ont emportés dans une petite boîte pour les montrer à leurs copains.

— Pourquoi dois-tu me raconter ça ?

— Parce que c'est vrai, ça s'est passé.

— Je pense que le genre de travail pour lequel tu te prépares est dix fois plus meurtrier que ce que je fais, dit Sarah. Ça déforme ta façon de voir les choses. Magouilles, crimes, corruption, je me demande comment tu espères rester un être humain.

— Je m'en remets à toi pour me maintenir dans le droit chemin.

Ma repartie avait été vive ; on aurait dit que nous étions convenus d'un rythme : paroles dures, comme des décharges d'automatique. Soudain, Sarah rompit le rythme. Tout paraissait encore plus grave quand elle s'interrompait pour réfléchir à ce qu'elle allait dire : tout ce qui était lancé à l'aveuglette pouvait être surmonté, mais, dans le silence qui suivit, je compris qu'il en irait autrement des paroles qu'elle allait prononcer :

— C'est au-dessus de mes forces, Fielding. Je ne peux pas assumer cette responsabilité.

— Alors, il faudra que je te change, *toi*, répliquai-je sans attendre.

Elle me regarda, secoua la tête, et elle détourna le regard. Je respirai profondément. La voiture puait le hot dog et la moutarde.

Nous avions acheté les hot dogs pour faire plaisir à Francisco et à Gisela, qui adoraient la mauvaise nourriture « yanqui[2] ». Du temps où Allende était au pouvoir, ils étaient venus à Chicago — Francisco pour donner une conférence à la Roosevelt University : le Chili sur la voie du socialisme démocratique, Gisela pour inaugurer une exposition de tissus chiliens — et on leur avait servi un repas préparé par Carl's Vienna Hot Dogs ; ils nous avaient dit que, cette fois-ci, ils aimeraient bien refaire un repas de ce genre.

Avant Allende, Francisco avait été un avocat qui partageait ses services entre les amis ploutocrates de la famille et *los pobres* des bidonvilles de la périphérie de Santiago, et Gisela, violoncelliste ; elle avait étudié plusieurs années avec Pablo Casals, et l'on trouvait encore dans le commerce un disque, *Musique romantique espagnole pour violoncelle,* qu'elle avait enregistré autrefois. L'enregistrement était devenu un modèle de musique nostalgique de gauche.

L'annulation de leurs visas n'était plus, semblait-il, qu'une question de temps. Il existait une loi interdisant aux communistes l'accès au territoire national, et le serment des Higgins — ils avaient juré ne pas être communistes — n'était qu'un pro-

2. D'Amérique du Nord, par opposition à l'Amérique latine.

blème purement sémantique. Ils contribuaient de toute évidence à la réalisation de ce désir de changement et de répartition égalitaire des biens qui avait gagné le monde entier, et que notre pays essayait de circonscrire. Ils faisaient des tournées, prenaient la parole dans les universités, dans les organisations religieuses, entraient en contact avec les réfugiés chiliens qui avaient pu s'installer dans le pays, et même avec ceux qui s'y trouvaient en situation irrégulière. Ils jouaient au chat et à la souris avec le FBI, qui les faisait suivre à peu près partout.

Francisco et Gisela se trouvaient déjà à la Maison de la Résurrection quand nous arrivâmes. Le père Mileski leur montrait en détail les installations, ce qu'il appelait « nos attaches matérielles ». Les Higgins s'étaient habillés comme pour aller écouter Duke Ellington dans un cabaret élégant et, à leur expression, je compris qu'ils étaient prêts à faire n'importe quoi pour échapper à l'ennui régnant ; Mileski leur montrait les petites tables faites à la main, les barbouillages décoratifs sur les minces fenêtres gelées, et leur désignait, dans une pile de nappes roses, celles qui avaient été offertes à la fondation, et celles qui avaient été obtenues à bas prix chez des négociants. « On n'arrête pas de briquer, de plâtrer, de recoller, pour faire fonctionner un endroit comme celui-ci », expliquait-il, et les Higgins hochaient résolument la tête, à tout ce qu'il disait, comme si un assentiment quelque peu véhément pouvait abréger son discours.

Gisela réussit à se défiler en engageant une conversation en espagnol avec une voisine. Bernardo Gutierrez apparut. Il était accompagné d'une nouvelle femme, maintenant que Madeline Conners était occupée à polir des lentilles dans le Maryland. Kirsten était forte, âgée d'une vingtaine d'années, une natte nordique lui arrivait au milieu du dos. Bernardo serra chaleureusement Francisco dans ses bras, mais celui-ci réagit avec une sorte de réserve hésitante, qui était presque de la méfiance. Bernardo se jeta ensuite sur Gisela, lui prit la main et la porta à ses lèvres. Il se mit à sangloter : « Oh, camarade, camarade, qu'ont-ils fait de nous ? » Francisco et Gisela échangèrent un coup d'œil inquiet par-dessus sa tête inclinée, puis Francisco haussa les épaules et fit un signe d'acquiescement tandis que Gisela tapotait le crâne de Bernardo pour le consoler.

J'aidai Sarah à dresser une longue table : nous serions dix à dîner. Une Mexicaine, Maria, préparait le repas. La fumée avait envahi la cuisine, mais Maria, comme perdue dans ses rêves, manipulait les tortillas en chantonnant. A l'étage se trouvaient les trois Chiliens que Sarah et Mileski avaient fait sortir de Santiago : Pablo Estevez Martinez, éditeur, avant et pendant la présidence d'Allende, d'un petit journal gauchiste, *La Barricada ;* sa sœur, et le fils de celle-ci. *La Barricada* ne tirait même pas à mille exemplaires, et Estevez Martinez en assurait seul le financement. En d'autres termes, ce n'était rien d'autre que le tuteur de ses opinions et réactions personnelles : une critique de film par-ci, un poème par-là, et encore une diatribe contre l'inefficacité de l'agriculture... Et pourtant, après le coup d'État, la publication du journal avait été interdite, et son propriétaire éditeur avait volontairement disparu de la scène publique, pour trouver refuge tout d'abord à la campagne, puis chez sa sœur Seny. Pablo était extatique, réellement maniaque, depuis qu'il était sorti du Chili. Il gardait dans la poche de sa veste de sport gris foncé un volumineux carnet où il prenait des notes et, la nuit, il se lançait dans la rédaction d'essais sur tout et n'importe quoi, de la télévision et de la météorologie américaines au rythme qu'adoptent les Américains en marchant.

Quant à sa sœur et à son neveu, ils étaient dans un bien triste état. La Maison de la Résurrection était poussiéreuse, désordonnée, sans cesse envahie d'étrangers aussi nombreux que ténébreux ; même ceux qui parlaient espagnol n'employaient guère que de grossières tournures mexicaines, ce qui ne faisait qu'aggraver leur nostalgie du pays natal ; semblable voisinage les terrifiait. Seny et Gustavo, son fils, ne parvenaient pas à trouver le sommeil ; ils redoutaient l'intrusion des agents de l'Immigration, quand ce n'était pas celle de tueurs chiliens, ou encore celle de quelque cinglé du coin, qui aurait défoncé la lucarne avec les pointes d'acier de ses bottes lacées, pour se redresser, les cheveux parsemés de débris de verre. Même lorsqu'ils s'étaient enfin endormis, leur sommeil semblait hanté par les rêves froids comme l'acier de l'hémisphère Nord, dont les constellations inconnues restaient tapies derrière la gaze menaçante montant des cheminées d'usines.

Lorsque les Chiliens descendirent dîner, ils se montrèrent discrets et respectueux à l'égard des Higgins. Même Pablo, de tempérament volubile et ouvert, paraissait intimidé : les vieilles différences de classe refaisaient surface, et il se tenait à sa place. Sarah semblait leur inspirer confiance ; sa participation à leur aventure les rassurait. Elle était à leurs yeux ce qu'elle avait toujours été aux miens : quelqu'un de favorisé par le sort, qui ne prenait pas de risques comme Francisco et Gisela, et ne se berçait pas, comme les prêtres, d'une illusion de sécurité. Elle était jolie, vive, américaine jusqu'au bout des ongles, et ils se tenaient à ses côtés comme si sa substance ou ses antécédents offraient un abri plus sûr que n'importe quelle église. Sarah disposa les hot dogs sur un plat ovale craquelé. Maria apporta les tortillas et la viande dans une cocotte recouverte d'un torchon humide. Sarah s'assit à côté de moi et me serra la main sous la table. J'allais lui répondre en collant ma jambe à la sienne quand je m'aperçus que les autres se tenaient aussi par la main.

— Merci pour cette journée et pour ce repas, ô Père tout-puissant, dit Mileski. Merci d'avoir ouvert nos cœurs à la cause de la liberté et faites que nous utilisions les calories que vous nous offrez pour réaliser vos desseins.

— Amen, conclut Gisela non sans brusquerie, d'un ton un peu sec.

Le regard de Mileski lança un éclair ; il eut un petit rire pincé que sa barbe ne put dissimuler. Les poils autour de sa bouche s'écartèrent comme le fait une touffe d'herbe qui va livrer passage à quelque animal.

— Amen, dit-il, tendant la main pour prendre le plat de tortillas.

Maria avait enroulé des serviettes en papier sur les poignées pour qu'on pût les saisir sans se brûler.

— Que dit l'Église de vos activités ? lui demanda Francisco.

On lui passa le plat de hot dogs, qu'il saisit avec un sourire étonné, comme s'il venait à peine de le remarquer.

— J'entends des grognements de mécontentement, lui répondit Mileski.

— Je suis étonné qu'ils vous laissent faire.

— Pour l'instant, il est plus facile pour eux de faire comme si rien ne se passait. Je n'obtiens pas de grands résultats, et ils le savent ; le jour où ça arrivera, le couperet tombera.

— Je n'en suis pas si sûr, Steven, dit alors le père Stanton. Il parlait comme s'il remettait sur le tapis, à notre intention, une discussion qui se serait déjà déroulée entre eux.

— L'Église est en train de changer. Non seulement ici, mais dans le monde entier. Elle cherche désespérément sa voie en ces temps de troubles.

— Au Chili, dit Gisela, elle danse joue contre joue avec les assassins.

— C'est *terrible*, souligna Bernardo.

Il y avait quelque chose dans sa manière de s'exprimer — sa précipitation, la théâtralité légèrement déplacée de sa remarque — qui me fit un drôle d'effet. Je levai les yeux vers lui, mais il évita mon regard.

— L'Église ne peut exister, dit Mileski, la bouche pleine, si elle ne se présente pas comme une possibilité de vie différente. Aujourd'hui, les plus vieux d'entre nous aiment peut-être l'État capitaliste ; mais l'Église n'aime véritablement qu'elle-même, et si le peuple veut s'insurger contre ses dirigeants, l'Église ne voudra pas se trouver du mauvais côté. Après tout, ces pauvres gens, ce sont nos *clients*.

— Voilà qui est bien cynique, Steven, dit Stanton. Tout à fait cynique.

Il nous adressa un regard anxieux, comme s'il souhaitait que nous prêtions attention à son morceau de musique favori.

— En fait, je ne désire pas être cynique. Je suis obligé de reconnaître qu'à ma manière, confuse et hésitante, je sers les intérêts de l'Église lors même que je me dresse contre elle.

— C'est justement pour ça, dit Stanton en agitant un doigt à l'adresse de Mileski, que le concept de Jésus-Christ est intrinsèquement révolutionnaire.

— En êtes-vous vraiment convaincu ? demanda Gisela, impérieuse, un sourcil levé.

— Oh oui, absolument, lança Sarah ; et Steven aussi. Nous en sommes tous convaincus.

Elle rougit, avec cet air de fragilité absolue qui accompagnait son goût du risque, et que j'avais découvert le soir où elle s'était penchée à la fenêtre de son appartement pour me dire de monter... Notre première nuit, déjà si loin de nous ; il me semblait que quinze années s'étaient écoulées depuis. Les mains sur le bord de la table, elle se balançait, en parlant, d'avant en arrière :

— Les Écritures peuvent être considérées comme le texte le plus révolutionnaire qu'on ait jamais écrit.

— Elles *peuvent* être interprétées de mille manières, rétorqua très froidement Gisela, et nul ne s'en est jamais privé.

— Allons, Gisela, dit Francisco avec un clin d'œil signifiant qu'il était tout à fait d'accord avec elle.

— Et vous, qu'en pensez-vous ? demanda Gisela en se tournant soudain vers moi. Vous êtes aussi un bon catholique ?

— Non. Pas du tout.

— Bon, fit-elle, comme si ma réponse l'avait profondément rassurée.

— *Momentito*, ma chérie, intervint Francisco. S'il n'y avait pas quelques prêtres courageux sur terre, nous ne serions pas ici ce soir et nos amis, Pablo, Gustavo et Seny, seraient en prison. Ou morts. Ou pire encore.

— Sans parler de *moi*, fit remarquer Bernardo.

— Oui, répliqua froidement Francisco. Sans parler de vous.

— Je ne l'oublie pas, bien entendu, dit Gisela, indifférente.

Elle porta de nouveau son attention sur moi. Ses yeux de turquoise, sa chevelure noire laquée, rejetée en arrière comme un casque, m'impressionnèrent. Je me sentis très jeune sous son regard, comme si son intelligence révélait tout ce qui en moi n'avait pas encore pris forme.

— Vous êtes allé au Chili ? me demanda-t-elle.

— Non, mais mon amie y est allée, répondis-je, désignant Sarah.

Gisela sourit, un rien condescendante. Elle prit son verre de bière et fit tinter sa bague contre la paroi avant de le porter à ses lèvres.

— Ces hot dogs... *fantástico!* déclara Francisco. Jamais on ne pourrait trouver ça dans un pays socialiste!

— Alors, que *faites*-vous donc? me demanda Gisela en relevant le menton.

— Je vais à la fac de droit.

— Ah! un étudiant!

— Fielding s'est mis dans la tête de faire de la politique, déclara Mileski.

— A vous entendre, on dirait qu'il s'agit d'une bizarrerie, remarqua Sarah, ses sourcils noirs froncés.

Se trouver sous son aile vous donnait une impression qui n'avait pas sa pareille au monde, celle d'être immense, immortel. Elle s'adressa à Gisela :

— Fielding veut être sénateur. Et, vous pouvez me croire sur parole, il le sera.

— Mais, bien entendu, dit Gisela. Vous êtes sa... ah, sa... sa *petite amie*. On peut vous croire sur parole.

Son sourire parut tout à coup enfantin, son rire clair, et ce fut comme s'il n'y avait jamais eu en elle trace de malice.

— Alors, comme ça, me dit-elle, vous appartenez à la classe des étudiants. Et puis vous serez avocat, et enfin, vous siégerez au grand Sénat des États-Unis.

— Oui, répliquai-je, exactement. Un, deux, trois.

— Avec tous vos hommes d'État qui étalent leur corruption aux yeux du monde, poursuivit-elle, je m'étonne de voir un jeune vouloir suivre leur exemple.

— Rien à faire, répondis-je, souriant; espérez-vous réellement m'entendre dire que je veux faire de la politique pour devenir un salopard corrompu qui vend des électrodes à la police paraguayenne et fait arrêter les gens qui manifestent en faveur de la paix devant la Maison-Blanche?

— Vanité. Quelle vanité, dit-elle.

— Je pense que ma femme veut dire..., intervint Francisco.

— Tu n'es pas mon interprète, l'interrompit-elle.

— Je t'en prie, ma chérie, laisse-moi terminer. Ce que Gisela veut dire, c'est qu'on ne peut s'intégrer à un système corrompu sans être contaminé. Le système dépasse largement les gens qui le composent. Il se sert d'eux. C'est une nécessité historique.

— Alors vous proposez de laisser la politique aux mains de ce qu'il y a de pire en Amérique.

— Tout est politique, dit Gisela. Appeler politique vos élections et vos défilés de limousines n'est qu'un symptôme de la maladie de ce pays.

— Laissez-moi ma chance, s'il vous plaît ; je dis toujours que ce ne sont pas nos institutions qui sont mauvaises, mais ceux qui les dirigent. Si nous abandonnons aux plus rapaces, aux moins honnêtes, le soin de les gérer, nous faisons alors exactement ce qu'ils attendent de nous.

— Je ne pensais pas voir un jour Fielding transpirer, dit Mileski du bout de la table, essayant d'atteindre le plat de tortillas.

— Je ne transpire pas, dis-je. J'essaie simplement de répondre à ces foutues pseudo-pensées sans me montrer trop grossier.

— Fielding ! s'écria Sarah.

— Non, non, pas de problème, dit Mileski. Ce local appartient à l'Église, mais ce n'est pas une église. Laissez-le poursuivre.

— Il n'a pas le droit de parler ainsi à la *compañera* Higgins, déclara Bernardo.

Gisela lui adressa un signe de la main, comme pour renvoyer un chien à son petit paillasson près de la porte, puis elle me dit :

— Je vous en prie, ne vous inquiétez pas pour les manières. Après avoir vécu écrasée par l'impérialisme américain, je ne suis plus très sensible à ce genre de choses.

— Bien sûr que tu l'es, dit Francisco, et tu le seras toujours. Tu seras toujours élégante, et toujours correcte.

— Oh, par pitié, arrête de te démener pour que tout aille bien et que tout soit agréable, Paco, dit Gisela. Tes bonnes intentions me fatiguent. Les politiciens de ce pays se sont abstenus d'intervenir et ont gardé le silence lorsque Nixon, la CIA et les grandes entreprises américaines ont mené leur guerre larvée au Chili. Et nous voici face à un jeune homme qui, sachant tout cela, de toute évidence, choisit pourtant de s'intégrer au système, au *système même,* tu comprends ? au système qui a jeté mon mari en prison, lui a brisé les jambes, et m'a forcée de vivre comme une détenue dans ma propre maison. Je trouve cela extrêmement curieux et vous ne m'en voudrez pas si je cherche à comprendre.

— Ainsi, je suis la preuve n° 1, dis-je.

— Terminologie juridique américaine, dit Gisela. Pourquoi sommes-nous venus vivre dans cet abattoir, Paco ? demanda-t-elle à son mari en portant, telle une diva, la main à son front.

— Oui, intervins-je avant qu'il n'ait pu répondre : pourquoi ? Je suis certain que les Algériens auraient été enchantés de vous accueillir. Ou un hiver à Sofia, pourquoi pas ? Je crois que vous êtes venus ici à cause des hot dogs.

— Nous apprécions ce qu'il y a de meilleur dans votre pays, monsieur, dit Francisco.

Je fis alors ce qui se révéla être un choix désastreux — il ne s'agissait pas à proprement parler d'un choix, je n'avais pas prémédité mon geste, il ne s'agissait que d'une impulsion, d'un caprice du corps —, je me tournai légèrement sur ma chaise pour toucher Sarah. Je voulais sentir sa force ; mais, lorsque je la regardai, elle baissa lentement la tête, le regard rivé à son assiette. Ce ne fut qu'un mouvement des plus infimes, qui m'apparut néanmoins comme une trahison, ou un prélude à la trahison, tandis que s'amoncelaient, tangibles, les annonces terrifiantes de l'abandon imminent. Je compris que pendant le désagréable assaut qui nous avait opposés, Gisela et moi, le cœur de Sarah n'avait pas penché de mon côté, et que sa préférence modifiait le sens de notre liaison, comme l'aurait fait n'importe quelle autre infidélité.

— J'en ai assez de devoir m'excuser d'être américain, dis-je plus ou moins à l'intention de Gisela.

— *Nord*-américain, souligna Mileski.

— Pardonnez mon manque de sensibilité, dis-je, la main sur le cœur, et ma voix adopta une résonance étrange, pesante. Je ne peux m'empêcher de remarquer que quand les gens courent vers la liberté, ils se dirigent infailliblement vers les côtes de l'Amérique du *Nord*. Voyons les choses en face, ce pays est le plus beau rêve que les hommes aient jamais fait, et alors même qu'il se brise, s'écarte brutalement de sa trajectoire, il n'en demeure pas moins le plus beau que nous ayons pu faire au cours de la foutue histoire de la planète. Nous avons les meilleures gens, la meilleure musique, le meilleur climat, la meilleure législation...

— Allons, vous n'êtes pas sérieux, dit le père Stanton, avec un sourire chargé d'espoir.

— Je suis tout à fait sérieux. Et j'en ai marre d'entendre des critiques faciles, hâtives...

— Je ne pense pas que l'on puisse qualifier de facile ce que Francisco et Gisela ont à dire, Fielding, dit Sarah. (Sa voix était douce, neutre ; elle avait posé les mains sur la table et soulevait ses doigts l'un après l'autre.) Je crois que leurs expériences au Chili leur ont appris quelque chose sur *notre* pays que nous devons tous savoir.

— Comme si nous ne le savions pas depuis longtemps, dis-je. Nous avons toujours su que notre gouvernement pratique un jeu brutal. Tous les gouvernements agissent ainsi. Mon Dieu, nous sommes le pays le plus riche, le plus puissant du monde, comment devrions-nous agir, selon vous ? Seriez-vous naïfs ? Il n'y a qu'à le comparer à un pays comme le Chili... Je veux dire qu'au Chili, même les chefs de l'opposition sont issus de la bourgeoisie. Quelqu'un comme moi n'aurait aucune chance, nulle part ailleurs. Ma famille, mes parents n'étaient... *rien*.

Et je prononçai cette demi-vérité terrible, avilissante, avec une véhémence telle, avec un de ces souffles terrifiants qui émanent du fond même de l'âme, qu'en m'entendant je fus saisi, *ému* au-delà de toute expression. Je me sentis rougir jusqu'aux yeux. La table, et les visages tout autour de moi, me parurent un instant terriblement lointains. Ensuite, je déglutis, tentai de retrouver mon souffle ; on aurait dit que la passion avait gonflé les voiles de mon fragile petit esquif et le précipitait sur les récifs. Je continuai de parler pour cacher ma peur.

— Chacun, dans notre famille, n'a été qu'un visage perdu

dans la foule. Vous savez, ces vieilles photos sépia des piquets de grève, ou des bals de la police, ou des enfants en train de jouer dans l'ombre du pont de Manhattan ; eh bien, ce n'étaient pas forcément celles de mes grands-parents, mais c'est tout comme. Et maintenant, mon frère dirige une maison d'édition et ma sœur est un peintre remarquable... Écoutez, je ne veux pas me présenter comme un exemple de ce qu'il y a de bien dans ce pays, mais disons que je décrocherai des responsabilités politiques et que cela signifie quand même quelque chose.

Mon éloquence était précisément de celles qui gênent les gens, mais je m'étais aventuré bien trop loin pour interpréter correctement les expressions vides ou veules des visages devant moi. Je croyais qu'ils étaient confondus par ma logique passionnée, alors qu'ils étaient tout simplement embarrassés et un peu irrités, et un peu amusés. Ce fut Mileski qui réagit :

— Ceci me rappelle le malade qui présente ses symptômes comme autant de signes de bonne santé.

— C'est moche, Steven, dit Sarah.

— Oui, dis-je, c'est moche. Ça me rappelle quelque chose que Sarah pourrait dire.

— Fielding, dit Sarah, tu es en train de parler tout seul.

— Je suis tout seul dans cette pièce ! m'écriai-je en abattant ma main sur la table. J'étouffe sous un sentiment collectif de supériorité.

— Nous ne savons pas de quoi tu parles, Fielding, dit Sarah.

Il devenait évident qu'elle s'adressait à présent à moi de l'autre côté d'un fossé et que, de son côté, elle était entourée par ses nouveaux amis, enveloppée dans sa foi nouvelle.

— Allons, vous deux, dit le père Stanton sur un ton qui se voulait cajoleur, mais derrière lequel perçait la nervosité.

— Non, non, Timothy, laisse-les continuer, dit Mileski. On ne peut empêcher l'eau de couler.

On raconte que les généraux, les génies militaires, peuvent, au moment culminant de la bataille, concevoir un nouveau plan à la fois décisif et brillant. C'était justement, semblait-il, ce dont j'avais besoin : il me fallait mettre fin, et vite, à cette bataille entre Sarah et moi. Même une capitulation aurait été préférable. Quelque chose de fragile était en train de s'emmêler sous nos pieds, un délicat système radiculaire qu'il serait extrêmement difficile de réparer si nous l'endommagions davantage. Aussi me levai-je et dis-je, aussi calmement que je le pus :

— Quoi qu'il arrive en ce moment, Sarah, évitons que ça se passe ici. Je rentre à la maison. Chez nous. Viens-tu avec moi ?

— N'abusez pas de votre pouvoir, Fielding, dit Mileski.

— Fermez-la, mon père, dis-je calmement, bien trop calmement. On ne peut tout simplement pas dire de telles choses en prétendant faire croire aux autres que l'on n'a pas la mort dans l'âme. Tu viens à la maison, Sarah ? demandai-je une nouvelle fois.

La pièce était silencieuse ; nous offrions sans nul doute à ce moment-là un bien triste spectacle. Sarah évitait mon regard. Je remarquai que Seny la dévisageait d'un air étrange, serein. Enfin, Sarah me regarda, les yeux noyés de larmes.

— Non, dit-elle, je reste.

Je respirai profondément et secouai la tête, comme si je voulais lui laisser le temps de se reprendre, mais, en fait, j'étais trop troublé pour pouvoir bouger. Ce fut alors que Seny se pencha par-dessus la table, en direction de Sarah. Elle se désigna du doigt, montra Sarah, puis dit quelque chose à son fils en espagnol. Gustavo acquiesça d'un signe de tête et traduisit pour nous autres Yanquis :

— Elle vient de remarquer que la señorita Sarah et elle ont, vous savez, les mêmes mains et tout, le même corps, le même poids. Elles se ressemblent. (Il haussa les épaules en souriant.) Je suis désolé, mais elle ne parle pas anglais. Elle ne sait pas de quoi nous parlons en ce moment.

Ils devaient partir pour le Minnesota le lendemain soir. Je séchai mes cours et Sarah resta également à la maison. Nous nous mentions, prétendant que nous désirions effacer nos différences, remettre notre maison en ordre, alors qu'en réalité la rancune avait fait naître en nous une sorte d'affreuse perversité, et que notre vrai désir était d'employer notre intelligence comme un bâton, pour élargir la fissure qui nous séparait l'un de l'autre, l'élargir jusqu'à ce que l'autre voie soudain le vide à ses pieds, et soit pris de panique.

Notre méthode consistait à dire les pires choses et à les laisser flotter, en espérant que l'idée de leurs incidences finirait par effrayer l'autre au point de le forcer à réagir. Sarah disait, par exemple : « Il y a une partie de toi qui a toujours su qu'une femme comme moi ne s'adapterait jamais au genre de vie que tu désires. » Et, en l'écoutant, je pouvais sentir qu'au fond elle me suppliait de prétendre le contraire. Mais, chaque fois, j'écartais cette intuition pour ne me préoccuper que de l'aspect douloureux et cruel de ses propos. Et ainsi, au lieu de lui répondre : « Non, ce qui se passe entre nous est mille fois plus important que tout ce que je pourrais désirer d'autre », je déclarais : « Si tu n'avais pas aussi grotesquement honte de moi, si toi et ces prêtres ridicules ne pensiez pas que vous avez parfaitement le droit de juger ma vie... » Et ainsi s'installait entre nous une sorte de vapeur opaque, et la vapeur devenait un brouillard de plus en plus impénétrable, et nous commencions alors à nous dire que la seule manière de retrouver une vision claire des choses était de nous détourner l'un de l'autre.

Elle fit sa valise, la plus grande, pendant que je faisais les cent pas dans la chambre, lançant quelque remarque pour tomber derechef dans le silence.

— Voilà que tu te comportes comme si je te quittais pour toujours, dit-elle en levant les yeux.

— Eh bien, ce n'est pas ce qui se passe ?

— Tu te comportes comme si, en agissant comme je crois qu'il faut agir, je ne me souciais pas de toi.

— C'est une citation de Mileski ? Nous ne rêvons pas ? Je veux dire, en sommes-nous vraiment arrivés là ?

— Fielding, dit-elle en secouant la tête. Tu ne comprends pas, c'est tout. Et je ne sais pas pourquoi j'insiste. Parce que tu ne comprendras jamais. Tu ne vois que ce que tu veux voir.

Je cessai de marcher de long en large et, pour quelque obscure raison, m'accroupis sur mes talons, tel l'homme du paléolithique avant que ne surgisse la petite étincelle du feu.

— Que fais-tu là, par terre ? demanda-t-elle.

— Je me repose.

Elle sourit. Son sourire, je le savais, n'était pas joué, et cela seul aurait dû rétablir en moi quelque confiance, me rappeler que nos liens étaient probablement assez forts pour nous permettre de traverser cette crise. Pourtant, je résistai, secouant la tête comme si son sourire n'était qu'un autre signe d'éloignement, une nouvelle trahison.

— Pourquoi mets-tu tant de trucs dans ta valise si tu ne pars que pour trois jours ?

— J'emporte aussi des vêtements pour Seny. Elle n'a que de petites blouses d'été et, je ne sais pas comment appeler ça... des robes de cocktail.

Soudain, emporté par une inspiration redoutable, je traversai la pièce comme un forcené, jetai la valise par terre, où elle se referma avec un claquement sec, après avoir laissé s'échapper quelques petites culottes. Je plaquai Sarah sur le lit, lui fermai la bouche d'un abominable baiser impérieux. Elle fut suffisamment surprise, consentante ou à tout le moins perplexe pour rester allongée là quelques instants, ouvrant la bouche par réflexe sous la pression féroce de mes lèvres. Puis, comme je me pressais plus fort encore contre elle, je sentis qu'elle se détachait de moi. C'était une cause perdue. Le chagrin et la colère n'avaient pas anéanti mon intelligence au point de me rendre insensible à tout sentiment ; néanmoins, profitant des avantages de mon sexe, je glissai la main sous son chandail. Sa poitrine était glacée, sa peau moite. Je compris qu'elle était terrifiée, sans pouvoir cependant identifier l'origine de sa peur ; se trouvait-elle en moi, dans la perspective de ce voyage imminent ou dans celle de notre séparation prochaine ?

— J'ai tellement envie de toi, Sarah, dis-je.

— Bon d'accord, alors faisons l'amour.

Je fermai les yeux, poussai un soupir de soulagement qui ressembla à un sanglot. J'enfouis mon visage dans le creux de son cou, respirant le parfum tiède de ses cheveux.

— Tu veux vraiment ?

— Oui, bien sûr. Mais s'il te plaît, faisons vite.

— Non, je ne veux pas que ça se passe comme ça.

— Fielding, je t'en prie. On a déjà du mal à s'en sortir. Ne pose pas de conditions.

— D'accord, d'accord, je n'en ferai rien.

Je me redressai et commençai à lui enlever son chandail, mais elle se dégagea.

— Non. Je vais me déshabiller toute seule. Déshabille-toi de ton côté.

— Tu vois ? J'en étais sûr. Tu ne veux pas faire l'amour. Tu me donnes des ordres.

Elle demeura coite, puis baissa et lissa son chandail, qu'elle avait relevé au-dessus de ses seins.

— Tu as raison. Je ne veux pas faire l'amour.

— Alors, pourquoi as-tu dit que tu voulais vraiment le faire ?

— Oh, ciel ! Faut-il que nous parlions de ça, aussi ?

Je roulai sur le dos et me couvris le visage. Je sentis le lit bouger quand elle se redressa, j'entendis ses pieds toucher le sol. Je l'écoutai traverser la pièce, ouvrir la valise, pour y remettre ce qui s'en était échappé. Elle faisait toujours ses bagages avec le plus grand soin ; sensible à la fièvre du voyage, effrayée à la seule idée de prendre l'avion, elle luttait contre son inquiétude en s'imposant des préparatifs méticuleux, comme si le soin qu'elle mettait à rouler ses chaussettes pouvait lui permettre d'éviter de monter dans l'avion qui, entre mille, allait s'écraser. Mais il n'en allait pas de même cette fois-ci. Elle jetait ses affaires en vrac dans la valise. Tout ce qu'elle désirait, c'était filer au plus vite.

— Nous serons à Notre-Dame-du-Miracle demain après-midi, dit-elle.

J'entendis le clic des deux fermoirs de la valise, puis le petit *ouff* qu'elle émit en la soupesant. Elle la reposa par terre. Le radiateur se mit à siffler et les tuyaux — sous l'épaisseur de la couche de poussière et d'une douzaine de couches de peinture appliquées sans nul soin — à vibrer.

— C'est là que Pablo, Seny et Gustavo seront hébergés. Le prêtre de cette église est un type incroyable. Il a vécu un an au Guatemala. Il n'est pas du tout politisé. Un simple prêtre qui fait son travail de prêtre, mais qui sait que son devoir est d'aider ceux que l'État opprime.

— Ne fais pas comme si tout cela coulait de source, dis-je, les yeux toujours fermés.

Je n'aurais plus jamais l'occasion de la regarder, mais, bien entendu, je ne pouvais pas le savoir, et pensais que je le pourrais quand je le voudrais. J'ignorais encore à quel point les choses peuvent échapper à notre contrôle.

— Tu agis comme si toute personnne pourvue d'une once de civilité introduisait clandestinement des Latinos dans notre pays pour leur donner asile, alors que tu sais très bien que tu appartiens à une minorité; et tu sais aussi que la plupart des gens pensent que vous êtes tous fous.

— La plupart des gens, demanda Sarah, ou toi ?

— La plupart des gens. Et moi.

J'attendis sa réponse à cette dernière attaque. Je me berçais de la néfaste illusion qu'en l'acculant dans un coin, elle serait forcée de bondir en avant, l'imaginais même en train de secouer la tête, de se dire qu'il fallait que je fusse bien malheureux pour avoir recours à d'aussi mesquins propos, de comprendre que je ne parlais ainsi que par peur de la perdre. Je l'imaginais déjà en train de se pencher sur mon corps et mon aveuglement, de me délivrer de l'exil que je m'étais imposé en m'accordant un baiser, ou en m'effleurant... Mais elle souleva la valise et franchit la porte, sans m'avoir répondu. Je ne lui avais pas forcé la main. Le jeu était terminé.

13

Après avoir quitté l'église du père Stanton, je retournai au restaurant, avec l'idée — embryonnaire — que je pourrais encore sauver la soirée. Mais Kathy et les journalistes étaient partis. Il y avait encore quelques clients dans la salle ; autour de la table que nous avions occupée, les chaises étaient vacantes.

Le lendemain, je menai la campagne sans pouvoir me défaire de l'impression que mon égarement de la nuit précédente était un volet mal accroché qui claquait en moi. Je n'osais pas parcourir les journaux, par crainte d'y découvrir quelques mots qui feraient de moi un fou, un déséquilibré, un débutant fragile qui maîtrisait ses sentiments comme un citadin monte un mustang. Tony savait que j'avais fait une gaffe la veille, mais notre emploi du temps était chargé, et il se limita à une unique allusion, redoutant de me voir perdre de nouveau l'équilibre, s'il insistait. D'ailleurs, plus la journée avançait, plus mon comportement s'améliorait, et je réalisai même la meilleure performance de ma vie politique ; je condensai en deux minutes et demie un discours de quatre minutes, raffermis mes remarques sur la justice en écartant la poésie au profit du pragmatisme. La théorie de Dayton sur les campagnes électorales est qu'il vaut mieux paraître agréable que se montrer précis. Tout en reconnaissant la sagesse de ce postulat, je commençais à comprendre que j'étais meilleur lorsque je livrais mes idées ouvertement. Parler de ce que je souhaitais faire au Congrès me permettait d'établir un meilleur contact avec mes électeurs qu'essayer seulement de leur plaire. La volonté de paraître jovial me convertissait en un de ces imbéciles qui participent aux jeux télévisés, alors que si j'abordais les questions de fiscalité, de recyclage professionnel ou de budget militaire, je donnais aux électeurs l'impression qu'ils pouvaient se fier à moi.

A quatre heures, je fis halte au QG de la campagne, où Caroline et les autres avaient organisé une « rencontre avec le candidat » ; les participants étaient assez nombreux. Henry Shamansky était venu ; sa salle de cours ne se trouvait qu'à quelques rues du bureau. Près du distributeur de café, occupé à mâchonner des *doughnuts*[1] saupoudrés de sucre cristallisé et à s'essuyer consciencieusement les doigts après chaque bouchée, il paraissait m'étudier. J'étais en train de parler à une charmante vieille dame qui portait des rubans dans les cheveux et un rouge à lèvres d'un rose juvénile. Elle était préoccupée par les centrales nucléaires, je partageais globalement son point de vue, sans pouvoir lui dire autre chose que « moi aussi », « exactement » ; j'avais fini par croiser les bras, pour l'écouter. Henry Shamansky s'approcha et me dit :

— Je me demandais si je pourrais vous parler un instant, Fielding.

Je priai la vieille dame de m'excuser et nous allâmes nous réfugier près de la table où étaient empilés les petits tracts ineptes qui vantaient mes mérites. Henry me dévisagea des pieds à la tête et après avoir pris son souffle comme s'il allait plonger :

— Vous savez, me dit-il, vous vous en sortez vraiment bien. Vous êtes vraiment *bon*.

Henry était l'intellectuel reconnu de la campagne, et je me demandais si être « vraiment bon » pouvait signifier que je n'étais bon à rien. De toute manière, je n'avais pas l'intention de lui adresser des remerciements pour avoir enfin découvert ce dont il aurait dû être convaincu d'emblée. Deux jours plus tôt, j'aurais été capable de lui répondre « Ça vous étonne ? ». Mais tout allait déjà bien assez mal, il valait mieux éviter d'envenimer la situation, aussi me contentai-je d'opiner du chef, d'encaisser en homme, avec le sourire.

Je me trouvais près de lui, la vieille mais vaillante ennemie

1. Beignets en forme d'anneau.

des centrales nucléaires avait engagé la conversation avec Adèle Green, laquelle avait apporté ses sachets de thé parce que notre infâme café lui donnait des palpitations, quand soudain j'aperçus de l'autre côté de la vitre la Peugeot marron de Kathy Courtney qui s'arrêtait contre le trottoir ; une seconde plus tard, elle sortait, vêtue d'une cape bleue doublée de noir, une mallette à la main ; le vernis de ses ongles était rouge cerise. Je ressentis alors avec le plus grand étonnement quelque chose que n'avait jamais encore éveillé sa présence, un désir quasi dément de la prendre dans mes bras, de lui faire l'amour.

Je quittai Shamansky et arrêtai Kathy avant qu'elle n'entrât dans le bureau. J'étais en bras de chemise. Ma cravate fut happée par le vent et lancée par-dessus mon épaule.

— Je suis désolé pour hier soir, lui dis-je en la prenant par le bras.

— Que vous est-il donc arrivé ? répondit-elle avec une certaine raideur.

— Peu importe. Comment vous en êtes-vous sortie ?

— Je ne sais pas si je m'en suis sortie. J'ai *essayé,* en tout cas. Mais vraiment, Fielding, vous exagérez.

— Je sais, je sais. C'était... c'était très compliqué. Écoutez, il faut que je vous parle.

— Eh bien, rentrons. On gèle ici.

— Non, non, pas maintenant. Je veux dire, il faut que je vous parle plus tard. J'aimerais venir chez vous après ça.

— Après ça, vous avez encore un programme plutôt chargé.

— Eh bien, après le programme. (Je posai ma main un peu plus haut sur son bras, et le pressai légèrement.) Je pense que nous devrions réellement nous connaître mieux.

— Téléphonez-moi. Téléphonez-moi ce soir quand vous aurez fait tout ce qui a été prévu.

— D'accord, je le ferai. Vous serez chez vous ?

Elle me sourit. Je me trouvai un instant complètement à sa merci, mais son pouvoir était précaire. Mon âme était entre ses mains, filant néanmoins comme une comète.

— Pourquoi vous demanderais-je de m'appeler si je ne devais pas être là ? dit-elle.

Mais ce fut une tentative vaine. Lorsque je revis Kathy, par la suite, je lui demandai pourquoi elle n'avait pas été là quand je l'avais appelée, et elle répondit qu'elle n'avait pas quitté son appartement de la soirée, et que le téléphone n'avait pas sonné une seule fois. Mon désir était désormais de la curiosité.

J'étais assis dans une voiture garée devant l'association des retraités de Woodlawn, nous avions cinq minutes d'avance, la réunion était prévue à quinze heures. Tony, au volant, avait fermé les yeux ; notre journée avait commencé à cinq heures du matin. Je sortis mon carnet et notai : « Je voulais passer la nuit avec K.C. parce qu'elle est allée à la fac avec S. La baiser en attendant qu'elle se transforme en S. ? Oui ? Non ? Pourquoi ? »

Tony ouvrit brusquement les yeux et demanda :

— Qu'est-ce que vous écrivez ?

— Rien, répondis-je.

J'arrachai la page du carnet, et la déchirai comme pour en faire des confettis.

Le lendemain matin, je me trouvais au lit, serrant contre moi le corps tiède et sans mouvement de Juliet, qui m'enlaçait étroitement le torse. J'avais vaguement conscience de sa présence, et ma gratitude envers elle était celle du navire endommagé à l'égard de son ancre. Il n'était pas encore sept heures, et le téléphone sonnait. Je sentis la chaleur de Juliet s'éloigner quand elle se redressa sur un coude pour prendre l'écouteur.

— Je réponds, dis-je, si vite éveillé qu'on aurait dit qu'une partie de ma conscience était restée en alerte toute la nuit, attendant cet appel ; je m'emparai du téléphone avant que Juliet ait pu entendre la voix du correspondant. Allo, fis-je d'une voix rauque qui ne m'était pas familière.

— Salut, dit Danny. Avant tout, ne t'inquiète pas. Bon. Je serai à Chicago dans deux heures et demie. Je ne veux pas que tu viennes me chercher à O'Hare. J'ai loué une voiture. Et aussi une chambre d'hôtel. Nous serons... je t'en parlerai quand je te verrai. Je voulais simplement te prévenir que j'étais en route.

— Quelle heure est-il ? demandai-je.

— Ah, je savais que tu allais me demander ça. J'imagine que mes antennes sont complètement déployées. C'est bon signe.

— Qui est-ce ? murmura Juliet.

Elle s'était pesamment recouchée, les mains croisées derrière la tête.

— Danny, répondis-je.

Ses yeux roulèrent comme si ce seul nom annonçait quelque désastre comique.

— Tu es seul ? demandai-je.

— Nul homme n'est une île, mon frère.

— Voilà une belle pensée. Originale. Appelle-moi dès que tu seras arrivé.

— Certainement. Où vais-je te joindre ?

— Appelle à la permanence... Attends... Si je ne suis pas là, Caroline y sera.

— N'est-ce pas complètement fou ? dit Danny. Nous trois, à nouveau réunis. A Chicago. Je me demande si le destin n'est pas en train de distribuer ses dernières cartes.

Un peu plus tard, devant une tasse de café, Juliet demanda :

— Quels sont tes projets pour ce soir, Fielding ?

— Je ne sais pas, pourquoi ?

Elle rougit violemment, la vague de couleur, dense comme un tapis, remonta de sa gorge à ses cernes. Je vous assure que c'est vrai, ce qu'on raconte au sujet du petit *cling-cling* que fait la cuillère dans la tasse à de pareils moments.

— Je voudrais que nous prenions le temps de parler sérieusement, dit-elle, la voix lestée de sous-entendus.

— A quel sujet ? demandai-je, presque agressif.

Puis je souris : pas de mauvaises intentions.

— Je pense simplement que nous avons besoin d'un peu de temps pour nous retrouver.

— Ah bon. Nous nous sommes donc perdus ?

Elle haussa les épaules, sortit la cuillère de la tasse et la lécha soigneusement avant de la reposer sur la nappe.

— En as-tu assez de moi ? m'enquis-je.

— Est-ce un diagnostic ou un souhait ?

A ces mots, elle se leva, consulta sa montre. Il était un peu trop tôt pour toute activité professionnelle ; je me demandai si elle ne désirait pas tout simplement me quitter sur ces derniers mots.

Lorsqu'elle s'en alla, je regardai par la fenêtre sa voiture quitter l'allée pour rejoindre la rue. C'était un de ces matins d'hiver extraordinairement ensoleillés, comme si toute la grisaille mouvante au ras du sol n'avait été que le papier d'emballage de ce dôme d'un bleu parfait. Le soleil étincelait sur le chrome encadrant son pare-brise, la revêtait tout entière d'une lumière chaude ; je ne la distinguais pourtant que par fragments, qui évoquaient ces visages que l'on croit discerner dans la braise quand on a trop bu. Elle prit la direction d'Evanston, où elle devait récupérer cinq Whistler dans une galerie ; ils avaient été endommagés par les fumées d'un incendie, la semaine précédente. J'imagine que l'on s'éprend de ceux dont le travail requiert une grande minutie dans le détail parce que l'on croit pouvoir bénéficier du même genre d'attention. Voire. Jamais Juliet ne m'a regardé avec le soin jaloux qu'elle prêtait à ses toiles abîmées ; l'eût-elle fait, je n'aurais pas été plus heureux pour autant, et, d'ailleurs, cela n'aurait même pas impliqué qu'elle m'eût aimé autant qu'elle aimait ses vieux tableaux.

Quand je retournai dans la cuisine, Caroline était en train de verser du café dans sa tasse. Elle portait un pyjama de satin orange, et avait la tête de quelqu'un qui a dormi le visage collé à un oreiller très dur.

— Danny vient à Chicago, dis-je en lui tendant ma tasse pour qu'elle la remplît.

Elle me tendit la cafetière et s'assit, se frottant le visage des deux mains.

— Quand ?

— Aujourd'hui.

— Tu lui as demandé de venir ? marmonna-t-elle entre ses mains sans interrompre son mouvement.

— Non. Pourquoi l'aurais-je fait ?

— Parce que tu penses que je ne fais que des conneries, répondit-elle. (Elle croisa les mains devant elle et me regarda avec dureté ; il en allait toujours ainsi :) Dis-moi ce qu'il y a de pire, je peux l'encaisser, et j'ai besoin de savoir, après quoi, je te détruirai pour l'avoir dit.

— Qu'est-ce que tu racontes ? Je ne lui ai rien demandé. Il vient, c'est tout. (Je m'assis à côté d'elle et lui chipai sa cuillère.) Est-ce vrai ? Es-tu en train de faire une connerie dans mon dos ?

— Je crois que je suis amoureuse de Tony Dayton, Fielding.

— Prends deux aspirines, retourne te coucher et appelle-moi dans la matinée.

— Je suis désolée. Je sais que ça te rend fou. Et je me sens coupable parce que tu m'en as parlé et que j'ai tout nié.

— Et il est, lui aussi, amoureux de toi, n'est-ce pas ?

— Il est très gentil.

— Caroline, je t'en prie.

— C'est vrai, et il a tellement *besoin* de moi.

— C'est ça qui te plaît ?

— Non, ce n'est pas ça. Il est comme ça, c'est tout. J'en ai marre des énigmes. J'ai envie d'être avec quelqu'un de clair. En deux jours, j'ai appris une centaine de choses sur Tony, alors que, pendant des années de mariage avec Eric, je n'ai jamais su qu'une seule chose : qu'il était une victime rebelle du racisme américain et que les gens de talent formaient, à son avis, une aristocratie.

— C'est ridicule. C'est tout ce que tu as retenu. En fait, tu savais plein de choses sur Eric quand vous étiez ensemble. (Je comptai sur mes doigts :) Tu savais qu'il était particulièrement gentil avec les gens quand il avait dit des horreurs sur leur compte en leur absence, tu savais que ses dents étaient tellement sensibles au froid qu'il était terrifié quand les gens mettaient des glaçons dans leur verre...

— Pas *terrifié*.

— Tu savais que pour lui, trop aimer quelqu'un était débilitant, mais que cela ne l'empêchait pas de t'aimer, quand il t'aimait, et que tu l'aimais pour cela, quand tu l'aimais.

Caroline s'approcha de moi et m'enlaça.

— Oh, Fielding, dit-elle, je t'aime tellement. Merci de me

rappeler tout cela. Nous avons tant de chance d'être là, l'un pour l'autre. Et je suis si heureuse que Danny vienne. Grâce à toi, nous sommes de nouveau réunis.

— Je ne sais pas pourquoi il vient ici. Au son de sa voix, j'ai senti que quelque chose n'allait pas.

— Il retombera sur ses pieds... Fielding ?

Elle lissa mes cheveux en arrière.

— Oh, oh.

— Il faut que je te dise quelque chose. Tony m'a demandé de ne pas t'en parler, mais je pense que tu aimerais savoir. Tu sais combien il est calé avec les chiffres, et tout ? Eh bien, il a fait son calcul à partir des statistiques d'intentions de vote...

— Et alors ?

— Alors, tu perds des points, c'est tout. Ce n'est pas comme si tu étais loin en arrière, mais tu perds des points.

— Nous gagnerons, Caroline. Ne t'inquiète pas. J'en suis sûr.

— Tu ne peux plus en être sûr, Fielding. Nous devons tous travailler beaucoup plus.

— Nous travaillons déjà beaucoup. Je me suis rendu dans dix-huit endroits différents hier. J'ai horriblement mal à la gorge. Ma main droite est si enflée que je ne peux même plus enfiler mon gant.

Caroline porta trois doigts à son front.

— Nous devons nous concentrer davantage. Nous montrer plus déterminés. Ne plus penser à rien d'autre. Rien. Après les élections, nous pourrons être aussi fous que nous le désirons.

— Nul ne désire être fou, Caroline.

— D'accord, d'accord. Tu sais bien ce que je veux dire. Je veux que tu l'emportes. Et après, je veux que tu dises à tout le monde que je t'ai aidé. (Elle sourit.) Ce n'est pas trop te demander, n'est-ce pas ?

— Les leçons de Dayton commencent à porter leurs fruits, répondis-je.

Je ne rentrai pas à la maison avant neuf heures, ce soir-là. Je conduisis jusqu'en haut de l'allée et restai assis dans la voiture, le front sur le volant. C'était une nuit limpide, sans ombre. Le dernier quartier de lune était accroché au sommet d'un arbre, de l'autre côté de la rue, comme un boomerang pris dans une branche. Je m'étais consacré treize heures d'affilée à ma campagne, et j'aurais dû continuer, si la finale de l'épreuve d'endurance « café et petits pains » de « Rencontrez le candidat » ne m'avait été épargnée. (Nos hôtes, ayant des problèmes conjugaux, avaient contacté Dayton pour lui annoncer que l'atmosphère, dans leur appartement, était « un peu trop lourde ».) Tony avait fait de son mieux pour me mettre dans l'embarras en me forçant à lui proposer un dernier verre avant la nuit : « Ou une tasse de thé, n'importe quoi, mon vieux, asseyons-nous et décompressons. » Un tas de messages téléphoniques auxquels je ne répondrais pas ce soir-là m'attendaient. Je pouvais à peine me rappeler où j'étais allé ou *qui* j'avais été : c'était comme si mon âme et le temps qui lui était imparti sur terre avaient été lancés aux quatre vents, et qu'une bande d'étourneaux avait fondu sur eux pour les picorer avant de regagner l'azur.

Il n'y avait plus qu'une chose qui m'inclinait à continuer, et ce n'était ni l'amour ni le sens du devoir, et moins encore la vision d'un monde meilleur : je voulais simplement remporter ces élections pour rejoindre celui que je pouvais devenir et qui, par-delà l'accomplissement, était en train de m'attendre, comme un costume neuf étalé sur le lit.

Je gravis non sans effort l'escalier ; Mrs. Arlington, notre voisine, ne s'était pas encore couchée ; elle m'attendait. A deux reprises déjà, elle avait réussi à m'entraîner dans son appartement aux murs bruns, qui sentait le chou. Sur le piano trônaient dans leur cadre les photos de famille, soigneusement alignées, comme des pierres tombales. Mrs. Arlington avait engagé un interminable combat avec les services de Sécurité sociale, et m'avait choisi comme avocat champion. Selon ses calculs, la caisse lui devait dix mille dollars. Elle m'avait obligé à examiner les classeurs contenant la correspondance échangée jusqu'alors. « Jerry n'a absolument rien fait pour moi », m'avait-elle dit en pointant un doigt accusateur sur la copie d'une lettre du bureau de Carmichael qui lui prometttait d'examiner l'affaire. « Si vous saviez quel soulagement c'est, pour moi, de savoir que vous allez le remplacer et tout remettre en ordre. »

Je me trouvais sur le palier du troisième quand j'entendis à travers la porte le rire de Danny, suivi de près par celui de Caroline. Ils avaient toujours semblé rire de concert, comme un duo qui résonnerait comme un quatuor. Je n'avais jamais su rire avec semblable franchise, et la touche de gravité de mon caractère m'avait valu, à la maison, un respect qu'ils n'avaient pas connu. Quels parents, face à deux petits démons, ne loueraient pas la sobriété du troisième ? Je faillis frapper à ma propre porte, comme si je pouvais être un intrus.

Danny, Caroline, Juliet et Kim, la Coréenne, se trouvaient dans le salon ; Danny allait de l'une à l'autre, versant dans les verres le contenu d'un jéroboam de dom Pérignon. Caroline était en collant, ses chaussettes de laine rouge et bleu lui arrivaient aux genoux. Les épaules de Juliet, assise à l'extrémité du canapé, étaient couvertes d'un châle. Le bout de son nez et de ses oreilles était rouge et luisant. Kim, assise jambes croisées, portait une courte robe métallique. Ses cuisses rondes semblaient dures comme des pommes. Tous me regardèrent quand j'entrai dans la pièce, soudain silencieuse comme si quelqu'un venait d'éteindre la radio.

— Je suis soit très en retard, soit un peu en avance, dis-je en me débarrassant de mon manteau d'un mouvement d'épaules, dénouant mon écharpe marron.

— As-tu assez de volonté pour prendre un verre de ce champagne en notre compagnie ? demanda Danny, levant la bouteille.

— J'ai suffisamment de volonté pour ne pas boire plusieurs verres, et pas assez pour en prendre un seul. Attendez-moi, j'ai de l'eau minérale millésimée au frais.

Danny m'avait rejoint. Il ne me dépassait que d'un centimètre et demi. Mais comme je m'étais accoutumé aux femmes de petite taille, il me sembla qu'il me dominait largement quand nous nous embrassâmes. Il sentait la fumée, et encore quelque chose de vaguement chimique.

— Tu te souviens de Kim, dit-il, faisant un pas en arrière.

— Bien entendu.

— Salut, Fielding, dit-elle. Comment ça va ?

— Ça va très bien, Kim. Content de vous revoir.

Je saisissais du coin de l'œil les regards désemparés de Juliet, et jugeai préférable de ne pas les affronter pour le moment.

— Que personne ne bouge pendant une seconde, s'il vous plaît ; que rien d'intéressant ne soit dit tant que je ne serai pas revenu.

Je me réfugiai dans la cuisine, surpris de me sentir si mal à l'aise. Mon estomac me donnait l'impression de vouloir monter à l'assaut de mon torse en quête de quelque issue. Dans un verre plein de glaçons, je versai de l'eau minérale Canada Dry, sans sel, sans calories, sans effets indésirables — un renvoi, tout au plus. Les pétillements dansèrent au-dessus du bord du verre. Appuyé à la table de la cuisine, je buvais avidement quand une main se posa sur mon dos. Je ne réagis pas tout de suite, me contentant de la sentir, anonyme.

— Il faut que je te parle, dit Juliet d'une voix à peine plus haute qu'un murmure.

Je reposai le verre et lui fis face :

— Nous nous montrons grossiers avec nos invités, remarquai-je.

— Je ne peux pas rester ici, dit-elle. Ni ce soir ni un autre soir.

Une onde de panique m'envahit, mais demeura dans le vague.

— Que veux-tu dire ? Où vas-tu ?

— Chez une amie.

— Qui ?

Elle recula comme si je crachais du feu dans sa direction.

— Polly.

— Bon, bon, dis-je.

Je repris mon verre ; ma main tremblait. D'une certaine manière, cela me paraissait idéal.

— Tu reviendras ?

— Bien sûr que je reviendrai.

— C'est gentil.

Elle toucha mon bras. « Fielding », dit-elle. Je pouvais voir dans ses yeux qu'elle était soulagée d'un grand poids. Elle s'était trouvée pendant longtemps dans une sale position, chez nous, et maintenant elle se rattrapait un peu.

— Je reviendrai demain, ajouta-t-elle.

— Veux-tu quelque chose de particulier pour le petit déjeuner ?

Je disais ce qui me passait par la tête. Je savais que je m'en repentirais tôt ou tard, mais il me semblait que le destin, à l'instant même, me poussait à lancer des phrases aussi bêtes que blessantes, alors que je me voyais clairement en train de l'étrangler, que je sentais le poids de nos corps réunis qui glissaient vers le sol sans que la pression de mes deux mains se relâchât, et sentais encore ses ongles déchirer mes yeux pendant qu'elle essayait de me repousser, et voyais l'écume se former aux commissures de ses lèvres tandis qu'elle me crachait des injures au visage et finissait par me dire tout ce qu'elle pensait de moi depuis belle lurette.

— Je viendrai après le travail. Polly a un dessin d'Ingres dont le côté gauche est plein de taches brunes...

— Non, non, non, grondai-je en levant la main. Aucune de ces sacrées règles de politesse ne va m'obliger à écouter ça.

— J'ai attendu que tu reviennes à la maison. Je devrais être là-bas depuis deux heures, déjà.

Elle poussa un soupir, remua la tête d'un côté à l'autre. Elle ne soupçonnait même pas à quel point ses yeux trahissaient son bonheur. Elle n'était pas encore vraiment libérée de la torpeur et de la vacuité de notre liaison, mais elle commençait à se secouer, et cela, elle le savait ; cette bouffée de licence lui dilatait les narines. Elle semblait radieuse. Je n'étais pas écrasé par le poids de ma propre vie au point de ne pouvoir me réjouir quelque peu pour elle.

— Sais-tu ce que je crois, s'enquit-elle. Je crois que si tu gagnes ces élections, si tu vas à Washington, et que je ne t'accompagne pas, au bout de trois semaines, tu ne t'en rendras même plus compte.

— Et sais-tu ce que je crois ?

— Non. Quoi ?

— Je crois que tu as raison.

Ce fut dur à avaler. Elle hocha la tête, comme pour dire : « Nous y sommes », puis elle fit quelque chose qui provoqua en moi plus d'étonnement que d'humiliation : elle me gifla de toutes ses forces. Son visage vira aussitôt à l'écarlate. Elle regrettait déjà son geste et ravalait ses regrets parce qu'elle estimait que je méritais, globalement, non seulement d'être giflé une bonne fois, mais encore battu comme plâtre.

— Ne t'inquiète pas. Cela ne gâchera rien entre toi et mon oncle, ajouta-t-elle. Rien de ce que je pourrais lui dire ne saurait l'étonner ou le décevoir. Il sait que tu es un petit rien du tout sorti de nulle part, avide, froid, opportuniste. Il l'a su dès le début. Et cela ne change absolument rien en ce qui le concerne.

— Puis-je te poser une question ?

— Oui, mais je ne me sens pas obligée de te répondre.

— Bien. Voici ce que j'aimerais savoir : ce matin, quand tu m'as dit qu'il faudrait que nous parlions, à mon retour, c'est ça que tu voulais me dire ?

— Non. Je voulais seulement que nous parlions. Je voulais essayer.

— Je ne pense pas avoir envie d'essayer, Juliet. Toute cette histoire entre nous n'est qu'un effort.

— Je ne crois pas que tu sois en mesure de savoir ce que tu veux en ce moment, Fielding.

— Eh bien, ce n'est pas la peine d'en parler non plus, n'est-ce pas ?

Je bus une gorgée d'eau. Mes mains étaient à nouveau calmes. Une merveilleuse sérénité psychotique s'était emparée de moi.

Elle me regarda longuement, ses yeux noirs empreints de pitié. Elle tendit la main, effleura mon visage.

— Tu as une marque rouge, dit-elle. Je suis désolée de t'avoir frappé.

— Je suis désolé de ne pas te l'avoir rendu.

Dieu merci, il n'y avait pas de miroir dans la pièce, aussi n'ai-je aucun souvenir du large et hideux sourire que je lui adressai alors.

J'attendis dans la cuisine, pour lui laisser le temps de s'en aller, puis je regagnai le salon.

— Enfin, te voilà, dit Danny. J'ai des nouvelles excitantes et il faut que tu les entendes.

Je m'assis à côté de Caroline sur le canapé. Elle posa un instant sa main sur mon genou et je hochai la tête. Puis je m'emparai de son verre de champagne et en pris une gorgée, délicieuse.

— Ah bon, fit Danny. Nous avons une chance de voir mon frère se ramollir un peu.

— Et ces nouvelles excitantes ? demandai-je en m'écartant de Caroline qui voulait reprendre son verre.

— Eh bien, tu es exactement la personne que ça peut intéresser, répondit Danny, se rapprochant pour remplir mon verre. (Il tendit le sien à Caroline et prit celui que Juliet avait laissé.) Figure-toi que le FBI mène en ce moment une enquête confidentielle, et devine qui ils essaient de coincer ?

— Toi, répondis-je.

— Non, dit Danny. L'IRS, la DEA[2], oui, mais pas le FBI. Cherche encore.

— Celui qui a posé la bombe qui a tué Sarah.

— Oh, ciel, Fielding ! Oublie ça.

— Une bombe ? demanda Kim.

Elle replia ses jambes minces et fermes ; ses genoux touchèrent son menton. L'ovale de son visage était parfait, ses cheveux évoquaient une queue de cheval noire.

— Dis-le-moi, alors, répondis-je en vidant mon verre.

Mon corps frémissait de dépit ; la force de ce vin ne lui suffisait pas. Je n'étais même pas légèrement ivre, j'avais rompu en vain un serment.

— Le Congrès lui-même, dit Danny.

2. Internal Revenue Service, Drug Enforcement Agency (services chargés de la répression des fraudes fiscales et de la lutte contre la drogue).

Il arborait le sourire triomphant qu'il avait eu jadis en nous montrant la boîte de préservatifs dans le tiroir où Dad rangeait ses sous-vêtements.

— Le FBI mène une enquête sur le Congrès ? demanda Caroline.

— C'est évident, dis-je.

— Exactement, affirma Danny. Je vais bientôt publier le *Guide des théories de la conspiration à l'usage des paranoïaques*. L'auteur est un énorme fou à tête de citrouille qui se nourrit de Tylenol et de codéine et qui est au courant de tout : Howard Hugues, Ellsberg[3], les soucoupes volantes, Chappaquiddick, tous les cas d'homicide volontaire depuis Lincoln. N'empêche qu'il a publié des articles dans tous les petits journaux spécialisés, et que les types du FBI *adorent* ce qu'il écrit ; ils le respectent, et ils trouvent très excitant de lire ce qu'on raconte sur eux. Ils sont sa vie mondaine ; je veux dire qu'il passe le plus clair de son temps en leur compagnie, et qu'ils laissent parfois échapper une information. Il m'a en tout cas raconté que d'ici un mois ou deux, une vingtaine de membres du Congrès et même quelques sénateurs seraient arrêtés. Je veux dire coffrés, et pour longtemps. Le FBI les a filmés en train de récupérer des mallettes remplies de billets de banque et, bientôt, les gens de ce pays vont voir ces types irréprochables en costume et cravate les vendre, eux qui les ont élus, le pays tout entier, le mode de vie américain. Ce ne sera pas aussi amusant que le Watergate, mais ça fera à peu près autant de bruit, vous savez, à cause de ce que ça *révèle*.

— On dirait vraiment que ça te fait plaisir, dis-je.

— Parce que je devrais pleurer quand les puissants de ce monde s'écroulent ? répliqua-t-il en haussant les épaules.

— Je ne crois pas que les membres du Congrès soient si puissants que ça. Je pense qu'ils ne sont pas très loin de l'ouvrier ordinaire. Mais s'il faut en croire ce que tu dis, ce ne sont pas des types du syndicat de Dad qui les mettent sur la sellette. *Quelqu'un* s'en charge en tout cas. Et ce quelqu'un est peut-

3. En 1971, Daniel Ellsberg fut accusé d'avoir volé des documents secrets au Pentagone.

être extrêmement puissant, a tout intérêt à avilir le Congrès aux yeux des électeurs, à les retourner contre les élus. L'hypothèse est-elle invraisemblable ? Si l'on voulait anéantir la Constitution, la meilleure manière de s'y prendre serait de convaincre les gens que le Congrès n'est que l'un des organes du crime organisé[4].

— Lorsque Fielding se met à parler de la Constitution, dit Danny à Caroline, on sait que la soirée sera longue.

— Quelles lois ferez-vous voter quand vous serez là-bas, à Washington ? demanda Kim.

Elle sentait que la conversation prenait une tournure déplaisante et voulait la ramener sur un terrain plus neutre.

— Bonne question, dit Danny

— Oh, tu es tellement condescendant avec les femmes, s'écria Caroline, pire qu'Eric.

— Moi, personnellement ? demandai-je à Kim. (Je posai mon verre, avec ce mélange de soulagement et de déception qu'éprouve celui que l'on éloigne du bord du précipice : Que vais-je faire du reste de mes jours ?) Je ne pense pas que je ferai voter des lois. Au début, on se contente de s'insérer, de se constituer une base. On se fait des amis, on essaie de ne pas se faire trop d'ennemis. On apprend les ficelles du métier.

— Les ficelles ? demanda Kim, et je compris que ce n'étaient pas seulement les ficelles qui lui échappaient.

— Voici ce que Fielding veut dire, intervint Danny : il va à Washington. Il prête serment. Et il la ferme.

— Charmant, répondis-je. J'apprécie le vote de confiance.

— Tu es vraiment terrible, dit Caroline à Danny. Je ne comprends pas ce que tu cherches à faire. Si c'est ce que tu penses, je ne vois pas pourquoi tu t'es dérangé pour venir ici.

— Et si je te disais que je suis venu ici pour me planquer ?

— Ça m'impressionnerait beaucoup, répliqua Caroline.

— Eh bien, alors, sois-le, dit Danny. Je suis un peu dans de l'*agua caliente* en ce moment. C'est drôle comme une chose conduit à une autre.

— De quoi parlons-nous au juste ? demandai-je.

4. La mafia.

Je sentis au fond de moi l'ambition et la prudence remuer, se condenser en une entité distincte.

— J'ai commis une légère erreur de jugement, déclara Danny le doigt levé, son irrésistible sourire aux lèvres ; j'ai traité un fournisseur de drogue comme un imprimeur. Et vous savez, un imprimeur ou un correcteur d'épreuves ou un collaborateur occasionnel ne vous dévorent pas vivant si vous ne payez pas tout de suite.

— Tu ne vas pas me dire que tu ne savais pas qu'un fournisseur de drogue..., commençai-je, mais il m'interrompit.

— L'espoir est source d'éternité.

— Oui, pour un défoncé.

— Cramponne-toi, Fielding, fit Caroline.

Danny lui adressa une courbette, puis se tourna vers moi.

— Tout a commencé la nuit de Noël, quand nous avons fait sortir Kim de cette boîte de massages. Ils étaient furieux. Quand elle n'est pas rentrée, le lendemain, ils ont tout simplement exigé qu'elle revienne.

— Ils ? demandai-je sèchement.

— Ils. Oui, ils. Les Coréens. Ces salauds de Coréens sont complètement fous.

— Homme coréen très fier, m'expliqua Kim d'un ton patient. Ils pensent : « Oh, oh ! Kim échappée, alors autres filles risquent s'échapper aussi. »

— Ils la recherchent ? demanda Caroline.

— Ils la recherchaient, dit Danny. Mais j'ai eu une bonne idée ; enfin, je *croyais* que c'en était une. J'ai conclu un marché avec eux. Ils laissaient Kim tranquille, me laissaient tranquille, et je faisais des affaires avec eux.

— Quel genre d'affaires ? demandai-je. Ce ne sont pas des gens à fréquenter. Ils sont liés aux milieux paramilitaires, pour ne pas parler de la mafia.

— Je sais que ce sont des durs, dit Danny.

— Vraiment ? Quel genre d'affaires faisais-tu avec eux ? Et ne me dis pas, s'il te plaît, que c'était de l'édition.

— C'était un truc avec la drogue, dit Danny.

J'avais dû me montrer beaucoup plus pressant que je ne le croyais, car sa voix s'altéra alors.

— Un *truc* avec la drogue ?

— Oui, la drogue. C'est fou ce qu'ils étaient peu professionnels. Je veux dire qu'ils étaient bien organisés pour l'approvisionnement, mais pour la demande, ils n'avaient aucun contact. Ils ne savaient même pas combien *valait* la camelote. Je pensais que ce serait beaucoup plus facile que ça ne l'a été, finalement.

Je ne pus, au point où nous en étions, éviter de considérer certaines données : une chose était certaine, Danny ne peignait jamais les situations plus sombres qu'elles l'étaient en réalité. Quand il disait avoir quelques difficultés avec le fisc, cela signifiait que deux fonctionnaires de l'IRS en costume gris avaient pénétré dans les bureaux de Willow et saisi les Olivetti. Quand il me demandait deux minutes pour répondre à trois ou quatre questions juridiques, cela voulait dire qu'il était attaqué en justice par six auteurs et une douzaine de typos, et que son propre avocat ne voulait même plus lui adresser la parole parce que le chèque qu'il avait reçu en règlement partiel de ses honoraires de l'année précédente excédait largement tout ce que Danny avait pu récupérer avec la drogue dans laquelle il avait investi ce dont il disposait.

— Ça va, Fielding ? demanda Caroline.

— Oui, répondis-je. Bien sûr.

Mes mains couvraient mon visage et je me frottais les yeux.

— C'est probablement ce qu'il te faut, dit Danny ; te relaxer, te laisser aller.

— Oh, merde, Danny, dit Caroline. Arrête.

— Écoute, dit-il. La vie est vache, et elle est courte, pleine d'entourloupettes, de déveines, tellement dure que je ne vois pas pourquoi les gens devraient la traverser en demeurant sobres et rigides. Ces choses-là existent parce que nous en avons besoin.

— Peut-être ton frère s'inquiète, dit Kim à Danny. Tu sais, nos soucis qui font encore plus de soucis pour lui.

— Je crois que tu as mis le doigt dessus, dit Danny.

— Le doigt ? s'enquit-elle.

Je me levai. Quelque chose pesait sur moi, comme si j'avais tenté de me redresser dans une cellule d'un mètre cinquante de hauteur. Je tendis mon index vers Danny.

— Je ne veux pas être impliqué dans tes sales histoires en ce moment. Je pense que c'est tout à fait idiot ou tout à fait sadique de ta part d'être venu ici maintenant.

— Une minute, fit-il avec un de ses sourires légers et enjôleurs. Tu prends ça trop au sérieux. Ce n'est pas si grave. Tout va s'arranger.

— J'en ai par-dessus la tête, m'exclamai-je, sentant avec horreur ma voix se briser. Oh, ciel ! (La pointe de l'apitoiement sur soi.) Au cas où personne ne l'aurait remarqué, Juliet n'est plus dans cet appartement. Je ne sais même pas quand elle reviendra, *si* elle revient.

— Nous le savons bien, Fielding, dit Caroline sur un ton qui se voulait apaisant. Nous ne voulions pas en parler avant que tu ne commences.

— Je ne crois pas qu'elle soit partie à cause de Kim et de moi, dit Danny.

— Ce n'est pas ce que j'ai dit. Elle est partie parce que, depuis trois semaines, je ne lui ai pas adressé la parole, et parce qu'avant ça, tout ce que j'ai pu lui dire ne nous a guère aidés. (Je m'interrompis, incapable de supporter plus longtemps la note désespérée tapie au fond de ma voix.) Elle est partie parce que nous ne sommes pas vraiment faits l'un pour l'autre.

— *Ça*, nous aurions pu te le dire, remarqua Danny.

— Il se passe trop de choses ; je ne sais plus où j'en suis. Tu ne peux pas rester ici, Danny. Tout va se jouer à quelques voix près, et dans ces cas, toutes les saletés ressortent. Je ne veux tout simplement pas avoir à te justifier aux yeux de qui que ce soit.

— Tu entends ça ? dit Danny à Caroline.

— Il est fatigué, remarqua-t-elle comme si je n'étais plus dans la pièce.

— Je suis désolé, dis-je à Kim.

Elle haussa les épaules, mais je ne la connaissais pas suffisamment pour savoir si c'était parce qu'elle me pardonnait, parce qu'elle ne s'était pas attendue à autre chose, ou parce qu'elle n'avait pas la moindre idée de ce qui se passait.

— Tu as peur d'être éclaboussé ? s'enquit Danny.

— Oui, dis-je. C'est cela même.

C'était confortable, de leur laisser voir le pire, comme de déboutonner un pantalon trop étroit.

— Dans ce cas, nous partons, dit-il. Mais je crois que tu paniques. En fait, je me suis laissé un peu dépasser, mais je vais me ressaisir. J'ai trouvé deux frères roumains, des jumeaux, je crois, qui s'occupent de la comptabilité d'un centre de confection, et je leur ai vendu des factures à notre crédit, ils m'en donnent quarante cents par dollar. Je sais que ça n'a pas l'air très net, mais ce n'est pas si terrible. J'ai aussi quelques affaires d'impôts à régler ; c'est pour ça que nous sommes ici. Il y a à Chicago un avocat de génie qui conçoit des transparences fiscales pour tout un groupe de riches chirurgiens, et nous avons monté tout exprès pour eux une affaire de livres.

— J'ai déjà vu tes plans de transparence fiscale, dis-je. Toutes les déclarations de ces médecins vont être contrôlées, et les déductions seront annulées.

— Eh bien, tu n'as pas vu le dernier. Ce plan-là va marcher.

Il but une gorgée de champagne et éclata de rire.

— Et tu sais pourquoi ? Parce qu'il le faut.

— Combien leur dois-tu ? demandai-je.

— Pourquoi ? Tu veux m'en prêter ?

— Est-ce que tu as vendu de l'héroïne, Danny ?

— Jamais je ne *vendrai* de l'héroïne.

— Que suis-je supposé faire dans tout cela, Danny ?

— Rien. C'est seulement que tu es un homme puissant. Tu as de l'influence. Des *relations*. Et, en de pareils moments, il vaut mieux se trouver dans l'entourage d'un tel homme.

Je sentis la colère monter comme la flamme d'un chalumeau à acétylène. J'aurais voulu chasser tout le monde. J'avais conquis ma position sans l'aide de personne ; nul n'avait vraiment compris ou approuvé ma manière de négocier les virages, et maintenant que la ligne d'arrivée était en vue, je ne pouvais plus supporter de les voir tous autour de moi.

— Tu n'es pas dans mon district, dis-je.

— Je *suis* ton foutu district, s'écria Danny en se frappant la poitrine. (Son visage était écarlate.) Et si tu n'es pas capable de faire ça pour moi, tu n'es bon à rien. Qui, à ton avis, a fait de toi ce que tu es ? Tu crois y être parvenu tout seul ? Ou tu l'as lu dans le *New Republic* ? Tu fais partie de moi, pauvre con, et quand tu te détournes de moi, tu te détournes de toi-même.

— Alors, qu'il en soit ainsi.

— Tu veux dire que c'est toi qui as fait Fielding ? demanda Caroline.

— Oui. Moi. Toi. Que serait-il sans nous ? Quelque dégoûtante mixture de Harvard et de Coast Guard et de bureaucrate du DA, concoctée par son pote Isaac Green et sa nièce-qui-serre-les-fesses. Il s'inquiète d'obtenir quelques voix supplémentaires et il nous laisse le soin de s'occuper de son *âme*. Je crois que même Dad et Mom préféreraient le perdre, si tout ce qu'il veut, c'est aller à Washington et faire comme tous les autres.

— Oh ça, je n'en suis pas si sûre, dit Caroline.

— Seigneur, s'exclama Danny. Tu t'y laisses prendre, toi aussi.

— C'est possible. Chaque famille doit avoir un bon fils. Il est d'un côté, tu es de l'autre, et je suis le pont entre vous.

— D'accord. Avec deux enfants noirs, trois emplois, et quatre-vingt-huit cents dans ton porte-monnaie.

— Je me considère comme quelqu'un de tout à fait normal, rétorqua-t-elle.

— Formidable, dit Danny. Tu m'en vois ravi.

Et, brusquement, il se leva et se mit à marcher de long en large. Il plongea la main au fond de sa poche, cherchant quelque chose.

— Écoute, Fielding, dit-il. Je me demande si tu ne pourrais pas me rendre quand même un petit service. J'ai une course à faire. Pourrais-tu raccompagner Kim à mon hôtel ? Ça ne te prendra pas plus de quinze ou vingt minutes.

— D'accord.

— Tu n'auras pas l'impression de trop te compromettre, n'est-ce pas ?

— Je m'arrangerai.

— Excellent. Je saurai qu'elle est en bonnes mains. Tu *fais toujours* ce que tu dis.

— Danny, si tu savais ce qui se passe dans ma vie en ce moment, tu me ménagerais un peu.

— Je vois très bien ce à quoi tu t'attaques, Fielding. Tu t'imagines toujours être un grand mystère.

— Et toi tu en es incapable.

— N'en parlons plus alors. Tu ne peux pas me rabrouer, puis t'attendre à ce que je me mette de ton côté.

Il décrocha son manteau en cachemire noir de la patère, près de la porte, enroula soigneusement autour de son cou l'écharpe équatorienne qu'il avait glissée dans la manche et la lissa sur sa poitrine. Puis il boutonna son manteau et enfila un gant de cuir noir. Il avait dû perdre l'autre. Il s'assit ensuite à côté de Kim sur le canapé, et l'enlaça. Elle enfouit son visage dans le manteau, et il lui caressa les cheveux. Il paraissait paternel, mélancolique, infiniment tendre. Je n'avais jamais si bien perçu pourquoi les femmes se montraient infailliblement loyales à son égard. Il existait peu d'êtres plus dissipés, plus déréglés, mais la douceur de son geste, sa manière de coller son corps à celui de la fille, la sympathie et l'intégrité suggérées par le seul mouvement de sa hanche n'auraient pu se trouver chez un amant plus ordinaire, plus sûr. Comparées aux siennes, mes étreintes m'apparaissaient rabougries jusqu'au grotesque par mes demandes, et en regardant Danny serrer Kim dans ses bras, en écoutant leur respiration dans le silence de cette nuit d'hiver, j'eus le sentiment que j'aurais mille fois préféré être l'un d'eux plutôt que de demeurer une minute de plus dans ma propre peau.

J'accompagnai Kim à Palmer House, dans le centre de la ville. Elle était assise aussi loin de moi que le permettait la structure intérieure de la vieille Mercury. Je ne connais rien aux fourrures, mais son manteau n'avait certes pas été coupé dans la peau d'un animal ; il était rosâtre et vaporeux comme de la laine de verre. Sur notre droite, le lac gelé s'unissait à l'horizon gris foncé, semblable à un champ de décombres étincelant sous la lune. Elle alluma la radio, passa d'une station à l'autre pour trouver une chanson qui lui convînt, et choisit *California Girls*, des Beach Boys ; il me semblait qu'elle plaçait la musique entre nous comme un paravent. Je la regardai du coin de l'œil : elle chantonnait, en secouant la tête d'avant en arrière, deux fois plus vite que la mesure.

Il n'était pas question de la laisser monter seule dans sa chambre, aussi garai-je la voiture pour l'accompagner. Dans le hall, elle glissa son bras sous le mien, et nous prîmes un ascenseur pelucheux et surchauffé jusqu'au quatorzième étage. Nous suivîmes un long couloir ; un tapis couvrait le plancher, mais la lumière était à peine suffisante. Un serveur poussait une table roulante en direction du monte-charge. Il nous dévisagea quand nous le croisâmes, et Kim se cramponna à moi. Elle ouvrit son petit sac doré et me tendit la clé de la chambre.

Ils occupaient une suite avec vue sur le lac. Les plafonds étaient hauts, le mobilier luxueux, les murs peints en saumon et blanc. On aurait dit qu'une bande de fous furieux avait été enfermée là-dedans depuis des semaines : il n'y avait plus aucun vêtement dans les valises grandes ouvertes, on les avait jetés en vrac sur le lit ; les chaises étaient renversées sur le sol. Dans un coin traînaient les restes d'une salade de crevettes, avec une cigarette plantée dans le petit pot de sauce, et dans un autre, une salade du chef, à peu près intacte, deux bouteilles de champagne, et un exemplaire du *Sun Times* qui aurait pu sortir des pattes d'un jeune chiot. Le tapis était jonché de mouchoirs en papier. Les roses rouges que la direction de l'hôtel offrait avec chaque commande avaient été réunies et flanquées dans un vase, dont l'eau avait débordé à l'irruption de ces douces American Beauties : des pétales étaient tombés sur la table de marbre et le tapis présentait une tache d'humidité. Les magazines de mode européens que Danny aimait tant étaient éparpillés un peu partout, et il avait trouvé le temps, pendant son bref séjour dans le salon, de démonter complètement un magnétophone dont les étranges débris traînaient çà et là. Et il y avait encore des déchets plus menaçants et familiers : des tampons de coton, des allumettes brisées, une cuillère brûlée, abandonnée dans un verre d'eau, mollusques arrachés à la coque du *SS Narcotique*.

— Voulez-vous que j'attende avec vous le retour de Danny ? demandai-je à Kim.

— Retour bientôt, répondit-elle en étouffant un bâillement de sa petite main délicate.

Elle portait une fine bague d'enfant à chaque doigt, ses ongles étaient laqués de rouge sombre.

— Vous voulez un verre ? demanda-t-elle.

— D'accord.

Elle désigna le téléphone, que recouvrait une serviette Palmer House. J'enjambai le fouillis. Je n'avais pas encore vu la chambre et la salle de bains, mais elles devaient certainement être dévastées, elles aussi.

— Je vais demander du café, dis-je. Voulez-vous quelque chose ?

— D'accord, moi aussi.

Elle poussa une chemise d'homme rayée et quelques magazines, et s'assit sur le petit canapé tarabiscoté. Elle n'avait pas encore ôté son manteau, mais elle enleva ses chaussures.

— Bon, que prendrez-vous ? demandai-je.

J'avais parlé trop rapidement et elle me regarda avec l'air de qui n'a pas compris. Elle était épuisée. Parler anglais lui imposait un surcroît d'effort. Je répétai lentement la question, avec un geste des mains.

— Du thé, puis du whisky dans une petite bouteille. Et un sandwich au thon, s'il vous plaît.

Je passai la commande ; la voix qui me répondit était fort courtoise. L'employé me relut la liste et conclut en disant : « Nous vous apportons ça tout de suite, monsieur Pierce. » Danny devait donner des pourboires somptueux pour être traité de la sorte.

Je débarrassai un fauteuil pour m'asseoir. En regardant autour de moi, l'évidence me frappa : Danny devait s'être rendu dans quelque endroit dangereux, pour acheter de la drogue. Il n'en prévoyait jamais suffisamment à l'avance. Il recommençait à zéro partout où il se trouvait. Il avait tant à faire, bien plus qu'il ne pouvait assumer. Je ne savais pas pourquoi il avait besoin d'ajouter ce désir insatiable à tout le reste.

Mais qu'aurais-je pu lui conseiller ? D'acheter suffisamment d'héroïne pour une semaine, au lieu de prévoir une seule soirée ?

— Je pensais à la première fois où nous nous sommes vus, dis-je à Kim.

— A New York.

— Quand nous avons quitté cet endroit, vous avez soudain fait semblant d'avoir oublié votre sac. Vous avez voulu remonter.

Kim montra le sac, à côté d'elle.

— Mon sac est là, dit-elle.

— Je vous ai empêchée de retourner en haut. Vous vous rappelez ? Vous vouliez absolument, mais j'ai fait ce que je croyais qu'il voulait. Il ne voulait pas que vous y retourniez, et j'ai suivi mon instinct. Je n'ai pas pensé à ce qui était le mieux pour vous, et maintenant vous avez ces problèmes.

— Je suis désolée, dit-elle. Mon anglais n'est pas bon.

— Mais non, c'est très bien.

— J'ai l'air de petite fille. Pas de cervelle. Chez moi, tout le monde dit moi très intelligente. Ici, j'ai l'air stupide. Très peu de mots.

— Vous parlez mieux l'anglais que moi le coréen.

— Vous parlez coréen ?

— Non.

— Un petit peu ?

— Non, rien, pas un mot.

Elle me lança un petit regard aigu ; en voulant lui adresser un compliment, je n'avais fait qu'une gaffe. Était-ce seulement un compliment, au départ, ou plutôt une plaisanterie un peu condescendante ? Quand sa bouche s'affaissa et qu'elle détourna son regard, j'eus soudain horreur de moi-même, horreur de cette sensibilité dont j'avais toujours cru qu'elle était ma seconde nature, et qui était devenue, avait peut-être toujours été, quelque chose de plutôt grossier, une amabilité de représentant de commerce. Qui diable étais-je donc pour prétendre mettre Kim à son aise ? Elle en savait au moins autant que moi sur les terreurs que nous réserve ce monde.

J'éprouvai alors une douleur au creux des reins, comme si un clou venait de me transpercer : la douleur paraissait toucher directement la moelle épinière, puis irradier vers le haut jusqu'aux épaules, vers le bas jusqu'aux pieds. Je suffoquai, m'agrippai à l'accoudoir du fauteuil. Je glissai la main derrière moi, essayai de me lever, mais la douleur me rendait faible et sans volonté.

— Vous blessé ? demanda Kim.

— Les nerfs.

« Seigneur, me dis-je, le mal au dos : la maladie des représentants de commerce. »

— Mal au dos ?

— Oui. Ça va aller.

— Danny aussi. Tout le temps. Trop de soucis. Et puis il marche comme ça.

Elle balança les bras en avant, leva les épaules, on aurait dit un singe.

— Vraiment ? Je ne savais pas.

— Allongez-vous. Je fais massage vous.

Elle ouvrit son sac, en sortit un chewing-gum aux fruits.

J'avais l'impression que quelqu'un grattait les nerfs de ma jambe avec une fourchette. Il était minuit. Juliet était partie. Isaac et Adèle devaient dormir dans leurs lits jumeaux, sur le dos, les yeux couverts d'un masque noir. Les élections étaient sur le point de m'échapper. Et Sarah... Sarah pareille à une ombre voilant la lumière du ciel, à un murmure dans l'obscurité, à des traces de pas dans la neige qui forment une piste conduisant au bord d'un précipice... Je compris soudain que Danny m'avait envoyé chez lui avec Kim afin qu'elle prît soin de moi, à sa manière. Il me semblait absurde de ne pas en profiter.

— Voulez-vous que je m'allonge par terre ?

— Idiot, dit-elle, apparemment peu amusée. Nous allons sur le lit.

Elle montra du doigt la porte de la chambre, et se releva d'un bond, lissant sa jupe et mâchant vigoureusement son chewing-gum.

Je lui emboîtai le pas. Il n'y avait plus sur le lit que le drap du dessous ; le reste était par terre. D'autres reliefs de repas commandés à l'hôtel, d'autres magazines et d'autres vêtements traînaient çà et là. L'endroit *avait l'air* d'un taudis, mais dégageait un arôme élégant et épicé. Il s'agissait sans doute de l'une ou l'autre de ces eaux de toilette que Danny faisait venir de l'étranger. Elles arrivaient dans des flacons sombres et lourds coiffés d'un bouchon doré, ou dans une petite flasque bleue. Elles couvraient l'odeur des sueurs provoquées par l'héroïne, celle des jours sans bain. Il en versait régulièrement sur ses draps, comme un prêtre asperge les alentours d'eau bénite. Kim alluma une lampe recouverte d'une veste de pyjama de Danny, couleur prune. Quand la lampe fut allumée, elle ferma la porte.

— Enlevez vos chaussures, d'accord ? La chemise aussi, peut-être.

L'instant me rappelait le meilleur de l'alcool, cette sensation fraîche d'anesthésie qui vous envahit, vous rend totalement insoucieux des moments à venir. J'ôtai mes chaussures, ma veste, ma cravate, ma chemise et le débardeur gris que je portais en dessous.

— Vous êtes très musclé, remarqua Kim.

Elle toucha mes biceps avec un hochement de tête approbateur.

— C'est un héritage. Aucun mérite, répondis-je.

J'eus pourtant conscience que je les tendais pour les faire ressortir et je me trouvai tout à coup lamentable. Après toutes ces nuits passées à côté de Juliet, comme exsangue, j'avais, me semblait-il, profondément oublié le langage de ma chair. Lorsque le désir s'emparait de nous, je posais une main entre ses jambes, et elle glissait la sienne entre les miennes. Je sentais maintenant la présence vivante de mon corps ; la douleur même, qui se déplaçait le long de ma jambe, me rendait d'une certaine façon plus humain que je ne l'avais été depuis longtemps. Je m'installai doucement sur le lit, bras écartés. Le matelas bougea à peine sous le poids de Kim lorsqu'elle me rejoignit. Elle s'assit à califourchon sur mon dos, se pencha en avant pour saisir mes omoplates, et son os pelvien pesa sur mes reins.

Quel que fût le mélange complexe de désir, de besoin et de responsabilité qui retenait Danny auprès d'elle, les prouesses de guérisseuse de Kim n'y entraient certes pas. Ses mains étaient sans force et il lui arrivait parfois, comme pour compenser cette insuffisance, d'enfoncer ses doigts effilés dans une contracture particulièrement douloureuse.

Je fermai les yeux et, rassemblant toutes mes possibilités de concentration, essayai d'anéantir toute source de distraction pour atteindre l'essence même du plaisir, tout comme Danny brûlait les ingrédients superflus d'une cuillerée d'élixir parégorique pour obtenir l'opium. Ses doigts me donnaient d'ailleurs un plaisir mêlant à la sensualité, au danger, un sentiment dont l'abstraction me rassurait : je savais qu'elle ignorait largement ma personne ; j'étais un enfant à la nursery, ou mieux, un prétendu blessé, dans un centre de rééducation, qui retient un grognement de satisfaction tandis que le kinésithérapeute manipule ses membres.

Puisque j'étais allongé sur ce lit, torse nu, et que je laissais Kim se presser contre moi en malaxant ma chair, pourquoi ne basculais-je pas sur le dos pour la prendre dans mes bras ? La douleur qui m'avait conduit jusque-là avait disparu aussitôt que je m'étais allongé. Ma vie avait été détachée de toutes ses significations habituelles. Je sentais son parfum. Pourquoi ne la baiserais-je pas ? Si elle touchait mon dos, pourquoi ne toucherait-elle pas mon sexe ? N'était-ce pas complètement idiot et pervers de tolérer qu'une partie de mon corps pût être caressée, et pas une autre ?

La sonnette de la porte retentit et j'entendis le serveur pousser la table roulante sur laquelle devaient être posés le thé, le whisky et le sandwich au thon. J'entendis les pinces pêcher les glaçons puis leur musique infernale contre les parois du verre. L'instant suivant, le serveur se retira, refermant la porte derrière lui avec un petit clic discret et ce bruit fut pour moi le drapeau qui sonne le signal de départ d'une course.

Je roulai sur le dos et m'emparai de Kim. Elle eut une

expression de gêne et d'indécision, mais animé seulement par un désir nonchalant libéré de toute contrainte, je pris pour de la coquetterie ce qui était une expression réellement horrifiée, et continuai de pousser mon attaque alors même qu'elle s'écartait de moi. Je la saisis par la taille et tentai de l'étreindre derechef.

— Arrêtez, jeta-t-elle.

Mais cela n'était pas suffisant. Je me relevai pour l'embrasser sur la bouche. Dans mon esprit, c'était une sorte de geste courtois ; j'agissais comme il fallait, maintenant.

— Non, non, non, s'écria-t-elle en se débattant.

Je posai un baiser sur son menton, et la dureté de l'os, à cet endroit, ne parvint pas à décourager mon élan. Je fus tout de même capable de reconnaître la peur, l'impuissance et la haine dans sa façon de crier « non ». En deux secondes, le temps qu'il m'avait fallu pour rouler sur le dos, j'étais devenu l'incarnation même de ces maquereaux qui l'avaient engagée, dans les faubourgs de Séoul, pour ce long vol à bord de la KAL, en même temps que six autres jeunes femmes prises au même appât ; elles avaient ensuite été emportées dans une de ces limousines qui filent, silencieuses comme des requins, au plus noir de la nuit américaine. Kim s'écarta de moi. J'étais tombé de mon piédestal, bien au-delà de mes plus folles imaginations. Je demeurai allongé, immobile, à la regarder quitter le lit en hâte.

Je me sentais bien trop minable pour songer seulement à me lever. Je croisai les mains sous ma nuque et contemplai le plafond. Puis je fermai les yeux un instant pour réfléchir, chercher ce que je pourrais bien lui dire. Je trouvai enfin :

— Si je gagne ces élections, Kim, je verrai vraiment ce que je peux faire pour Danny. J'essaierai pour de bon.

Je guettai sa réponse. Mais quand j'ouvris les yeux, et me redressai en prenant appui sur un coude, elle avait déjà quitté la pièce.

J'avais laissé Kim à Palmer House après que Danny eut téléphoné d'un bar de la 44e Rue pour annoncer qu'il arrivait. Il neigeait de nouveau sur la voie sud. Une meute de chiens sauvages courait sur deux rangs au bord de la route. La neige que soulevaient leurs pattes s'envolait en direction des phares des véhicules qui passaient.

Il était plus de deux heures quand je rentrai à la maison, et je devais être frais et dispos pour la réunion du petit déjeuner qui aurait lieu dans six heures. Je ne savais pas comment je pourrais convaincre le premier venu de me verser un verre d'eau sur les cheveux s'ils se mettaient à fumer, et encore moins comment je pourrais lui donner envie de m'envoyer à Washington pour le représenter. Mais ça n'avait aucune importance ; mis devant le fait accompli, je saurais bien me débrouiller.

L'appartement était vide. Tout était en ordre. Il y avait même dans l'air une odeur d'encaustique. Les cendriers avaient été vidés, les verres lavés et rangés. Caroline m'avait laissé un mot sur la table basse. *Te verrai demain à la réunion de midi. Je t'aime, Fielding. Caroline.*

Je pliai le message soigneusement et le rangeai dans mon portefeuille, comme s'il s'agissait d'une reconnaissance de dette. Le moment idéal pour boire un verre aurait pu être enfin arrivé. A ce moment-là, j'aurais bien échangé sans vergogne tous les litres et les litres avalés jadis contre un seul verre. Oui, le moment attendu était bien ce moment-là. Je me dirigeai vers la cuisine. Les bouteilles de champagne avaient déjà été jetées dans la poubelle. Juliet avait bien quelque part une bouteille de Ballantine's qu'elle gardait pour les jours où ses règles la faisaient trop souffrir, mais elle était vide. Je ne trouvai rien d'autre qu'une bouteille de Cinzano, dont le goût me surprit agréablement. Un souffle chaud me traversa quand je l'avalai. Le vermouth me laissa dans la bouche un bon arrière-goût amer. J'en versai un peu plus dans le verre et refermai soigneusement la bouteille. Puis je la plaçai dans le placard sous l'évier, à côté de la levure, des biscuits au sésame du Devonshire et des cubes de consommé.

Je fis alors le tour de la maison, comme pour m'assurer

qu'elle était bien vide. La solitude tombait comme de la neige sur mes épaules, mais elle semblait recouvrir quelque chose de bien plus désagréable qu'un simple isolement et cela me convenait. Je me rendis dans mon bureau, qui servait en ce moment de chambre à Caroline. Elle l'occupait à peine : rien ne montrait qu'elle avait dormi là — pas une chaussure, ou un peigne, une boucle d'oreille, rien, sinon un de ces cadres qui se referment comme un livre et contiennent deux photos. L'une était celle de Malik, l'autre celle de Rudy, bien photographiés par un de ces amis artistes que Caroline avait dans le quartier commercial. Je pris le cadre et regardai attentivement les garçons : tous deux portaient de gros chandails de sports d'hiver, décorés d'une ligne de sapins brodés en travers de la poitrine. Rudy avait le menton levé et les lèvres serrées, avec un air de défi virginal. J'essayai de retrouver mon visage dans le sien. Même si je ne décelais aucune ressemblance spécifique, il y *avait* en lui quelque chose qui faisait penser à moi. C'était la même chose avec Malik, ses grands yeux vulnérables, cette bouche qui semblait demander : « Est-ce que je peux sourire maintenant ? » J'appliquai leurs portraits contre ma poitrine et les serrai fort. Je me demandais pourquoi le destin ne m'avait pas guidé vers une vie familiale digne de ce nom. Un vide s'ouvrit abruptement en moi, comme s'il m'était soudain donné de percevoir l'errance désolée de la terre dans l'espace.

Le téléphone sonna. Je reposai les photos de Rudy et Malik, regardai ma montre. Il était près de deux heures et demie. A mon âge, le téléphone qui sonne au milieu de la nuit ne peut qu'annoncer de mauvaises nouvelles : il n'y a plus guère de chances que ce soit un copain prêt à débarquer avec un joint et le dernier succès des Beatles. Je m'assis à mon bureau et regardai le téléphone pendant que la sonnerie retentissait une deuxième, une troisième, une quatrième fois. Était-ce la police qui venait de trouver Danny mort dans la sciure d'un bar du ghetto ? Ou ma mère, dans la salle des urgences de l'hôpital de Rockland County, alors que les médecins expédiaient des secousses électriques dans la poitrine de mon père pour réveiller son cœur défaillant ? Je finis par saisir l'écouteur.

— Allo ?

Il y eut un silence qu'entrecoupait le grésillement des câbles longue distance.

— Je t'ai réveillé ? demanda la voix.

Bien que ne sachant pas pourquoi je le disais, je répondis oui. Le silence retomba. Il semblait nous recouvrir comme un flux. J'écoutai. Le silence posa ses mains sur moi et me tira de mon fauteuil. J'étais debout maintenant, penché sur le bureau, une main tenant l'écouteur, l'autre tirant sur mes cheveux.

— Sarah ? murmurai-je.

— Oui, dit-elle. C'est moi. C'est... moi.

Je me retrouvai assis par terre. Le téléphone avait glissé du bureau mais le fil l'avait retenu, et il restait suspendu en l'air.

— Non, dis-je. Qui est-ce ?

— Je suis désolée, Fielding. Je suis désolée. (Elle soupira, secouée par un sanglot.) Ça a été tellement difficile. Chaque jour je me demandais si j'allais ou si je n'allais pas t'appeler, te le dire. Je me posais la question chaque jour. J'essayais de t'attirer à moi, de te faire apparaître. J'ai écrit ton nom sur un bout de papier et je l'ai épinglé en haut de ma couverture.

— Sarah ? dis-je. Est-ce que ceci est vraiment en train de se produire ?

Pourtant, tout en posant la question, alors même que mon cœur enflait, se précipitait dans ma gorge, je savais que c'était sa voix ; elle paraissait épuisée, légèrement effrayée, et marquée par une distance, une étrangeté involontaires que je n'avais jamais perçues auparavant, mais ce n'étaient là que nuages glissant devant la lune.

— C'est une histoire tellement compliquée, Fielding. J'ai fait ce que je devais faire. J'avais besoin de me sacrifier. Je ne pouvais pas rester où j'étais. Je ne pouvais pas rester la même personne.

— Sarah, où es-tu ? Où es-tu en ce moment ? Es-tu très loin ?

— Oui.

— Où ?

— Je ne sais pas... Je t'ai appelé pour te parler, mais maintenant je ne sais plus. Il me semble que c'est la vanité des vanités de t'abandonner et puis de revenir.

— Où es-tu ?

— Je voulais seulement que tu saches que je suis en vie. Ce n'était pas moi, dans cette voiture. C'est tellement compliqué. Une horrible histoire. C'était une des Chiliennes, la sœur, mais elle portait mes vêtements. Ce n'est pas moi qui ai eu cette idée, mais je n'ai pas dit non. J'étais capable de faire des choses que je ne pourrais jamais refaire.

— Où es-tu maintenant ? Je raccroche si tu ne me le dis pas.

Ce n'était pas un cri, mais une supplication. Je fermai les yeux pour reconstituer son visage comme je l'avais fait tant de fois, mais, maintenant, je ne la voyais plus. Il n'y avait plus d'obscurité et un lent courant de petits traits tremblants. Incidemment, l'idée me frappa que j'étais en train de mourir.

— S'il te plaît, ne fais pas ça, pria-t-elle.

Je me levai, posai le téléphone sur le bureau, contemplai les photos de Rudy et Malik, la lumière projetée par la lampe sur les fenêtres obscures, écoutai le grésillement gelé de la neige en train de tomber.

— Est-ce toi que j'ai poursuivie jusque dans l'église de Stanton, la semaine dernière ? demandai-je.

Il y eut un silence, puis elle répondit :

— Non.

— Tu as été partout, Sarah. Seigneur, je ne sais même pas à qui je parle en ce moment.

— Je suis tellement fière de toi, Fielding. Tu es si proche de ton objectif. Tu vas être en mesure de faire tant de bien.

— Oh, Seigneur, je ne veux pas parler de ça. Tu n'as pas idée de ce que cela a été. Tu ne sais pas comment c'est en ce moment. Comment puis-je savoir que c'est toi ? Il faut que je te voie, Sarah.

— Plus tard, peut-être. Je veux te voir, moi aussi, tu sais.

— Alors maintenant, *tout de suite*.

— Je suis loin.

— Dis-moi où. Je viendrai. Dis-le-moi.

— Je ne peux pas. Je ne peux pas revenir en arrière, et toi non plus.

— Es-tu mariée ? demandai-je.

Elle dut réfléchir. Finalement, elle répondit :

— A un homme ? Non.

— A une femme ?

— A personne sur cette terre.

— Qu'es-tu donc ? Une nonne ?

— Non, Fielding, non.

— Mais tu es avec quelqu'un ?

— Oui, c'est vrai, dit-elle. Je suis avec toi.

La communication fut interrompue. Cette interruption quasi inexistante de quelques impulsions me renvoya du mauvais côté de l'éternité. Je posai le combiné sur la fourche et me mis à marcher dans l'appartement, lançant les bras en avant, en arrière, m'adressant des propos incohérents. Un sanglot monta dans ma gorge, comme un poing. Je plaçai la main devant ma bouche. Mon haleine était chaude. Ensuite, je ne me souviens que d'une chose : j'étais dehors, avec mon manteau, mon écharpe et mes gants, et la rue déserte était une planète glaciale, séparée de l'univers par une obscurité éternelle et impénétrable, illuminée par un unique rang de petites lunes froides, indistinctes.

14

J'attendis quarante-huit heures un nouvel appel. Juliet ne rentra pas à la maison, Danny et Kim partirent pour Toronto, j'affrontai Bertelli devant la section locale de la Ligue des électrices. Il m'écrasa complètement, me renvoya au bégaiement qui avait marqué mon enfance, et fit de mon éclatante logique habituelle un ramassis de notions auxquelles je ne semblais pas croire moi-même. Puis arriva le vendredi, quatre jours avant le scrutin. Tony Dayton avait effectué un sondage non scientifique qui nous mettait, Bertelli et moi, à égalité absolue. Les fonds que le parti démocrate m'avait attribués étaient déjà dépensés alors que Bertelli obtenait tout à coup un tas de nouvelles ressources, de la part des républicains, des Teamsters, de la Ligue des homos de Chicago, et surtout de ce prédicateur noir qui menait la campagne contre l'avortement d'un bout à l'autre de Cottage Grove. Isaac et Adèle prirent contact avec moi le vendredi soir pour m'annoncer qu'ils me prêtaient vingt mille dollars afin que je pusse participer aux deux derniers jours de la course. Ils m'invitèrent à souper chez eux pour me donner le chèque, et parler de la campagne. Il était clair qu'ils étaient inquiets, et si leur inquiétude venait en partie de la perte de Juliet en pleine débâcle, ils n'en montrèrent rien.

Je me présentai à la porte des Green vers huit heures du soir. Mrs. Davis m'introduisit ; prête à rentrer chez elle, elle avait mis son manteau de fourrure. Ses yeux lançaient des éclairs d'impatience, comme un pot d'échappement heurtant la chaussée à cent à l'heure.

— Ils sont là, dit-elle. Ils vous attendent.

Elle passa devant moi, avança dans le hall. Elle avait la cheville entourée d'une bande Velpeau, et boitait.

— Qu'est-il arrivé à Mrs. Davis ? demandai-je en entrant dans la salle à manger, mon manteau sur le bras.

Les flocons de neige se changeaient en gouttes d'eau et étaient absorbés par la laine.

Isaac et Adèle étaient assis à la table. Le couvert était mis et un plat de rôti froid attendait sur la crédence. Tout demeurait dans les limites d'un comportement opportun, mais hélas, ils n'étaient pas seuls. Assis à côté d'Adèle, Tony Dayton avait posé une liasse de résultats imprimés par ordinateur près de son assiette à liséré doré, et à côté d'Isaac, Juliet, vêtue d'un chandail noir d'aspect pénitentiaire, portait de ravissantes boucles d'oreilles en rubis (pour souligner qu'elle n'était pas vraiment *désolée*).

— Pris au piège, dis-je en essayant de m'en sortir avec le sourire.

— Asseyez-vous, Fielding, et mangez, dit Adèle. Nous parlerons ensuite.

— Les meilleurs amis que tu as sur terre sont autour de cette table, affirma Isaac, sourcils froncés.

— Bonjour, Juliet, dis-je. Ils ont lancé un avis de recherche pour te récupérer ?

— Bonjour, Fielding, répondit-elle. Tu as l'air fatigué.

— Je me suis pas mal agité.

On m'avait réservé une place à côté d'elle. Je m'y assis ; montrer quelque émotion n'aurait eu aucun sens.

— Bon, dit Isaac, les problèmes que vous avez pu avoir tous les deux, quels qu'ils soient, doivent être mis de côté pour le moment. Vous avez jusqu'ici formé une équipe, et une bonne équipe, alors ce n'est pas le moment de faire des vagues.

Les autres avaient du vin dans leurs petits verres à pied de forme contemporaine. Le mien était rempli d'eau gazeuse. Je bus une gorgée : elle était fortement salée et gazéifiée, comme de l'eau de mer après une guerre nucléaire.

— Allons-nous vraiment aborder tout cela devant Tony ?

— Comme si je n'étais pas au courant, dit-il en secouant la tête. Vous me croyez aveugle ?

— Mon Dieu, j'avais oublié de vous le dire, Isaac. Tony a accompli un boulot formidable.

— Le fait que tu t'entendes si mal avec Tony est un des signes qui indiquent à quel point ça va mal pour vous, dit Isaac. (Il pointa un index dans ma direction, mais sans l'agiter.) Comment pouvons-nous envisager une réussite si tu traites Tony comme un étranger ?

— J'ai blessé votre sensibilité, Tony ? demandai-je en souriant.

— Eh bien, répondit-il, les yeux baissés, c'est comme si un jockey essayait de gagner une course alors que son cheval se démène pour lui mordre le pied.

Isaac ferma les yeux un instant et posa sa main à plat sur la nappe, cherchant dans le secret de son for intérieur, dans le sentiment de son pouvoir, à s'armer de patience.

— Ce n'est pas réellement ce que vous voulez dire, n'est-ce pas, Tony ? m'enquis-je.

— Vous savez très bien ce que je veux dire.

— Oui, bien sûr. Faudra-t-il qu'on analyse ma salive après le scrutin ?

Juliet attrapa ma main sous la table. Je pressai ses doigts suffisamment fort pour lui faire lâcher prise.

— Je vous avais entendu dire que ce serait une simple promenade, dis-je à Isaac. Je pensais que je ne pouvais pas perdre.

— Envisagerais-tu sérieusement de *me* rendre responsable de *tes* erreurs ? menaça-t-il.

— Eh bien, que nous raconte votre dernier sondage officieux, Tony ? demandai-je.

— Votre moyenne d'intentions de vote a considérablement chuté. Quinze points, à peu de choses près. Mais maintenant nous atteignons la base du soutien démocrate, et il semble que nous nous maintenons. Les gens de Bertelli vont devoir trouver un moyen de briser ce dernier rempart, et s'ils y parviennent, alors ils pourront l'emporter.

— De quoi parlons-nous au juste ? Des gens qui votent démocrate quel que soit le candidat ?

— Des gens fidèles au parti, répondit Tony. C'est comme ça qu'on les appelle, et à votre place, j'en parlerais avec respect.

Soudain, Isaac donna un coup de poing sur la table. La porcelaine tressauta.

— Que s'est-il donc passé avec cette campagne ? Qu'est-il arrivé à nos immenses espoirs ? Allons-nous réellement perdre un siège au Congrès au profit d'un rien du tout qui tient un café ?

— Ce n'est pas sur les grandes questions du programme qu'il nous bat, Isaac, dit Tony. Sur le programme, nous le coinçons chaque fois. Mais c'est un homme très affable, il a le sens du contact.

Juliet prit alors la parole. Je n'attendais que ça.

— Quand il le veut, Fielding peut être l'homme le plus charmant de la terre.

— Tu es venue ici pour te moquer de moi.

— Mais non, c'est vrai, Fielding. Ça ne correspond peut-être pas à l'image de toi que tu préfères, le dur issu d'une famille pauvre, etc., tout ce *tralala*, mais c'est vrai.

— Pourquoi es-tu ici, Juliet ? Comment ont-ils pu te faire faire une chose pareille ?

— Je suis ici parce que je le veux bien. Je t'ai vu franchir toutes les étapes qui t'ont mené jusqu'ici. Cela me semble un gâchis de te laisser tout rejeter alors que tu es si près du but.

— Même si vous gagnez, Fielding, dit Adèle, et je pense que vous gagnerez, vous ne faites pas impression sur les gens qu'il faudrait, si vous souhaitez poursuivre dans cette voie. Je crois que nous devrions nous concentrer davantage. Nous sommes trop impatients avec ces élections toutes proches.

Elle s'empara du plat de viande froide dont l'aspect figé, brun, avait de quoi vous rendre aussitôt végétarien.

— Pourquoi ne mangeons-nous pas un peu avant de régler les problèmes ? C'est de la longe, le morceau préféré de Jeremy.

C'était rare, chez eux, que l'on mentionnât Jeremy. Il avait fui les projets d'avenir que ses parents lui avaient préparés, et maintenant c'était moi qui mangeais son morceau préféré.

— Je pense que vous nous excuserez un moment, Fielding et moi, dit soudain Isaac.

Il prit sa serviette sur ses genoux pour s'essuyer les mains.

— Bien sûr, dit Adèle, reprenant pour la replacer sur le plat la tranche de longe qu'elle venait de lui servir.

Je me rapprochai de Juliet pour lui parler à l'oreille, bien qu'elle eût levé l'épaule et essayé de m'éviter : « Si j'étais toi, je partirais tout de suite. Où que tu ailles, quoi que tu fasses, ce sera toujours mieux que ce qui t'attend ici. Le bateau coule. » Sur ces mots, je me levai et sortis de la pièce sur les talons d'Isaac.

Nous traversâmes le couloir pour entrer dans son bureau. Un maigre feu, quasi transparent, tremblotait dans l'âtre. L'obscurité qui s'était installée dans les angles de la pièce paraissait pesante, comme si elle appartenait à une autre planète, et ne pouvait être chassée par une simple lumière. Isaac alluma la lampe qui dessina un cercle de lumière sur la table soigneusement cirée. Je me postai à la fenêtre et regardai la vue : réverbères et lac gelé. Il y avait seulement quelques semaines, je m'étais tenu au même endroit, tournant le dos au gouverneur et à Isaac, mais cela me semblait bien loin, à des années-lumière. Il neigeait alors, il neigeait encore aujourd'hui. Je me demandais si dans mon appartement de South Side, à cette heure, le téléphone était en train de sonner. Cette pensée me traversa comme une flèche de feu. J'appuyai mon front à la vitre.

— Allons-nous régler les problèmes ? demandai-je à Isaac.

Il s'assit sur l'accoudoir d'un des fauteuils, croisa les jambes à la hauteur des chevilles et les bras sur la poitrine. Il avait l'air alerte et furieux.

— Je vais gagner ces élections, Isaac, ne vous inquiétez pas.

— Ne pas m'inquiéter ? De quel droit t'adresses-tu à moi sur ce ton ? Que peux-tu savoir des sentiments qui m'animent ? Tu es un néophyte. Et j'ai cru que tu avais un instinct ; j'ai réellement cru que tu allais franchir le pas, et maintenant, je me rends compte que je me suis trompé.

— Vous ne vous serez trompé que si je perds. Et nous ne pouvons pas être certains que je vais perdre.

Isaac secoua la tête.

— Tu sais bien à quel point Adèle est inquiète. Je n'aime

pas la voir ainsi. Elle s'est mise à parler de Jeremy, ce qui n'arrive jamais qu'en privé, ou lorsqu'elle est distraite. On dirait que tu n'as même pas compris que quand on se mêle à la vie des gens, ils comptent sur vous. C'est une responsabilité. Une responsabilité morale.

— Je trouve cela très bien qu'Adèle veuille parler de Jeremy.

— Tu sais très bien que c'est un sujet de conversation douloureux.

— Mais pourquoi, juste ciel ? Ce n'est pas un criminel. Il n'est pas recroquevillé au fond de sa chambre à marmonner entre ses mains. La seule chose qui cloche, chez lui, c'est qu'il n'a pas fait exactement ce que vous vouliez. Où est le drame ? D'autant que vous avez trouvé quelqu'un pour le remplacer et que vous avez pu continuer.

— Et par quelqu'un, j'imagine que tu veux dire toi-même.

— Bien sûr.

— As-tu l'impression d'avoir été... sacrifié, d'une manière ou d'une autre ?

— Pas par vous, non.

— Je ne me suis pas mêlé de ta vie, dit Isaac, c'est toi qui t'es mêlé à la mienne. Tous tes appétits existaient bien avant que mes yeux ne se fussent posés sur toi. Et lorsque nos chemins se sont croisés, tu as vu en moi le véhicule qui te porterait plus ou moins dans la direction que tu avais choisi d'emprunter. Tu t'es servi de mon jugement, de ma maison, de mes relations. Alors, ne viens pas prétendre tout à coup, je t'en prie, que tu as été victime de mes machinations diaboliques. Ce qui te rend si dangereux et si détestable, c'est bien tout ce zèle que tu déploies pour ressembler à un honnête homme.

— Je vous ai dit que je ne me prenais pas pour une victime, Isaac. Vous avez toujours été correct avec moi.

— Correct. Tu ne conçois même pas la sacrée chance que tu as eue, le jour où tu m'as rencontré. Crois-tu qu'en sortant d'une famille comme la tienne, tu aurais seulement pu aborder les affaires publiques ? Je parle de celles du pays, les vraies, qui se traitent autour de la grande table où sont prises les décisions importantes, et pas de gagner quatre dollars quatre-vingt-cinq cents de l'heure et de partir au boulot avec sa gamelle en bandoulière. Je te parle des décisions de portée générale.

— Isaac, j'aimerais que vous me disiez quelque chose. Qu'avez-vous fait pour que le gouverneur Kinosis vous rende un si grand service ?

— Le gouverneur Kinosis est un Grec sentimental et superstitieux ; tu serais surpris de savoir ce qu'il suffit de faire pour le convertir en débiteur.

— Allez-y. Surprenez-moi.

— Ce n'est rien de particulier. Il me prend pour un intellectuel, et ça le rassure de penser que nous sommes amis. De temps en temps, j'écris quelque chose pour lui, je jette un regard sur ses papiers. Kinosis a une énergie formidable, mais il manque de confiance en lui et ma bonne volonté est pour lui une bénédiction du ciel.

— Oui. C'est bien l'impression que vous m'avez donnée.

— Alors, où est le problème ?

— Le problème, c'est que je n'y crois plus. Il ne vous offre pas un siège au Congrès parce qu'il est impressionné par votre lettre au rédacteur en chef du *New Republic*. Il y a autre chose.

Isaac poussa un soupir, se dirigea vers le petit bar en bois de rose, s'empara d'un des carafons. Isaac n'était pas un buveur ; il ne devait même pas savoir ce qu'il venait de verser dans son verre. Il y avait simplement des moments où l'idée qu'il se faisait de lui-même et de la chorégraphie de l'instant lui mettait un verre en main. Il but une gorgée. Je jetai un coup d'œil en direction du carafon sans esquisser le moindre geste.

— J'ai aidé le gouverneur pour ses placements et je lui ai donné quelques conseils.

— Quel genre de conseils, Isaac ?

— Je déteste...

— Oui, je sais. Et j'en suis navré, mais il faut que je sache.

Isaac vida son verre et le posa sur la table avec une mimique de déception, comme si l'alcool l'avait trompé en ne le mettant pas à l'aise.

— Il avait fait certains placements qui auraient pu être considérés comme non réglementaires, vu sa position.

— C'était le cas ?

— Techniquement, oui.

— Était-ce vraiment grave ?

— Il détenait trente pour cent d'une société qui passait des contrats avec l'État.

Isaac haussa les épaules et sourit.

— Cet idiot était propriétaire d'un élevage de volaille qui fournissait des poulets aux prisons d'État. Pas très élevé, comme niveau, mais rentable, évidemment.

— Bon. Et qu'avez-vous fait pour lui ?

— Un peu de ceci, un peu de cela, tu sais.

Isaac s'adressait à moi comme si tout était rentré dans l'ordre. Il mettait les choses en place, pour continuer ; nous en ririons probablement un de ces jours.

— Je dois partir, maintenant, Isaac.

— Partir ? Où ? (La colère et la surprise enflèrent sa voix.) Où penses-tu aller maintenant ? C'est absolument impensable.

— Il faut que je parte, voilà tout. Si je vous disais pourquoi, vous seriez encore plus bouleversé.

— J'ai été franc avec toi, Fielding.

— Vous ne m'avez *rien* dit.

— Allons. Retournons à la salle à manger. Nous dînerons. Nous avons encore amplement le temps de tout remettre en place.

— C'est impossible, Isaac. Je ne veux pas que tout redevienne comme avant. Pas comme c'était.

— Je te prie d'excuser mon défaut flagrant de sensibilité, dit-il en posant la main sur son cœur, sa voix grossie par le sarcasme. Mais je t'avoue avec la plus authentique des candeurs que je ne comprends rien à ce que tu me racontes. Qu'es-tu donc ? Quelqu'un qui se cherche ?

— Oui, dis-je.

— Il nous reste trois jours avant l'ouverture du scrutin, Fielding. Trois jours.

— Je ne peux pas. En ce moment même, la campagne se déroulerait bien mieux si je n'étais pas là.

— Que t'arrive-t-il ?

— Je me suis embarqué dans quelque chose, Isaac. Je me suis heurté à... je ne sais pas comment appeler ça.

— Que veux-tu dire ?

— Depuis le jour où, dans cette pièce, vous m'avez demandé, Kinosis et vous, de me présenter, quelque chose s'est produit. C'est là. Je le vois.

— Tu as craqué sous la pression, Fielding.

— Peut-être bien. Je ne sais pas.

— Que vas-tu faire ? Où vas-tu ?

— Je vais chercher Sarah.

— Sarah ? Sarah qui ?

— Sarah Williams.

— Tu veux te rendre sur sa tombe ? Ça ne peut pas attendre ?

— Non, pas sur sa tombe. Ce n'est pas elle qui est enterrée là, mais quelqu'un d'autre, une Chilienne, que Sarah avait aidée à sortir du Chili ; c'est cette femme qui se trouvait dans la voiture au moment de l'explosion. Elle portait des vêtements que Sarah lui avait prêtés, dont il est resté quelques lambeaux. Je ne sais pas. Je repense à ce qui s'est passé.

— Fielding, dit-il, venant à moi.

— Attendez. Écoutez-moi. Ce n'était pas Sarah. Mais ils nous ont laissé croire que c'était elle. Ils se sont dit sans doute que ce serait une bonne chose, si les Américains croyaient que ces salauds avaient tué une Américaine. Ils ont pensé que s'il y avait seulement des Latino-Américains, personne ne ferait attention.

— Pourquoi dis-tu ça ? Que t'est-il arrivé ?

— J'ai l'esprit plein d'une lumière blanche, Isaac. Pouvez-vous comprendre cela ?

— Je comprends que tu es dans de sales draps. (Il s'approcha de moi et me prit par le bras.) Je veux simplement que tu tiennes le coup quelques jours, Fielding. Après, tu te reposeras. Je t'en prie, tu es comme un fils pour moi. Tu le sais. Je ne le dirais pas si ce n'était pas pour ton bien.

Je pris Isaac dans mes bras et le serrai contre moi.

— Je vous aime, Isaac, murmurai-je à son oreille. (Je sentais qu'il se débattait pour se dégager, mais je ne cédai pas.) Je n'oublierai jamais ce que vous avez fait pour moi.

— Pour l'amour du ciel, Fielding, dit-il, lâche-moi ! Tu m'étrangles. Veux-tu bien me lâcher ?

J'attendis toute la nuit l'appel de Sarah et, le lendemain matin, je pris une douche, me rasai et fis ma valise. Un taxi m'emmena à l'aéroport O'Hara. Je pris l'avion de midi pour La Nouvelle-Orléans. Assis près d'un hublot, je regardai le personnel au sol enlever la glace des ailes. Le blizzard soufflait violemment, mais les pistes étaient ouvertes. Nous avions déjà une demi-heure de retard. J'avais les journaux du matin ; sur tous les deux, l'éditorial soutenait Bertelli, le qualifiait de voix nouvelle et indépendante, libre des alliances et des solutions du passé. Le grand mensonge s'était fait un chemin en profondeur. L'hôtesse nous apporta le petit déjeuner. Le type à côté de moi ôtait la coquille de ses œufs comme s'il s'apprêtait à recoller les débris d'un verre. Le vol était agité. Le capitaine n'éteignit jamais le signal « Attachez vos ceintures ». Nous tombâmes dans un trou d'air. Une passagère poussa un cri. Je m'assoupis et rêvai que je marchais dans Madison Square Park en compagnie de Danny, dans mon uniforme de la Coast Guard. Quand je me réveillai, l'avion filait à quelques dizaines de mètres au-dessus de la piste d'atterrissage, à La Nouvelle-Orléans. La pluie tombait à verse.

A l'aéroport, je pris un taxi pour me rendre chez les parents de Sarah. Le chauffeur était un Noir énorme, dont la peau, d'un brun clair, était parsemée de taches de rousseur grosses comme des têtes de clous. Il écoutait une station qui ne diffusait que du blues. Ernie K. Doe, le type qui sélectionnait les morceaux, était le chanteur des R and B ; sa santé, ou sa vie, étaient apparemment menacées, car il ne cessait jamais de répéter : « Et vous savez, Ernie K. Doe ne mourra *jamais*. » Puis, après une pause, il passait à des trucs du genre : « Martha, tu m'entends ? Bon, alors sors-toi de ce lit, ma vieille. Et arrive en vitesse parce que j'ai *besoin* de toi. »

Nous arrivâmes assez rapidement à la maison de brique

rectangulaire des Williams, dont l'allure de caverne était particulièrement accentuée sous la pluie. La clôture du grillage était encore là, mais les chihuahuas qu'elle encerclait autrefois avaient disparu. Un boxer aux yeux rouges, fort élégant, patrouillait lentement dans la cour. Je payai le chauffeur et récupérai mon petit sac de voyage. Comme je m'approchais de la maison, le chien se mit en position d'attaque. On aurait dit qu'il venait d'entendre la cloche annonçant la reprise suivante. Sa cage thoracique, sous son poil trempé, faisait très *Guerre du feu* ; ses dents étaient d'un sinistre blanc rosâtre. J'avais déjà fait trop de chemin pour me laisser décourager par un simple chien. Ragaillardi par la pensée que je n'étais sans doute pas le premier à vouloir entrer chez les Williams quand le chien était lâché, je poussai la grille en essayant de ne dégager que de la confiance. L'animal colla sa truffe à mon aine en grondant. Les vibrations de son grondement transformèrent ma colonne vertébrale en diapason. Il me suivit le long de l'allée étroite et jusqu'à la porte en haut du porche, puis il attendit pendant que je sonnais. Sur l'auvent métallique du porche, la pluie faisait en tombant un bruit de cailloux sur une boîte de conserve.

La porte s'ouvrit. C'était Eugène, le père de Sarah. Ses yeux d'un bleu polaire s'étaient adoucis, affadis, ils avaient maintenant la couleur d'un vieux blue-jean. Il n'était pas rasé et portait une robe de chambre. Il avait grossi. Derrière lui retentissaient les clameurs d'un orchestre de cuivres. Il tenait à la main des baguettes de tambour. Il n'avait pas la moindre idée de qui j'étais.

— Ça va, Rocky, couché, dit-il au chien. (Le chien s'aplatit, s'éloigna.) Vous a-t-il mordu ? s'enquit-il, souriant, en se frottant le menton. Bon, que puis-je pour vous ?

— Bonjour, Eugène. Je suis Fielding Pierce.

Sa première réaction ne fut qu'un réflexe, rapide.

— Que dites-vous ? demanda-t-il, comme si j'étais un enfant qui a proféré une insolence.

Puis la confusion s'empara de lui, insuffisamment contenue par son agressivité habituelle. Il devint très pâle, ses favoris prirent l'apparence de copeaux de métal flottant sur du lait.

— Je suis Fielding Pierce, répétai-je. L'ami de Sarah.

Il acquiesça d'un signe de tête. Il semblait vouloir sauver les apparences, comme si, en se montrant trop surpris, il risquait de perdre un avantage qu'il ne pourrait pas reprendre.

— C'est juste, dit-il. Que faites... que faites-vous ici ?

— Je suis venu vous parler.

— Me parler ?

Sa voix avait pris un ton enjoué, comme si nous allions nous lancer dans quelque chose de comique.

— Eh bien, ça ne coûte rien. (Il marqua une pause, peut-être pour laisser à cette partie de lui qui avait été secouée le temps de se retrancher en sécurité derrière la façade qu'il construisait.) Ne restez pas sous cette pluie. Entrez.

Il s'écarta et j'entrai dans la maison. Il s'en dégageait une odeur chaude et fétide. Le Music Minus One continuait de jouer, ménageant des pauses au percussionniste — qui avait abandonné son poste.

— C'est le troisième samedi de suite sans golf... à cause de la pluie, m'expliqua Eugène. C'est tellement déprimant.

Je le suivis dans le salon.

Son matériel de percussion occupait le centre de la pièce, près de la chaîne stéréophonique. Tout à côté des instruments, il y avait une femelle boxer avec six chiots vautrés sur elle. Par terre, on avait étalé des journaux.

— Désolé pour le désordre, mais cette dingue de femelle a fait ses petits ici, et quand Dorothy a voulu les déplacer, elle a manqué se faire mordre. (Sur ces mots, il alla vers l'escalier et appela : « Dorothy ? Tu es présentable ? Nous avons un visiteur du passé ! » Il se tourna vers moi et m'adressa un sourire.) Voilà qui devrait la faire se remuer un peu, dit-il. (Ensuite, il agrippa le bas de la rampe et se mit à hurler : « Dorothy, maintenant, pour l'amour du ciel, *maintenant* ! » Puis il secoua la tête, haussant les épaules à mon intention, ce qui dans son esprit devait nouer une certaine complicité masculine.) Ou c'est comme ça, ou on vous ignore, dit-il.

— Je suis désolé d'arriver sans m'être annoncé.

— Et alors ? Qu'est-ce qui vous amène à La Nouvelle-Orléans ? Vous êtes venu pour le Mardi gras ?

— Non. J'ai besoin de vous parler de Sarah.

— Épatant. Mon sujet favori. De quoi voulez-vous que je vous parle ? Du premier jour où elle a décidé de travailler contre les intérêts des États-Unis, ou du dernier ?

J'entendis le frou-frou soyeux de la robe de Dorothy Williams qui descendait l'escalier en zigzaguant. C'était une robe bleue très convenable, agrémentée d'un sautoir de perles d'ambre. Elle tenait à la main une tasse de café, mais, à sa manière de recourber ses doigts, je devinai qu'elle contenait de l'alcool. Son visage était complètement défait, barbouillé comme une aquarelle oubliée sous la pluie. Elle m'aperçut alors qu'elle se trouvait au milieu de l'escalier, et se retint à la rampe. Ses gestes avaient quelque chose d'étrange, comme si elle voulait avoir un air majestueux, ou jouer le rôle de quelqu'un dont la vie se déroule en pleine tragédie.

— C'est bien, Dot, dit Eugène, au bon moment ; regarde qui est là. Fielding, l'ancien fiancé de Sarah.

— Que fait-il ici, Gene ?

— C'est ça le plus beau, Dot. Allons, descends et essaie de ne pas te faire mal.

Après avoir descendu l'autre partie de l'escalier, elle alla poser sa tasse sur une table terriblement contournée, dans l'entrée, puis vint se poster à côté d'Eugène.

— Bonjour, Fielding, dit-elle. Quelle surprise !

— Bonjour, madame Williams. Je suis désolé d'arriver à l'improviste. Mais j'ai été terriblement occupé et... je ne sais pas. Ça s'est passé comme ça.

— Et à quoi devons-nous le plaisir ? demanda-t-elle, en s'accrochant au bras de son mari.

Eugène trouva l'occasion de s'éloigner d'elle : il alla éteindre la chaîne stéréo, et la pièce parut basculer en avant comme le passager d'une voiture qui pile.

— J'ai une question à vous poser, dis-je.

Nous étions toujours debout et je m'arrêtai un instant, espérant qu'ils allaient proposer que nous nous asseyions. Je n'étais pas venu jusqu'ici sans considérer l'effet que ma déclaration pouvait produire.

— Vous savez quoi ? dit Eugène en se frappant le front. Je viens de m'en souvenir. Je vous *aimais* bien. Vous étiez tout à fait comme quelqu'un de normal. Vous ne ressembliez pas à... vous savez, le genre de garçon que, dans mon esprit, Sarah aurait pu choisir. Vous étiez dans la Coast Guard. Vous fréquentiez la fac de droit. Ça a marché ?

— Oui, je suis avocat.

— De quel côté ?

— J'ai travaillé au bureau du procureur de Cook County. Et, en ce moment, je me présente au Congrès, un siège à Chicago.

— Vraiment ? demanda-t-il. A Chicago ? Dorothy a une sœur qui a vécu de nombreuses années à Chicago.

— Pas à Chicago même, Gene. Emily habitait à plusieurs kilomètres en dehors de la ville.

Eugène eut un reniflement de mépris.

— Ouais, encore une histoire qui change selon le vent.

— Bon, nous sommes plantés là comme une bande de domestiques, dit Dorothy. Si nous nous asseyions ?

Elle porta la main à sa gorge, et sourit.

Eugène alla jusqu'aux instruments de percussion, laissa tomber les baguettes sur la caisse, puis nous nous assîmes. Le mobilier que j'avais vu quand nous étions venus avec Sarah n'existait plus que dans ma mémoire. J'étais installé dans un fauteuil d'osier blanc garni d'un coussin vert tilleul ; Dorothy et Eugène occupaient les deux bouts du canapé assorti. Les portraits de leurs filles, qui ornaient le mur quelques années plus tôt, avaient été remplacés par des photos conventionnelles de chevaux de course, legs du grand-père de Sarah.

— Ce n'est pas une démarche très facile pour moi, commençai-je. J'ai quelque chose à vous demander. Au sujet de Sarah.

L'épuisement me submergea un instant. Je dus poser la main devant mes yeux.

— Avant que vous ne commenciez à nous poser des questions et à retourner de vieux souvenirs, monsieur Pierce, dit Dorothy, je pense devoir vous avertir que le moment n'est pas très bien choisi. Eugène a eu une crise cardiaque il y a quelques mois ; il ne travaille plus pour sa compagnie d'assurances. Quant à ma propre santé, comme vous avez pu le remarquer...

— Évitons le mélo, Dot, dit Eugène d'un ton sec. Nos soucis ne sont pas pires que ceux des autres, n'est-ce pas, Fielding ?

— Je ne sais pas. J'imagine que non. Écoutez... Voici ce que je voulais vous dire : j'ai de bonnes raisons de croire que Sarah est encore vivante.

Je regardai le visage de Dorothy, puis celui d'Eugène. Je ne sais pas à quoi je m'attendais, mais ils me regardaient comme si j'étais un écran de télévision.

Eugène finit par sourire. Il leva les bras au-dessus de sa tête et les agita d'une manière extravagante.

— Que voulez-vous dire par vivante ? Vous voulez dire dans votre cœur, ou quelque chose comme ça ?

— Je ne sais pas. Peut-être n'est-ce rien de plus. Je ne vois aucune raison de poursuivre si vous n'avez aucune idée de ce dont je suis en train de parler. Elle n'a jamais pris contact avec vous, d'une façon ou d'une autre ?

— Pris contact avec nous ? Mais de quoi parlez-vous ?

— Comme dans une séance de spiritisme ? demanda Dorothy, les sourcils froncés.

— Non. Ou bien, oui. Je ne sais pas, je ne sais vraiment pas. Au téléphone. Par lettre. En personne.

Je pouvais parfaitement voir dans les yeux d'Eugène qu'il me considérait différemment, à présent : il était en train d'évaluer aussi rapidement que possible si j'étais dangereux. Il découvrit ses grandes dents de carnivore quand il se pencha en avant :

— Tout ceci est complètement insensé, matelot. Et je vous demande instamment, en homme du monde, de quitter cette maison sur-le-champ.

Dorothy tapota la main de son mari, pour obtenir le droit de se faire entendre :

— Etes-vous en train de dire que vous l'avez vue ? me demanda-t-elle.

— Je crois que oui.

— Au revoir, monsieur Pierce, dit Eugène en se levant du canapé.

Je me levai également.

— Et qu'en disent ses sœurs ? Ont-elles raconté quoi que ce soit à ce sujet ?

— Non, répondit Dorothy.

Ses yeux se détournèrent soudain, et je me retournai pour voir ce qu'elle cherchait : c'était la tasse qu'elle avait laissée dans l'entrée.

— Je voudrais que vous m'autorisiez à me rendre au cimetière et à faire ouvrir sa tombe, dis-je, en prenant mon ton le plus raisonnable.

Le sextuor de chiots s'était endormi ; leur mère, amaigrie, s'éloigna doucement d'eux, la queue pendante, la tête baissée. Eugène regarda la chienne tituber vers la salle à manger, puis me considéra de nouveau.

— Comment osez-vous venir chez nous et parler ainsi devant ma femme ? Avez-vous perdu la tête ? Est-ce cela ? Vous vous droguez ou quoi ? Vous croyez que je ne vous ai pas vu, le jour de son enterrement ? Assis dans le fond de notre église, les yeux mi-clos et votre vilaine grande bouche béante ? Il se trouve justement, matelot, que j'ai suivi un cours de six semaines avec la police de La Nouvelle-Orléans pour apprendre à repérer les drogués, alors vous êtes mal tombé, mon garçon, vous êtes tombé sur quelqu'un qui connaît les moindres signes, toutes les petites combines.

— Je sais ce que c'est, monsieur Pierce, d'aimer quelqu'un et de le perdre, dit Dorothy.

— Oh ! s'écria Eugène, nous y revoici, n'est-ce pas ?

— Tout ce que je dis, c'est que je comprends sa douleur.

— Eh bien, Dot, ne sois pas si sacrément compréhensive, d'accord ? (Il pointa un index sur moi.) Si vous vous approchez de ce cimetière, de l'endroit où ma famille est enterrée, je vous fais arrêter.

— Cela ne vous concerne donc pas ? demandai-je. Je suis venu vous dire que la femme de cette voiture n'était pas Sarah. Le corps a été tellement endommagé — personne ne pouvait être sûr de rien. N'importe. Nul n'a envisagé un instant que ça pouvait être quelqu'un d'autre.

Je m'interrompis, regardai la mère de Sarah. Ses yeux étaient écarquillés, son visage complètement inerte, désemparé ; son esprit, fichu, ne pouvait plus être utile à grand-chose. En me taisant, je compris que j'avais dû crier. Ma voix n'était pas celle de quelqu'un de fort. Eugène marchait vers la table où le téléphone était posé — un appareil gris, impeccable, à touches, avec un bloc-notes incorporé. Il posa la main dessus et me regarda en levant le menton.

— Bon, bon, dis-je. Ce n'est pas la peine d'appeler.

— Vous vous rendriez un grand service en sortant de chez moi, dit-il.

— Je m'en vais. Je n'ai pas suffisamment de temps pour risquer des ennuis. (Je levai les mains comme pour essayer d'apaiser un enfant coléreux.) Mais, Seigneur, ça vous est donc égal ? Vous ne désirez pas que ce soit vrai ?

— Peu importe ce que je veux, dit-il.

— C'est votre fille.

— C'était une idiote, répondit-il ; et, à ces mots, il souleva le combiné et commença de composer un numéro.

Je marchai dans les rues, sous la pluie froide, et finis par trouver l'avenue Saint-Charles et un taxi. Le chauffeur me conduisit à l'aéroport, d'où j'appelai Washington. Je voulais joindre un certain Richard Donahue, que j'avais rencontré quelques années plus tôt, au cours de l'enquête sur l'attentat de Minneapolis.

Rich Donahue était un agent du FBI. Avec son collègue John W. Walton, il était entré en contact avec moi, à plusieurs reprises, pendant deux ou trois ans. L'attentat était un acte de terrorisme, et ils paraissaient assez décidés à découvrir et à arrêter le responsable. Mais ils savaient, et moi aussi, que les meurtriers n'étaient sans doute plus dans le pays, et que les fiches du département d'immigration ne nous seraient d'aucun secours puisqu'on ne savait pas quand ils étaient entrés aux

États-Unis, s'ils étaient entrés avec de faux papiers, ou encore s'ils étaient seulement passés par les services de l'immigration. A mon avis, cette affaire n'était pas suivie avec l'attention qu'elle méritait. Il y avait peut-être des points, dans l'organisation de cet attentat, où les cheminements des meurtriers et celui de l'administration américaine s'étaient croisés. Comment savoir ? Nous avions certainement joué notre rôle dans la destruction d'Allende ; notre intervention avait pu s'étendre jusqu'au meurtre de ministres de son gouvernement, en dépit des distances et des alliances ; il se pouvait aussi que notre politique, une fois entamée, n'eût pas connu de fin logique et eût consisté à engloutir des victimes comme un requin boulimique. Ni Donahue ni Walton n'attachaient une grande importance à mes théories et à mes doutes, mais ils écoutaient toujours mon point de vue avec sollicitude et aimaient me faire parler, comme s'ils prenaient des notes en vue d'établir un dossier, pour le jour où je deviendrais un ennemi de l'État. En fait, je les aimais bien. Ils étaient méthodiques, fermes, apparemment peu intéressés par les charmes éphémères de la vie moderne : pas de vêtements à la mode, pas d'attitudes dans le vent, mais de belles vies personnelles rassises, des maisons modestes confortablement meublées, le sens de la vertu, une grande tranquillité d'esprit. Walton affrontait alors le début d'une sclérose en plaques. L'année précédente, il m'avait envoyé une carte pour m'annoncer qu'il quittait le FBI. « Je vais rester à la maison pour regarder la télévision, disait la carte, mais Richie continuera de s'occuper de l'affaire de Minneapolis et, un jour, nous attraperons le coupable. Portez-vous bien, et si vous passez une fois par Potomac, dans le Maryland, venez me dire bonjour. »

Je ne suis jamais allé à Potomac et ne lui ai pas rendu visite. Mais j'ai appelé Richard Donahue, d'abord à son bureau où le téléphone a sonné douze fois sans que personne ne réponde, puis chez lui. C'était au début de l'après-midi. Un enfant a décroché. Un téléviseur faisait un bruit infernal dans le fond. J'ai demandé à parler à M. Donahue, et Richie est arrivé. Cela n'a pas paru l'étonner beaucoup, de m'entendre. Je lui ai raconté que je me trouvais à La Nouvelle-Orléans, que mon avion pour Washington allait décoller dans quelques minutes, que je serais là dans deux heures et demie et que je voulais lui parler de l'attentat de Minneapolis. Je l'ai entendu faire claquer ses doigts et, deux secondes plus tard, le téléviseur était éteint. Il m'a dit qu'il m'attendrait à son bureau.

Un taxi me conduisit de l'aéroport à l'angle de la 9e Rue et de Pennsylvania. Je n'avais rien avalé d'autre, ce jour-là, qu'un café instantané et un paquet de cacahuètes grillées. Le ciel était bas, et sombre. La circulation semblait nimbée de mystère sous des nuages indigo. Les phares apparaissaient l'un après l'autre, comme si les voitures, une à une, avaient été enchantées.

L'immeuble J. Edgar Hoover se dressait au centre du minuscule quartier pornographique de Washington, un coin où abondaient les bouquins dégoûtants, les peep shows et les cinémas où l'on passait deux films par séance, avec des titres tels que *La Gloutonne* ou *Éjaculations en différé*. Le quartier général avait été conçu selon les instructions de Hoover, qui avaient abouti à une forteresse contemporaine, un bâtiment qui ressemblait en définitive à un sinistre et gigantesque bureau des immatriculations où travailleraient des fonctionnaires vivant tous dans la terreur que la populace ne fasse irruption pour voler des plaques minéralogiques. L'immeuble Hoover n'avait pas de colonnes parce que Hoover redoutait que les espions soviétiques pussent ainsi trouver leur bonheur. Les fenêtres les plus proches de la chaussée étaient suffisamment haut perchées pour se trouver hors de portée des jets de pierres.

Lorsque mon taxi s'arrêta près du trottoir, la portière, quand je l'ouvris, racla le ciment. Le quartier général du FBI était si lourd et massif que toutes les rues avoisinantes s'enfonçaient lentement, mais sûrement, dans l'écorce terrestre. La hauteur de la dénivellation entre le trottoir et la chaussée avait triplé en dix ans.

Je me plantai devant le bâtiment. J'entendis le taxi s'éloigner, puis il y eut un sourd roulement de tonnerre. J'avais l'impression d'être incapable de bouger. Les portes de l'immeuble incolore s'ouvrirent et un gros agent roux en sortit ; il sifflotait tout en boutonnant son imperméable. Son allure était celle d'un joueur de football d'une équipe universitaire de second ordre. Aussitôt qu'il eut remarqué mon attitude furtive devant l'immeuble, il me détailla du regard en un éclair, et décida que je n'étais que du menu fretin. Il passa tout près de moi, sans me frôler, mais sans me laisser le moindre doute quant au résultat de son évaluation. Ces types ont tous un instinct de chasseur et savent dominer leur proie. J'entendis ses pas décroître, et restai là, debout devant le quartier général, incapable de faire un pas de plus.

Je ne compris qu'à ce moment-là que je n'entrerais pas. L'agent Donahue était probablement assis à son bureau, avec, accroché derrière lui, le dessin au crayon bleu de son fils Sean. C'était bien ça. Le garçon s'appelait Sean, et la légende disait : « Mon Papa est le plus Smurfy de tous. » Pourquoi avait-il proposé que nous nous retrouvions là plutôt que chez lui ou dans un café ou dans un restaurant ? Ils étaient certainement en train d'approfondir une affaire dont j'ignorais tout, de suivre des pistes, d'établir des connexions, de développer à l'infini des possibilités aussi complexes que les circonvolutions du cerveau. Jusqu'à ce moment précis, debout devant ce monolithe, à écouter le tonnerre gronder dans le ciel obscurci comme un fou dans une cellule capitonnée, j'avais cru que je pourrais pénétrer dans un endroit comme celui-ci — un bureau de DA, un commissariat — sans avoir rien à cacher, rien à redouter. Mais soudain, tout avait changé.

Je n'étais pas, bien entendu, venu ici pour leur dire que Sarah était en vie, mais pour leur demander quels examens avaient été effectués pour identifier le corps qu'ils avaient sorti de cette Volvo blanche à Minneapolis. Mais quelle assurance avais-je qu'ils s'en tiendraient là ? Donahue avait demandé que nous nous retrouvions dans son bureau : ce n'était certes pas pour un entretien mondain. Il voudrait savoir *pourquoi* je posais cette question. Et s'ils avaient obtenu des renseignements sur Sarah ou sur les gens avec qui elle travaillait, je pourrais bien dire quelque chose d'utile, simple piste, ou confirmation d'un soupçon.

Je n'osais pas leur parler. En quelques secondes, tous ceux qui se trouvaient dans ce bâtiment étaient devenus mes ennemis mortels, et cette découverte m'attristait horriblement, elle me brisait le cœur.

Pourtant, en tournant les talons et en m'éloignant de plus en plus vite, au point que ma respiration devint précipitée, saccadée, je comprenais qu'un autre motif me faisait fuir : si Donahue pouvait m'apporter la preuve qu'il s'était bien agi, dans la voiture, de la véritable Sarah, cela signifierait que j'avais traversé la membrane qui sépare le réel de l'irréel. Or, une fois que vous êtes passé de l'autre côté, plus rien ne vous arrête. Je ne tenais pas à être persuadé que j'avais perdu l'esprit. Je ne voulais pas entendre n'importe qui me prouver qu'elle ne pouvait absolument pas être vivante.

Je ne sais trop où j'ai passé cette nuit-là. Dans un hôtel, en tout cas. Le lendemain matin — c'était un dimanche — , je me trouvais à bord d'un avion filant vers Minneapolis. La journée était lumineuse et glaciale, le ciel pareil à une profonde tente bleue retenue par des piquets de glace. Il ne me restait plus qu'une étape à couvrir : j'avais appris incidemment que Steven Mileski travaillait dans l'État du Minnesota. Il était aumônier dans le foyer pour adolescents de Lac Omega, sorte de camp ouvert toute l'année et réservé aux garçons de onze à dix-huit ans. L'argent avait vite manqué, et Lac Omega — tout ce qui restait de l'entreprise d'origine — ne servait plus qu'à encadrer des garçons ayant eu toutes sortes de difficultés, du retard mental aux menus larcins. L'année précédente, *Newsweek* avait publié un reportage sur Lac Omega, avec un titre dans le genre « Petites maisons dans la prairie pour enfants au bout du chemin ». Une photo d'une réunion directoriale accompagnait l'article ; on y voyait, assis à une table, à côté du directeur moustachu en chandail de ski, le père Mileski. Sa longue barbe sombre avait l'air aussi épaisse que la queue d'un castor, ses yeux étaient d'un noir si profond qu'ils transparaissaient au revers de la page.

Lac Omega se trouvait à une demi-heure de voiture de l'aéroport Minneapolis-St. Paul, près de Center, bourg constitué de silos bleu de Delft et de fermes en planches jaunes. Le chauffeur demanda aux habitants de Center comment rejoindre ce qu'ils appelaient l'École. Les routes étaient tracées au cordeau, les virages brusques, et les champs de blé recouverts de glace ondulaient doucement jusqu'à l'horizon. De part et d'autre de la chaussée, la neige s'accumulait sur un mètre de hauteur. Le chauffeur n'était pas bavard. Il était satisfait de conduire en écoutant le numéro d'Andy Williams et de Skitch Henderson à la radio. Assis à l'arrière, les mains sur les genoux, je regardais par la fenêtre, l'esprit aussi peu docile que les champs étincelants le long de la route — qui commençaient maintenant à céder place à d'obscurs bouquets d'arbres — au soc de la raison. Nous arrivâmes devant une pancarte annonçant ÉCOLE DE LAC OMEGA — UNE EXPÉRIENCE EN VUE D'UNE VIE RÉUSSIE. Le texte de la pancarte avait été pyrogravé avec un soin infini, mais le résultat était des plus rustiques. Il y avait, à côté, un autre panneau, noir et orange celui-là, acheté à la droguerie du coin, qui disait DÉFENSE D'ENTRER. Le chemin étroit qui conduisait à l'école avait été dégagé, mais l'accès était fermé par une clôture clouée à deux érables géants. La porte était close.

Le chauffeur arrêta la voiture et se tourna vers moi. Il avait un long visage doux, des yeux un peu fous, des oreilles décollées.

— Vous avez la clé, monsieur ?

— Je marcherai à partir d'ici, dis-je.

Je voulus prendre mon sac et m'aperçus non sans une pointe d'inquiétude que je l'avais oublié à l'aéroport de Minneapolis, ou bien dans l'avion, ou à l'aéroport de Washington ou encore à l'hôtel... Ce n'était pas si grave, mes cartes de crédit se trouvaient dans ma veste. Je payai le chauffeur, lui donnai un bon pourboire.

— Pouvez-vous m'attendre ici ? demandai-je en descendant du véhicule.

— Je dois rentrer en ville.

— Ce ne sera pas très long. Une heure tout au plus.

— Il faut que je rentre en ville, dit-il, ouvrant tout grand les yeux pour souligner son propos, et ils devinrent tout à fait semblables à des œufs.

— Écoutez, insistai-je, je suis un membre du Congrès des États-Unis, député de l'Illinois. Et ceci est très important.

Il me regarda avec une attention plus soutenue, clignant rapidement les paupières pour mieux me saisir dans son champ visuel. Je ressemblais davantage à un prisonnier évadé qu'à un député américain.

— Vous êtes démocrate ou républicain ? demanda-t-il.

Avant tout désireux de lui donner la réponse qui produirait le meilleur effet, je lui dis :

— Je suis républicain.

Il secoua tristement la tête.

— Et moi, je suis en retard. Il faut que je rentre.

Sur ces mots, il tendit le bras, ferma la portière arrière, et fit demi-tour. Immobile, je le regardai s'éloigner.

J'escaladai la barrière, sautai de l'autre côté. L'air était glacé et sec ; à chaque inspiration, j'avais l'impression que le froid passait mon système respiratoire aux rayons X. Leur hiver était beaucoup plus rude que celui que j'avais laissé derrière moi. Je portais de solides chaussures de marche brunes, celles que j'avais depuis le début de la campagne électorale, et l'hostilité concrète de la terre me pénétrait par vagues à travers les semelles. J'enfonçai les mains dans les poches de mon manteau, rentrai le cou dans mes épaules et accélérai le pas. La route serpentait à travers bois. Les branches basses des conifères étaient courbées jusqu'au sol sous le poids de la neige.

C'était une journée figée, sans un souffle de vent. J'entendais les oiseaux s'affairer dans les bois. Je marchai ainsi pendant environ cinq cents mètres, craignant à chaque pas d'être arrêté. Mais il n'y avait personne en vue. Enfin, je tombai sur le lac Omega, couvert de glace et de neige parcourues de traces diverses. Le soleil proche du zénith semblait se pencher en avant, au-dessus de ma tête, comme un visage au-dessus d'un berceau. Le ciel était sans nuages, les arbres autour du lac parfaitement immobiles, tels des motifs sur un chandail : un sapin, un sapin et un autre sapin.

Je suivis la route qui contournait le lac, puis tournai sur la droite, où se dressaient les cabanes abritant les garçons et leurs moniteurs : ce n'étaient que des cahutes en planches de cèdre ; chacune portait son nom au-dessus de la porte : Maison du Soleil, Colline de la Rigueur... chacune avait des petites fenêtres sans rideaux et un poêle ventru raccordé à une cheminée faite d'un bloc de ciment. A l'intérieur, huit lits étroits, d'une netteté toute militaire, inoccupés. Je traversai le terrain de basket-ball. On avait oublié de retirer les paniers, qui pendaient comme de la dentelle de glace et brillaient au soleil.

Devant moi s'élevait un grand bâtiment blanc avec un toit pentu et une galerie sous l'auvent. Il ressemblait à un pavillon de chasse. Des skis et des chaussures de marche étaient posés contre les murs et, près des marches de bois, un écriteau annonçait HALL DE LAC OMEGA — ENTREZ OU SORTEZ. Et derrière le Hall de Lac Omega, j'aperçus une construction plus petite, en forme de A, peinte en marron, avec des portes à deux battants et une grande fenêtre aux vitres de couleur. Dans l'immobilité de l'air hivernal, j'entendis les bruits qui venaient de la bâtisse blanche. Je foulais en marchant dans cette direction les légères découpures glacées de centaines d'empreintes de pas.

Je franchis les portes et pénétrai dans ce qui était à la fois la salle de réunion de Lac Omega et la chapelle. Une soixantaine de garçons étaient assis sur des chaises pliantes métalliques grises. Leurs nuques présentaient toutes la même coupe de cheveux spartiate. Près de la porte, d'énormes vagues de chaleur montaient en spirales d'un poêle à bois en fonte. Je refermai doucement les portes derrière moi. Aucune tête ne se retourna. L'attention générale était centrée sur la chaire de fortune où se tenait le père Mileski, vêtu d'un pantalon noir, d'une chemise noire sans col et d'un long gilet vert vif. Au dernier rang, près de l'allée, il y avait une chaise vide. Je m'y installai aussitôt, à côté d'un garçon d'environ dix-sept ans, qui avait un visage large, des cheveux clairs, des yeux bleus et de l'acné. Il me regarda m'asseoir. « Salut », dit-il en m'adressant un bref sourire. Je lui répondis, et il reporta son attention sur le père Mileski, tout en me tendant la main.

— Et lorsque nous souffrons, disait Mileski, les mains jointes, immobile, se fiant au pouvoir expressif de ses yeux et de sa voix, lorsque nous souffrons, comme nous avons souffert, comme nous souffrons encore, comme nous *souffrirons*, souffrons-nous seuls ? La souffrance nous est-elle octroyée pour nous *isoler* ? Non, non, *non !* Jamais nous ne sommes plus proches de Lui que quand nous souffrons. Mais qu'est-ce que cela signifie ? Est-ce que cela nous dit de fumer un joint, de nous soûler, d'aller nous écraser contre un arbre avec la voiture neuve de Papa ? Hé, papa ouaouh ! Je l'ai fait pour être plus près de Jésus-Christ notre Sauveur. Non, bien sûr que non. Nous devons nous efforcer de trouver notre chemin. Nous devons essayer de mener une vie convenable. Mais nous le faisons avec la certitude sacrée que nous ne le *pouvons* pas, avec la certitude sacrée que nous tomberons, que nous échouerons, que nous ferons d'à peu près tout ce que nous toucherons un gâchis épouvantable. Il ne récompense pas notre réussite, Il récompense notre *effort*. Harnachons-nous de nos énergies, *utilisons* un peu de ce fantastique pouvoir, de cette fantastique capacité d'invention qui nous ont servi à plonger nos vies dans la confusion, un peu de toutes ces *calories* que nous avons brûlées pour faire notre malheur, n'en prenons que la moitié, et employons-la à nous rendre heureux, et sereins.

Il s'interrompit, regarda les visages levés vers lui, et ouvrit les mains :

— Je vous aime, et Dieu vous aime. Il vous a donné son Fils unique. Il nous a laissés clouer son Fils en croix parce qu'Il n'avait pas d'autre moyen de nous dire combien Il nous aimait. Il nous a donné cette terre. Il nous a donné nos vies. Ne foutons pas tout en l'air. Amen.

Tout le monde se leva à la fin du sermon. Je me levai aussi. Je n'avais pas senti à quel point j'étais gelé avant d'entrer dans la chaleur de la chapelle ; mon visage me démangeait en se réchauffant. Un garçon, debout à la gauche de Mileski, commença à chanter un hymne que je n'avais jamais entendu auparavant, et tout le monde se joignit à lui. C'était une histoire d'errance, de quête du chemin de la maison. Il y avait des agneaux, des bergers, des ruisseaux qui murmuraient. C'était navrant. Lorsque le chant cessa enfin, tout le monde se rassit. Mileski nous regarda. Je me fis plus petit sur ma chaise. Il secoua la tête.

— Vous savez quoi, les garçons ? Je n'ai rien à ajouter.

Il serra fortement ses mains l'une contre l'autre, les mit sous son menton, ferma les yeux. Il demeura ainsi un long moment avant de dire Amen. Nous répétâmes Amen, et ce fut terminé. Presque à l'unisson, les garçons et les moniteurs se levèrent, se mirent en rang pour sortir.

Je me tenais près du poêle. Tous ceux qui passaient près de moi essayaient de capter mon regard. Avec mon expérience d'avocat à Chicago, j'avais presque oublié que des sujets à risque pouvaient aussi être blancs. Ceux-ci étaient blonds, nordiques, bien bâtis. A première vue, ils étaient faits pour jouer au hockey ou pour faire partie de l'orchestre de l'école. Finalement, un des moniteurs arriva à ma hauteur et s'arrêta net. C'était un type massif, d'une quarantaine d'années, avec une coupe de cheveux à la Beatle et des lunettes sans monture.

— Qui êtes-vous ? me demanda-t-il, sans même essayer de se montrer aimable.

— Je suis un ami de Steven Mileski. Je suis venu de Chicago pour le voir.

Aussitôt que je fus interrogé par un membre du personnel, les visages jusqu'alors pleins de sympathie des garçons devinrent soupçonneux. Mes actions s'effondraient ; ils se désolidarisaient de moi.

— Il vous attend ? demanda le moniteur.

— Je pense que oui.

— Vous *pensez* que oui ?

— Oui. Il m'attend.

— Et pourriez-vous me dire comment vous êtes arrivé ici ? Avez-vous un laissez-passer de visiteur ?

— Non, je n'en ai pas. J'étais dans la région, et je suis simplement venu.

Le responsable hocha la tête. Il était content d'avoir marqué un point, mais il ne savait plus très bien comment poursuivre. A la façon dont il se penchait, je me dis qu'il envisageait de me prendre par le bras : son emploi l'inclinait à trouver tout naturel l'exercice d'une certaine autorité.

— Je pense que la meilleure façon de régler le problème est de vous conduire auprès du père Mileski.

Il plissait les yeux et levait la tête d'une manière qu'il jugeait, j'imagine, intimidante.

Mileski était entouré d'une dizaine de garçons. Deux moniteurs se tenaient à proximité, aux aguets comme des agents de services secrets. L'un des garçons disait :

— Hé, mec, mais si c'est dans ma tête, c'est dans ma tête, d'accord ?

— Il y a une chanson de Frank Zappa, répondit Mileski. Mais tu es trop jeune.

— Je connais Zappa, mec, dit le garçon, un costaud qui avait une mâchoire chevaline et portait une queue de cheval.

— Bon. Eh bien, Zappa dit : « Qu'est-ce qu'il y a de plus moche en toi ? Les uns disent que c'est ton nez, les autres que ce sont tes orteils. Moi, je dis que c'est ton esprit. »

Tous les garçons éclatèrent de rire, et Mileski afficha un sourire de satisfaction réelle. Il tendit la main, et la posa sur la nuque du garçon en disant :

— Je savais que ça te plairait. Tu ressembles à Zappa, de toute manière.

— Excusez-moi, père Steve, dit mon escorte. Il y a quelqu'un ici qui prétend être de vos amis.

Mileski se tourna pour nous faire face. Je me tenais bien droit, ne sachant comment il réagirait en me voyant. Il parut ne pas me remettre immédiatement ; je me trouvais si loin de mon contexte habituel, dans cette chapelle artisanale, perdue au milieu des glaces. Puis ses yeux s'écarquillèrent, un large sourire apparut sous l'épais taillis de sa barbe.

— Fielding ! s'écria-t-il d'une voix tonitruante. Fielding !

Il tendit les bras, et s'avança lentement, cérémonieusement, vers moi. Je me sentis tout frêle et léger en voyant s'approcher ce gros ours, qui envahit bientôt tout mon champ visuel. Puis il m'enlaça, me pressa contre son torse massif.

— Quelle merveilleuse surprise, s'exclama-t-il, et d'une voix beaucoup plus calme, presque un murmure à mon oreille : Ça me brise le cœur, Fielding, mais je suis si content de vous revoir.

Je lui tapotai le dos.

— Il faut que je vous parle, Steven. Pouvons-nous aller quelque part ?

— Bien sûr, aucun problème. Nous allons nous asseoir et parler. Laissez-moi seulement une minute, d'accord ?

Il se tourna vers les garçons et les moniteurs, l'axe de son monde, à Lac Omega. Ils semblaient tout à fait accoutumés à lever vers lui des yeux pleins d'une admiration sans réserve : aucun d'eux n'appréciait ni ne désirait vivre la vie qu'il menait, et n'avait besoin par conséquent de se comparer à lui. Il était leur licorne.

— Bien, dit-il en leur faisant face et en se frottant les mains ; je pense que c'est à peu près terminé.

Ils sourirent d'un air entendu. Mileski les salua, tourna les talons, puis posa un bras sur mes épaules.

— Ma cabane est tout près, dit-il. Allons prendre le thé.

Sa cabane avait les dimensions d'un garage modeste ; de ce bleu intense des silos de Center, elle était meublée d'un lit, d'une table, de quatre chaises de bois, d'un vieux tapis crasseux et d'une petite bibliothèque en osier ; au beau milieu de la pièce se trouvaient un poêle ventru, un petit tas de bûches et un seau de bois d'allumage ; dans un coin, un réchaud à gaz, conçu pour le camping, était ici employé aux fins domestiques quotidiennes. Aussitôt que nous fûmes entrés, Mileski mit deux bûches dans le poêle, et alluma le gaz sous une vieille bouilloire en fonte déjà remplie d'eau. Je restai près de la porte à le regarder faire.

— Vous savez, dit-il en se courbant légèrement pour régler la flamme sous la bouilloire, je m'attendais un peu à vous voir...

— Pourquoi ?

— J'ai reçu une lettre de Tim Stanton. Il y a juste deux jours. Il m'a dit que vous avez fait irruption dans son église. Il ne savait trop qu'en penser. (Mileski se retourna et me regarda en face. Son sourire était large, naturel, confiant.) Il dit que vous paraissiez bouleversé, mais que vous ne pouviez pas, ou ne vouliez pas parler. Il vous a toujours beaucoup apprécié, comme vous le savez.

— Non. Je ne m'en suis jamais rendu compte. (Je désignai d'un geste la table et les chaises.) Vous permettez ?

— Elles sont là pour ça, dit-il jovialement.

Il me considéra avec curiosité, pendant que je m'asseyais. Puis il traversa la pièce et s'assit en face de moi.

— En tout cas, je suis réellement heureux de vous voir, Fielding. Comme vous l'avez constaté, j'ai été exilé dans ce petit goulag. Tant pis. J'essaie d'en tirer tout ce que je peux. L'Église ne m'accorde aucun soutien. Deux fois par mois, je reçois un chèque agrémenté d'un joli sceau du Minnesota. L'Église se contente de tolérer ma présence, ici. Tant pis. Les temps changent. Je serai peut-être nommé curé dans une intéressante paroisse, à Joliet, dans l'Illinois. (Il haussa les épaules, méprisant.) Je sais ce que vous en pensez. Mais après un endroit comme celui-ci, Joliet ressemblera pour moi aux Bahamas.

Il passa sa grosse main dans sa chevelure épaisse. L'idée me vint qu'il s'agissait d'un tic.

— Bien entendu, dit-il, les occasions d'envoyer les gens à Joliet n'ont pas dû vous manquer.

— Que voulez-vous dire ?

— Dans votre profession... N'est-ce pas là que se trouve la prison ? L'une de vos responsabilités n'est-elle pas d'y envoyer certains hommes ?

Il fronça les sourcils, leva le menton, avec cette expression légèrement humoristique qu'ont certaines personnes pour signifier : Vous m'entendez bien ?

— Je suis candidat au Congrès, maintenant, Steven.

Il étendit le bras, me serra l'épaule :

— C'est formidable, Fielding ! J'en suis heureux pour vous. (Il hocha la tête, loucha pour ajouter :) N'était-ce pas ce que vous projetiez ?

— Oui. Enfin, nous verrons.

— Le père Stanton ne m'en parle pas dans sa lettre. Le sait-il ? Le lui avez-vous dit, quand vous l'avez vu ?

— Je ne me rappelle pas. Honnêtement, je ne sais pas très bien ce que j'ai pu lui raconter.

— Que faisiez-vous donc là-bas ? Il dit que c'était au beau milieu de la nuit.

— Je suivais Sarah. Je l'ai vue dans un restaurant. Je me trouvais là avec quelques journalistes, l'organisatrice de ma campagne...

— Sarah ? Vous voulez dire... *notre* Sarah ?

— Exactement. J'étais donc assis avec eux, je me suis retourné par hasard, et elle était là.

— Je ne comprends pas. Qu'essayez-vous de me dire ?

— Écoutez, Steven, je veux dire, *mon père*... Il y a je ne sais combien de nuits que je ne dors plus. J'ai parcouru tout le pays en avion pour essayer de tirer ça au clair. Je n'ai rien mangé. Vous saisissez ? J'essaie de comprendre. Ne jouez pas au plus fin avec moi. Pouvons-nous nous entendre au moins sur ce point ? Ne jouez pas au plus fin avec moi. Le jeu est allé trop loin pour ça.

— Quel jeu, Fielding ? Vous vous énervez.

— Je le sais bien. Je peux encore entendre ma voix. Pour l'amour de Dieu, Steven, aidez-moi.

— Je veux vous aider, Fielding. Mais que voulez-vous de moi ?

L'eau se mit à bouillir, la bouilloire tremblota sur le réchaud. Mileski se leva, éteignit le feu.

— Cessez de me cacher la vérité. C'est terminé maintenant. Complètement terminé. Je veux savoir tout ce qui s'est passé. Et je dois savoir où elle se trouve.

Mileski croisa les bras sur sa poitrine et se planta solidement sur ses talons. J'avais toujours vu dans ce geste l'annonce d'un mensonge imminent.

— Vous voulez savoir où se trouve qui ? Êtes-vous... Vous voulez dire, Sarah ?

L'incrédulité qui perçait dans sa voix me fit bondir de ma chaise. Je levai les deux poings et les abattit de toute ma force sur la table, qui tressauta et me frappa les jambes. Je l'écartai, me jetai sur Mileski, le saisis à la gorge.

— Dites-moi où elle se trouve, grondai-je entre mes dents.

Je sentais ma salive couler sur mon menton. De ses grandes mains, Mileski essaya de me repousser, mais, à ce moment-là, j'étais trop fort pour lui. Puis ses mains s'agrippèrent aux miennes, qui lui serraient le cou, tentèrent de les écarter.

— Où est-elle ? lui hurlai-je au visage.

— Avec Dieu, Fielding, répondit-il, suffoquant.

Il décrocha mes mains de sa gorge et me repoussa violemment. Je titubai, tentai de reprendre mon équilibre.

— Espèce de cinglé, dit-il en se massant le cou et en secouant la tête. Qu'essayez-vous donc de faire ?

— Je veux seulement que vous me disiez où elle est. Je sais qu'elle est vivante. Je le sais depuis plusieurs semaines. Ici. (Je posai une main sur mon cœur.) Et je l'ai vue. Et elle m'a téléphoné. Elle m'a tout expliqué. Que c'était Seny, dans la voiture. Puis nous avons été coupés avant qu'elle ait pu me dire où elle se trouvait. Et maintenant, il faut que je la retrouve.

— Vous ne comprenez pas, Fielding, n'est-ce pas ? Vous n'avez jamais compris. Même si ce que vous dites était vrai, même si elle était en vie, et si je le savais, si j'étais mêlé au complot, pourquoi vous en parlerais-je ? Vous n'avez jamais vraiment été des nôtres. Vous ne la compreniez pas. Ce que nous faisions semblait — je ne sais comment dire — vous *gêner*. Vous redoutiez par-dessus tout que quelqu'un pût établir une relation entre vous et nous. Vous ne ressentiez rien d'autre que de la peur, Fielding. Et vous la communiquiez aux autres. Vous vouliez lui ôter sa confiance. Vous cherchiez à glisser vos exigences entre son âme et sa foi. Vous n'aviez pas la moindre idée de ce qu'elle était.

— Je l'aime.

— Cela ne vous donne aucun droit particulier. Tant de gens l'aimaient.

— Voulez-vous que je m'agenouille, que je vous supplie ?

— Je crois que la bonne question serait : Voulez-vous vous agenouiller, et me supplier ?

— Vous êtes si rassurant, Steven.

J'allai vers lui. Il se raidit légèrement. Je forçai mon corps à se détendre, et il se détendit, lui aussi. Je fis encore un pas dans sa direction. Ça marchait.

— Je suis beaucoup, beaucoup plus malin que vous.

— Sur ce point, nous sommes d'accord, dit Mileski. Vous n'êtes pas dépourvu de matière grise.

— Vous croyez aux résurrections. Vous croyez aux miracles. Vous croyez à cette histoire de mer Rouge qui s'ouvre, aux serpents qui parlent, et aux vierges qui mettent des enfants au monde. Mais vous n'avez pas manifesté le moindre intérêt, la moindre curiosité pour ce que je vous ai raconté aujourd'hui. Et cela ne peut signifier qu'une chose.

— Ah bon ? Et quoi, à votre avis ?

Sa voix s'était légèrement voilée, et il se donnait beaucoup de mal pour me regarder en face.

— Ça signifie que vous avez toujours tout su. Vous savez qu'elle est vivante. Ce que j'ai dit n'était pas nouveau pour vous. *Et* vous savez où elle est.

Je lui laissai quelques secondes pour répondre, mais quand il nia en secouant la tête, je n'attendis pas un instant de plus. Je me jetai sur lui avec toute la force de mon désespoir, qui ne fut pas suffisante. Il pesait bien trente kilos de plus que moi, et un de ses poings valait les deux miens. Il esquiva, prit du recul, et me frappa en plein visage. Je sentis, un instant, une douleur violente, tout devint écarlate et suffocant, puis ma conscience disparut comme un dragon qui avale sa queue.

15

C'était le soir ou la nuit. Je ne savais pas exactement. Le ciel anthracite était comme du granit. Le taxi s'arrêta devant l'immeuble. Je levai les yeux. Les lumières étaient allumées et quelqu'un faisait le guet à la fenêtre. Les rideaux frémirent, une forme humaine s'éloigna. Après avoir payé le chauffeur et lui avoir laissé un pourboire convenable, il ne me resta plus que vingt-cinq cents. C'était étrangement exaltant de n'avoir plus un sou en poche ; ça me rappelait Boston, seize ou dix-sept ans plus tôt quand, à la fac, je m'étais momentanément trouvé sans emploi du soir. J'avais aussitôt été plongé dans une telle dèche que toute mon existence avait tenu à une pellicule de glace fine au point de ne plus même être de la glace, mais un reflet froid. Jusqu'au moment où j'obtins un emploi de gardien de nuit dans une salle de billard de Central Square (où les musiciens d'un orchestre composé de tuyaux et de bouts de ferraille jouaient au base-ball avec des batteurs irlandais du coin), j'en fus réduit à faire le tour des cabines téléphoniques dans l'espoir de découvrir quelque pièce oubliée. Cette activité humiliante quoique étonnamment formatrice me faisait faire une quinzaine de kilomètres de marche par jour dans l'anémique printemps bostonien.

En arrivant au troisième étage, je vis s'ouvrir la porte de mon appartement. Un triange de lumière tomba sur le mur où se dessina une silhouette. Je m'arrêtai, la main sur la rampe, et attendis. Je pouvais entendre les battements de mon cœur résonner comme des coups de marteau sur un radiateur. L'ombre de la tête se déplaça, puis se mit à grossir ; la forme se pencha, devint indistincte, simple obscurité. Celui ou celle à qui elle appartenait s'approchait de la rampe, pour voir qui arrivait. J'attendis, immobile. Je regardai mes chaussures, sur lesquelles s'inscrivaient des filaments clairs, taches de neige et de sel. Quand je levai les yeux, le visage de Caroline était au-dessus de moi.

— Que t'est-il donc arrivé ? demanda-t-elle, la voix empreinte d'un mélange d'ennui et de compassion.

— Je vais bien, même si je n'en ai pas l'air.

— Maintenant, tu te mets à parler comme Danny. Allons, viens. Nous sommes devenus hystériques à force de nous demander où tu pouvais bien être.

Je montai jusqu'au palier. Elle me prit dans ses bras. Elle cligna des yeux en me regardant :

— Tu saignes, dit-elle en touchant la coupure entre ma lèvre inférieure et mon menton. Qui t'a battu ?

— Un prêtre.

— Un prêtre ?

— Qui d'autre est là ? demandai-je en indiquant la porte entrouverte de l'appartement.

— Tony, Isaac, Juliet et Dad.

— Oh, mon Dieu, Caroline. Dad ?

— Je suis désolée. Cela dit, frérot, tu ne dois t'en prendre qu'à toi-même. J'ai téléphoné à la maison, pour demander s'ils t'avaient vu. Alors, il a paniqué et s'est précipité à l'aéroport. Il est arrivé il y a deux heures. (Sentant que j'allais faire demi-tour, elle me saisit par le bras.) Allons, si tu t'es cassé quelque chose, nous te soignerons.

— Comment est-il ?

— Dad ? Il a bien dû me dire deux mots... Il est obsédé par Isaac. Je crois qu'ils font un concours pour savoir qui peut se prévaloir d'avoir produit cette merveille, Fielding Pierce.

Elle me tira avec force, mais je résistai, la serrai contre moi avec une fougue qui n'avait pas grand-chose à voir avec ce que nous avons coutume d'appeler l'amour.

— Ça cadre de tous les côtés, Caroline. Elle est là, quelque part, à m'attendre.

— Oh, mon Dieu, Fielding, dit-elle en me serrant très fort à son tour. Il faut que tu arrêtes ça. Il ne faut plus y penser.

Je secouai la tête sans ajouter un mot. Ce n'était pas la peine, après tout. Nous entrâmes dans l'appartement.

— Tony ! appela Caroline.

Au son de sa voix, il apparut tout de suite dans le couloir étroit entre l'entrée et le salon. Il avait l'air indécis, crevé ; sur son tee-shirt noir et blanc était imprimé quelque chose qui voulait ressembler à un clavier de piano. Il tenait un verre de bière dans une main, un cigare dans l'autre.

— Caroline ? s'enquit-il d'une voix vraiment inquiète, comme si, dans son esprit, pesait toujours sur elle la menace d'un danger immédiat. (Puis il me vit et s'arrêta net ; il avala une gorgée de bière, et une bouffée de tabac :) Mais bon Dieu, où étiez-vous ? A cause de vous, j'ai eu l'air d'une vraie merde.

— C'est pourtant bien une chose que nul homme ne peut faire pour un autre, Tony.

— Fielding ! s'exclama Caroline, avec son ton de sœur aînée.

— Pourquoi ne me l'avez-vous pas dit avant, que vous vouliez bousiller ces foutues élections ? Au moins, j'aurais garé mes fesses.

— Qu'est-ce que c'est que ce type avec sa panoplie d'images anales ? fis-je en glissant un bras autour de la taille de Caroline. En réalité, je tenais à peine debout et ne voulais pas le laisser voir.

Dad apparut alors à l'extrémité du couloir. Jambes écartées, mains sur les hanches, il semblait être un colosse vieilli.

— Tu vas bien ? me demanda-t-il de sa voix chaude et grave, qui vibra, tangible, dans le couloir.

— Je vais bien, répondis-je en allant vers lui.

Je voyais qu'il enregistrait le langage de la détresse, de la panique, l'ombre légère de l'échec que je traînais involontairement avec moi. Il avala sa salive, me considéra des pieds à la tête, et m'ouvrit ses bras. Je fis un pas, et m'abandonnai à son étreinte. Ses muscles se raidirent. Tel un collégien, il ne voulait pas me laisser percevoir en lui la moindre mollesse.

Caroline, Dad, Tony et moi étions entrés dans le salon.

Isaac, assis sur le canapé, s'empara dès qu'il me vit du téléphone, tapa rapidement sur les touches, dit : « Il est là. Nous parlerons plus tard » et, ayant raccroché, croisa bras et jambes :

— Que t'est-il arrivé ? Un accident de voiture ? demanda-t-il.

— Non. Je vais bien.

— Tu aurais pu téléphoner.

— Oui, c'est vrai. Il y a un tas de choses que j'aurais pu faire.

— Oh-oh, fit tout bas mon père, sans le vouloir.

Il sentait que tout s'effondrait. Il ne pouvait comprendre que je pusse parler ainsi à un homme tel qu'Isaac.

— Écoutez, dis-je, si nous devons parler, prendre des décisions, il faut que je me change. Je reviens tout de suite.

Je sortis du salon sans attendre, gagnai ma chambre, enlevai ma chemise. Ce que je désirais vraiment, c'était prendre un bain, mais je ne pouvais pas les faire attendre aussi longtemps. J'ouvris le placard. Les vêtements de Juliet n'avaient pas disparu, mais ils ne se trouvaient plus en évidence ; on les avait poussés contre le mur ; je savais pourtant que certains manquaient : un chemisier, un ensemble, ce qu'il fallait pour tenir pendant la séparation. Dans quelques jours, je remarquerais sûrement que d'autres choses manquaient. Et cela continuerait ainsi jusqu'au jour où elle aurait tout emporté.

Je mis une chemise et retournai dans le salon, pieds nus — je m'aperçus qu'ils portaient des traces de mes trente-six heures d'errance dans des chaussettes brunes trempées. Ils étaient tous debout, pareils à des figures oubliées d'un musée de cire.

— Bon. Me voilà de retour, dis-je en me frottant les mains. Dites-moi tout ce que j'ai raté, et remettons la machine en marche.

Le soir suivant, à huit heures — dix heures avant l'ouverture du scrutin — , une confrontation avec Bertelli eut lieu, dans un endroit baptisé Forum des citoyens de Greater Hyde Park. Les organisateurs de nos campagnes avaient prévu cette rencontre une semaine auparavant, quand la campagne de Bertelli avait commencé à bien marcher ; nous étions alors encore en tête, Tony et les autres avaient pris un risque en acceptant le défi ; mais maintenant, Bertelli m'avait rattrapé, s'il ne m'avait pas dépassé, et mon équipe était terriblement soulagée que la rencontre ait lieu. A l'origine, il avait été prévu qu'elle se déroulerait au Ida Noyes Hall, un bâtiment de l'université. Puis, au fur et à mesure qu'on se rapprochait du jour fixé, divers signes avaient indiqué que le public serait deux ou trois fois plus important que celui qu'on avait escompté. La rencontre fut déplacée à la dernière minute, dans un ancien cinéma du centre du district, un endroit désuet et clinquant, le Damascus, où j'avais vu *The French Connection* avec Sarah une semaine avant que ses portes ne soient fermées sur un cumul de déficits.

Tony et Caroline, assise à côté de lui à l'avant, m'accompagnèrent. J'étais coincé à l'arrière, entre Isaac et mon père, qui se tenait bien droit, les mains jointes sur ses genoux. Isaac, jambes croisées, regardait par la fenêtre d'un air morose ; son menton reposait sur son poing.

— Quelle est votre opinion, Isaac ? demanda mon père. Doit-il foncer ou se comporter comme le tenant du titre ?

— Un peu des deux, Eddie, répondit Isaac sans se retourner.

Dad haussa les épaules et m'adressa un clin d'œil :

— Je vois que tu es en de bonnes mains.

— Je vais faire le tour par derrière, dit Tony, comme ça, nous pourrons nous faufiler par l'entrée des artistes.

— Certainement pas, dit Isaac. (Il avait un air étrangement languide, comme s'il avait pris des calmants.) Ce n'est pas une pièce de théâtre. Nous entrerons comme tout le monde.

— Je crois que ça va être un vrai zoo, Isaac, dit Tony.

— Je ne vous comprends pas, Tony. Est-ce que vous avez organisé les apparitions publiques de Fielding de manière à *minimiser* tout contact entre lui et les électeurs ? C'est une conception tout à fait singulière de la chose.

— Tony a énormément travaillé, Isaac, dit Caroline. Je trouve qu'il ne mérite pas ce genre de remarque.

— Me voilà tout à fait rassuré, puisque les Pierce sont là pour tout arranger, soupira Isaac.

Il se mit à tapoter l'extrémité de son nez du bout du doigt, rapidement, de haut en bas, comme font parfois les boxeurs à l'entraînement.

— Et à votre avis, qui se rend à des réunions comme celle-ci ? demanda mon père. (Personne ne sachant à qui il s'adressait, il n'obtint pas de réponse, et dut ajouter :) Isaac ?

Isaac cessa de marteler le bout de son nez et se mit à le frotter, comme pour le ranimer après le dur traitement qu'il venait de lui faire subir.

— Qui ? demanda-t-il. Eh bien, les gens de chez nous qui ont participé à la campagne, les chefs de circonscription qui annonceront les résultats, les spécialistes des sondages, les journalistes, bien entendu. Et les membres du Forum de Hyde Park. Ils sont cinq cents inscrits.

— Mais ce que je vous demande, dit Dad, c'est, vous savez, qu'en est-il des *gens ordinaires*, de la base ? J'ai comme l'impression qu'il y a par ici beaucoup d'indécis.

— Où ça ?

Isaac tourna la tête avec la vivacité d'un oiseau de proie. La lumière d'une voiture qui nous croisait éclaira son regard.

— Dans le district, dit mon père. Des gens, des gens simples.

— Je veux dire, où avez-vous pris cette idée qu'il y avait de nombreux indécis ? Auriez-vous des informations que nous ne possédons pas ?

Le silence tomba dans la voiture. Caroline fit glisser une chaussure par terre et se gratta la plante du pied. Le pire de ses tics nerveux.

Dad finit par me toucher le bras.

— Tu ne crois pas qu'il y a beaucoup de gens qui n'ont pas encore choisi leur candidat, Fielding ?

Je ne répondis pas. Je venais tout à coup, non sans angoisse, de découvrir en moi la peur, qui patrouillait en quête du levier de commande de mon système nerveux. Elle se rapprochait, de plus en plus, le trouvait enfin, posait la main dessus. Je me mis à trembler.

— Tu ne crois pas, Fielding ? demanda Dad une seconde fois.

Sa voix laissait percevoir un léger découragement.

— Oui, je crois.

— Toutes les informations dont nous disposons indiquent justement le contraire, dit Isaac. (S'il avait pris des calmants, leur effet commençait à s'estomper : sa voix avait retrouvé tout son mordant.) Je dirais qu'il y a tout au plus dix pour cent de gens qui ne sont pas encore décidés à ce jour.

— Cela signifie-t-il que nous gagnons ou que nous perdons ? demanda Caroline.

— Cela signifie que nous gagnons, à moins que Fielding ne perde ces dix pour cent.

Dad détourna le regard. Il eut un bref clignement de paupières et croisa les bras sur sa poitrine. Je sentais qu'il se retirait au fond de sa coquille. Ses sentiments chagrins grinçaient comme des meubles massifs.

— Voici comment je vois les choses, dis-je. Chaque votant ne se détermine vraiment qu'au moment de déposer son bulletin dans l'urne. Je ne considère rien comme acquis, mais j'estime que rien n'est perdu.

— Les pédés ne voteront jamais pour vous, s'esclaffa Tony.

— Peut-être bien que oui. Je l'espère. Je trouve que je mérite leur soutien.

Mon père sourit et opina du chef, enchanté, comme si je venais de prononcer des paroles qui auraient un jour leur place dans une biographie. Mon genou heurta le sien. Il s'avisa que mes jambes tremblaient et serra les lèvres. Il portait un jugement de samouraï sur ceux qui laissaient paraître leur faiblesse tout en ignorant à quel point la sienne le trahissait.

— Je me sens d'attaque, Dad, dis-je en saisissant mes jambes à deux mains pour les empêcher de gigoter.

Je fermai les yeux, respirai profondément. Tony prit le dernier tournant et commença à ralentir. Nous étions arrivés. Je gardai les yeux fermés. Mille fois au cours de la journée, l'idée m'était venue que Sarah pourrait bien se trouver parmi le public ce soir et, maintenant que le moment était arrivé, j'en étais quasiment persuadé.

— Je sais, répondit-il d'une voix qui se voulait affectueuse. Tu te comportes toujours bien quand les dés sont jetés.

Nous pénétrâmes dans l'ancien cinéma. Il était trop tard pour reconsidérer les choses, trop tard pour revenir en arrière. Isaac se tenait à mes côtés, et Tony juste derrière moi. Les responsables du Forum de Hyde Park avaient installé une grande table où s'empilaient les tracts ; ils vendaient des brochures reproduisant les nombreux débats qu'ils avaient déjà organisés. Isaac me prit par le coude et me guida vers l'une des portes de la salle, comme si j'étais un virtuose aveugle. Henry Shamansky nous emboîta le pas, accompagné de sa femme, une brune aux lèvres couleur de framboise, coiffée comme un lutin.

— Faites-leur en voir de toutes les couleurs, Fielding, lança-t-il en levant le poing et en m'adressant un sourire grimaçant qui laissa voir ses dents carrées jaunes de nicotine.

Puis le gendre du gouverneur, Sonny Marchi, qui avait profité de ma campagne pour prétendre une fois de plus qu'il avait quelque chose à faire, se joignit à nous. Il était tout à fait présentable ce soir-là : ses cheveux coiffés en arrière dégageaient un parfum de lotion à la noix de coco, et les revers de sa veste de sport à carreaux présentaient un échantillon de badges de ma campagne.

— Content de vous voir, content de vous voir, roucoula Isaac à son adresse, signifiant ainsi, sans doute, qu'il considérait la présence de Marchi comme un symbole du soutien du gouverneur.

Le hall traversé, nous entrâmes dans la salle, descendîmes une allée latérale jusqu'aux marches qui menaient à la scène. Le rideau de velours rouge qui datait de l'époque faste du Damascus était encore là, assombri par la poussière, retenu par une embrasse aussi voyante qu'une ceinture de costume turc. La salle était presque pleine. Au premier rang, j'aperçus Adèle, assise auprès de Lucille Jackson, qui paraissait capter toute son attention. Je voyais presque la couleur refluer du visage d'Adèle tandis que le gros index noir de Lucille visait le léger sillon que la femme d'Isaac avait au menton. Trois petites tables en bois, avec leur verre et leur carafe d'eau, occupaient la scène.

— Pas tout de suite, dit Isaac en me retenant par le coude. Je m'arrêtai, acquiesçai. Je ne désirais pas plus que lui monter le premier sur l'estrade. Malgré la rapidité de ma transmutation de jeune politicien en chien hurlant à la lune, je fus étonné d'avoir pu m'apprêter à aller m'asseoir avant Bertelli et notre arbitre. Je m'étais toujours considéré comme pourvu d'un sens inné de ce qu'il fallait faire pour paraître à mon avantage, et le premier imbécile venu aurait pu me dire qu'assis à ma table comme un élève plutôt fayot qui attend l'arrivée des autres, je n'aurais eu l'air ni très efficace ni très maître de moi. Isaac me retenait par le coude pour me dire quelque chose, j'avais un pied sur la première marche, et nous devions paraître plongés dans une de ces discussions hâtives et importantes, un de ces Yalta où les grands de ce monde se partagent sur le vif les dépouilles.

Quelques instants plus tard, le docteur Paul Brewer, professeur de sciences politiques à l'université, arbitre de la rencontre, apparut dans l'allée centrale. C'était un homme de petite taille, voûté, aux cheveux bruns en broussaille, qui portait de grosses lunettes. Il était vêtu d'un costume trois pièces en tweed et d'une cravate à pois. On aurait dit, tandis qu'il gagnait la scène, que l'une de ses jambes était plus courte que l'autre, tant sa tête tressautait à chaque pas. Il s'élança sur l'estrade, prit place à la table du milieu, laissa tomber au pied de sa chaise sa serviette qui fit un bruit sourd, aussi impressionnant que le coup de marteau d'un juge. Quelques instants plus tard, Bertelli apparut de l'autre côté de la salle. Un Noir monumental et filiforme, avec un petit bouc pointu à la Eric McDonald, l'accompagnait, un bloc-notes à la main ; il parlait avec une agitation évidente. Bertelli avançait, ses petites mains croisées sur sa bedaine, les yeux baissés. Il avait mis une ample veste de velours brun et un pull blanc à col roulé.

Il monta sur scène, se dirigea vers Brewer. Les deux hommes se serrèrent la main, puis Bertelli mit sa main en visière sur ses yeux, pour éviter la lumière blanche des projecteurs, et il regarda la salle. Quand il eut repéré parmi le public la personne qu'il cherchait, il sourit et fit un de ces gestes pleins d'allant comme en ont parfois les anciens acteurs dans les cabarets de Las Vegas. Il n'y avait aucune raison de lui laisser la scène ; je montai l'escalier, me dirigeai vers Brewer.

— Bonsoir, docteur Brewer, dis-je, contournant Bertelli comme s'il n'existait pas. Je ne sais pas si vous vous en souvenez, mais j'ai suivi votre cours sur les crises constitutionnelles il y a six ans, quand j'étais à la faculté de droit.

— Bien sûr que je me souviens de vous, monsieur Pierce, dit-il, l'œil dans le vague, l'air gêné.

— Eh bien, Fielding ! s'exclama Bertelli en me tapant sur l'épaule.

Le gant de velours du bon gros masquait à peine la main de fer de son animosité à mon égard. Comme il n'avait rien fait qui valût une attaque, je ne m'étais guère occupé de lui pendant la campagne. Quand le public s'y prêtait, j'attaquais les républicains, ce qui ne l'atteignait pas outre mesure : après trois mariages et nombre d'années passées à préparer des cafés pour les artistes du dimanche, ses allégeances au parti ne troublaient pas son sommeil. Il avait déboulé dans cette course en se considérant comme un candidat de routine dont la fonction essentielle était de graisser les rouages de la démocratie en ne refusant pas un combat singulier. Mais ni la chance ni le talent ne lui avaient fait défaut, et s'il avait semblé de prime abord que la partie était jouée d'avance — ma nomination était quasiment une attribution de poste — , ma campagne merdique lui avait permis d'envisager ma défaite, et maintenant qu'il ne nous restait plus que quelques heures, je pouvais dire, au poids de sa main sur mon épaule, qu'il désirait la victoire au moins autant que moi, sinon plus.

Je gagnai ma place, et lui la sienne. Il se versa un verre d'eau, et but. Les lumières de la salle s'éteignirent, le public, les électeurs, le monde, furent plongés dans l'obscurité.

— Bonsoir, chers électeurs, dit Brewer, joignant les mains ; et bienvenue à cette exceptionnelle, euh, je dirais... *réunion municipale* organisée par le Forum des citoyens de Greater Hyde Park. Nous avons avec nous ce soir les candidats démocrate et républicain aux élections régionales pour le siège au

Congrès, qui auront lieu demain. Tous deux ont généreusement accepté cette rencontre informelle, au cours de laquelle nous aurons la possibilité de leur poser toutes les questions sur lesquelles nous désirons les entendre s'exprimer, et de découvrir par nous-mêmes les différences réelles qui les opposent, au-delà des slogans et discours divers...

La voix du docteur Brewer me ramena, tandis qu'il poursuivait, au temps de mes études de droit, quand j'avais un si grand appétit et si peu à me mettre sous la dent ; ce peu, je l'engloutissais néanmoins en deux bouchées. J'avais parlé à Sarah du cours de Brewer sur les crises constitutionnelles ; nous l'avions examiné ensemble, et voici qu'il se trouvait devant moi, dans ces circonstances exceptionnelles ; à cette pensée, j'eus envie de couvrir mon visage de mes mains tremblantes. J'étais en train de partir à la dérive ; non, j'étais lancé et filais vers le large, je me trouvais en haute mer, sur le point de basculer de l'autre côté de l'horizon. J'entendais la voix de Brewer, mais elle était lointaine, et creuse, et je ne pouvais rien faire que rester assis sur mon siège. Ce qui en moi m'avait permis de continuer me faisait soudain défaut, et laissait comme un vide dans lequel s'engouffrait un torrent d'affliction.

Les présentations terminées, Bertelli se leva lentement au son de ce qui me parut être des applaudissements dangereusement nourris. Il sourit au public, s'inclina, les deux mains prenant appui sur la table, dont les pieds commencèrent de trembler ; il recula, juste à temps.

— Je vous remercie, docteur Brewer, mesdames et messieurs. Je remercie également la direction du Forum des citoyens de Greater Hyde Park. Comme vous pouvez vous en rendre compte, j'ai perdu quand nous avons joué à pile ou face pour savoir qui parlerait le premier. (Il sourit, haussa les épaules, présenta ses mains vides, innocentes. Je fus surpris de constater que les rires qui montèrent de la salle étaient des plus généreux.) Maintenant que j'ai balayé ce handicap, laissez-moi en venir à ce qui nous intéresse et vous dire que demain soir, quand tous les bulletins auront été dépouillés, je serai en train de boire du champagne et de porter des toasts avec tous ceux qui ont participé à ma campagne. Car je connais ce district et je connais ses habitants. Et je sais que demain, nous gagnerons ces élections. (Quelque chose qui ressemblait à une vague spontanée d'applaudissements envahit la scène. Bertelli prit un grand bol d'air, comme s'il se trouvait sur le rivage et humait la senteur ravigotante des flots.) Vous savez, les gens de Hyde Park sont comme ça : nous n'aimons pas que nos élections soient arrangées à l'avance. Nous n'aimons pas que ce soit le gouverneur qui désigne nos représentants. Nous avons une habitude par ici, une habitude que les vieux routiers de Springfield aimeraient nous voir perdre : c'est l'habitude de penser par nous-mêmes. Lorsque, au début, j'ai décidé de... bon... (Il porta la main à sa crinière argentée.) ...de jeter mon béret dans l'arène, j'ai cru ce que me disaient les soi-disant experts. « Enrico, tu n'as aucune chance. Enrico, les dés sont jetés. Enrico, tout est déjà joué. » Mais j'aime ce quartier et les gens qui y vivent. Et je voulais qu'ils aient... une voix, au lieu d'un écho. J'ai cru, et je crois encore, qu'ils méritent mieux qu'un candidat surgelé et emballé sous vide, parachuté par les combinards. Et vous les connaissez : ce sont ces marchands d'orviétan à qui nous devons la recrudescence de la criminalité, la guerre en Afghanistan, la honte de l'intervention en Iran, des taux d'intérêt jamais vus, une inflation record et une économie qui dégringole de cinq pour cent par trimestre. Les gens de ce district me connaissent. Nombre d'entre vous ont été mes amis et mes clients pendant des années. Je suis ici chez moi. Je ne suis pas un nouveau venu. Je ne suis pas un type qui arrive de New York, passe par là, et se dit : « Tiens si je m'offrais un petit fauteuil à la Chambre », comme s'il cueillait une fleur au bord de la route. J'ai toujours vécu ici, et je crois que j'en connais un bout, sur la vie dans ce district. Mais, il y a plus important encore : je suis prêt à vous écouter. Je ne fais pas partie d'un programme. Je suis l'un d'entre vous, et lorsque je vous demande de m'envoyer à Washington, ce que je dis en fait, c'est : Allons-y tous ensemble. Et faisons ce que nous avons à faire. Merci.

Bertelli leva le bas de sa veste en s'asseyant, comme s'il portait un habit. Les applaudissements furent brefs et bruyants. Ils faisaient comme un mur ondulant et étincelant.

Ensuite, Brewer m'annonça. Je ne voulais pas achever de saborder mon assurance en évaluant la puissance des applaudissements qui me saluèrent, mais il me sembla, quand je me levai, qu'ils étaient aussi nourris que pour Bertelli. La disposition de ma table n'était pas fameuse. Je me trouvais exactement dans l'axe d'un des projecteurs, dont le faisceau me tombait droit dans les yeux. La panique me gagna. Il me semblait que j'était placé face à l'ampoule nue d'un bureau de commissariat. Je perdis tout contrôle pendant quelques secondes, m'abritai le visage d'une main, puis je repris mes esprits et me déplaçai légèrement vers la gauche. La lumière me frôla, et passa par-dessus mon épaule, comme une charge de chevrotine que j'aurais évitée. Je pus alors distinguer les visages des gens, dans la salle, mais c'étaient des visages d'étrangers. Des faces entre deux âges, une tapisserie de sourcils froncés. Quelle sorte d'individu affrontait donc la rigueur d'une nuit hivernale pour assister à un débat comme celui-ci ?

— En tant que procureur, commençai-je — et à mon immense soulagement, ma voix me parut douce et égale — , dont la responsabilité est de veiller à ce que ceux qui violent les droits des gens soient punis, j'ai souvent eu l'occasion d'affronter des avocats de la défense qui n'avaient de loyauté qu'envers leurs honoraires. Ces avocats — et je suis désolé de dire qu'ils étaient nombreux — n'hésitaient pas à obscurcir les faits afin de les déformer, à manipuler les sentiments des gens. Aussi ai-je pris l'habitude de garder près de moi un carnet sur lequel je note tous les arguments avancés par mon adversaire qui doivent être réfutés. Ensuite, je les reprends un à un, et je fais de mon mieux pour les réduire à néant. Eh bien, je ne suis pas un argumentateur expérimenté, aussi ai-je employé ce soir cette méthode ; en écoutant les remarques d'Enrico Bertelli, j'ai gardé sous la main un carnet et un stylo pour noter ce à quoi je devrais répondre. (Je marquai une pause, pris à mon tour un bol d'air. La salle était silencieuse, et ce silence m'apparut comme un léger signe d'espoir. J'attrapai mon bloc-notes sur la table et le montrai au public.) Vierge, dis-je. Je n'ai rien découvert dans ce qu'il a dit qui mérite d'être réfuté. Rien que je puisse discuter. Il semble croire que « une voix, pas un écho » est une formule satisfaisante. Nous savons tous fort bien que c'est le slogan de la nouvelle droite radicale ; eh bien, il ne veut pas dire grand-chose. Et s'il croit que le fait d'avoir passé plus d'années que moi dans ce district lui octroie un privilège... eh bien, je pense qu'il n'aimerait pas que cette redoutable idée soit *effectivement* appliquée, car les gens pourraient se dire que les candidats dont les origines familiales sont strictement américaines sont davantage qualifiés que ceux d'entre nous dont les racines sont à l'étranger. Il est possible que toutes ces années passées à vendre du café aient conduit mon adversaire à croire que le monde entier fonctionnait comme un système publicitaire. Idées nouvelles. Allons tous ensemble au Congrès. Ta-ta-ta. Dans tout cela, il y a une chose qui ne change pas : ni ce soir ni à aucun moment de sa campagne, mon adversaire n'a pris la peine de nous dire quelles *étaient* ces nouvelles idées, ou ce qu'il aimerait que nous *fassions* lorsque nous irons *tous* ensemble à Washington ; soit il n'en a pas la moindre idée, soit il considère les gens de ce district avec un tel mépris qu'il estime que nous ne nous en soucions nullement.

Je baissai les yeux, redoutant que leur éclat, sous la lumière puissante des projecteurs, ne me fît passer pour un fou. Enfoncer le clou trop profondément ne profite guère qu'à l'adversaire, fait basculer vers lui la sympathie du public. Je le savais bien, mais il m'était par ailleurs agréable de ne plus me poser en homme raisonnable, en gentleman, de ne pas me plier complètement aux règles, sans les enfreindre vraiment non plus. Il est plus que difficile de tenir un discours honnête avec en arrière-pensée l'espoir de *vaincre*. Car cet espoir suscite et les tactiques et les feintes subtiles, instinctives. Alors, brusquement, la victoire ou l'échec du lendemain ne me parurent plus aussi importants, et cette impression, comme un petit coup de maillet d'argent, provoqua en moi le réflexe le plus fondamental, le plus caractéristique : l'importance de la victoire ou de l'échec une fois écartée, je sus — et cette certitude fut un spasme pur, intense — que c'était justement *cette* attitude de joueur qui pouvait me conduire le plus sûrement à la victoire.

— Je ne vois pas comment on peut mener une campagne en s'appuyant sur de vagues slogans et des suggestions insignifiantes au nom des idées nouvelles. J'ai tenté d'énoncer clairement mes positions concernant les droits de l'homme chez nous et à l'étranger, l'effort concerté de restructuration de nos villes, la formation professionnelle intensive des travailleurs privés d'emploi par le développement technologique et le déplacement des centres mondiaux d'offre et de demande, l'imposition plus rigoureuse des sociétés, la simplification du système fiscal, accompagnée d'une suppression radicale des fraudes comptables et des paradis fiscaux, la réévaluation des dépenses de la défense, qui semblent orientées vers l'augmentation systématique, l'abandon du bombardier B-1, du missile MX et du sous-marin Trident. Je ne m'attends pas à ce que vous soyez tous d'accord avec moi. (Je marquai une pause, et avec un sourire :) Du moins, pas *tout de suite*. (Je n'obtins pas un seul rire ; je n'en espérais d'ailleurs aucun.) Mais je ne comprends pas comment on peut se présenter au Congrès sans prendre position quant à ces questions — d'un côté ou de l'autre. (Quelqu'un applaudit — deux ou trois solides battements de mains — , puis ce fut le silence.) Merci, Dad, dis-je, mais je n'ai pas tout à fait terminé. (A ce moment-là, les gens se mirent à rire pour de bon. Je fronçai les sourcils de manière à laisser entendre que j'avais sciemment provoqué cette réaction.) J'accueille avec joie cette occasion de répondre à toutes les questions que vous voudrez me poser.

Et les questions affluèrent. Ce fut chaotique et ennuyeux. Le Forum n'était pas conçu pour des réunions aussi importantes, les micros et les moyens adéquats pour un dialogue de ce genre manquaient. Au début, le public fut laissé dans l'obscurité, et nous ne pouvions pas savoir, de la scène, qui levait la main pour demander la parole. Quelques individus particulièrement audacieux se levèrent, posèrent des questions (ou firent des commentaires) de leur propre chef, et j'eus l'impression de répondre à des coups de fil fort clairs, mais anonymes, même si certains d'entre eux entraînaient des sortes de pauses forcées : « Ne devrait-on pas examiner les droits des enfants à naître ? Pensez-vous que la loi pourrait autoriser les homosexuels à travailler pour le gouvernement ? » Finalement je fis la preuve de mon tempérament de leader en suggérant que l'on éteignît les projecteurs pour rétablir un éclairage normal.

— Je pense que le public nous a assez vus. J'aimerais bien vous voir à mon tour.

Les applaudissements crépitèrent à cette remarque, qui fut probablement mon intervention la plus percutante de la soirée. Après une petite interruption pendant laquelle un responsable du Forum alla chercher l'éclairagiste et Bertelli fit la remarque grossière que l'homme ne méritait pas son salaire, perçant ainsi un trou dans la coque de l'embarcation qui le portait, trente ou quarante appliques en forme de tulipe s'allumèrent tout autour de la salle, et le public apparut sous nos yeux comme une image photographique apparaît dans le bain de révélateur.

Tony Dayton, les jambes croisées, se penchait vers ma sœur pour lui murmurer quelque chose à l'oreille, cette oreille dans laquelle j'avais versé des années durant ce que je prenais alors pour des secrets, et qui n'était, je le savais maintenant, que songes ; et ces songes irréalisables, ambitieux, se trouvaient aujourd'hui, pour mon plus grand malheur, à portée de ma main. Caroline acquiesça d'un signe de tête, se déplaça légèrement sur son siège pour s'écarter de lui. Je connaissais bien ce schéma : elle sentait qu'il était en train de tomber amoureux d'elle, et sagement faisait marche arrière.

Isaac se trouvait quelques sièges plus loin, vers le milieu de la rangée. Les yeux fermés, il était l'image même du désespoir. Je l'avais trahi. J'avais craqué sous la pression. Il méditait, j'imagine, sur la vanité de l'entreprise qui consiste à vouloir changer un percheron en pur-sang, un crétin en dirigeant. Cette campagne était pour lui un test de personnalité assez facile, et l'ampleur de mon échec lui brisait le cœur. Et ce qui devait le dépiter plus que tout, c'était de constater que l'excitation des deux dernières semaines n'avait fait apparaître, chez moi, que laideur, et pis encore, une *folie* qu'il n'avait pas voulu reconnaître auparavant. Il était, je le sentais, aussi courroucé contre lui-même que contre moi, et j'avais une autre impression, intolérable : je l'embarrassais.

A côté d'Isaac, se trouvaient Henry Shamansky, Sonny Marchi, et mon père, assis sur le bord du fauteuil, ses yeux clairs, immenses, fixés sur moi. Quand nos regards se croisèrent, il hocha doucement la tête, m'adressa un sourire de ravissement et de complicité tel que je me sentis à la fois transporté et anéanti : je le contentais, sans savoir comment ; étais-je en train de triompher, ou révélais-je simplement l'inanité du jeu ? J'eus l'impression que j'avais passé toute ma vie à apporter des os aux pieds de mon père, et qu'aujourd'hui je ne réalisais pas autre chose qu'un tour de passe-passe, en rapportant une proie, alors même que la chasse n'avait été qu'un faux-semblant. Je sombrais, je sombrais, et il hochait la tête, mâchoires serrées, comme si j'étais en train d'envoyer le monde entier au tapis et que nous partagions un merveilleux et ineffable secret : le secret de ma destinée, ou plutôt celui de *sa* destinée qui devenait, à travers moi, manifeste. Ce n'était pas de l'amour. Ce n'était même pas quelque chose d'aussi salutaire que l'ambition. C'était la paternité sous forme de rêve fiévreux, une relation hallucinée.

Bertelli avait pris la parole. Il disait que j'avais évité d'aborder la question cruciale : ma candidature n'était que la partie visible d'un *marché*. Je l'entendais à peine. Mon regard parcourait les rangées ; ma décision était prise : si Sarah était là, je quitterais simplement la scène pour la rejoindre. Je scrutais maintenant le fond de la salle ; les visages étaient plus petits, moins nets, comme s'ils ondulaient dans la chaleur humaine.

Le Dr Brewer interrompit Bertelli :

— Je pense qu'une bonne façon de maintenir un peu d'ordre ici et, nous l'espérons, de favoriser le dialogue, serait de donner maintenant à M. Pierce l'occasion de répondre à ces questions, monsieur Bertelli.

Je me retournai vivement. Bertelli était en train de s'incliner devant Brewer avec un petit geste du style « comme il vous plaira » ; je ne m'étais pas éloigné d'eux au point d'ignorer que mon tour était venu de prendre la parole. Je m'éclaircis la gorge, sans pour autant prendre aussitôt la parole : je n'avais que l'espoir d'avoir bien tout entendu, et j'attendais quelque propos qui évoquerait ce qui venait d'être dit et orienterait ma réponse. Mais le silence ne produisit rien d'autre que son propre bourdonnement discret.

— Monsieur Pierce ? dit Brewer, d'une voix qui me sembla alors infiniment aimable, sans nulle trace d'impatience.

— Demain auront lieu les élections, commençai-je, en douceur, sans avoir la moindre idée de ce qui allait suivre. Je sais parfaitement combien il est présomptueux de ma part de vous demander de m'envoyer à Washington. J'ai fait campagne pour ce siège, j'ai essayé de me faire connaître, d'écouter et de comprendre les habitants de ce district... Et puis, ce soir est arrivé. La conclusion d'une expérience brève, mais intense. Ce qui me frappe aujourd'hui, c'est qu'il y a certaines questions auxquelles je n'ai jamais eu à répondre, certaines questions que nous ne savons plus poser, à mon avis. Je m'inquiète de voir ce que nous sommes en train de devenir. Moi. Vous. Nous tous. Pourquoi nos mariages ne durent-ils plus ? Pourquoi ne savons-nous plus éduquer nos enfants ? Pourquoi la vie publique est-elle de moins en moins civique ? Pourquoi les rues sont-elles désertes la nuit ?

J'avais l'impression que ma voix arrivait de très loin, que les visages, devant moi, s'engouffraient dans un tourbillon, se noyaient dans la turbulence de ma vision et, soudain, je reconnus le visage du père Stanton, assis au milieu de la salle. Quand mon regard se posa sur lui, il m'adressa un sourire, et une vague de chaleur m'envahit, et je sentis une sorte de pression violente, juste en dessous des yeux.

— Je pense que nous en sommes arrivés au point où la *bonne chose à faire* semble tellement obscure, relative, que nous nous sommes résignés à ne plus rien tenter. Lorsqu'on m'a offert la chance de briguer ce siège (je jetai un coup d'œil sur Bertelli, qui m'adressa en retour son regard le plus bovin), j'ai saisi cette chance parce que... (Je m'interrompis un instant ; une grande tristesse s'était abattue sur moi, comme un mur s'écroule.) Oui. J'allais dire : j'ai accepté parce que je croyais pouvoir ainsi servir mon pays. Mais ça a été bien plus compliqué que ça. J'ai toujours désiré avoir cette chance, aussi loin que m'entraînent mes souvenirs ; et quand on veut quelque chose pendant si longtemps, l'*obtenir* devient ce qu'il y a de plus important, plus important que toutes les raisons qui nous ont fait le désirer au départ. Nous devenons comme des chiens lancés à la poursuite d'un lapin mécanique qui tourne sur la piste. Et qu'en faisons-nous, de cette proie, une fois que nous la tenons entre nos dents ? Aujourd'hui que la course s'achève, je ne peux m'empêcher de me demander : que vais-je faire de l'occasion que je vous demande de m'accorder ?

Je m'arrêtai. Je me sentais maintenant parfaitement calme, et je savais ce que cela signifiait. J'étais détaché de mes sens, je laissais simplement les choses suivre leur cours. Le lest moral de la prudence avait disparu, et je flottais librement.

— Peut-être n'est-ce que vanité de ma part, mais j'ai toujours cru et je continue de croire que je peux faire mieux que les autres. Il y a une partie de moi qui *entend* réellement les voix de la souffrance, et je ressens le défaut d'attention, les occasions manquées, le manque... d'amour, tout ce que nous avons laissé grandir et qui a souillé notre grand rêve national. D'autres que moi le sentent, bien sûr. Vous le sentez, vous le voyez vous aussi. Mon désir est de pouvoir l'assumer, d'essayer de faire bouger les choses, centimètre par centimètre, jusqu'à un monde plus juste. Je suis prêt à accepter les compromis nécessaires, à affronter les tracas, la paperasserie, et toute la boue morale de la vie politique et je crois être capable de traverser tout cela sans vraiment perdre de vue cet objectif de *bonté* que nombre d'entre nous ont, à mon avis, en commun. Les hommes politiques font beaucoup de promesses. Eh bien, je veux en faire une de plus, sans me sentir en droit d'attendre que l'un de vous me croie. On nous a menti tant de fois que nous avons perdu la capacité de croire les hommes publics, perdu le pouvoir de croire à l'idée même de vie publique. Laissez-moi conclure ce soir sur la promesse que je ne trahirai jamais le rêve démocratique, que je soutiendrai toujours ceux

qui y croient, que je veillerai à protéger ce qu'il y a encore en nous de bon contre les profiteurs, les agresseurs, les égoïstes et les brutes, afin de rapprocher autant que possible ce monde du paradis — ce qui ne sera sans doute pas pour demain. Mais après tout, existe-t-il une meilleure façon de vivre que de persévérer dans cette direction ?

Je m'assis. Il y eut des applaudissements, que je ne pus évaluer. Je me frottai le menton. Je sentais vaguement que je venais peut-être de perdre les élections. Bertelli jetait des notes sur son bloc de papier jaune. Je remarquai une tache de sang dans la paume de la main que j'avais frottée sur mon menton. La blessure produite par le coup de poing de Mileski s'était rouverte.

L'attente des résultats fut longue. Quelques heures après la clôture du scrutin, nous savions déjà que la partie allait être serrée, et elle le resta pendant toute la nuit, et encore le lendemain matin. Ce ne fut pas une veillée électorale de rêve, il n'y eut ni fanions, ni gaies vapeurs de champagne, ni canotiers, ni orchestre. Il n'y eut que la vieille garde et moi en train de téléphoner et d'écouter, dans les locaux de la campagne électorale, les bulletins d'information à la radio. Au fur et à mesure que la nuit avançait, un système de relais s'organisa spontanément, les membres de mon équipe attendirent à tour de rôle auprès de moi, comme les membres d'une famille respectueuse des convenances se succèdent au chevet du mort pour la veillée funèbre.

— Je vais raccompagner Dad à la maison, me glissa Caroline vers deux heures du matin.

Elle était à peine partie que Tony Dayton apparaissait, le cheveu encore humide après la douche, l'œil avivé par un bref repos.

Vers cinq heures, Tony se leva, annonça qu'il allait chercher des brioches et du café, et faire une ou deux visites. Deux secondes après son départ, Sonny Marchi faisait son entrée, accompagné d'un flic qui venait de quitter son service. Ils se racontaient des histoires de voitures volées. Doreen Fisher, une bénévole qui s'était occupée du standard pendant toute la campagne, et qui était mariée à un redoutable braillard, avait préféré supporter la longue attente plutôt que de rentrer chez elle. Elle était maintenant endormie à sa table, la tête appuyée sur un bras ; ses lunettes multicolores coiffaient encore son nez. Le bruit que firent Marchi et le flic la réveilla, et elle me regarda.

— Rien encore, Doreen, dis-je. Vous êtes sûre de vouloir rester jusqu'à la fin ?

— Oh, s'il vous plaît, oui. Je trouverais affreux de devoir partir.

J'acquiesçai, sachant d'autant mieux combien elle redoutait le retour à la maison que je n'avais moi-même aucune envie de rentrer, puis je me dis : « Si je gagne, je lui proposerai de travailler avec moi. » La perspective de lui offrir un emploi et de l'emmener à Washington, de la libérer des entraves de son mariage, me remplit d'une émotion soudaine.

Dehors, le ciel commençait à s'éclaircir et le filigrane de glace qui couvrait les fenêtres vira au rose. La voiture de Kathy Courtney s'arrêta devant la porte. Elle sortit du véhicule, le *Tribune* du matin à la main. Le gros titre disait : L'ÉPREUVE IRANIENNE CONTINUE.

Kathy pénétra dans le bureau en traînant à sa suite, tel un châle d'argent, le froid hivernal. Elle portait un ensemble noir, un manteau blanc avec un haut col froufroutant ; une autre journée de travail commençait.

— Il y a du nouveau ? s'enquit-elle en s'approchant de moi.

— Pas vraiment, répondis-je. C'est trop serré pour que l'on puisse savoir.

— Bon, je voulais vous dire quelque chose, Fielding.

Elle ôta son manteau, posa le journal sur une table voisine. Puis elle s'assit sur un siège pliant : elle gagnait du temps.

— De quoi s'agit-il ? demandai-je.

— Je ne veux pas paraître présomptueuse, puisque nous ne l'avons pas encore emporté et vous ne m'avez encore rien proposé, dit-elle en croisant les mains sur ses genoux, mais je veux que vous sachiez que je n'ai pas l'intention de retourner à Washington.

— Pourquoi pas ?

— C'est une question de confort, c'est tout.

— Travailler pour moi a été vraiment trop pénible, c'est ça ?

— Ce n'est pas ça. Vous êtes tous difficiles, croyez-moi.

— Alors, pourquoi ? demandai-je. Si je n'avais pas été aussi fatigué, j'aurais probablement évité de poser la question.

— C'est trop compliqué, voilà pourquoi. Quand j'ai commencé à travailler pour vous, j'ai pensé que le fait d'avoir connu Sarah pouvait être un obstacle. J'ai longuement réfléchi, avant de me décider à vous en parler. Je crois que cela n'a rien arrangé, bien au contraire. Vous ne trouvez pas ?

— Je ne pense pas que ça ait gâté quoi que ce soit, répliquai-je.

Je pris le temps de me calmer. Je ne me trompais guère, en général, sur mes chances d'obtenir ce que je voulais, et j'étais à peu près sûr que Kathy ne viendrait pas travailler avec moi.

— Vous avez un autre emploi en vue ?

— Non, pas encore. J'envisage de prendre un peu de repos. Ça fait cinq ans que je n'ai pas lu un livre.

— Je vous aime bien, Kathy.

— Je sais. Je vous aime aussi, Fielding. Sincèrement. Je pense même que vous pourriez faire quelque chose de bien à Washington.

— Alors, aidez-moi, dis-je.

Je lui pris la main. Elle était fraîche et légère, douce comme un savon.

— C'est ce que je fais, dit-elle. Vous croyez que c'est facile, pour moi ? (Son visage rosit. Elle détourna les yeux.) Quoi qu'il arrive, hier soir était un grand soir. Vous avez été bien. Vous savez, à force de traîner avec les hommes politiques, je crois que j'ai fini par oublier pourquoi j'avais choisi ce travail, au départ. Hier soir, je m'en suis souvenu.

— Alors, ne me quittez pas, dis-je, soudain pressant.

— C'est impossible. J'en suis certaine, Fielding. Je n'aurais jamais dû vous dire que je la connaissais ; mais si je ne vous l'avais pas dit, je me serais considérée comme une menteuse. Et le soir où vous m'avez appelée... j'étais chez moi. Le téléphone a sonné, sonné, et je suis restée là, sans bouger. Je ne pouvais tout simplement pas répondre. Je veux dire, j'avais vraiment envie d'être avec vous. Mais lorsque la sonnerie a retenti, j'ai compris que ce n'était pas vraiment moi que vous veniez voir. Vous vouliez seulement voir quelqu'un qui connaissait Sarah.

— Vous auriez dû répondre, Kathy. Ça aurait pu être un appel urgent.

— Je sais. Vous avez raison. C'est pour cela que je ne peux pas travailler avec vous. (Elle se leva et prit son manteau.) Si vous gagnez, il y aura une conférence de presse, après. Nous resterons en contact. Nous nous y verrons. Et je ne vous laisserai pas tomber. Vous n'aurez certainement aucun mal à trouver quelqu'un, et je resterai, en attendant.

Je la regardai partir sans me lever. Elle ne se retourna pas, mais quand elle ouvrit la portière de sa voiture, sachant que je la regardais encore, elle leva les yeux. Elle alluma le moteur sous mon regard qui traversait la fenêtre brillante de givre, agita la main. Une seconde plus tard, le pot d'échappement se mettait à fumer, donnait à la neige une tonalité grise.

Peu après, le téléphone sonna.

— C'est Isaac, me dit Doreen.

Je me levai, titubant, et traversai la pièce, la main tendue vers le récepteur.

— Bonjour, Isaac. Quels sont les résultats ?

— Le décompte définitif est terminé. Tu as gagné.

— Avec quelle marge ?

— Six cent soixante-six voix.

— Bizarre.

— Pourquoi, bizarre ?

— C'est le numéro de Sécurité sociale du diable.

Le silence se fit à l'autre bout de la ligne. Puis Isaac dit :

— Bon, il y a pas mal à faire. Seras-tu capable de tenir le coup quelque temps ?

— Oui, je suis plein d'énergie.

— Bon.

— Et, Isaac...

J'attendis, assis sur le bord du bureau de Doreen. Elle me

regarda d'un air interrogateur, je levai le pouce ; elle battit des mains, et les posa sur son cœur.

— Qu'est-ce qu'il y a, Fielding ? demanda-t-il d'une voix lasse.

— Merci.

Je raccrochai et me mis à trembler comme on tremble sur le bord de la route, quand on a évité de peu l'accident.

— J'ai gagné, dis-je à Sonny Marchi en levant le poing.

Sonny et le flic en congé riaient encore d'une histoire de Plymouth Fury volée, de gamin de Virginie et de siège arrière plein d'échantillons de tampons hygiéniques. Un rire ignoble s'écoulait du flic comme l'eau d'une éponge sale. Sonny posa sur moi ses yeux de lapin rougeoyants et m'accorda un sourire mesquin empoisonné par une confiance injustifiée.

— *Nous* avons gagné, corrigea-t-il, souriant. *Nous* avons gagné. Et *ça,* c'est une grande nouvelle.

Quatre jours plus tard, je quittai Chicago sous une légère tempête de neige et arrivai à Washington dans l'après-midi. D'un ciel pareil à un hématome en forme de coupole tombaient de lourdes rafales de pluie. On m'avait réservé un appartement dans un hôtel de Pennsylvania Avenue. C'est là que j'allais vivre, à un prix exorbitant, mais je ne pouvais pas faire autrement. Il était difficile de prévoir la durée de mon séjour à Washington, et il n'était pas raisonnable de chercher un logement pour y poser une valise.

La façade de l'hôtel Manchester était sombre, sans le moindre intérêt. Elle faisait le même effet qu'un costume gris de bonne coupe. A l'intérieur, sur la moquette marron, étaient posées — Dieu seul sait pourquoi — quelques vasques remplies de galets blancs, et un philodendron anémié, sous une ampoule en forme de porte-voix. Un de ces individus appartenant à la nouvelle génération de créatures de cabaret aux yeux ronds et au sourire rusé m'accompagna jusqu'à ma suite de deux pièces et demie ; j'y trouvai un lit, un canapé, trois fauteuils, une kitchenette, une baignoire et, aux murs, des gravures représentant la cité de Washington au dix-neuvième siècle, ainsi qu'une odeur d'encaustique. L'employé (pardon, le *concierge*, vous voyez le genre) me souhaita la bienvenue, m'adressa toutes ses félicitations — il pensait à mon élection — , me confia que sa sœur vivait à Chicago sans me demander toutefois si je la connaissais. Il me remit une brochure détaillant toutes les commodités de l'établissement, et attira mon attention sur les bouteilles de champagne et de whisky — avec les compliments de la maison — qui avaient été mises à ma disposition. Je gâchai l'épisode en lui demandant de les faire enlever.

Il me restait une heure avant le dîner avec mes parents et Caroline. Ils étaient venus me voir prêter serment ; la cérémonie était prévue pour le lendemain matin. Isaac et Adèle seraient également présents, mais ne dîneraient pas avec nous ce soir. Je n'avais pas encore suffisamment repris mes esprits pour remarquer le léger embarras que les Green manifestaient maintenant en ma présence. Ils pouvaient bien me pardonner d'avoir laissé Juliet derrière moi, à Chicago, mais ils se demandaient si cet abandon annonçait l'approche de l'heure où je romprais également avec eux. Ils se trouvaient à mes côtés, dans un état d'esprit moins triomphant que prudent, empreint d'une subtile irritation ; ils se sentaient quasiment vexés.

Je m'allongeai sur le lit avec de grandes précautions, comme si je redoutais de laisser la moindre trace de mon passage, dans le cas où je serais brusquement rappelé. Ma tête reposait moitié sur l'oreiller moitié sur le cadre du lit. J'ôtai mes chaussures, et rien d'autre. La lumière de la chambre était d'un gris bleuté. La pluie heurtait sans bruit les vitres épaisses. A l'autre bout de la pièce, sur la commode d'acajou au dessus de verre, était posée une lampe massive en métal argenté formée de trois segments arrondis qui faisaient penser à une énorme fourmi ; l'ombre qu'elle projetait sur le mur lisse disparaissait par intermittence, au rythme d'une respiration, chaque fois que la lumière tombant de la fenêtre s'éteignait. J'avais l'esprit complètement vide, et je m'assoupis un moment. Quand je m'éveillai en sursaut, mon visage était couvert de larmes.

Nous avions rendez-vous au Bengali, à Georgetown, un restaurant flanqué d'une librairie d'un côté et d'un petit magasin d'ustensiles de cuisine de luxe de l'autre. La pluie tombait toujours, quoique moins dru. En imperméable beige, avec un parapluie noir, je marchais parmi des centaines d'hommes à peu près du même âge que moi avec des imperméables beiges et des parapluies noirs ; nous devions maintenir un certain écart entre nous pour éviter les entrechocs. Je m'arrêtai un instant devant la vitrine de la librairie. Je remarquai le titre de l'un des ouvrages exposés : *Des chaussettes noires dans la chambre à coucher : panorama de la sexualité au cours des années Nixon*. Je dus me pencher et plier les genoux pour apercevoir le dos de la couverture. Comme je l'avais supposé, il était édité par Willow Books.

Un imposant portier hindou se tenait devant le Bengali. Il avait enveloppé son turban orange pâle dans du plastique transparent pour le tenir au sec. A l'intérieur, les murs du restaurant étaient recouverts de tissu rouge sur lequel avaient été cousus de minuscules éclats de miroir. Des sitars invisibles égrenaient leur rãga. De grands serveurs noirs se déplaçaient lentement dans la salle, ondulant comme des autruches. Ma famille m'attendait autour d'une table : mes parents, Caroline, et Danny. C'était la première fois que je le revoyais depuis son départ pour Toronto en compagnie de Kim.

Comme je m'approchais, tous battirent silencieusement du bout des doigts, en guise d'applaudissements enjoués. J'arborai aussitôt un sourire pavlovien.

— Danny, m'exclamai-je, le libraire d'à côté a mis un de tes bouquins en vitrine.

— Je sais. Je suis allé leur faire la leçon avant d'entrer ici.

Il leva les sourcils, puis les baissa. Il avait sous les yeux de pitoyables cernes violet sombre et paraissait avoir perdu au moins cinq kilos depuis la dernière fois que je l'avais vu. Ses cheveux dorés étaient sales, tout comme sa chemise rose et sa veste anthracite.

— Assieds-toi, député, dit Caroline.

Ils me firent une place entre Mom et Dad.

Je m'assis, me penchai pour embrasser Mom sur la joue et tapotai affectueusement le bras de Dad.

— Comment ça marche ? demandai-je à Danny.

— Je suis là, non ? dit-il en m'adressant un de ses pâles sourires existentiels dont il était coutumier.

Il avait su prendre dès l'âge de dix ans des airs de victime condamnée, mais courageuse.

— Comment vont les garçons ? demandai-je à Caroline.

— Fantastiques. Insupportables. Ravissants. Grotesques. Idiots. De vrais saints. Ils s'amusent comme des fous à parcourir l'Afrique avec Eric. Parfois j'oublie à quel point il est un bon père.

— Alors il ne te reste plus qu'à être une meilleure mère, dit Dad.

— Nous ne sommes pas des adversaires, dit Caroline. Je remercie Dieu qu'Eric soit un père si merveilleux.

— Tu ne veux pas perdre ces enfants, en fin de compte, dit Dad.

— Les prix de ce restaurant sont *obscènes*, déclara soudain Mom, refermant le menu comme s'il contenait des photos porno. Une famille indienne de dix personnes vivrait un mois avec l'argent que coûte un seul repas.

— Ne t'inquiète pas, dit Danny. C'est Willow Books qui offre la fête.

— Les frais de représentation n'en sont pas moins de l'argent, répondit Mom. De toute façon, je déteste qu'on me prenne pour un pigeon.

— Je vais te convaincre de faire un livre pour nous, me dit Danny. Un journal intime de tes journées au Congrès, ou un truc comme ça.

— Tu sais quoi ? dit Dad. Ce n'est pas une si mauvaise idée.

— Je ne suis pas dans l'édition pour avoir de mauvaises idées, père, dit Danny, sans une once d'humour.

— Ah, ma famille ! s'exclama Caroline en joignant les mains et en battant des cils. Je crois que je pourrais les tuer.

— Caroline a raison, déclara Mom. Nous ne pouvons pas nous disperser dans tous les sens. Concentrons-nous sur une chose : nous réjouir pour Fielding.

— Après quoi nous pourrons recommencer à nous dire des vacheries, conclut Danny.

Le serveur se présenta, demanda si nous désirions un apéritif, et Danny prit les choses en main :

— Un Lillet avec une tranche d'orange, un Canadian Club à l'eau, un Johnny Walker étiquette rouge, un Wild Turkey sec sur de la glace et un verre de... disons un grand verre d'eau gazeuse avec du citron vert.

Au fur et à mesure qu'il passait la commande, il nous désignait de la main : Caroline, Dad, Mom, lui-même, et moi.

— Vous savez, dit Dad en s'appuyant au dossier de sa chaise et en levant les yeux au ciel, nous sommes quelquefois plutôt durs les uns envers les autres.

— Oh, oh, fit Caroline.

— Non, je suis sérieux. Je ne voulais pas réellement dire que Danny a des idées insensées. Mais c'est vrai, nous aimons nous lancer des pointes.

— Remarquez, il n'y a pas de quoi se sentir coupable parce qu'on a suggéré que je devrais être une meilleure mère, dit Caroline.

— Allons, Caroline, ce ne sont que des enfantillages, remarqua Dad.

— L'amour est sans fierté, déclara-t-elle en haussant les épaules.

— Je crois que Dad essayait de dire que cette famille a plutôt lieu d'être fière de ce qu'elle est, intervint Mom. Et quoi que nous ayons pu faire — je veux dire Eddie et moi — , il me semble que ça a donné de fort jolis résultats.

— J'ai pitié des parents qui ne sont même pas capables de *penser* à leurs enfants, ajouta Dad. Je veux dire, Seigneur, savez-vous ce qui va se passer demain ? Fielding va prêter serment devant le Congrès des États-Unis. Ça ressemble à un rêve. Et ça donne un sens à tout ce que nous avons fait.

— Je n'avais pas compris que rien n'avait de sens avant, dit Danny en adressant un clin d'œil à Caroline.

— Je veux dire, c'est le rêve devenu réalité, le rêve que nous avons tous fait, poursuivit Dad sans relever la remarque. Je ne dis pas que tu n'as pas réussi de ton côté, Danny. Mais diriger une maison d'édition n'est pas forcément ce dont tu as rêvé, ce dont nous avons tous rêvé depuis ton enfance. Tu saisis la différence, n'est-ce pas ? Toute cette histoire d'édition est en quelque sorte quelque chose qui est arrivé. Toi et Caroline, vous avez pris la vie comme elle s'est présentée, et c'est très bien. Ne te méprends pas sur mes propos. Ce n'est tout de même pas la même chose que d'avoir un projet et de le mener à terme.

— C'est maintenant que vous me le dites ! s'exclama Caroline, j'ai toujours essayé de deviner ce que vous attendiez de moi, ce que vous auriez considéré comme une réussite, et voici qu'apparemment je n'aurais rien eu d'autre à faire que nourrir un projet et le mener à bien.

— Tu sais, Caroline, dit Mom, quand tu es sarcastique comme ça, il ne t'entend même pas. Tu ne fais de mal qu'à toi-même.

— Comment va Kim ? demandai-je à Danny.

— C'est un sujet que nous n'aborderons pas.

— Mais elle va bien ?

— Elle va bien.

— Qui est Kim ? demanda Dad.

— Une Coréenne qui travaille dans un salon de massages, dit Danny, et une fille épatante.

— C'est une blague ? me demanda Dad.

— Bien sûr, répondit Caroline. Juste ciel !

Le serveur apparut, apportant les apéritifs qu'il annonça au fur et à mesure qu'il les posait devant nous.

— Je vais porter un toast, déclarai-je en levant mon verre. D'abord, à Caroline, qui est venue de Chicago et m'a aidé pendant toute la campagne. Pour Caroline... Eh bien, vous savez : le devoir avant tout. Et à Mom et Dad, pour avoir fait ce qu'il fallait faire afin de me mener jusqu'ici.

Je m'arrêtai. Un désir subit venait de s'emparer de moi : me lever et quitter tout simplement cette table, mais je le refrénai.

— Ah, regardez le destin inscrit dans ces yeux, s'exclama Danny. Espèce de veinard. Tu as une carrière devant toi que tu considères comme une cause. Et maintenant tu peux faire n'importe quoi — *n'importe quoi* — pour toi-même tout en te persuadant que ce n'est pas vraiment pour toi que tu le fais, mais pour ce que tu représentes.

Une main se posa alors sur mon épaule. Je me retournai et découvris un Noir costaud, avec une moustache aux longues pointes recourbées et une chevelure afro grisonnante. Son front était sillonné de rides profondes, et il lui manquait une incisive.

— Bonjour, Fielding Pierce, dit-il. Je vous ai vu entrer, et je voulais vous saluer. (Sa voix était grave, et il bégayait légèrement.) Je suis Buddy Preston. (Il attendit que son nom fasse son chemin dans mon esprit et fit un pas en arrière.) Du septième district, précisa-t-il.

— Oh oui, bien sûr ! Bonjour.

C'était un député de Chicago, déjà élu cinq fois. Il excellait à se faire réélire, mais j'aurais été bien en peine de dire ce qu'il avait fait d'autre, dans sa carrière. Isaac m'avait un jour raconté que Buddy Preston avait accumulé un trésor de guerre bien plus important que les autres hommes politiques, grâce aux contributions des sociétés laitières, des fabricants de ciment, des boucheries en gros, de la National Rifle Association ; un mélange insensé de groupes d'intérêt n'ayant aucun point commun, mais artistiquement réunis les uns aux autres grâce à sa persévérance et à son charme.

— Je ne veux pas vous déranger, dit-il. Je voulais simplement souhaiter la bienvenue à Fielding au sein de notre délégation.

— Mais c'est très aimable de votre part, monsieur Preston, dit mon père.

— Tout est prêt pour demain ? me demanda Preston.

— Comment cela se passe-t-il ? demanda Mom.

— Oh, rien de très spectaculaire, mais c'est bien. Tous les démocrates de la délégation de l'Illinois vont l'accompagner jusqu'au fauteuil du président, et il prêtera serment. Vous savez, en toute simplicité.

— Je vois bien que cela vaudra le déplacement, dit Mom. Sa voix était soudain devenue soumise, comme si elle parlait à un flic ou à un type susceptible de lui rendre un service important. Preston était sans doute tellement habitué à ce ton qu'il ne l'entendait même plus.

— La délégation de l'Illinois est la plus chaleureuse du Congrès, dit-il. Nous essayons réellement de nous entraider. Et c'est une excellente chose. Nous essayons même de nous fréquenter un peu. Il est important de se parler, de travailler ensemble.

Il continua de bavarder gentiment pendant quelques minutes puis, ses obligations remplies, se retira. Je le regardai regagner sa table où l'attendait une femme très mince, au charme exotique, dont les bras étaient chargés de bracelets.

— Tu ne nous a même pas présentés, Fielding, dit mon père, quand Preston se fut éloigné. Qu'est-ce que c'est que ces manières ?

— Il y a quelque chose que je devrais vous dire, à tous.

Je pris mon verre d'eau minérale, qui me parut être de pierre. J'entendis des tambourins battre un rythme de cauchemar dans le brouhaha des voix, compris qu'on venait de mettre un disque et que le vacarme montait des haut-parleurs. Je voulus retrouver mon souffle, mais ma gorge se serra. Je reposai mon verre sur la table, de guingois, et l'eau gazeuse se répandit en sifflant sur la nappe blanche. Personne ne fit un geste pour l'éponger.

— Je ne me sens pas très bien... depuis quelque temps. Je... je ne me sens simplement pas très bien.

— Nous l'avons constaté, Fielding, dit ma mère très doucement.

Elle lança un regard en direction de mon père pour qu'il intervînt.

— Nous ne pensions pas que c'était à nous de te dire quoi que ce soit, déclara Dad.

— Non. Mais je veux être sincère avec vous. Il m'est arrivé quelque chose. Et ça ne va pas s'arrêter. Ça continue, ça ne peut que continuer. (J'eus un rire hideux, brisé.) C'est vraiment gênant, mais il vaut mieux que je vous le dise. Au fond de moi, quelque chose s'est brisé. Je suis dérouté. Je ne dors plus, je ne pense plus correctement. Ne croyez pas que je me plaigne, ou que je demande du secours ; personne n'y peut rien. C'est simplement arrivé, et voilà. Je ne sais plus ce que je vais dire, d'une minute à l'autre, et je ne sais vraiment plus ce que je vais faire. (Mes yeux étaient ouverts, mais je ne voyais pas, ne voulais pas voir leurs visages.) Et je crois que le mieux... je ne sais pas... Le seul espoir qui me reste maintenant, peut-être... Je sais que le moment est mal choisi, mais je n'y peux rien. Je suis terriblement fatigué et ne vois plus rien comme avant. Tout est bizarre, tout m'échappe. Je me sens — comment dire — effrayé. Mais je ne pense pas que *vous* deviez avoir peur. Ce n'est pas comme si je voulais blesser quelqu'un, Seigneur ! Rien de tel. C'est seulement que je ne me sens pas dans mon état normal et que le mieux pour moi serait, si ça ne vous ennuie pas de me donner un coup de main, que je voie quelqu'un. Un médecin. Je sais que je gâche tout, mais si je ne parle pas tout de suite, je ne le dirai peut-être jamais. Demain, ce sera peut-être trop tard, car ça va très très vite. Je crois que le mieux serait que j'entre à l'hôpital ce soir. Qu'on s'occupe de moi, un traitement quelconque... Car il m'est arrivé quelque chose, et... je suis perdu, et... ça ne va pas s'arranger. Ça empire, empire, et ça ne s'arrête pas.

La cérémonie du lendemain matin au Congrès succéda dans la foulée à un débat sur les subventions aux agriculteurs. Assis dans la rotonde, j'écoutai un représentant du Dakota du Sud débiter son texte d'une voix monotone, avec à peine une modulation de temps à autre. Il disait ce qu'il avait à dire, c'est tout ; il y avait tout au plus une dizaine de personnes dans la salle pour l'écouter.

Puis le président entra et prit place. Il était massif, ses cheveux étaient blancs comme du lin neuf d'Irlande, sa peau semblait avoir été vigoureusement frottée à la brosse. Il s'assit, parut se recueillir un instant, les mains posées sur son visage, puis il considéra le représentant du Dakota du Sud avec ce qui parut être une infinie pitié. Enfin, il consulta quelques documents, regarda sa montre et, brusquement, souleva le marteau et donna un coup sur la table. Il demanda au député s'il aurait bientôt terminé sa communication et si la question allait faire l'objet d'un vote. Le représentant demanda dix minutes supplémentaires, et le président acquiesça d'un signe de tête reconnaissant. Quelques huissiers quittèrent la salle, des lumières s'allumèrent dans les bureaux et les couloirs, informant le Congrès que le vote allait avoir lieu. Tandis que le représentant du Dakota du Sud mettait fin à sa communication, des centaines de représentants affluèrent dans la salle et prirent place de part et d'autre de la grande allée centrale en riant, toussant et bavardant.

Buddy Preston vint s'asseoir près de moi. Les vingt-quatre représentants de l'Illinois s'étaient déplacés au complet pour ce vote. Quatorze d'entre eux étaient du côté de la travée réservée aux démocrates. A ma gauche, il y avait un type un peu plus âgé que moi qui avait dû se frictionner avec un demi-flacon de Brut avant de venir voter. C'était Emil Z. Nichols, du troisième district. Son pouvoir lui venait directement du maire, Daley, mais l'arrivée de la nouvelle administration le rendait vulnérable. Le bruit courait que, devant la menace d'une éventuelle défaite aux prochaines élections, il était devenu imprévisible, comme un type qui vient d'apprendre qu'il est atteint d'une maladie incurable. Le troisième district n'était pas facile à gouverner : partagé entre centre et banlieue, il était peuplé de Noirs, mais surtout de Polonais, de Suédois, d'Allemands et de Lituaniens qui s'étaient déplacés pour s'éloigner des Noirs. C'était un de ces endroits où les gens s'étaient établis afin de se démarquer de la classe ouvrière, avant de se retrouver sans argent, dans des habitations insalubres, au comble de l'insécurité, toutes choses qu'ils s'étaient juré de ne plus jamais connaître. C'était un district grondant de revendications, où Nichols avait réussi à tenir trois mandats de suite parce que Daley avait su tordre suffisamment de bras en temps et lieux adéquats.

— Salut, Fielding, me dit-il d'une voix surprenante de duplicité et de malhonnêteté, en me tendant la main. Emil Nichols. Bienvenue au zoo.

Buddy Preston me posa discrètement la main sur l'épaule, comme s'il voulait me prémunir contre une influence démoniaque.

— Nous vous accompagnerons pour prêter serment juste après ce vote, me dit-il.

— Ouais, reprit Nichols, vous avez bien de la chance de ne pas voter. C'est un truc à vous casser les reins... surtout pour un type comme vous.

— Ce qui signifie ? demandai-je.

Nichols rit entre ses dents, comme si ma question était purement tactique.

— Ouais, évidemment. Quand on se trouve dans la manche du gouverneur... Mais essayez un peu de voter pour les agriculteurs, et vous verrez ce qui vous arrivera quand vous rentrerez dans votre district.

Un peu plus loin sur la même rangée était assis un homme d'apparence aisée, chauve, vêtu d'un costume brun. Il portait un nœud papillon rouge et blanc. C'était Paul Germain, ancien journaliste devenu politicien que j'avais rencontré chez Isaac deux ans auparavant. Germain était originaire d'East St. Louis, un endroit dont il ne restait guère que des cendres et une fumée noire, à la fois déserté et gagné par la frénésie de la petite criminalité qui pousse sur les décombres de la prospérité commerciale. Il était un des rares démocrates du sud de l'État, avait connu Truman et Stevenson, et traînait une jambe déchiquetée lors d'un saut en parachute au-dessus de Cologne en 1944. Quand il se pencha en avant, la lumière venant des ouvertures supérieures se décomposa dans le verre de ses lunettes ; sa peau parut si ténue qu'on aurait presque cru voir percer son crâne.

— Il faut que je vous parle, m'annonça-t-il, puis il s'appuya de nouveau contre son dossier, et son profil étroit disparut derrière la haie des visages.

On vota. La proposition fut adoptée, ce qui ne changeait rien, puisqu'elle serait certainement refusée par le Sénat. Audessus de nous, dans la galerie réservée au public, on nous montrait à des groupes d'écoliers penchés sur la balustrade, comme on conduit les gamins de l'école du dimanche sur le bord d'une crevasse pour qu'ils puissent contempler les âmes du purgatoire. On n'en était pas encore arrivé à l'époque où l'accès du Capitole serait quasiment interdit aux visiteurs ordinaires, mais les consignes de sécurité étaient strictes. On ne se sentait pas incliné au bavardage quand on parcourait les couloirs verts et glaciaux ; on y trouvait des réfrigérateurs remplis de bouteilles d'eau gazeuse, comme dans tous les grands bureaux, et des jeunes hôtesses à l'air blasé qui faisaient pousser des plantes vertes sous des lampes fluorescentes.

Les grosses horloges murales rondes des salles des comités ressemblaient à celles qu'on trouvait dans les classes d'autrefois, mais on avait installé à côté de ces horloges un système de petites ampoules électriques qui clignotaient, l'une pour indiquer que le quorum n'était pas atteint, une autre pour annoncer qu'on allait faire l'appel, une troisième pour annoncer qu'une guerre nucléaire venait d'éclater et que les législateurs devaient se mettre à l'abri. Je ne savais pas encore où nous étions censés nous rendre, dans ce cas. Je ne connaissais qu'une chose : l'emplacement de mon bureau. Après la démission de Carmichael, on s'était précipité pour prendre possession des locaux spacieux, bien situés et bien entretenus qu'il occupait, et tous ceux qui souhaitaient déménager avaient profité des occasions que ce départ avait offertes. On m'avait abandonné un local humide et peu commode dans le Rayburn Building, un réduit situé, avec celui du responsable de l'entretien et celui du nouveau représentant du Mississippi, entre deux volées d'un escalier de service.

Pendant que l'on votait, je restai assis les bras croisés et regardai autour de moi. J'éprouvais plutôt de la reconnaissance envers ma famille qui ne m'avait pas écouté la veille, ne m'avait pas conduit à l'hôpital, où l'on m'aurait injecté des sédatifs, donné une paire de pantoufles en papier, et où je me serais senti humilié pour longtemps. Ce que je n'avais pas compris, c'était que mon cas ne pouvait pas s'aggraver : pour être encore plus fou, il m'aurait fallu perdre une tout autre tête que celle qui avait atteint à la fois son apogée de souffrance et de dérèglement. Si je ne pouvais pas connaître pire, j'avais alors une chance de m'orienter vers une amélioration. Je ne savais plus très clairement pourquoi j'étais assis au Capitole, pourquoi je l'avais tant désiré pendant des années, ni ce que j'avais fait exactement pour le mériter. Mais il était indubitable qu'à un moment donné, autrefois, quand j'avais accroché la flèche de ma vie à l'arc du destin, je savais quelque chose qu'aujourd'hui, sous l'assaut de la tristesse, de l'avidité et de l'inquiétude, j'ignorais. Il n'y avait qu'une chose à faire : tenir bon, et espérer que tant que je ne serais pas redevenu moi-même, je pourrais au moins jouer correctement mon rôle. Mon visage serait un masque, et mes yeux, opaques.

Je regardai là-haut, en direction de la galerie, pensant seulement repérer mes parents, Danny et Caroline. Si j'avais entrepris cet étrange, troublant, triste et compromettant voyage à seule fin de participer au grand mystère, de psalmodier la partie de la formule de résurrection des morts qui m'était échue, alors il était possible qu'elle fût présente en ce moment : sous forme d'aura, sous forme d'idée, et même en chair et en os. Aura, forme, chair, se confondirent presque, tout à coup : le souvenir, quand il est réel, peut parfaitement se substituer au chaos d'impressions contradictoires qui constitue le présent. Je l'aimais certainement davantage que, disons, Juliet, et certainement davantage que je pouvais m'aimer moi-même : alors, comment pouvait-elle être considérée comme morte ? Simplement parce qu'elle ne pouvait m'aimer en retour.

Quand le vote fut terminé, le président annonça que le quatre-vingt-seizième Congrès allait maintenant accueillir un nouveau membre dans ses rangs. Il ne fit aucune allusion au député Carmichael, loin de là ; il se contenta de quelques plaisanteries partisanes : quel soulagement que le nouveau venu soit démocrate, et autres fumées de ce genre. Ensuite, je me rappelle d'Emil Nichols, qui se tapait sur les genoux et se levait avec son grognement irrité, tandis que, de l'autre côté, Buddy Preston, lui aussi debout, me tirait par la manche, souriant, en me disant : « Debout, il faut y aller, Pierce, descends la travée, et entre dans les livres d'histoire. » Après quoi tous les représentants démocrates de la délégation de l'Illinois se levèrent et nous suivîmes le tapis de l'allée jusqu'au siège du président. Il me sembla entendre comme un grésillement d'électricité statique, impression que je mis sur le compte des nerfs de mon oreille interne, avant de comprendre qu'il s'agissait d'applaudissements, que les représentants de la Chambre m'applaudissaient, non parce qu'ils m'aimaient bien ou parce qu'ils connaissaient une seule de mes convictions, une seule de mes intentions, mais parce que j'étais arrivé jusqu'à eux, comme un camarade saumon qui a remonté les torrents et rejoint la frayère où il pourra se reproduire dans une sécurité relative de deux ans en deux ans. J'avais gagné. En m'applaudissant, ils s'applaudissaient eux-mêmes, bien entendu ; chacun d'eux, homme ou femme, l'avait emporté sur quelqu'un pour obtenir ce poste, avait monté des combines astucieuses, dit ce qu'il fallait, su à quel moment il convenait de reculer ou de foncer, convaincu des milliers d'inconnus qu'il (ou elle) se souciait vraiment d'eux, avait empoigné la queue de reptile de l'Histoire pour se faire traîner jusqu'à Washington, avait enfin repéré la fissure dans la porte et l'avait écartée jusqu'à ce que jaillît la lumière dorée.

Maintenant, je faisais moi aussi partie du club. En m'avançant vers le président O'Neil, j'aperçus le visage de Sarah au milieu de tant d'autres qui, de la galerie, regardaient ce qui se déroulait en bas. Alors je maintins les yeux fixés droit devant moi et me laissai porter par le flot qui m'entraînait vers l'estrade, où je jurai de défendre la Constitution et fus dûment admis au sein du Congrès des États-Unis d'Amérique.

La séance ayant été ajournée, les démocrates de l'Illinois donnèrent un cocktail en mon honneur dans le bureau du représentant Germain. Il était notre doyen et occupait le bureau le plus vaste, qui était aussi le plus confortable ; le Congrès était décidément un endroit qui possédait ses beaux quartiers, et les autres. Germain habitait Gold Coast alors qu'on m'avait attribué, disons, un loft abandonné à retaper, un petit endroit obscur enfoncé dans les profondeurs du El. Germain me jetait un coup d'œil de temps en temps, qui révélait, pensai-je, quelque disposition favorable à mon égard. Je boudai d'autant moins l'occasion qu'exception faite de lui les membres de ma délégation m'apparaissaient comme des étrangers. C'était une impression pareille à celle que l'on éprouve le premier jour dans un nouvel emploi, quand on sent que la seule manière de survivre est de garder le secret absolu sur sa véritable identité —identité jusqu'alors dépourvue de tout intérêt particulier mais qui, sous les lumières fluorescentes étrangères, semblait tout à coup s'être épanouie en un terrible secret. En sus des autres représentants, il y avait encore quelques-uns de leurs collaborateurs, deux épouses, mes parents, un rouquin du *Washington Post* qui voulait faire un papier sur mon premier mois à la Chambre, une femme de l'AP[1] qui avait écrit de bonnes choses sur l'affaire Carmichael et un membre du lobby de l'industrie pharmaceutique qui parlait au représentant Furillo, un type du West Side qui se faisait appeler Cookie Furillo et avait l'air d'un ancien yé-yé qui essaierait encore, vingt plus tard, d'avoir l'air dans le coup. Furillo était un jeune membre du Comité de protection des consommateurs, et les gens des lobbies étaient constamment après lui. Il avait atteint un degré de corruption tel qu'il refilait à sa sœur les nombreux, et souvent superbes, cadeaux qu'il acceptait parmi d'autres pots-de-vin, pour qu'elle les mît en vente dans son bazar de West Cicero Avenue. Danny ne tarda pas à harponner le type du lobby pharmaceutique, qu'il entraîna dans un coin. Là, mon astucieux frangin fascina son interlocuteur par sa connaissance encyclopédique des pilules, poudres, solutés et autres ampoules. A ce moment, je l'entendis affirmer : « Il faut que vous considériez tout cela du point de vue du sacré *consommateur.* »

C'était mon premier jour de mandat et, tant que je n'en aurais pas décidé autrement, je disposais encore d'un certain nombre de gens qui travaillaient pour moi. Les collaborateurs de Carmichael à Washington étaient presque tous encore là ; ils

1. Associated Press.

se montraient extrêmement discrets, dans l'espoir qu'on ne les écarterait pas si on ne les remarquait pas. Bien entendu, ils s'étaient démenés comme des diables pour trouver un autre emploi, envoyant leur CV aux autres représentants, aux groupes de pression, aux cabinets juridiques et aux journaux. Mais en attendant, ils touchaient toujours leur salaire. Ils auraient dû être présents, normalement, mais, à mon avis, ils avaient pensé que chaque jour passé loin de moi était un jour de gagné. Le seul qui s'était montré était une grande et forte femme au visage carré et aux cheveux gris, Dina Jensen ; elle avait été la secrétaire de Carmichael pendant six ans, et estimait à juste titre qu'elle était, du moins pour un bon bout de temps, parfaitement indispensable.

— Je viens de vivre la pire semaine de mon existence, dit-elle en m'abordant et en posant un instant le bord de son gobelet contre le mien — nous nous contentions tous deux d'eau minérale.

— Que vous est-il arrivé ? demandai-je.

C'était vraiment une grande femme — à peu près ma taille— ; ses yeux gris étaient ceux, solitaires, d'une nurse d'un livre victorien pour enfants.

— Oh, le *déménagement*. Je hais les déménagements. Il y a dix-huit ans que j'habite le même appartement parce que je ne supporte pas l'idée de tout emballer dans des caisses. Les objets ont un air tellement passager, je ne sais pas pourquoi cela m'effraie.

— Je le sais, moi. C'est un terrible *fardeau*.

— Bon, en tout cas, les effets personnels de Jerry ont été expédiés. Il ne pouvait pas venir les chercher lui-même, bien sûr. Et des *tonnes* de Dieu sait quoi ont été empilées dans des cartons et déposées dans vos nouveaux bureaux.

— J'espère que vous allez continuer à travailler pour le district, dis-je. J'aimerais vraiment que vous restiez.

— Eh bien, pourquoi pas ? admit Dina Jensen en se permettant un léger sourire de soulagement. Après tout cet effort physique.

Les hautes fenêtres du bureau de Germain viraient au bleu

de cobalt avec l'arrivée du soir. Isaac et Adèle étaient déjà partis avec Emil Z. Nichols. Danny, Caroline et mes parents prenaient le vol de six heures pour rentrer à New York. Ce fut un soulagement incommensurable de les voir s'en aller. Ils appartenaient à une autre réalité, de laquelle je désirais m'éloigner.

Caroline fut la première à me dire au revoir. Elle me prit les deux mains, regarda alentour pour s'assurer qu'on ne pouvait nous entendre.

— Ça va aller? me demanda-t-elle. Je sais par quoi tu es passé.

— Ça ne va pas, dis-je, mais je supporte bien que ça n'aille pas.

— Oh, oh?

— Je ne sais pas.

Elle me considéra avec cette sérénité qu'engendre l'amour familial, puis me serra les mains et m'embrassa sur la joue.

— Je vais dîner avec Eric quand il rentrera avec les garçons, murmura-t-elle à mon oreille.

— Bien, murmurai-je à mon tour. Ça m'aidera auprès des électeurs noirs.

Elle recula, sourit, puis m'étreignit brusquement, fort.

Ensuite, je dis au revoir à Danny. Il avait pas mal bu, mais son regard demeurait perçant.

— J'irai peut-être à New York la semaine prochaine, lui dis-je. Nous pourrions faire quelque chose.

— Je vais à San Francisco, répondit-il. J'ai rencontré un type à Toronto. Sa famille a d'énormes propriétés en Californie. J'ai réussi à le convaincre d'investir quelques jolies sommes dans Willow Books. Ce qu'il y a de vraiment emmerdant dans tout ça, c'est qu'il me manque toujours cent mille dollars pour m'en tirer. Tu sais, si je pouvais simplement sauter l'obstacle, ce serait si facile.

— Le type de Toronto est à San Francisco?

— Ouais. Au fait, Fielding, je suis désolé d'avoir été si moche avec toi. J'étais dans un drôle d'état. Mais tu sais, ce qu'il y a de bien dans une relation comme la nôtre, c'est qu'on a le temps de se rattraper.

— D'accord. Et sois certain que je le ferai.

— Que veux-tu dire ?

— Tu sais bien. Prendre soin de toi. Ne laisser personne te tuer. Surtout pas toi-même.

Danny sourit, ce qui rendit tout le charme huileux de la délégation de l'Illinois comparable à un grognement de putain. Lorsqu'il souriait, Danny redevenait un petit garçon. Un vrai sourire, de sa part, nous ramenait sur le bord de la rivière, les pieds dans l'eau bleue, fraîche.

Enfin, je pris congé de mes parents. Ils paraissaient petits et vulnérables dans leurs manteaux d'hiver, et encore timides et fatigués comme des enfants qui sont restés debout trop tard. Les mains de Mom étaient glacées. Dad me regardait maintenant comme si j'étais un étranger digne de respect.

— Le plus beau jour de ma vie, me dit-il sérieusement, hochant la tête comme si c'était une affaire « entre hommes ».

— Nous sommes si fiers de toi, Fielding, dit Mom, regardant par-dessus mon épaule en direction de la caméra cachée qui, dans son imagination, enregistrait tous les grands moments de sa vie.

— N'oublie surtout pas qui tu es, dit Dad, agrippant ma main comme pour la garder captive.

— Crois-tu que je l'aie jamais su ! répliquai-je avec un sourire qui pouvait lui laisser entendre que je ne parlais pas sérieusement.

La soirée s'achevait. Dina Jensen avait décidé de s'attarder un peu, afin de s'assurer que je ne manquais de rien. Je lui demandai de m'indiquer l'emplacement de mon bureau. Nous prîmes un ascenseur jusqu'au rez-de-chaussée où je découvris une nouvelle rangée d'ascenseurs ; Dina me désigna celui qui nous conduisit dans les hauteurs où nous allions travailler pendant l'année à venir. Nous marchions à contre-courant, les législateurs et leurs collaborateurs, qui rentraient chez eux, attendaient les cabines qui descendaient. Dans la nôtre, je ne trouvai que des traces de pneus d'un fauteuil roulant et une odeur de cigare froid. Dina chantonnait doucement. Les traits de son visage étaient placides. Son regard ne cessait de dériver.

L'ascenseur atteignit le deuxième étage, puis le troisième. Son chantonnement était si agréable que je me sentais gagné par une chaleur qui s'épanchait lentement, épaisse comme le miel.

Je ne sais pourquoi, je me répétai son nom : Dina. DINA était l'acronyme de la police secrète chilienne, la brigade de la mort dont le bras long était au service de la junte ; el Departamento de Inteligencia Nacional était dirigé par un fou, Contreras, et c'était probablement lui qui avait ordonné l'assassinat de Francisco et Gisela.

Je devais regarder Dina d'un air étrange, car ses yeux cessèrent de dériver pour se faire interrogateurs. Mais que pouvais-je lui dire ? Que me voulait-elle ? Dans cet ascenseur, avec mon cœur qui se glaçait et s'emballait, et l'odeur de ma folie qui gagnait mes narines et se dissipait comme une lointaine senteur de pluie, je croyais plus ou moins que son nom n'était rien d'autre que son nom, n'avait rien à voir avec la police secrète chilienne, ni avec Sarah. Ma vie avait tout simplement heurté de tout son poids cet élément instable, composite qu'on appelle la chance comme un marteau percute une boule de mercure, et elle l'avait fait éclater dans toutes les directions.

Dina Jensen m'ouvrit la porte des bureaux. Les pièces n'étaient pas grandes, et le semblaient d'autant moins qu'elles étaient encombrées de cartons, de meubles renversés. Les murs présentaient des marques couleur de cendre aux emplacements des citations et des souvenirs de mon prédécesseur. Je remarquai un petit canapé noir, contre le mur ; deux ou trois fauteuils, et deux bureaux de bois, l'un sur l'autre ; les tiroirs de celui qu'on avait retourné étaient collés avec du ruban adhésif et, avec le même ruban, on avait fermé le passage au coucou de l'horloge sculptée encore accrochée au mur. L'heure sonna quand nous entrâmes, et j'entendis le cri étouffé et distant de l'oiseau prisonnier qui tambourinait contre la porte condamnée.

— Est-ce que votre cœur chavire ? me demanda Dina.

Je secouai la tête en signe de dénégation, ce qui n'était pas un mensonge : ce sordide déballage, fort curieusement, me réconfortait.

— J'ai préféré attendre, parler un peu avec vous, avant d'arrêter quoi que ce soit quant à l'aménagement du site...

— Vous avez bien fait.

— Hier encore, les téléphones ne fonctionnaient pas, ajouta-t-elle avec un haussement d'épaules.

Un des surveillants du Capitole frappa à la porte, un homme d'une cinquantaine d'années aux cheveux argentés ; la semelle de sa chaussure gauche était rehaussée de huit bons centimètres pour compenser le déficit de l'une de ses jambes. Il portait un revolver sur une hanche, un walkie-talkie sur l'autre.

— Oh, bonsoir Harry, dit Dina.

— Bonsoir, Miss Jensen. (Il avait une petite voix tremblante, aussi compacte qu'un filet de pêche.) Je pensais bien avoir reconnu votre voix.

Il lui adressa un sourire, me regarda, puis son regard bleu se posa de nouveau sur Dina. Il attendait d'être présenté, avec un air d'assurance et de fierté légèrement offensée ; comme un prétendant du dix-neuvième siècle.

— Voici le député Pierce, Harry, dit Dina.

— Bonsoir, dis-je en lui tendant la main.

— Vous allez travailler tard ? me demanda-t-il.

— Je crois bien. Ce soir en tout cas.

— Ah, je n'avais pas envisagé..., commença Dina.

— Non, non. Ne vous souciez pas de moi, partez, faites ce que vous aviez prévu de faire. Je m'en sortirai mieux tout seul, maintenant. Je veux juste voir deux ou trois choses.

— Vous êtes sûr ?

— Certain.

Ma voix me parvenait comme un écho. Était-ce à cause de la pièce, ou de mes nerfs ?

— Bon, je quitte mon service dans une heure, dit Harry. Je leur signalerai que vous êtes là, et quand vous voudrez partir, vous nous préviendrez, d'accord ?

Quelques instants plus tard, j'étais seul. Je fermai la porte séparant la réception du couloir, m'y adossai et regardai autour de moi. Des cartons de déménagement étaient disposés en demi-cercle autour des deux bureaux, leur alignement évoquait les pierres levées, et chacun portait une indication de la main de Dina : DOCUMENTS DE RÉFÉRENCE, FOURNITURES, COUPURES DE PRESSE, MATÉRIEL DE BUREAU. Il y avait des cartes encadrées sur le canapé, des piles de journaux sur les fauteuils, des lampes dans les coins, le fil électrique enroulé autour du socle. Les corbeilles à papiers étaient remplies de sacs blancs des plats à emporter du bistrot voisin, avec leur image d'une tasse de café fumante, dont la vapeur stylisée se changeait en doughnut, en hamburger ou en poulet rôti. L'un des éclairages au néon du plafond tremblotait légèrement, avec cette mélopée d'insecte caractéristique. J'appuyai sur l'interrupteur mural ; la pièce sombra, disparut ; je me trouvais dans une obscurité totale. Je rallumai aussitôt, passai de la réception dans le premier bureau, le plus petit, celui du personnel, et de là dans celui, plus grand, qui allait être le mien.

Ma table de travail avait été remise à l'endroit et placée près de la fenêtre, qui donnait, comme celle d'un hôtel minable, sur le mur d'en face, sombre, anonyme. On avait aussi posé un bouquet de fleurs sur la plaque de verre qui recouvrait la table : œillets, marguerites ; la dépense n'était pas somptuaire. Je me penchai en vain pour les sentir, elles n'avaient aucun parfum. On les avait mises dans un vase vert ; une carte, « Bienvenue à Washington », signée par Dina et quatre laissés-pour-compte de l'équipe de Carmichael, était attachée à une branche de feuillage. L'émotion m'envahit, comme s'il s'agissait là d'un serment d'allégeance, puis, prenant conscience du ridicule de ma réaction, je serrai très fort les paupières afin que l'obscurité, au fond de moi, me servît de leçon. Je mis la carte dans ma poche. Je portais le costume bleu du prévenu anonyme. Quelqu'un, dans les profondeurs du bâtiment, devait narguer le président et ses consignes d'économie d'énergie ; les radiateurs étaient brûlants, l'atmosphère du bureau infernale. J'ôtai ma veste, desserrai ma cravate, remontai mes manches. Je m'assis sur le bord de la table, où était posée une petite boîte portant la mention CORRESPONDANCE. Je traînai un peu, espérant découvrir une bouteille de Coca oubliée. Puis ma curiosité s'éveilla, et la tentation de lire le courrier d'autrui. L'idée ne m'effleura même pas que la boîte avait été placée là parce qu'elle m'était destinée.

J'avais soif. Était-ce la chaleur ou la déshydratation du long voyage vers la folie ?... Je tournai encore dans le bureau, pour trouver quelque chose à boire avant de parcourir le contenu de la boîte ; sans résultat. Dans le réduit attenant au bureau du personnel, il y avait un petit réfrigérateur, un évier et, près de l'évier, un égouttoir en plastique rouge sur lequel étaient posées six tasses à café portant le sceau de l'Illinois gravé dans l'épaisseur du plastique. J'en saisis une et ressentis aussitôt un malaise ; mon souffle semblait s'être mué en tempête ; je la reposai comme si, en la lâchant, je pourrais mettre un terme à ce qui était en train de m'arriver. Bien entendu, le geste fut sans effet. Il me semblait que je percevais avec une acuité morbide l'errance éternelle de la terre à travers l'espace, et que j'entendais la rumeur des courants produits par la longue course sans espoir. Je tournai le robinet. Une eau brunâtre heurta comme une rafale de grêle la cuvette en aluminium. J'attendis, pour y tremper les doigts, que l'eau fût plus claire ; je ne pouvais dire si elle était froide ou chaude ; je sentais seulement la puissance du jet.

Je me tamponnai le visage, espérant que l'eau me ravigoterait un peu, mais, la seule chose que je perçus, ce fut l'impact de ma main sur mes yeux et sur mon nez, comme si quelqu'un d'autre me touchait. Une pensée me traversa, qui me parut cohérente : je dois sortir d'ici, et je crois que cela ne signifiait pas sortir de ce bureau, ni même de cet immeuble ou de cette ville, mais de cette vie, de ce labyrinthe dans lequel je m'étais fourré avec une confiance terrifiante, comme si la volonté pouvait servir de compas, et le désir de destination. Il s'avérait maintenant que mon chemin se refermait sur lui-même, en une sorte de piège, jeu auquel le destin se livre quand il n'a rien de mieux à faire pour vous.

Je fermai le robinet ; sans ce bruit, tout me parut plus facile. Je me penchai pour ouvrir le réfrigérateur. J'y trouvai une canette de *root beer*[2], dont je m'emparai. C'était une de ces

2. Boisson gazeuse aux extraits de racines végétales.

boîtes munies d'un anneau métallique, et je m'étonnai une nouvelle fois qu'une société obsédée par les emballages stériles ait pu concevoir semblable objet, qui vous oblige à suçoter un rebord métallique dont la destinée incontrôlable ne peut aboutir, dans le meilleur des cas, qu'à un pullulement de bactéries. Je regardai la boîte de soda en m'étonnant que personne n'eût encore attaqué cette invention.

J'entendis alors quelqu'un frapper très doucement à la porte d'entrée. Tout d'abord, je crus qu'il ne s'agissait que d'une nouvelle fantaisie de mon esprit, mais, en tendant l'oreille, je n'eus plus aucun doute ; je me rendis dans la pièce de réception et, debout près des cartons, j'écoutai encore. Cette fois, j'en fus persuadé : il y avait quelqu'un derrière la porte. Je me dis qu'il devait s'agir de Harry, ou de son remplaçant, qui faisait la ronde. Je regardai l'horloge pour vérifier l'heure : il était juste sept heures, et le coucou prisonnier se remit à cogner contre les battants bloqués. Sa voix mécanique, cauchemardesque, avait acquis la profondeur de celle d'un viveur invétéré.

— Qui est là ? demandai-je, sans obtenir de réponse.

J'attendis que le visiteur remuât le premier.

On frappa de nouveau, un petit bruit timide, d'un doigt. Trois coups rapides suivis de deux coups plus appuyés. Je me dirigeai vers la porte d'un pas vif, l'ouvris brusquement, me disant que le mieux était encore de les surprendre avant qu'ils eussent eu le temps de filer, comme un vieux solitaire essaie de coincer les gamins du quartier qui tambourinent à sa porte de toute leur force avant de s'enfuir.

J'ouvris donc la porte, et je vis Sarah. Un calme merveilleux m'envahit de prime abord. Elle portait un manteau de laine noir, une laine étincelante de gouttes de pluie. Ses cheveux noirs étaient relevés en natte autour de sa tête et étincelaient, eux aussi, parsemés de gouttelettes. Elle porta les doigts à ses lèvres en m'apercevant, les doigts de la main gauche ; dans sa main droite, elle avait une paire de gants rouges. Ses yeux étaient plus grands et d'un vert plus clair que dans mon souvenir. Je la regardai, attendant que se troublât le calme qui me dominait ; qu'il se troublât et annoncât quelque brise, quelque souffle tempétueux ; mais il ne fit que se déployer, s'intensifier, comme le coloris délicat d'un pastel sous le geste insistant, répété, de la main.

Elle jeta un coup d'œil derrière elle, puis me fit face, une nouvelle fois, et je compris qu'elle avait peur. Elle pénétra dans le bureau. Je refermai la porte et, cédant à une impulsion, tournai la clé. Une étrange odeur de pluie, soutenue, inhumaine, émanait d'elle. Une égratignure rouge, profonde s'étirait entre sa lèvre inférieure et son menton. Ses lèvres étaient pâles, ses dents manquaient de soins. Elle paraissait plus vieille. Forcément, plus vieille. Quelques années de plus que les années réelles s'étaient écoulées. Elle n'était pas vraiment belle. Je me souviens de m'être fait cette remarque. Je secouai la porte pour m'assurer qu'elle était bien fermée, et nous restâmes face à face, sans dire un seul mot. C'était à la fois très important et pleinement satisfaisant de rester ainsi devant elle, mais j'avais besoin de la toucher et, bien entendu, elle le comprenait. Pourtant, ni son regard ni sa main ne bougèrent quand je tendis mes doigts pour les poser sur les siens — si froids —, mais ses mains avaient toujours été un peu froides, même en été, même quand nous faisions l'amour, et qu'elle touchait le creux de mon dos, mes hanches, pour me guider.

Ce n'était pas un esprit. Je tiens à le souligner. Ce n'était pas un esprit, c'était sa chair, sa chair, et ses os, et la laine et la pluie, et par-dessus tout, c'était elle, Sarah.

— Tu savais que je viendrais, dit-elle en contemplant sa main, là où je l'avais touchée.

Je secouai la tête en signe de dénégation.

— Mais tu ne m'as pas vue ? J'étais là-haut, je te regardais quand tu étais debout devant Tip O'Neil et que tu prêtais serment. Je t'ai vu lever les yeux.

— Je ne t'ai pas vue.

Brusquement, comme si une trappe s'était ouverte, comme si je tombais au cœur de moi-même, le calme fut troublé et j'eus le pressentiment, terrible, de ce que j'allais faire ensuite : la frapper de toutes mes forces, en plein visage. L'impression s'imposa à moi avec une telle violence que je me vis en train de la gifler, que je la vis reculer en titubant sous le choc, et cela n'exprimait pas encore suffisamment la colère qu'elle éveillait en moi. Je fis un pas pour m'éloigner d'elle, et baissai les yeux. Je respirais bruyamment et, en entendant mon souffle, je revins à moi.

— Je ne sais pas comment j'ai pu, dit-elle doucement.

— Pu quoi ?

— Je ne sais pas comment j'ai pu rester si longtemps loin de toi.

Comme mû par une inspiration, je m'emparai de sa main et la pressai contre mes lèvres — sa main forte et froide qui avait encore le goût de son gant de laine et son odeur à elle. Alors ses doigts se refermèrent sur les miens et les serrèrent, de plus en plus fort. Je me sentis tout d'abord plongé dans la confusion : ses gestes les plus spontanés avaient toujours révélé l'attrait de la force. Dans l'intensité extrême de son plaisir, elle ne se lovait pas dans mes bras, mais se cramponnait à moi avec une frénésie qui me coupait le souffle comme casse une brindille gelée. Sous la pression de ses doigts, je l'interrogeai longuement du regard, mais ses yeux ne semblaient pas me voir ou du moins ne semblaient rien attendre ; ils s'offraient, m'invitaient à sonder leurs profondeurs, et j'aperçus ce qu'elle désirait me montrer : elle avait changé. La souffrance, la clandestinité, les missions, les innombrables nuits solitaires, les repas pris à la hâte ou sautés, les sommeils interrompus et, plus encore, l'infaillible, incorrigible désintérêt envers elle-même, les privilèges et son confort, tous ces excédents de bagage avaient été jetés par-dessus bord quand le navire avait dû affronter la tempête. Seigneur Dieu, je sentis soudain que je n'étais pas à la hauteur de la tâche, je ne pouvais la dévisager avec tant d'audace.

— Comment es-tu entrée ?

— Ce n'est pas si difficile qu'ils le croient ici. De toute manière, j'ai toujours ressemblé à une secrétaire.

— Tu ne ressembles pas à une secrétaire.

Elle fit la moue, rougit légèrement.

— Oh, je sais à quoi je ressemble, dit-elle. On n'y peut rien.

Elle sourit, et je vis ses dents : c'étaient celles, grises et abîmées, d'une femme pauvre.

Nous entendîmes des pas dans le couloir, le sifflotement monotone et plein d'entrain d'un homme armé qui faisait tinter son trousseau de clés. Sarah leva la main pour m'imposer le silence, redoutant quelque erreur de ma part ; cela se passait entre elle et eux, j'étais réduit au rôle de témoin. D'un geste du pouce, je lui fis comprendre que nous devrions nous éloigner de la porte, aller nous réfugier dans mon bureau. Le seul fait de marcher, le contact du sol, la vue des objets soudain familiers me rapprochèrent de mon individualité de tous les jours. Dans mon bureau, je pris appui contre la table et lui fis face en demandant :

— Étais-tu obligée d'agir ainsi ?

— Oui, dit-elle, oui.

Elle déboutonna son manteau de lainage noir, sous lequel elle portait un chemisier d'un blanc douteux agrémenté d'un haut col de dentelle, comme ses sœurs auraient pu en avoir. Elle était tout à fait maigre à présent. On aurait dit qu'elle n'avait pas du tout de seins.

— Pourquoi ? Ne méritais-je donc pas mieux ? Nous étions des *amants*.

— Cela n'avait rien à voir avec toi, ni avec moi, Fielding.

— Dommage.

En toute sincérité, je ne savais pas ce que je voulais dire par là, mais le seul fait de le dire alluma en moi un de ces incendies qui gagnent tant en intensité lorsque nous avons l'impression d'avoir été *trompés*. Mes lèvres tremblaient, je voulais me détourner d'elle, je voulais en même temps qu'elle fût témoin de mon agonie.

— J'ai eu l'impression..., dit-elle d'une voix égale, une voix si bien contrôlée qu'elle pouvait receler une nuance de pitié... que nous étions allés jusqu'où nous avions pu aller.

— Je ne suis pas d'accord. Je ne suis pas du tout d'accord. Tu as brisé ma vie.

— Non, ce n'est pas vrai. Tu dis cela parce que tu crois qu'il faut le dire. Regarde-toi. Regarde ce que tu as fait de ta vie.

— Tout ce que tu méprises.

— Tu te trompes. Je suis si fière de toi. Tu as fait ce que tu avais décidé de faire. Ce n'est pas commun, et tu le sais. Je n'ai pas brisé ta vie, Fielding. Mais j'ai peut-être brisé la mienne.

— Alors, recollons les morceaux, ensemble, dis-je comme un enfant qui croit pouvoir passer du néant à l'espoir.

Elle secoua la tête :

— Si je savais seulement où ils sont, Fielding...

— Ils sont là, là, devant toi.

Elle sourit, posa les mains sur sa poitrine, ferma les yeux et respira profondément comme si ma présence lui donnait le vertige, comme si les appétits de mon cœur étaient un escalier escarpé qu'elle devait gravir en portant le fardeau encombrant de sa vie. Pour la première fois, elle en qui j'avais toujours vu un exemple de témérité m'apparut lâche, face au tumulte des sentiments.

— Aurais-tu peur de moi ? demandai-je, et je souris comme pour lui laisser entendre que si ce n'était que cela, tout pouvait être résolu facilement.

— Non, dit-elle. Je n'ai pas peur de toi.

— Combien de temps peux-tu rester ? Ici. Maintenant. Avec moi.

— Tu vas avoir l'occasion de faire tant de bien désormais, Fielding.

— C'est pour cela que tu es venue ?

— Ne pouvons-nous parler tout simplement ? Tu n'es pas obligé de me poser des questions.

Elle enleva son manteau et chercha du regard où elle pourrait le poser ; les seuls endroits adéquats étaient ma table et la chaise placée devant, mais elle ne voulut pas passer à côté de moi, et préféra le mettre par terre, dans un coin libre ; elle s'accroupit, le plia avec soin. Une large ceinture vernie, noire, serrait sa jupe grise sur sa taille ; le bord de son chemisier en sortait, dénudant une partie de sa colonne vertébrale. Ses vertèbres saillaient. Elle avait aux pieds des bottes noires dont les talons étaient usés, souillés de traînées de boue dont les dessins et la teinte pâle évoquaient quelque fossile. J'étais surpris de la voir prendre si grand soin de son manteau. Je la revoyais jetant les vêtements pêle-mêle dans tous les coins ; elle se contentait alors de les ramasser et de les trier une fois par semaine, quand ce n'était pas une fois par quinzaine, mais alors, la vie se déroulait dans le monde de la matière ; maintenant, elle considérait sans doute son manteau comme une partie de sa vie éternelle.

— Je pose des questions par souci d'équilibre ; tu en sais bien plus sur moi que moi sur toi.

— Je ne pense pas que ce soit en posant beaucoup de questions que tu apprendras beaucoup de choses.

— Voilà ce que j'appelle une argutie, dis-je, laissant percer quelque acidité.

— Excuse-moi. C'est de la déformation professionnelle.

— Es-tu installée à Washington ? Pour de bon ? demandai-je en levant les mains pour indiquer que si j'étais d'accord sur le principe de ne pas poser de questions, j'allais devoir tout de même en poser une ou deux.

— Non.

— Tu es avec quelqu'un alors, n'est-ce pas ?

— Fielding.

— J'ai été avec quelqu'un. Isaac Green a une nièce. J'ai vécu avec elle.

— Nous ne jouons pas aux échecs, Fielding. Je n'ai pas l'intention de te rendre coup pour coup.

— Ça n'a rien à voir. Je te pose une question. Mon Dieu, tu ne peux même pas me répondre ?

— Parce que chaque réponse ne fera que rendre les choses plus compliquées. Il n'y a rien que je puisse dire, d'une manière ou d'une autre, qui puisse te paraître sensé.

— Parfait. Alors, qu'allons-nous faire ? Nous regarder en face et communiquer par télépathie ?

— Il faut que tu arrêtes de poser partout des questions sur mon compte, Fielding. Je t'en supplie.

— Que pouvais-je faire ? Je ne savais pas où tu étais. Je ne savais même pas si tu étais...

— C'est dangereux, tu comprends. Si tu soulèves la curiosité, ça peut devenir très dur, pour moi.

— Qui est au courant ? Je suis sûr pour Mileski. Mais qui d'autre ?

— Je t'en prie, ne pose plus de questions, dit-elle, rouge de colère.

Je vis blanchir les articulations de ses mains et je me dis : « Est-ce pour l'accuser et la tourmenter que tu désirais tant qu'elle revînt ? Tu devrais être à genoux. » J'allai vers elle, pris de nouveau ses mains et de nouveau les portai à mes lèvres ; elle en retira une pour la glisser sur ma nuque, caressa mes cheveux, toucha ma peau tiède peu soignée. Je la regardai droit dans les yeux et sentis au fond de moi quelque chose de fort et d'harmonieux, comme une flèche qui vient de toucher la cible.

— Tu vas bien, Sarah ? lui dis-je d'une voix à peine audible.

— Je vais bien, Fielding. Vraiment bien.

— Tu sais, je crois que j'ai lu plein de choses dans les journaux sans savoir qu'il s'agissait de toi. Ces gens qui introduisent des Latino-Américains et leur donnent asile dans des églises.

Elle me regarda sans répondre. Les pupilles noires se dilataient et se contractaient, comme en accord avec les battements de son cœur.

— C'est bien, ce que tu fais, Sarah...

— Il y a tant à faire.

— Est-ce plus facile pour toi ? Je veux dire... maintenant ?

— Ce n'est jamais facile.

— Tu me manques, Sarah.

— Tu me manques aussi. Nous me manquons.

Sa bouche paraissait très dure, presque coléreuse, et elle baissa la tête. Des larmes jaillirent de ses yeux, mais elle pleurait en silence, et je ne m'en rendis compte que lorsqu'elle releva le visage, et que les traces apparurent sur ses joues.

— Nous allons nous débrouiller, dis-je.

— Ce que je fais est très mal, dit-elle. Je ne devrais pas être ici. Je suis irresponsable. Mais j'ai pris ma décision et m'y suis tenue. Ce n'était pas facile, mais savoir que c'était ce qu'il fallait faire rendait tout... *possible*. Et je croyais que je finirais bien par ne plus avoir envie de toi. Je le croyais vraiment. Et les autres disaient que c'était certain. (Elle reprit son souffle, essaya de sourire.) Ils m'avaient assuré qu'au bout de six mois je ne penserais plus à toi.

Elle leva un doigt, mais ne put tourner la chose en plaisanterie, et parut tout à coup à bout de forces, anéantie.

Je posai une main sur sa joue et la caressai. Comme elle ne bougeait pas, ne secouait pas la tête, je m'approchai, l'embrassai tendrement sur les lèvres. Elle se laissa faire, je l'embrassai avec plus d'ardeur, espérant que quelque chose allait se produire, qu'elle allait réagir. Mais elle ne fit rien d'autre que m'accepter, et je finis par faire un pas en arrière. Je la regardais, et mon cœur devenait monstrueux ; je le sentais battre non seulement dans ma poitrine mais encore dans mes jambes. Je ne lui en voulais nullement d'être restée sans réaction. Je n'étais même pas déçu. Aurais-je pu imaginer, deux mois plus tôt, une chose pareille ? L'affreux voile de douleur qui nous avait séparés pendant toutes ces années s'était enfin déchiré, et rien, aucune séparation, aucune forme concevable de séparation n'aurait pu le retendre.

Je fis un autre pas en arrière, et ce fut comme si je l'avais attirée vers moi. Elle tendit les bras, m'enlaça avec une force terrible. Son visage se dessina tout à coup près du mien comme une lune de songe, une lune cédant à l'attraction des misères brûlantes de la planète qu'elle avait quittée des millions d'années-lumière plus tôt. Ses lèvres s'écrasaient maintenant sur les miennes en un baiser farouche, cru, et je l'accompagnais du mieux que je pouvais, malgré une sensation soudaine de fragilité, d'étrangeté. Son baiser dura, dura jusqu'à l'instant où il ne fut plus un baiser mais une tentative désespérée pour nous fondre l'un dans l'autre, d'échanger nos souffles, de nous convertir en siamois unis par l'âme, en amants véritables, en ineffables monstres.

Quand elle fit à son tour un pas en arrière, je ne pus m'empêcher de lui demander :

— Te reverrai-je quand tu seras sortie d'ici ?

— Je ne sais pas, Fielding.

Elle me prit la main, me tira jusqu'à la fenêtre. Il faisait sombre. La lumière de ma table éclairait les gouttes de pluie qui heurtaient la vitre. Sarah trouva le cordon des stores, et les baissa. Ils firent *sh-shhh* en s'affaissant. Puis elle alla vers la table, éteignit la lampe. La pièce fut plongée dans l'obscurité, et je dus cligner les yeux pour tenter de la situer.

— Sarah ? appelai-je, redoutant qu'elle ne fût plus là.

Elle me prit de nouveau par la main et se colla contre moi. Je pouvais sentir les os de son buste ; sa hanche dure effleura mon sexe, et elle m'embrassa si furieusement à la gorge que je faillis la repousser. Je me souviens d'avoir pensé à ce moment-là qu'elle avait fait tout ce chemin pour me tuer.

— Je n'ai pas pu m'en empêcher, dit-elle en posant la tête sur ma poitrine, ses bras refermés autour de ma taille. Tu *es* mon amant. Alors j'ai obtenu ton numéro de téléphone et il a fallu que je t'appelle. Quelquefois, lorsque je songeais que tu vivais sans moi, je sentais comme un couteau se retourner dans mon ventre.

— Tu savais au moins que j'étais vivant, dis-je dans l'obscurité.

— Était-ce plus facile pour autant ?

J'attendis pour répondre.

— Non, rien ne rend les choses plus faciles.

Elle caressait mon dos, ma poitrine, ma taille, comme pour s'assurer que tout était bien là où elle l'avait laissé ; quand sa main atteignit mon ventre, elle m'empoigna, et je la serrai contre moi tandis qu'elle défaisait ma ceinture, et s'emparait de mon membre dressé. Ai-je attendu son accord ? Je ne saurais le dire. Mais, aussitôt qu'elle m'eut caressé, la passion qui jusqu'alors était demeurée à l'écart, tout juste concevable, se mua quasiment en délire et je me mis à couvrir de baisers son front, ses yeux, ses joues, sa gorge et ses seins, et je l'attirai à moi en glissant à terre. Je pouvais à peine distinguer son contour dans la pénombre, et là, sur le sol, elle disparut de nouveau dans l'obscurité. Néanmoins, le doute n'était plus possible ; je pouvais la toucher, entendre sa respiration haletante, sentir son haleine sur mon visage.

— Je suis épuisée, Fielding, murmura-t-elle ; et je sus que je n'en entendrais pas davantage sur les difficultés de la voie qu'elle avait empruntée.

— Allons-nous faire l'amour ?

Elle resta longtemps silencieuse. Je la tenais contre moi. Ses côtes sortaient et rentraient quand elle respirait.

— Je ne crois pas.

— Bon ? Oh, mon Dieu ! Sarah, es-tu vraiment là ?

— Je crois que je serais enceinte, si nous faisions l'amour. J'ai l'impression que toutes les planètes sont alignées et que ça arriverait infailliblement.

— Je me souviens de la fois où nous avons — presque — essayé d'avoir un enfant. Dieu sait pourquoi nous nous sommes arrêtés. Au dernier moment. Tu te souviens ? Ou juste avant. Nous y étions presque. C'est curieux, j'y pense très souvent.

— J'y pense, moi aussi. Tu étais déjà en moi. Tu n'avais qu'à te cambrer, et... jouir en moi. Tu sais, un tout petit contact, un infime déplacement de la peau, et il y aurait aujourd'hui un être nouveau sur terre.

— Je suis content que tu y penses.

— Pourquoi ?

— Parce que.

— Parce que quoi ?

Elle était sur le dos, et j'étais penché sur elle. Sa tête reposait sur mon avant-bras comme sur un oreiller, et j'essayais de ne pas bouger, allongé sur le sol froid à côté d'elle.

— Tu vois ? Maintenant c'est *toi* qui poses des questions.

— J'aimerais tant que tu aies un préservatif, quelque chose.

— Je n'ai rien.

— C'est que je ne suis pas venue très équipée.

— On pourrait peut-être prendre le risque.

— Non. Les forces cosmiques sont en action. Tu ne les sens pas ?

— Eh bien, peut-être Dieu veut-il que nous ayons un enfant.

— Dieu veut toutes sortes de choses. Il n'y a aucune discrimination dans ses requêtes. C'est à nous de négocier avec intelligence.

Nous étions allongés, silencieux. Elle avait dû se rendre compte que mon bras s'engourdissait car elle releva la tête pour la poser un peu plus haut, sur mon biceps, puis de là elle se rapprocha encore, et sa joue se trouva juste sous mon épaule. Elle glissa sa jambe entre les miennes et renifla.

— C'est toi, dit-elle.

— Tu n'es pas obligée de me quitter, tu sais. D'ailleurs, je t'en empêcherai.

— Avant, nous n'étions que des ébauches, et nous pouvions quand même croire que nous étions faits l'un pour l'autre. Mais maintenant, nous avons été parachevés et, tu sais, tous les traits sont bien appuyés. Mais penser que nous ne faisons qu'un, non, ça me paraît faux.

— Je le crois pourtant.

— Je crois que moi aussi, et je crois savoir pourquoi.

— Pourquoi ?

— Parce que nous le désirons.

— Tu vois ?

— Oui. Mais n'oublions pas qu'il y a très peu de gens qui obtiennent ce qu'ils veulent. Et ceux qui y parviennent... ce ne sont pas ceux qui ont vraiment de la chance, n'est-ce pas ?

— Qui en a, alors, si ce ne sont pas eux ?

— Je ne sais pas. Ceux qui font ce qu'ils doivent faire. Taisons-nous un moment. Je serais si heureuse si tu te contentais de me tenir contre toi... me tenir, faire comme si c'était ça, notre vie, et que tout ceci était parfaitement naturel, rien de bien extraordinaire. Alors je pourrais fermer les yeux et laisser tout le reste s'évanouir.

— C'est terriblement dur, ce que tu fais, n'est-ce pas ?

— Oui, très dur. Mais c'est encore plus dur pour les gens que nous essayons d'aider... Je t'en prie, ne peux-tu pas simplement me serrer contre toi ?

Je le fis, j'écoutai sa respiration, et sentis son corps s'appesantir sur le mien tandis qu'elle se détendait. J'embrassai son crâne, caressai sa joue, d'abord pour sentir sa chair, puis plus doucement, si doucement que son duvet frémit au bout de mes doigts. Un sentiment de paix, de paix profonde, grave, m'envahit de nouveau, comparable à celle que j'avais ressentie en la voyant apparaître, une heure auparavant. Tout désir sexuel disparut, comme l'ours retourne dans sa caverne après une fausse alerte du printemps.

Je m'endormis, et quand je me réveillai quelques moments — ou une heure — plus tard, elle était toujours près de moi, nous étions toujours sur le sol du bureau, enlacés. Je me laissai de nouveau gagner par le sommeil, m'éveillai un peu plus tard, et elle était toujours près de moi ; sa jambe n'était plus contre la mienne, sa respiration s'était apaisée, et le grand ours avait perçu un nouveau souffle de printemps. Mais je n'osai pas la déranger. Je fermai les yeux, sombrai une nouvelle fois dans le sommeil. Mon corps commençait à se ressentir de la dureté du sol, mais je ne voulais pas prendre ce désagrément très au sérieux, puisqu'elle paraissait ne rien sentir. J'imaginais les nuits épouvantables qu'elle avait dû passer pendant toutes ces années de séparation, à l'arrière d'une fourgonnette, dans des sous-sols d'églises, dans ces caches qu'elle connaissait. Elle était un soldat, et elle dormait à mes côtés, et je m'enfonçai moi aussi dans le sommeil, parce que c'était là qu'elle se trouvait, et que je voulais être avec elle. Je dormis profondément cette fois, et longtemps. Lorsque j'ouvris une nouvelle fois les yeux, une pâle lumière de jour de pluie entrait par la fenêtre, et j'étais seul.

Je ne remuai pas, pensant qu'elle s'était peut-être levée un moment pour se rendre dans la petite salle de bains. Mais le silence était trop dense. Je me dressai sur un coude et regardai autour de moi. Le manteau qu'elle avait plié avec tant de soin dans le coin de la pièce n'était plus là, et je sus que je n'étais pas simplement seul, je sus qu'elle était partie. Je restai quelques instants dans cette position, regardant alentour, attendant, pensant, j'imagine, que si je m'arrêtais les heures en feraient autant. Mais tout était si calme autour de moi... Je laissai ma tête aller en arrière, fermai les yeux en me répétant : « Debout, debout. »

— Sarah ? appelai-je en me levant.

Je me sentais épuisé ; j'avais une terrible envie de pisser. « Sarah ? » répétai-je, et ma voix alla mourir à quelques centimètres de moi, comme si je me trouvais dans une pièce insonorisée. C'était tellement idiot de l'appeler comme ça ; il était tellement évident qu'elle n'était pas là. Mais je la cherchai quand même. Qu'aurais-je pu faire d'autre ? Et quand je l'eus bien cherchée dans le bureau — elle, un indice d'elle — j'ouvris la porte. Elle n'était plus verrouillée. Je regardai dans le couloir. Il me parut vide et froid, inhospitalier.

Je la cherchai, mais je ne la cherchai plus pour de bon, puisque je savais qu'elle était partie. Elle avait dû s'en aller quelques heures plus tôt, avant le lever du jour. Je me heurtai à l'un des surveillants du Capitole. Il ne savait pas qui j'étais, mais je parvins à lui faire comprendre que j'étais le député Pierce. Il me demanda si j'avais passé la nuit dans l'immeuble et je lui répondis oui, ce qui ne parut pas l'étonner outre mesure ; il mit cependant un point d'honneur à m'accompagner jusqu'à ma porte. C'était un grand Noir bien bâti. Il portait des lunettes à verres épais retenues sur son visage plat et lisse par un élastique noir. En arrivant devant mon bureau, nous trouvâmes la porte grande ouverte.

— Comme ça vous emménagez, fit-il en observant le désordre par-dessus mon épaule.

J'acquiesçai d'un signe de tête.

— La prochaine fois que vous passerez la nuit ici, dit-il en souriant, il faudra nous prévenir. Vous ne voulez pas nous mettre en fâcheuse posture, n'est-ce pas ?

J'entrai dans le bureau, refermai la porte derrière moi. Il faisait froid. Je déroulai les manches de ma chemise, boutonnai les poignets et enfilai ma veste. J'allai à la salle de bains et bus de l'eau du robinet. Je traînai ici et là, tripotai deux ou trois choses, jetai un coup d'œil aux caisses, par terre. Soudain mon cœur se mit à battre très vite, puis il reprit son rythme normal, et je me sentis dans un drôle d'état, mais parfaitement maître de moi. Je me dirigeai vers la pièce où j'avais passé la nuit avec elle pour regarder le sol, regrettant qu'il n'ait pas été de terre battue ; notre forme y aurait au moins laissé son empreinte. Derrière mon bureau, la fenêtre s'éclairait, projetant un long rectangle de lumière sur la surface de la table. Je touchai le bois. C'était doux. Quelqu'un l'avait récemment ciré. L'émotion me gagna, et j'attendis, prêt à pleurer, si c'était là ce que je voulais. Mais rien ne vint rompre le calme omniprésent qui m'envahissait alors. Je fis le tour de la table, m'assis dans mon fauteuil.

Je décrochai le téléphone, mais il était très tôt ; je ne voulais réveiller personne. Je replaçai le combiné sur la fourche et m'emparai de la boîte CORRESPONDANCE que Dina avait laissée à mon intention. C'était un carton gris et blanc, attaché par une bande de papier collant, que j'arrachai. A l'intérieur je trouvai une cinquantaine de lettres, rangées en petits paquets par des cartons. « Système Dina », me dis-je. Elle avait agrafé une note au premier paquet : « Député Pierce. Ces lettres sont arrivées après le départ de M. Carmichael. Elles sont maintenant pour vous. »

Les lettres avaient été ouvertes, plus que probablement lues, puis remises dans leur enveloppe. J'en choisis une au hasard :

Monsieur le député,

Mon fils a dix-neuf ans. Il est né chétif et n'a jamais joui d'une bonne santé. Contre mon gré, il s'est engagé dans l'armée en juillet dernier. Je pense que l'armée a très mal fait en l'acceptant. Lorsque j'ai obtenu une lettre de deux médecins affirmant que l'état de santé de Mark était mauvais, et qu'il était cardiaque, l'homme du bureau de recrutement (Sergent Fred V. Colburn) a dit qu'il enverrait les lettres à l'officier supérieur de Mark (Capitaine E.M. Gomez). Mark est basé à Hambourg, en Allemagne. Le capitaine Gomez n'a répondu à aucune de mes lettres. Je l'ai appelé en Allemagne, mais il ne s'est même pas dérangé pour prendre la communication ! Entre-temps, la santé de mon fils s'est aggravée. On l'a envoyé à l'hôpital de l'armée avec une forte fièvre et on lui a fait une transfusion. Il souffre également des poumons et a perdu 12 kilos, ces huit dernières semaines. Si personne n'intervient, je sais, Dieu m'en soit témoin, que mon fils mourra à l'armée. Il est tout ce que je possède, mais il est très obstiné. Personne ne m'écoute !

Veuillez agréer, etc.

Laura Morris.

Monsieur le député,

Pouvez-vous, s'il vous plaît, m'envoyer des détails sur les droits des enfants adoptés ? S'il vous plaît, marquez « Personnel — Top secret — Ne pas ouvrir » sur l'enveloppe. Si les gens ici savaient ce que je fais, ils me tueraient.

Merci.

Stefen Benardi.

PS. Je ne connais pas mon Vrai Nom.

Monsieur le député,

Il y a quatre ans, je me trouvais à Marrakech (Maroc) en vacances avec mon meilleur ami, Andrew Rosen. Trois jours avant la date prévue pour notre retour à Chicago, Andrew a disparu. La police marocaine n'a rien fait. En fait, ils se sont montrés très agressifs. Le consulat des États-Unis à Rabat m'a répondu poliment au téléphone, mais, quand je m'y suis rendu, personne n'a voulu me recevoir. Cela fait maintenant quatre ans que cela s'est produit et ils n'ont rien fait, sinon écrire une ou deux lettres. Ils semblent croire qu'Andrew a participé à quelque chose d'interdit. Mais je peux vous assurer qu'Andrew n'a rien fait de mal. Je suis serveur au café Blackstone, et j'ai mis suffisamment d'argent de côté pour retourner au Maroc. Si ni la police ni l'ambassade ne font rien pour retrouver Andrew, j'estime que c'est mon devoir en tout cas d'essayer. (Les Rosen ont décidé que c'était sans espoir, et ils ne semblent pas vraiment bouleversés.)

Si vous vérifiez vos dossiers, vous verrez que je vous ai écrit au sujet d'Andrew Rosen le 9 septembre 1978, le 1er mars 1979, le 18 juin 1979 et le 1er novembre 1979. Votre secrétariat m'a adressé des notes faisant état de la réception de mon courrier, mais je n'ai jamais rien reçu de vous, monsieur le député. J'envisage de partir pour le Maroc le 2 avril 1980 et, quand je serai là-bas, de faire tout ce qui sera en mon pouvoir pour retrouver Andy et confondre ceux qui lui ont fait ce qui lui a été fait. Mais je suis seul. Ma tâche serait facilitée si je pouvais compter sur la coopération de l'administration marocaine ou américaine. Le Maroc est un pays allié des États-Unis, et je suis sûr qu'une lettre d'un député américain serait d'un grand secours. S'il vous plaît, prenez connaissance des lettres que je vous ai envoyées. Elles contiennent toutes les informations concernant Andy, y compris des photos, des livrets scolaires, des témoignages d'amis qui l'ont aimé. Si vous pouviez joindre votre nom à notre effort, je sais que nos chances de le retrouver en seraient considérablement augmentées. S'il est encore en vie, c'est dans un enfer vivant.

Avec encore tous mes remerciements,

Kevin Ertel.

Monsieur le député,

Félicitations pour votre élection à la Chambre des représentants des États-Unis. Je tiens à dire que j'ai eu l'honneur de voter pour vous. Mon nom est Samuel K. Smith. Je suis retraité de la Confrérie des porteurs des Wagons-Lits. J'ai habité Belvedere Apartments, à l'angle de Cottage Grove et de la 60e Rue, mais depuis l'incendie j'habite un logement beaucoup plus petit à l'angle de Cottage Grove et de la 54e. Je vous écris aujourd'hui parce que j'ai des ennuis avec la Sécurité sociale. Lorsque j'ai déménagé après l'incendie, deux de mes chèques se sont perdus. Puis des petits voyous ont mis la main dessus et les ont encaissés. Cela a fait beaucoup de difficultés avec la Sécurité sociale et l'on m'a convoqué à leurs bureaux en ville. En repartant, je croyais que tout était arrangé, mais je me trompais. Cela fait deux mois, et je n'ai toujours pas de chèque. Et puis on ne m'a pas remboursé les chèques perdus. Cela me fait quatre mois sans Sécurité sociale. Je n'ai pas d'argent pour me nourrir. J'ai dû faire les poubelles. Je n'ai pas d'argent pour laver mes vêtements, ni pour prendre l'autobus. Les gens de la Sécurité sociale prennent leur temps. Mais le temps est la seule chose qui me manque. Je trouve qu'on me traite très injustement. Je ne peux pas vivre sans argent. Personne ne peut. Et cet argent qu'ils me refusent est le mien. Je l'ai gagné. J'ai fait tout ce que j'ai pensé pouvoir faire pour venir à bout de ce problème. Je sais que vous êtes très occupé, mais si je pouvais venir à votre bureau à Washington, j'y serais déjà, je me mettrais à genoux, je vous prendrais la main et je vous supplierais : s'il vous plaît, s'il vous plaît, aidez-moi avant qu'il ne soit trop tard.

IMPRIMERIE BRODARD ET TAUPIN À LA FLÈCHE
DÉPÔT LÉGAL MARS 1991. N° 13054 (6503D-5)

Collection Points

SÉRIE ROMAN

R37. Le Passage, *par Jean Reverzy*
R38. Chesapeake, *par James A. Michener*
R39. Le Testament d'un poète juif assassiné, *par Elie Wiesel*
R40. Candido, *par Leonardo Sciascia*
R41. Le Voyage à Paimpol, *par Dorothée Letessier*
R42. L'Honneur perdu de Katharina Blum
par Heinrich Böll
R43. Le Pays sous l'écorce, *par Jacques Lacarrière*
R44. Le Monde selon Garp, *par John Irving*
R45. Les Trois Jours du cavalier, *par Nicole Ciravégna*
R46. Nécropolis, *par Herbert Lieberman*
R47. Fort Saganne, *par Louis Gardel*
R48. La Ligne 12, *par Raymond Jean*
R49. Les Années de chien, *par Günter Grass*
R50. La Réclusion solitaire, *par Tahar Ben Jelloun*
R51. Senilità, *par Italo Svevo*
R52. Trente Mille Jours, *par Maurice Genevoix*
R53. Cabinet Portrait, *par Jean-Luc Benoziglio*
R54. Saison violente, *par Emmanuel Roblès*
R55. Une comédie française, *par Éric Orsenna*
R56. Le Pain nu, *par Mohamed Choukri*
R57. Sarah et le Lieutenant français, *par John Fowles*
R58. Le Dernier Viking, *par Patrick Grainville*
R59. La Mort de la phalène, *par Virginia Woolf*
R60. L'Homme sans qualités, tome 1, *par Robert Musil*
R61. L'Homme sans qualités, tome 2, *par Robert Musil*
R62. L'Enfant de la mer de Chine, *par Didier Decoin*
R63. Le Professeur et la Sirène
par Giuseppe Tomasi di Lampedusa
R64. Le Grand Hiver, *par Ismaïl Kadaré*
R65. Le Cœur du voyage, *par Pierre Moustiers*
R66. Le Tunnel, *par Ernesto Sabato*
R67. Kamouraska, *par Anne Hébert*
R68. Machenka, *par Vladimir Nabokov*
R69. Le Fils du pauvre, *par Mouloud Feraoun*
R70. Cités à la dérive, *par Stratis Tsirkas*
R71. Place des Angoisses, *par Jean Reverzy*
R72. Le Dernier Chasseur, *par Charles Fox*
R73. Pourquoi pas Venise, *par Michèle Manceaux*
R74. Portrait de groupe avec dame, *par Heinrich Böll*
R75. Lunes de fiel, *par Pascal Bruckner*
R76. Le Canard de bois (Les Fils de la Liberté, I)
par Louis Caron

R77. Jubilee, *par Margaret Walker*
R78. Le Médecin de Cordoue, *par Herbert Le Porrier*
R79. Givre et Sang, *par John Cowper Powys*
R80. La Barbare, *par Katherine Pancol*
R81. Si par une nuit d'hiver un voyageur, *par Italo Calvino*
R82. Gerardo Laïn, *par Michel del Castillo*
R83. Un amour infini, *par Scott Spencer*
R84. Une enquête au pays, *par Driss Chraïbi*
R85. Le Diable sans porte (tome 1 : Ah, mes aïeux !)
par Claude Duneton
R86. La Prière de l'absent, *par Tahar Ben Jelloun*
R87. Venise en hiver, *par Emmanuel Roblès*
R88. La Nuit du Décret, *par Michel del Castillo*
R89. Alejandra, *par Ernesto Sabato*
R90. Plein Soleil, *par Marie Susini*
R91. Les Enfants de fortune, *par Jean-Marc Roberts*
R92. Protection encombrante, *par Heinrich Böll*
R93. Lettre d'excuse, *par Raphaële Billetdoux*
R94. Le Voyage indiscret, *par Katherine Mansfield*
R95. La Noire, *par Jean Cayrol*
R96. L'Obsédé (L'Amateur), *par John Fowles*
R97. Siloé, *par Paul Gadenne*
R98. Portrait de l'artiste en jeune chien, *par Dylan Thomas*
R99. L'Autre, *par Julien Green*
R100. Histoires pragoises, *par Rainer Maria Rilke*
R101. Bélibaste, *par Henri Gougaud*
R102. Le Ciel de la Kolyma (Le Vertige, II)
par Evguénia Guinzbourg
R103. La Mulâtresse Solitude, *par André Schwarz-Bart*
R104. L'Homme du Nil, *par Stratis Tsirkas*
R105. La Rhubarbe, *par René-Victor Pilhes*
R106. Gibier de potence, *par Kurt Vonnegut*
R107. Memory Lane
par Patrick Modiano, dessins de Pierre Le-Tan
R108. L'Affreux Pastis de la rue des Merles
par Carlo Emilio Gadda
R109. La Fontaine obscure, *par Raymond Jean*
R110. L'Hôtel New Hampshire, *par John Irving*
R111. Les Immémoriaux, *par Victor Segalen*
R112. Cœur de lièvre, *par John Updike*
R113. Le Temps d'un royaume, *par Rose Vincent*
R114. Poisson-chat, *par Jerome Charyn*
R115. Abraham de Brooklyn, *par Didier Decoin*

R116. Trois Femmes, *suivi de* Noces, *par Robert Musil*
R117. Les Enfants du sabbat, *par Anne Hébert*
R118. La Palmeraie, *par François-Régis Bastide*
R119. Maria Republica, *par Agustin Gomez-Arcos*
R120. La Joie, *par Georges Bernanos*
R121. Incognito, *par Petru Dumitriu*
R122. Les Forteresses noires, *par Patrick Grainville*
R123. L'Ange des ténèbres, *par Ernesto Sabato*
R124. La Fiera, *par Marie Susini*
R125. La Marche de Radetzky, *par Joseph Roth*
R126. Le vent souffle où il veut, *par Paul-André Lesort*
R127. Si j'étais vous..., *par Julien Green*
R128. Le Mendiant de Jérusalem, *par Elie Wiesel*
R129. Mortelle, *par Christopher Frank*
R130. La France m'épuise, *par Jean-Louis Curtis*
R131. Le Chevalier inexistant, *par Italo Calvino*
R132. Le Dialogue des Carmélites, *par Georges Bernanos*
R133. L'Étrusque, *par Mika Waltari*
R134. La Rencontre des hommes, *par Benigno Cacérès*
R135. Le Petit Monde de Don Camillo
par Giovanni Guareschi
R136. Le Masque de Dimitrios, *par Eric Ambler*
R137. L'Ami de Vincent, *par Jean-Marc Roberts*
R138. Un homme au singulier, *par Christopher Isherwood*
R139. La Maison du désir, *par France Huser*
R140. Moi et ma cheminée, *par Herman Melville*
R141. Les Fous de Bassan, *par Anne Hébert*
R142. Les Stigmates, *par Luc Estang*
R143. Le Chat et la Souris, *par Günter Grass*
R144. Loïca, *par Dorothée Letessier*
R145. Paradiso, *par José Lezama Lima*
R146. Passage de Milan, *par Michel Butor*
R147. Anonymus, *par Michèle Manceaux*
R148. La Femme du dimanche
par Carlo Fruttero et Franco Lucentini
R149. L'Amour monstre, *par Louis Pauwels*
R150. L'Arbre à soleils, *par Henri Gougaud*
R151. Traité du zen et de l'entretien des motocyclettes
par Robert M. Pirsig
R152. L'Enfant du cinquième Nord, *par Pierre Billon*
R153. N'envoyez plus de roses, *par Eric Ambler*
R154. Les Trois Vies de Babe Ozouf, *par Didier Decoin*
R155. Le Vert Paradis, *par André Brincourt*

R156. Varouna, *par Julien Green*
R157. L'Incendie de Los Angeles, *par Nathanaël West*
R158. Les Belles de Tunis, *par Nine Moati*
R159. Vertes Demeures, *par Henry Hudson*
R160. Les Grandes Vacances, *par Francis Ambrière*
R161. Ceux de 14, *par Maurice Genevoix*
R162. Les Villes invisibles, *par Italo Calvino*
R163. L'Agent secret, *par Graham Greene*
R164. La Lézarde, *par Edouard Glissant*
R165. Le Grand Escroc, *par Herman Melville*
R166. Lettre à un ami perdu, *par Patrick Besson*
R167. Evaristo Carriego, *par Jorge Luis Borges*
R168. La Guitare, *par Michel del Castillo*
R169. Épitaphe pour un espion, *par Eric Ambler*
R170. Fin de saison au Palazzo Pedrotti, *par Frédéric Vitoux*
R171. Jeunes Années. Autobiographie 1, *par Julien Green*
R172. Jeunes Années. Autobiographie 2, *par Julien Green*
R173. Les Égarés, *par Frédérick Tristan*
R174. Une affaire de famille, *par Christian Giudicelli*
R175. Le Testament amoureux, *par Rezvani*
R176. C'était cela notre amour, *par Marie Susini*
R177. Souvenirs du triangle d'or, *par Alain Robbe-Grillet*
R178. Les Lauriers du lac de Constance, *par Marie Chaix*
R179. Plan B, *par Chester Himes*
R180. Le Sommeil agité, *par Jean-Marc Roberts*
R181. Roman Roi, *par Renaud Camus*
R182. Vingt Ans et des poussières
par Didier van Cauwelaert
R183. Le Château des destins croisés, *par Italo Calvino*
R184. Le Vent de la nuit, *par Michel del Castillo*
R185. Une curieuse solitude, *par Philippe Sollers*
R186. Les Trafiquants d'armes, *par Eric Ambler*
R187. Un printemps froid, *par Danièle Sallenave*
R188. Mickey l'Ange, *par Geneviève Dormann*
R189. Histoire de la mer, *par Jean Cayrol*
R190. Senso, *par Camillo Boito*
R191. Sous le soleil de Satan, *par Georges Bernanos*
R192. Niembsch ou l'immobilité, *par Peter Härtling*
R193. Prends garde à la douceur des choses
par Raphaële Billetdoux
R194. L'Agneau carnivore, *par Agustin Gomez-Arcos*
R195. L'Imposture, *par Georges Bernanos*
R196. Ararat, *par D. M. Thomas*

R197. La Croisière de l'angoisse, *par Eric Ambler*
R198. Léviathan, *par Julien Green*
R199. Sarnia, *par Gerald Basil Edwards*
R200. Le Colleur d'affiches, *par Michel del Castillo*
R201. Un mariage poids moyen, *par John Irving*
R202. John l'Enfer, *par Didier Decoin*
R203. Les Chambres de bois, *par Anne Hébert*
R204. Mémoires d'un jeune homme rangé
par Tristan Bernard
R205. Le Sourire du Chat, *par François Maspero*
R206. L'Inquisiteur, *par Henri Gougaud*
R207. La Nuit américaine, *par Christopher Frank*
R208. Jeunesse dans une ville normande
par Jacques-Pierre Amette
R209. Fantôme d'une puce, *par Michel Braudeau*
R210. L'Avenir radieux, *par Alexandre Zinoviev*
R211. Constance D., *par Christian Combaz*
R212. Épaves, *par Julien Green*
R213. La Leçon du maître, *par Henry James*
R214. Récit des temps perdus, *par Aris Fakinos*
R215. La Fosse aux chiens, *par John Cowper Powys*
R216. Les Portes de la forêt, *par Elie Wiesel*
R217. L'Affaire Deltchev, *par Eric Ambler*
R218. Les amandiers sont morts de leurs blessures
par Tahar Ben Jelloun
R219. L'Admiroir, *par Anny Duperey*
R220. Les Grands Cimetières sous la lune
par Georges Bernanos
R221. La Créature, *par Étienne Barilier*
R222. Un Anglais sous les tropiques, *par William Boyd*
R223. La Gloire de Dina, *par Michel del Castillo*
R224. Poisson d'amour, *par Didier van Cauwelaert*
R225. Les Yeux fermés, *par Marie Susini*
R226. Cobra, *par Severo Sarduy*
R227. Cavalerie rouge, *par Isaac Babel*
R228. Tous les soleils, *par Bertrand Visage*
R229. Pétersbourg, *par Andréi Biély*
R230. Récits d'un jeune médecin, *par Mikhaïl Boulgakov*
R231. La Maison des prophètes, *par Nicolas Saudray*
R232. Trois Heures du matin à New York
par Herbert Lieberman
R233. La Mère du printemps, *par Driss Chraïbi*
R234. Adrienne Mesurat, *par Julien Green*

R235. Jusqu'à la mort, *par Amos Oz*
R236. Les Envoûtés, *par Witold Gombrowicz*
R237. Frontière des ténèbres, *par Eric Ambler*
R238. Les Deux Sacrements, *par Heinrich Böll*
R239. Cherchant qui dévorer, *par Luc Estang*
R240. Le Tournant, *par Klaus Mann*
R241. Aurélia, *par France Huser*
R242. Le Sixième Hiver
par Douglas Orgill et John Gribbin
R243. Naissance d'un spectre, *par Frédérick Tristan*
R244. Lorelei, *par Maurice Genevoix*
R245. Le Bois de la nuit, *par Djuna Barnes*
R246. La Caverne céleste, *par Patrick Grainville*
R247. L'Alliance, tome 1, *par James A. Michener*
R248. L'Alliance, tome 2, *par James A. Michener*
R249. Juliette, chemin des Cerisiers, *par Marie Chaix*
R250. Le Baiser de la femme-araignée, *par Manuel Puig*
R251. Le Vésuve, *par Emmanuel Roblès*
R252. Comme neige au soleil, *par William Boyd*
R253. Palomar, *par Italo Calvino*
R254. Le Visionnaire, *par Julien Green*
R255. La Revanche, *par Henry James*
R256. Les Années-lumière, *par Rezvani*
R257. La Crypte des capucins, *par Joseph Roth*
R258. La Femme publique, *par Dominique Garnier*
R259. Maggie Cassidy, *par Jack Kerouac*
R260. Mélancolie Nord, *par Michel Rio*
R261. Énergie du désespoir, *par Eric Ambler*
R262. L'Aube, *par Elie Wiesel*
R263. Le Paradis des orages, *par Patrick Grainville*
R264. L'Ouverture des bras de l'homme
par Raphaële Billetdoux
R265. Méchant, *par Jean-Marc Roberts*
R266. Un policeman, *par Didier Decoin*
R267. Les Corps étrangers, *par Jean Cayrol*
R268. Naissance d'une passion, *par Michel Braudeau*
R269. Dara, *par Patrick Besson*
R270. Parias, *par Pascal Bruckner*
R271. Le Soleil et la Roue, *par Rose Vincent*
R272. Le Malfaiteur, *par Julien Green*
R273. Scarlett si possible, *par Katherine Pancol*
R274. Journal d'une fille de Harlem, *par Julius Horwitz*
R275. Le Nez de Mazarin, *par Anny Duperey*

R276. La Chasse à la licorne, *par Emmanuel Roblès*
R277. Red Fox, *par Anthony Hyde*
R278. Minuit, *par Julien Green*
R279. L'Enfer, *par René Belletto*
R280. Et si on parlait d'amour, *par Claire Gallois*
R281. Pologne, *par James A. Michener*
R282. Notre homme, *par Louis Gardel*
R283. La Nuit du solstice, *par Herbert Lieberman*
R284. Place de Sienne, côté ombre
par Carlo Fruttero et Franco Lucentini
R285. Meurtre au comité central
par Manuel Vásquez Montalbán
R286. L'Isolé soleil, *par Daniel Maximin*
R287. Samedi soir, dimanche matin, *par Alan Sillitoe*
R288. Petit Louis, dit XIV, *par Claude Duneton*
R289. Le Perchoir du perroquet, *par Michel Rio*
R290. L'Enfant pain, *par Agustin Gomez-Arcos*
R291. Les Années Lula, *par Rezvani*
R292. Michael K, sa vie, son temps, *par J. M. Coetzee*
R293. La Connaissance de la douleur
par Carlo Emilio Gadda
R294. Complot à Genève, *par Eric Ambler*
R295. Serena, *par Giovanni Arpino*
R296. L'Enfant de sable, *par Tahar Ben Jelloun*
R297. Le Premier Regard, *par Marie Susini*
R298. Regardez-moi, *par Anita Brookner*
R299. La Vie fantôme, *par Danièle Sallenave*
R300. L'Enchanteur, *par Vladimir Nabokov*
R301. L'Ile atlantique, *par Tony Duvert*
R302. Le Grand Cahier, *par Agota Kristof*
R303. Le Manège espagnol, *par Michel del Castillo*
R304. Le Berceau du chat, *par Kurt Vonnegut*
R305. Une histoire américaine, *par Jacques Godbout*
R306. Les Fontaines du grand abîme, *par Luc Estang*
R307. Le Mauvais Lieu, *par Julien Green*
R308. Aventures dans le commerce des peaux en Alaska
par John Hawkes
R309. La Vie et demie, *par Sony Labou Tansi*
R310. Jeune Fille en silence, *par Raphaële Billetdoux*
R311. La Maison près du marais, *par Herbert Lieberman*
R312. Godelureaux, *par Eric Ollivier*
R313. La Chambre ouverte, *par France Huser*
R314. L'Œuvre de Dieu, la part du Diable, *par John Irving*

R315. Les Silences ou la vie d'une femme, *par Marie Chaix*
R316. Les Vacances du fantôme, *par Didier van Cauwelaert*
R317. Le Levantin, *par Eric Ambler*
R318. Beno s'en va-t-en guerre, *par Jean-Luc Benoziglio*
R319. Miss Lonelyhearts, *par Nathanaël West*
R320. Cosmicomics, *par Italo Calvino*
R321. Un été à Jérusalem, *par Chochana Boukhobza*
R322. Liaisons étrangères, *par Alison Lurie*
R323. L'Amazone, *par Michel Braudeau*
R324. Le Mystère de la crypte ensorcelée
par Eduardo Mendoza
R325. Le Cri, *par Chochana Boukhobza*
R326. Femmes devant un paysage fluvial, *par Heinrich Böll*
R327. La Grotte, *par Georges Buis*
R328. Bar des flots noirs, *par Olivier Rolin*
R329. Le Stade de Wimbledon, *par Daniele Del Giudice*
R330. Le Bruit du temps, *par Ossip E. Mandelstam*
R331. La Diane rousse, *par Patrick Grainville*
R332. Les Éblouissements, *par Pierre Mertens*
R333. Talgo, *par Vassilis Alexakis*
R334. La Vie trop brève d'Edwin Mullhouse
par Steven Millhauser
R335. Les Enfants pillards, *par Jean Cayrol*
R336. Les Mystères de Buenos Aires, *par Manuel Puig*
R337. Le Démon de l'oubli, *par Michel del Castillo*
R338. Christophe Colomb, *par Stephen Marlowe*
R339. Le Chevalier et la Reine, *par Christopher Frank*
R340. Autobiographie de tout le monde, *par Gertrude Stein*
R341. Archipel, *par Michel Rio*
R342. Texas, tome 1, *par James A. Michener*
R343. Texas, tome 2, *par James A. Michener*
R344. Loyola's blues, *par Erik Orsenna*
R345. L'Arbre aux trésors, légendes, *par Henri Gougaud*
R346. Les Enfants des morts, *par Henrich Böll*
R347. Les Cent Premières Années de Niño Cochise
par A. Kinney Griffith et Niño Cochise
R348. Vente à la criée du lot 49, par *Thomas Pynchon*
R349. Confessions d'un enfant gâté
par Jacques-Pierre Amette
R350. Boulevard des trahisons, *par Thomas Sanchez*
R351. L'Incendie, *par Mohammed Dib*
R352. Le Centaure, *par John Updike*
R353. Une fille cousue de fil blanc, *par Claire Gallois*

R354. L'Adieu aux champs, *par Rose Vincent*
R355. La Ratte, *par Günter Grass*
R356. Le Monde hallucinant, *par Reinaldo Arenas*
R357. L'Anniversaire, *par Mouloud Feraoun*
R358. Le Premier Jardin, *par Anne Hébert*
R359. L'Amant sans domicile fixe
par Carlo Fruttero et Franco Lucentini
R360. L'Atelier du peintre, *par Patrick Grainville*
R361. Le Train vert, *par Herbert Lieberman*
R362. Autopsie d'une étoile, *par Didier Decoin*
R363. Un joli coup de lune, *par Chester Himes*
R364. La Nuit sacrée, *par Tahar Ben Jelloun*
R365. Le Chasseur, *par Carlo Cassola*
R366. Mon père américain, *par Jean-Marc Roberts*
R367. Remise de peine, *par Patrick Modiano*
R368. Le Rêve du singe fou, *par Christopher Frank*
R369. Angelica, *par Bertrand Visage*
R370. Le Grand Homme, *par Claude Delarue*
R371. La Vie comme à Lausanne, *par Erik Orsenna*
R372. Une amie d'Angleterre, *par Anita Brookner*
R373. Norma ou l'exil infini, *par Emmanuel Roblès*
R374. Les Jungles pensives, *par Michel Rio*
R375. Les Plumes du pigeon, *par John Updike*
R376. L'Héritage Schirmer, *par Eric Ambler*
R377. Les Flamboyants, *par Patrick Grainville*
R378. L'Objet perdu de l'amour, *par Michel Braudeau*
R379. Le Boucher, *par Alina Reyes*
R380. Le Labyrinthe aux olives, *par Eduardo Mendoza*
R381. Les Pays lointains, *par Julien Green*
R382. L'Épopée du buveur d'eau, *par John Irving*
R383. L'Écrivain public, *par Tahar Ben Jelloun*
R384. Les Nouvelles Confessions, *par William Boyd*
R385. Les Lèvres nues, *par France Huser*
R386. La Famille de Pascal Duarte, *par Camilo José Cela*
R387. Une enfance à l'eau bénite, *par Denise Bombardier*
R388. La Preuve, *par Agota Kristof*
R389. Tarabas, *par Joseph Roth*
R390. Replay, *par Ken Grimwood*
R391. Rabbit Boss, *par Thomas Sanchez*
R392. Aden Arabie, *par Paul Nizan*
R393. La Ferme, *par John Updike*
R394. L'Obscène Oiseau de la nuit, *par José Donoso*
R395. Un printemps d'Italie, *par Emmanuel Roblès*

R396. L'Année des méduses, *par Christopher Frank*
R397. Miss Missouri, *par Michel Boujut*
R398. Le Figuier, *par François Maspero*
R399. La Solitude du coureur de fond, *par Alan Sillitoe*
R400. L'Exposition coloniale, *par Erik Orsenna*
R401. La Ville des prodiges, *par Eduardo Mendoza*
R402. La Croyance des voleurs, *par Michel Chaillou*
R403. Rock Springs, *par Richard Ford*
R404. L'Orange amère, *par Didier van Cauwelaert*
R405. Tara, *par Michel del Castillo*
R406. L'Homme à la vie inexplicable, *par Henri Gougaud*
R407. Le Beau Rôle, *par Louis Gardel*
R408. Le Messie de Stockholm, *par Cynthia Ozick*
R409. Les Exagérés, *par Jean- François Vilar*
R410. L'Objet du scandale, *par Robertson Davies*
R411. Berlin mercredi, *par François Weyergans*
R412. L'Inondation, *par Evguéni Zamiatine*
R413. Rentrez chez vous Bogner !, *par Heinrich Böll*
R414. Les Herbes amères, *par Chochana Boukhobza*
R415. Le Pianiste, *par Manuel Vázquez Montalbán*
R416. Une mort secrète, *par Richard Ford*
R417. La Journée d'un scrutateur, *par Italo Calvino*
R418. Collection de sable, *par Italo Calvino*
R419. Les Soleils des indépendances, *par Ahmadou Kourouma*
R420. Lacenaire (un film de Francis Girod), *par Georges Conchon*
R421. Œuvres pré-posthumes, *par Robert Musil*
R422. Merlin, *par Michel Rio*
R423. Charité, *par Éric Jourdan*
R424. Le Visiteur, *par György Konrad*
R425. Monsieur Adrien, *par Franz-Olivier Giesbert*
R426. Palinure de Mexico, *par Fernando Del Paso*
R427. L'Amour du prochain, *par Hugo Claus*
R428. L'Oublié, *par Elie Wiesel*
R429. Temps zéro, *par Italo Calvino*
R430. Les Comptoirs du Sud, *par Philippe Doumenc*
R431. Le Jeu des décapitations, *par Jose Lezama Lima*
R432. Tableaux d'une ex, *par Jean-Luc Benoziglio*
R433. Les Effrois de la glace et des ténèbres, *par Christoph Ransmayr*
R434. Paris-Athènes, *par Vassilis Alexakis*
R435. La Porte de Brandebourg, *par Anita Brookner*
R436. Le Jardin à la dérive, *par Ida Fink*
R437. Malina, *par Ingeborg Bachmann*
R438. Moi, laminaire, *par Aimé Césaire*

R439. Histoire d'un idiot raconté par lui-même
par Félix de Azúa
R440. La Résurrection des morts, *par Scott Spencer*
R441. La Caverne, *par Eugène Zamiatine*

Collection Points

SÉRIE ESSAIS

1. Histoire du surréalisme, *par Maurice Nadeau*
2. Une théorie scientifique de la culture
   par Bronislaw Malinowski
3. Malraux, Camus, Sartre, Bernanos, *par Emmanuel Mounier*
4. L'Homme unidimensionnel, *par Herbert Marcuse* (épuisé)
5. Écrits I, *par Jacques Lacan*
6. Le Phénomène humain, *par Pierre Teilhard de Chardin*
7. Les Cols blancs, *par C. Wright Mills*
8. Littérature et Sensation. Stendhal, Flaubert, *par Jean-Pierre Richard*
9. La Nature dé-naturée, *par Jean Dorst*
10. Mythologies, *par Roland Barthes*
11. Le Nouveau Théâtre américain, *par Franck Jotterand* (épuisé)
12. Morphologie du conte, *par Vladimir Propp*
13. L'Action sociale, *par Guy Rocher*
14. L'Organisation sociale, *par Guy Rocher*
15. Le Changement social, *par Guy Rocher*
16. Les Étapes de la croissance économique, *par W. W. Rostow*
17. Essais de linguistique générale, *par Roman Jakobson* (épuisé)
18. La Philosophie critique de l'histoire, *par Raymond Aron*
19. Essais de sociologie, *par Marcel Mauss*
20. La Part maudite, *par Georges Bataille* (épuisé)
21. Écrits II, *par Jacques Lacan*
22. Éros et Civilisation, *par Herbert Marcuse* (épuisé)
23. Histoire du roman français depuis 1918
    par Claude-Edmonde Magny
24. L'Écriture et l'Expérience des limites, *par Philippe Sollers*
25. La Charte d'Athènes, *par Le Corbusier*
26. Peau noire, Masques blancs, *par Frantz Fanon*
27. Anthropologie, *par Edward Sapir*
28. Le Phénomène bureaucratique, *par Michel Crozier*
29. Vers une civilisation des loisirs ?, *par Joffre Dumazedier*
30. Pour une bibliothèque scientifique
    par François Russo (épuisé)
31. Lecture de Brecht, *par Bernard Dort*
32. Ville et Révolution, *par Anatole Kopp*
33. Mise en scène de Phèdre, *par Jean-Louis Barrault*
34. Les Stars, *par Edgar Morin*
35. Le Degré zéro de l'écriture
    suivi de Nouveaux Essais critiques, *par Roland Barthes*

36. Libérer l'avenir, *par Ivan Illich*
37. Structure et Fonction dans la société primitive *par A. R. Radcliffe-Brown*
38. Les Droits de l'écrivain, *par Alexandre Soljenitsyne*
39. Le Retour du tragique, *par Jean-Marie Domenach*
41. La Concurrence capitaliste *par Jean Cartell et Pierre-Yves Cossé* (épuisé)
42. Mise en scène d'Othello, *par Constantin Stanislavski*
43. Le Hasard et la Nécessité, *par Jacques Monod*
44. Le Structuralisme en linguistique, *par Oswald Ducrot*
45. Le Structuralisme : Poétique, *par Tzvetan Todorov*
46. Le Structuralisme en anthropologie, *par Dan Sperber*
47. Le Structuralisme en psychanalyse, *par Moustapha Safouan*
48. Le Structuralisme : Philosophie, *par François Wahl*
49. Le Cas Dominique, *par Françoise Dolto*
51. Trois Essais sur le comportement animal et humain *par Konrad Lorenz*
52. Le Droit à la ville, *suivi de* Espace et Politique *par Henri Lefebvre*
53. Poèmes, *par Léopold Sédar Senghor*
54. Les Élégies de Duino, *suivi de* Les Sonnets à Orphée *par Rainer Maria Rilke* (édition bilingue)
55. Pour la sociologie, *par Alain Touraine*
56. Traité du caractère, *par Emmanuel Mounier*
57. L'Enfant, sa « maladie » et les autres, *par Maud Mannoni*
58. Langage et Connaissance, *par Adam Schaff*
59. Une saison au Congo, *par Aimé Césaire*
61. Psychanalyser, *par Serge Leclaire*
63. Mort de la famille, *par David Cooper*
64. A quoi sert la Bourse ?, *par Jean-Claude Leconte* (épuisé)
65. La Convivialité, *par Ivan Illich*
66. L'Idéologie structuraliste, *par Henri Lefebvre*
67. La Vérité des prix, *par Hubert Lévy-Lambert* (épuisé)
68. Pour Gramsci, *par Maria-Antonietta Macciocchi*
69. Psychanalyse et Pédiatrie, *par Françoise Dolto*
70. S/Z, *par Roland Barthes*
71. Poésie et Profondeur, *par Jean-Pierre Richard*
72. Le Sauvage et l'Ordinateur, *par Jean-Marie Domenach*
73. Introduction à la littérature fantastique, *Tzvetan Todorov*
74. Figures I, *par Gérard Genette*
75. Dix Grandes Notions de la sociologie, *par Jean Cazeneuve*
76. Mary Barnes, un voyage à travers la folie *par Mary Barnes et Joseph Berke*

77. L'Homme et la Mort, *par Edgar Morin*
78. Poétique du récit, *par Roland Barthes Wayne Booth, Wolfgang Kayser et Philippe Hamon*
79. Les Libérateurs de l'amour, *par Alexandrian*
80. Le Macroscope, *par Joël de Rosnay*
81. Délivrance, *par Maurice Clavel et Philippe Sollers*
82. Système de la peinture, *par Marcelin Pleynet*
83. Pour comprendre les média, *par M. McLuhan*
84. L'Invasion pharmaceutique *par Jean-Pierre Dupuy et Serge Karsenty*
85. Huit Questions de poétique, *par Roman Jakobson*
86. Lectures du désir, *par Raymond Jean*
87. Le Traître, *par André Gorz*
88. Psychiatrie et Antipsychiatrie, *par David Cooper*
89. La Dimension cachée, *par Edward T. Hall*
90. Les Vivants et la Mort, *par Jean Ziegler*
91. L'Unité de l'homme, *par le Centre Royaumont* 1. Le primate et l'homme *par E. Morin et M. Piattelli-Palmarini*
92. L'Unité de l'homme, *par le Centre Royaumont* 2. Le cerveau humain *par E. Morin et M. Piattelli-Palmarini*
93. L'Unité de l'homme, *par Centre Royaumont* 3. Pour une anthropologie fondamentale *par E. Morin et M. Piattelli-Palmarini*
94. Pensées, *par Blaise Pascal*
95. L'Exil intérieur, *par Roland Jaccard*
96. Semeiotiké, recherches pour une sémanalyse *par Julia Kristeva*
97. Sur Racine, *par Roland Barthes*
98. Structures syntaxiques, *par Noam Chomsky*
99. Le Psychiatre, son « fou » et la psychanalyse *par Maud Mannoni*
100. L'Écriture et la Différence, *par Jacques Derrida*
101. Le Pouvoir africain, *par Jean Ziegler*
102. Une logique de la communication *par P. Watzlawick, J. Helmick Beavin, Don D. Jackson*
103. Sémantique de la poésie, *par T. Todorov, W. Empson J. Cohen, G. Hartman, F. Rigolot*
104. De la France, *par Maria-Antonietta Macciocchi*
105. Small is beautiful, *par E. F. Schumacher*
106. Figures II, *par Gérard Genette*
107. L'Œuvre ouverte, *par Umberto Eco*

108. L'Urbanisme, *par Françoise Choay*
109. Le Paradigme perdu, *par Edgar Morin*
110. Dictionnaire encyclopédique des sciences du langage
par Oswald Ducrot et Tzvetan Todorov
111. L'Évangile au risque de la psychanalyse (tome 1)
par Françoise Dolto
112. Un enfant dans l'asile, *par Jean Sandretto*
113. Recherche de Proust, *ouvrage collectif*
114. La Question homosexuelle, *par Marc Oraison*
115. De la psychose paranoïaque dans ses rapports
avec la personnalité, *par Jacques Lacan*
116. Sade, Fourier, Loyola, *par Roland Barthes*
117. Une société sans école, *par Ivan Illich*
118. Mauvaises Pensées d'un travailleur social
par Jean-Marie Geng
119. Albert Camus, *par Herbert R. Lottman*
120. Poétique de la prose, *par Tzvetan Todorov*
121. Théorie d'ensemble, *par Tel Quel*
122. Némésis médicale, *par Ivan Illich*
123. La Méthode
1. La nature de la nature, *par Edgar Morin*
124. Le Désir et la Perversion, *ouvrage collectif*
125. Le Langage, cet inconnu, *par Julia Kristeva*
126. On tue un enfant, *par Serge Leclaire*
127. Essais critiques, *par Roland Barthes*
128. Le Je-ne-sais-quoi et le Presque-rien
1. La manière et l'occasion, *par Vladimir Jankélévitch*
129. L'Analyse structurale du récit, Communications 8
ouvrage collectif
130. Changements, Paradoxes et Psychothérapie
par P. Watzlawick, J. Weakland et R. Fisch
131. Onze Études sur la poésie moderne, *par Jean-Pierre Richard*
132. L'Enfant arriéré et sa mère, *par Maud Mannoni*
133. La Prairie perdue (Le Roman américain), *par Jacques Cabau*
134. Le Je-ne-sais-quoi et le Presque-rien
2. La méconnaissance, *par Vladimir Jankélévitch*
135. Le Plaisir du texte, *par Roland Barthes*
136. La Nouvelle Communication, *ouvrage collectif*
137. Le Vif du sujet, *par Edgar Morin*
138. Théories du langage, Théories de l'apprentissage
par le Centre Royaumont
139. Baudelaire, la Femme et Dieu, *par Pierre Emmanuel*
140. Autisme et Psychose de l'enfant, *par Frances Tustin*

141. Le Harem et les Cousins, *par Germaine Tillion*
142. Littérature et Réalité, *ouvrage collectif*
143. La Rumeur d'Orléans, *par Edgar Morin*
144. Partage des femmes, *par Eugénie Lemoine-Luccioni*
145. L'Évangile au risque de la psychanalyse (tome 2) *par Françoise Dolto*
146. Rhétorique générale, *par le Groupe µ*
147. Système de la mode, *par Roland Barthes*
148. Démasquer le réel, *par Serge Leclaire*
149. Le Juif imaginaire, *par Alain Finkielkraut*
150. Travail de Flaubert, *ouvrage collectif*
151. Journal de Californie, *par Edgar Morin*
152. Pouvoirs de l'horreur, *par Julia Kristeva*
153. Introduction à la philosophie de l'histoire de Hegel *par Jean Hyppolite*
154. La Foi au risque de la psychanalyse *par Françoise Dolto et Gérard Sévérin*
155. Un lieu pour vivre, *par Maud Mannoni*
156. Scandale de la vérité, *suivi de* Nous autres Français *par Georges Bernanos*
157. Enquête sur les idées contemporaines *par Jean-Marie Domenach*
158. L'Affaire Jésus, *par Henri Guillemin*
159. Paroles d'étranger, *par Élie Wiesel*
160. Le Langage silencieux, *par Edward T. Hall*
161. La Rive gauche, *par Herbert R. Lottman*
162. La Réalité de la réalité, *par Paul Watzlawick*
163. Les Chemins de la vie, *par Joël de Rosnay*
164. Dandies, *par Roger Kempf*
165. Histoire personnelle de la France, *par François George*
166. La Puissance et la Fragilité, *par Jean Hamburger*
167. Le Traité du sablier, *par Ernst Jünger*
168. Pensée de Rousseau, *ouvrage collectif*
169. La Violence du calme, *par Viviane Forrester*
170. Pour sortir du XXe siècle, *par Edgar Morin*
171. La Communication, Hermès I, *par Michel Serres*
172. Sexualités occidentales, Communications 35 *ouvrage collectif*
173. Lettre aux Anglais, *par Georges Bernanos*
174. La Révolution du langage poétique, *par Julia Kristeva*
175. La Méthode
2. La vie de la vie, *par Edgar Morin*
176. Théories du symbole, *par Tzvetan Todorov*

177. Mémoires d'un névropathe, *par Daniel Paul Schreber*
178. Les Indes, *par Édouard Glissant*
179. Clefs pour l'Imaginaire ou l'Autre Scène
par Octave Mannoni
180. La Sociologie des organisations, *par Philippe Bernoux*
181. Théorie des genres, *ouvrage collectif*
182. Le Je-ne-sais-quoi et le Presque-rien
3. La volonté de vouloir, *par Vladimir Jankélévitch*
183. Le Traité du rebelle, *par Ernst Jünger*
184. Un homme en trop, *par Claude Lefort*
185. Théâtres, *par Bernard Dort*
186. Le Langage du changement, *par Paul Watzlawick*
187. Lettre ouverte à Freud, *par Lou Andreas-Salomé*
188. La Notion de littérature, *par Tzvetan Todorov*
189. Choix de poèmes, *par Jean-Claude Renard*
190. Le Langage et son double, *par Julien Green*
191. Au-delà de la culture, *par Edward T. Hall*
192. Au jeu du désir, *par Françoise Dolto*
193. Le Cerveau planétaire, *par Joël de Rosnay*
194. Suite anglaise, *par Julien Green*
195. Michelet, *par Roland Barthes*
196. Hugo, *par Henri Guillemin*
197. Zola, *par Marc Bernard*
198. Apollinaire, *par Pascal Pia*
199. Paris, *par Julien Green*
200. Voltaire, *par René Pomeau*
201. Montesquieu, *par Jean Starobinski*
202. Anthologie de la peur, *par Éric Jourdan*
203. Le Paradoxe de la morale, *par Vladimir Jankélévitch*
204. Saint-Exupéry, *par Luc Estang*
205. Leçon, *par Roland Barthes*
206. François Mauriac
1. Le sondeur d'abîmes (1885-1933), *par Jean Lacouture*
207. François Mauriac
2. Un citoyen du siècle (1933-1970)
par Jean Lacouture
208. Proust et le Monde sensible, *par Jean-Pierre Richard*
209. Nus, Féroces et Anthropophages, *par Hans Staden*
210. Œuvre poétique, *par Léopold Sédar Senghor*
211. Les Sociologies contemporaines, *par Pierre Ansart*
212. Le Nouveau Roman, *par Jean Ricardou*
213. Le Monde d'Ulysse, *par Moses I. Finley*
214. Les Enfants d'Athéna, *par Nicole Loraux*

215. La Grèce ancienne (tome 1)
par Jean-Pierre Vernant et Pierre Vidal-Naquet
216. Rhétorique de la poésie, *par le Groupe μ*
217. Le Séminaire. Livre XI, *par Jacques Lacan*
218. Don Juan ou Pavlov
par Claude Bonnange et Chantal Thomas
219. L'Aventure sémiologique, *par Roland Barthes*
220. Séminaire de psychanalyse d'enfants (tome 1)
par Françoise Dolto
221. Séminaire de psychanalyse d'enfants (tome 2)
par Françoise Dolto
222. Séminaire de psychanalyse d'enfants
(tome 3, Inconscient et destins), *par Françoise Dolto*
223. État modeste, État moderne, *par Michel Crozier*

Collection Points

SÉRIE POINT-VIRGULE

DERNIERS TITRES PARUS

V70. Idiomatics français-anglais, *par Initial Groupe*
V71. Idiomatics français-allemand, *par Initial Groupe*
V72. Idiomatics français-espagnol, *par Initial Groupe*
V73. Abécédaire de l'ambiguïté, *par Albert Jacquard*
V74. Je suis une étoile, *par Inge Auerbacher*
V75. Le Roman de Renaud, *par Thierry Séchan*
V76. Bonjour Monsieur Lewis, *par Robert Benayoun*
V77. Monsieur Butterfly, *par Howard Buten*
V78. Des femmes qui tombent, *par Pierre Desproges*
V79. Le Blues de l'argot, *par Pierre Merle*
V80. Idiomatics français-italien, *par Initial Groupe*
V81. Idiomatics français-portugais, *par Initial Groupe*
V82. Les Folies-Belgères, *par Jean-Pierre Verheggen*
V83. Vous permettez que je vous appelle Raymond ?
par Antoine de Caunes et Albert Algoud
V84. Histoire de lettres, *par Marina Yaguello*
V85. Tout ce que vous avez toujours voulu savoir sur le sexe sans jamais oser le demander, *par Woody Allen*
V86. Écarts d'identité
par Azouz Begag et Abdellatif Chaouite
V87. Pas mal pour un lundi !
par Antoine de Caunes et Albert Algoud
V88. Au pays des faux amis
par Charles Szlakmann et Samuel Cranston
V89. Le Ronfleur apprivoisé, *par Oreste Saint-Drôme*
V90. Je ne vais pas bien, mais il faut que j'y aille
par Maurice Roche
V91. Qui n'a pas vu Dieu n'a rien vu
par Maurice Roche
V92. Dictionnaire du français parlé
par Charles Bernet et Pierre Rézeau
V93. Mots d'Europe (Textes d'Arthur Rimbaud)
présentés par Agnès Rosenstiehl
V94. Idiomatics français-néerlandais, *par Initial Groupe*
V95. Le monde est rond, *par Gertrude Stein*
V96. Poèmes et Chansons, *par Georges Brassens*
V97. Paroles d'esclaves, *par James Mellon*